D1612873

Sunbeams in Memory
Casan Searraich

This book is dedicated to all those who shared with me the sunlit, Gaelic days of my youth and to all those, at home and abroad, who strive to share our precious language, music and culture with others.

Gus am bi na casan-searraich nan comharr gu bheil ar dùthaich agus ar cànan a' sgiathachadh a-mach à rotach dhorch nan linntean.

CASAN
Sunbeams in Memory
SEARRAICH

Memories of the Life and Times of

Calum MacFhearghuis

Air fhoillseachadh ann an 2014 le Acair Earranta
An Tosgan, Rathad Shìophoirt, Steòrnabhagh, Eilean Leòdhais HS1 2SD

www.acairbooks.com
info@acairbooks.com

Deilbhte agus dèante le Acair
Dealbhachadh an teacsa Catrìona NicIomhair agus a' chòmhdaich Mairead Anna NicLeòid

Chuidich Comhairle nan Leabhraichean am foillsichear le cosgaisean an leabhair seo.

Tha Acair a' faighinn taic bho Bhòrd na Gàidhlig.

Gheibhear clàr catalog CIP airson an leabhair seo ann an Leabharlann Bhreatainn.

Clò-bhuailte le Hussar Books, a' Phòlainn

ISBN/LAGE 978-0-86152-538-6

Contents/Clàr-innse

Acknowledgements

I am grateful to the following individuals without whose assistance and encouragement I could not have written the book:

Donald J MacLeod, Bridge of Don, naval actions and island seamen of WW2; **Dr Kenna Campbell**, Skye Association of Glasgow and the Glasgow Gaelic Bilingual Schools Association; **Jean Gregory**, Troon, school portrait; **Neil Thomson**, Fair Isle, Cold War spy-ships off Shetland; **Catriona Parsons**, Antigonish, authority on Cape Breton Gaelic; **MEM & Dòmhnall MacAoidh**, Càrlabhagh, relatives of Donald John, my good friend; **Dr Anne Morgan**, Glasgow, anti-smoking activist; **Divya Dinakar**, Chennai, and **Devika & Simrat Gill**, Rugby, family links with India; **Loraine & George Noble**, Fraserburgh, sma'-line fishing and herring industry; the late **Rev. Norman MacSween**, Harris, consummate Gaelic scholar; **Duncan MacPhail**, Ardnahein, Lochgoilhead place-names; **Pàraig & Moya O'Feeney** and **Mairèad Mac Con Iomaire**, Connemara, teaching methods; **Donald MacKenzie**, Eoropie, local historian and genealogist; **Sandy & Judy Morrison**, Grand River, Cape Breton, folklore and hospitality.

Thanks also to both our sons, daughter, nephew and their spouses who gave us permission to use photographs from their personal archives: **John Hector & Anne, Iain Andrew & Vivienne; Murdo Ewen & Linda, Iain & Sandra Steen**; and **Jimmy Steen**, brother-in-law; also **'Iain Nomy' Campbell**, Port Mholair, access to rare photos.

Special thanks to **Catriona Dunn**, editor, **Margaret Anne MacLeod**, designer and **Agnes Rennie**, Coordinator.

Extra special thanks to **Margaret Ferguson** for permission to include her portraits and photographs; 110, 250, 408, 409, 410 and **Sandra**, wife and pal, whose advice has been continuous and sound and, in spite of which, I slaved away at this project for some three years!

Buidheachas

Sgrìobh mi an leabhar-sa le cuideachadh agus deagh rùn bho iomadach fear agus tè ach gu h-àraidh na fir agus na mnathan a leanas.

Dòmhnall MacLeòid, Drochaid Dheathain, fiosrachadh air seoladairean Gàidhealach agus cathan mara; **An t-oll. Ceana Chaimbeul**, An t-Eilean Sgìtheanach, Sgoil Ghàidhlig Ghlaschu; **Sìne Gregory**, An t-Sròn, portraid oileanaich; **Niall MacThòmais**, Fair Isle, bàtaichean coimheach a' cumail sùil-bheachd air Sealtainn; **Catrìona Parsons**, Antigonish, Gàidhlig Cheap Breatainn; **MEM & Dòmhnall MacAoidh**, Càrlabhagh, cuideachd Dhòmhnall Iain, mo dheagh charaid; **Dr Ann Morgan**, Glaschu, iomairteach an aghaidh an tombac; **Donnchadh MacPhàil**, Ard na h-Ine, ainmean Taobh Loch a' Ghobhail; **Divya Dinakar**, Chennai, agus **Devika & Simrat Gill**, Rugby, ceanglaichean teaghlaich ris na h-Innseachan; **Lorraine & Seòras Noble**, a' Bhruaich, gnìomhachas an sgadain; **An t-urr. Tormod MacSuain** nach maireann, sàr Ghàidheal le comhairle gun bhrosgal; **Pàraig & Moia Ó Fiannaidhe**, agus **Mairèad Mac Con Iomaire**, Connemara, teagasg chloinne bige; **Dòmhnall Choinnich MacCoinnich**, Eòropaidh, eòlaiche agus sloinntear; **Sandaidh & Jùdaidh Mhoireasdan**, Grand River, Ceip Breatainn, fiosrachadh air eilthirich.

Buidheachas cuideachd air mo dhà mhac, mo nighean, mac-mo-pheathar agus na fir 's na mnathan aca a cheadaich dhuinn dealbhan leotha fhoillseachadh: **Iain Eachainn** & **Anna**; **Iain Anndra** & **Vivienne, Murchadh Eòghainn** & **Linda** agus **Iain** & **Sandra Steen**; cuideachd, **'Iain Nomy' Caimbeul**, Port Mholair, a thug dealbhan annasach dhuinn. Mo bheannachd aig **Catrìona Dunn** a cheartaich mo sgrìobhaidhean, **Màiread Anna Nic Leòid** a sgeadaich an leabhar agus **Agnes Rennie**, ceannard an sgiobaidh.

Taing air leth do **Mhàiread Nic Fhearghais** a thug cead dhuinn a portraidean agus a grian-dhealbhan fhoillseachadh. Ach an taing as motha buileach do **Sandra**, a thug comhairle orm le gliocas agus le foighidinn fad nan trì bliadhna a chosg mi air an oidhirp.

Introduction

Aged eighty-four, I am only now beginning to understand the meaning of the phrase 'really old'! No longer am I able to go hill-walking or to enjoy the sight and fragrance of braes of blooming heather. How difficult it is for me to accept that I cannot ever again climb down the steep, guana-grey cliffs which once took me to the fishing-ledges of the Grianan. As if to compensate for the loss of such pleasures, I am overcome with a deep desire to express my love of the environment into which I was born and to recall the beauty of the people and wildlife living there and which shaped my personality and outlook as I grew up.

In the three years during which I have been writing this book, I have become stooped and pallid and I would not have to walk very far with my two sticks to show you a lady who has been blessed with the patience of Job! Fortunately we are of the one mind in our political views and the two of us look forward to the 18th of September so that we can do our duty.

I shall begin with my parents and siblings and the families who were our neighbours and contributed to my enjoyment of my formative years. My father had been born in a turf-house, a primitive form of dwelling which was not uncommon in the Western Isles in the nineteenth century. Shortly before I entered the family, half of the turf house was demolished to make way for a more up-to-date form of residence. The turf was not wasted. Spades were used to cut it into manageable chunks which provided fuel for the fire for two months. The walls of the 'white half' were built of boulders and poured concrete. The interior consisted of a sitting-room and a tiny lobby downstairs and a bedroom upstairs. The roof was made of wood covered with felt which was inclined to be porous and needed be tarred every summer. There was a large, single-glazed window in the sitting-room and a small window, again single-glazed, in the bedroom which was my birthplace. The interior of that room was clad with V-lining pine-wood which gave the entire family confidence that, socially, they were on an upward curve!

Within a month of my arrival, the Church of Scotland minister came and baptised me, giving me the name 'Calum' which, it was hoped, would encourage me to be like my god-fearing Seanair (Grandpa), Calum Alasdair mac Uilleim.

My parents and, indeed, all my relations earned their living by working at sea or on the land. They were sturdy, good-humoured, intelligent and

Ro-Ràdh

Bho chionn trì bliadhna, nuair a ràinig mi na ceithir fichead, thàinig othail nam cheann gum bu chòir dhomh sgeulachdan a sgrìobhadh mu na rudan ùidheil, annasach a chunna mi agus na daoine còir, coigreachail ris na choinnich mi. Nach mi a bha gòrach a dhol a dh'èisteachd ris an othail sin. Ach aig an ìre sin dhe mo bheatha, bha mi aighearach, aotrom, suigeartach. Anns na trì bliadhna bho thòisich mi, tha mi air fàs crom, odhar agus cha bhiodh agam ri coiseachd fada à seo, le mo dhà bhata, airson sealltainn dhuibh boireannach air an deacha foighidinn Iob a bhuileachadh! Gu sealbhach, tha i-sin air an aon ràmh rium-fhìn ann am poilitigs agus tha an dithis againn a' fiughar ris an 18mh latha dhen t-Sultain airson gum faigh sinn air ar dleastanas a dhèanamh.

Dh'fhàs mi sean gun mothachadh dhomh! Sgrìobh mi an leabhar-sa bho chaill mi cothrom na coiseachd agus bho chaill mi comas air a bhith a' ruagail nan cnoc. Thug an t-ùrachadh a rinn mi air mo chuimhne a-steach orm an t-iomadach àite iongantach, coimheach anns na choisich mi agus an liuthad fear agus tè ris na choinnich mi. B' iad daoine às gach treubh agus fìne; cuid bha air leth geur-chuiseach agus comasach nan dreuchd agus àlainn leam nam modh agus nan gnè. Choinnich mi ri iomadach fear agus tè a bha dubh, donn, buidhe, ruadh no pinc. Cha do choinnich mi ri fear no tè dhiubh a chanainn a bha geal!

Rugadh agus thogadh m' athair ann an taigh-cheap – rud a bha cumanta gu leòr anns an naoidheamh linn deug. Rugadh mise ann an leth dhen taigh sin a bha, le dìcheall, air a dhèanamh air riochd taigh-geal – air a thogail le beagan airgid, clachan, saimeant, fiodh agus felt. Cha robh ceap no riasg anns an togail aige idir. Ach b' e riasg agus cip a bha gan losgadh airson an fhàrdach a theasachadh.

Bha mo mhuinntir uile, m' athar 's mo mhàthar agus a h-uile duine a bhuineadh dhaibh a' cosnadh am beòshlaint tro obair fuinn agus obair fairge. Bha iad treun agus dìcheallach ach, gu tric, bha am beatha geàrr. Ged a bha iad bochd, bha na fir siùbhlach agus tro bhith a' seòladh gu dùthchannan cian air ar cladaichean fhìn bha iad a' faicinn an adhartais a bha sluagh an t-saoghail a' dèanamh le taigheadas, biadh, cur-seachadan agus goireasan. Anns an naoidheamh linn deug nuair a bhrùchd gnìomhachas an sgadain a-steach air sluagh na Gàidhealtachd, dh' fhàs na mnathan againn a' cheart cho siùbhlach ris na fir. Fhuair iad eòlas air daoine à dùthchannan coimheach agus air na

industrious. Some were fishermen who followed herring shoals from the Minches to Shetland and East Anglia. Others were seamen who travelled the world when trading between nations resumed after the Great Depression of the early 1930s. When they arrived home, each seaman carried a leather case and a duck-bag containing sub-tropical clothing and neatly ironed underwear. From their leather case, the travellers produced presents for parents, siblings, sweethearts and children: silk scarves, crystal brooches, foreign coins and candy. Throughout the island, living-room dressers proudly displayed bone-china tea sets and large ceramic plates bought in faraway places such as San Francisco, Shanghai, Durban or Buenos Aires. For me as a child, all those beautiful ornaments seemed to suggest that the world beyond the thundering seas of the Minch was a wonderful place waiting for me to explore. Things went downhill after 3rd September, 1939, when Prime Minister Neville Chamberlain announced on BBC radio, '... and, consequently, this country is at war with Germany'.

My father and brother survived the war but six men, closely related to us, failed to return from the fighting. With our family now secure at home, we entered on the most exciting years of my life. My father taught me how to work the loom by which we wove Harris tweed. He also taught me the art of scything grass and, after that, the more taxing exercise of scything oats. I recall the joy of being fit and young and striding hurriedly down the croft at 4 am, my bamboo fishing-rod on my shoulder and my collie-dog, 'Queenie' skipping before me in the dew. I remember the trill of the dawn skylark soaring high over fields of hay-cocks and flowering clover. Stronger still, memories of our August holidays with the cattle 'on the sheiling' where night was a mere four hours of twilight in which the landscape was darkened and the dome of the sky was tinted cerulean blue, yielding to cornflower in the south and, in the north-west, where the 'sun slept', a tinge of cold coral. On the skyline, silhouettes of two poachers bent low, venturing towards the river flowing out of Loch a' Chòcair. I can clearly recall Sealbhach's quiet contentment, brought off the moor at milking-time, as she curled her tongue round tufts of dew-damp deer-grass and reaped them with sounds like those of my father's rasp on shoe leather.

Aged sixteen, I left school without any certificates which should indicate the extent of my education – or the lack of it. My parents decided that I should aim to gain entry to university, something which I felt was well beyond my ability. Murdo entered me in Skerry's College in Bath Street, Glasgow, where English, Maths, Latin and Geography were taught to 'Higher level'. He also

cànanan agus na cleachdaidhean aca: m.e. Wolfkov an ciùrair Ruiseanach a dh'itheadh an sgadan-saillt amh. Mo chreach!

Rugadh mi eadar an dà Chogadh Mhòr nuair a bha na taighean againn làn de dh'uidheaman iasgaich agus uidheaman croitearachd: cisteachan chlann-nighean an sgadain, lìn-mhòra, putaichean, slatan-creagach, spaidean, tairsgearan, spealan agus corranan.

Thàinig iomadach caochladh air mo shaoghal anns na ceithir fichead bliadhna bho thòisich mi ag èaladh air mo ghurt fhìn. Os cionn a h-uile caochladh eile agus leasachadh a bhuin ri ar beatha, 's e an t-iomadach dòigh a thugadh dhuinn airson eadar-cheangal a dhèanamh ri chèile as iongantaiche. Tha uiread dhiubh ann: am fòn, an rèidio, an telebhisean, an Sgàip, an t-eadar-lion, am plèan agus iomadach magaid eile.

Dh' aindheoin gach feabhas air ar beatha, tha nithean anns an àrainneachd agus ann an nàdar an duine a tha fhathast gar buaireadh: leithid aillse, bochdainn, saobh-chràbhaidhean, sannt air airgead agus mì-rùn eadar rìoghachdan. Tha sinn fhathast fada bho Shangri La!

Ach a' sealltainn ris an dìleab a fhuair mi leis a' Ghàidhlig aig toiseach mo latha, tha mi mothachail air an iomadh rud a tha gam cheangal ri mo shinnsearachd bho shean. Bidh rudan a bhiodh iad ag radh gar n-oideachadh le seanfhacail agus gnàth-chainnt a bha gan ceangal ri seann chreideamh sluagh na Roinn Eòrpa iomadach uair. Chuala mi feadhainn ann an linn mo phàrantan a' toirt bhòidean mar, '... cha dèanainn sin ged a gheibhinn an saoghal mun iadh a' ghrian!"

Gun fhios daibh, bha iad fhathast a' seasamh ris a' bhreithneachadh a thug na seann Ghreugaich, Aristotle agus Ptolemy dhuinn air an Domhain bho chionn dà mhìle bliadhna nuair a bha mòr-shluagh na Roinn Eòrpa a' creidsinn gu robh an saoghal aig teis-meadhon a chruthachaidh agus a ghrian, a' ghealach agus na rionnagan a' cuairteachadh an t-Saoghail. Cha do chreid iad Copernicus, am Pòlainneach a dh' fhoillsich ann an aiste an 1539, gum bi a' ghrian a bha aig teis-meadhan an Domhain agus an Saoghal agus na planaidean eile ga h-iadhadh, gach fear na bhuaileig fhèin

Tha sinn fhathast, mar tha luchd na Beurla, ag ainmeachadh làithean na seachdain air diathan a bh' aig na fineachan bho shean. Di-luain, Laidin *dies lunae* – latha na gealaich; Dimairt, latha aig Mars, dia-cogaidh nan Ròmanach; Disathairne, *dies Saturni*, an latha aig Saturn, an dia Ròmanach aig an robh ùghdarras air Tìm agus comas air beatha mac an duine a bhuain leis an speal.

Bidh sinn cuideachd a' bruidhinn air a dhol 'tuathal' – mar gum biodh sinn air a dhol ceàrr no iomrall. A' sealltainn ri èirigh na grèine ann am meadhon

found an exceptionally talented teacher of Gaelic called Kate who lived at No 10 Cecil Street in Hillhead. Originally, from a small island off the coast of Argyll (either Luing or Gigha), Kate possessed a rich vocabulary and a pleasing accent and unlimited patience. She introduced me to the poetry of Duncan Bàn MacIntyre and Irish folklore with stories such as 'Deirdre and the sons of Uisneach'. By her encouragement, I overcame my lack of confidence and took great pleasure in carrying out assignments which included my writing 300 lines of Gaelic prose every weekend. I wrote lovingly of my parents and siblings and described some of our escapades so vividly that she must have thought that I had been brought up in a mad-house! Story after story, written in long-hand, poured on to the lined jotters which she provided and, when it came time for me to sit my Higher Gaelic, I was fully confident that I had expanded my vocabulary and learned enough about Gaelic grammar to enable me to gain a pass in Higher Gaelic. For fifteen months, I worked harder than at any other time in my life and, in the autumn of 1949, succeeded in getting the five certificates I required to enter Aberdeen University.

Now retired after a career in the maelstrom of the cities of the south, I re-visit my experiences in my precious formative years when my world was confined to four square miles of crofting villages at the outermost tip of the Rubha peninsula. In 1948, I launched out into a different way of life in Glasgow, Edinburgh, Aberdeen and London.

How quickly the world shrank in the second half of the twentieth century. Air travel enabled me to visit remote corners of the global village and to meet people whom I found, to my astonishment, to be so like many of my fellow Scots: hard-working, good-humoured, witty and clever. I was fortunate to be allowed entry to Cuba where people complained in whispers about the dictatorship of Fidel Castro. One of them was a sculptor called Eduardo who was barred from exhibiting his beautiful works of art abroad except in countries behind the Iron Curtain. Unfortunately, he spoke only Spanish. My knowledge of his language was as limited as his was of Gaelic!

On the Millbrook Reserve in Nova Scotia, we met Mi'kmaq natives who inviting us to their annual pow-wow at which their culture was celebrated with a festival of singing, dancing and the beating of drums. If 1746 and Culloden is a year which has an indelible place in the history of the Scots, so must 1749 live on as the blackest day in the history of the Mi'kmac nation. On 1st October of that year, Governor Cornwallis, started a campaign aimed at exterminating every member of the Mi'kmac nation. Bounty–hunters were offered £10 for every Mi'kmac scalp delivered to designated collection-

an t-samhraidh, bha an Airde Tuath air mo làimh cheàrr agus an Airde Deas air mo làimh dheis. Anns an t-seann aimsir, bha Flaitheanas (Nèamh) air ar làimh dheis *shuas gu Deas* agus 'I a' Bhròin' air ar làimh chlì, *shios gu Tuath*. Bha a h-uile car obrach a rinn sinn ga dhèanamh deiseal air cùrsa na grèine – biodh e na rìdhle-danns no a' cur sìoman mu chruach-choirc. Cha robh e idir nàdarrach obair a bhith ga dhèanamh is tu a' dol tuathal – an aghaidh cùrsa na grèine'.

'S iongantach cho luath 's a chrìon an saoghal anns an leth-cheud bliadhna a chaidh. Tha siubhal nan itealan air toirt dhuinn cothrom tadhal anns na badan as iomallaich agus coinneachadh ri daoine a bha cho coimheach leinn 's gu robh eagal againn rompa. Bha cuid dhiubh gu math coltach rinn fhìn, na h-Albannaich. Bha iad èasgaidh gu obair, geur-chuiseach, aig àmannan geur air an teanga agus dibhearsaineach. Bha mi sealbhach cead fhaighinn air a dhol gu Cùba. An sin, choinnich mi ri daoine nach dèanadh gearain mun riaghaltas ach fo an anail. A rèir 's mar a dh'innis iad dhomh, bha iad mar gum biodh fo bhraighdeanas aig Fidel Castro. Fhuair mi eòlas air Eduardo, fear a bha ainmeil na dhùthaich fhèin mar dheilbheadair. Bha an obair aige air leth eireachdail ach cha robh e ceadaichte dha na h-ìomhaighean fiodha a rinn e a thaisbeanadh ach ann an dùthchannan air cùl a' Chùrtair Iarainn. Bha caraid aige mar eadar-theangair oir cha robh aige ach aona chànan – Spàintis. Bha cheart uiread dhen cànan sin agamsa agus a bh' aige-san dhen Ghàidhlig!

Ann an Alba Nuadh, far an robh Murchadh, ar mac, na dhotair, thadhail sinn ann an crò-nan-tùsanach aig Milbrook. Bha a' chrò faisg air Truro, baile nach robh mòran nas motha na Steòrnabhagh. Anns a' chrò, fhuair mi eòlas air dusan tùsanach Miocmac a thug dhomh fhìn agus Sandra, mo bhean, cuireadh a dhol gu 'pow-wow, seòrsa de mhòd a bhios aca aon uair sa bhliadhna. Bha cò-fhaireachdainn eadar sinne, mar Ghàidheil, agus iadsan a bha an Riaghaltas Breatannach air an crodhadh a mach às am fearann fhèin. Ma bha Blàr Chul Lodair agus a' bhrùidealachd a dh' fhuiling na Gàidheil as dèidh 1746 fhathast geur nar n-inntinn, tha a' bhliadhna 1749 aig sluagh Mhilbrook a cheart cho searbh. Air a' bhliadhna sin, rinn an t-Uachdaran Cornwallis riaghailt gum biodh e laghail sluagh nam Miocmac a mhort; gum faigheadh am mortair £10 airson a h-uile craiceann-cinn a lìbhrigeadh e dhan Riaghaltas. Air an ath bhliadhna, chuir Cornwallis suas an 't-airgead-ceann" gu £50. Anns an dòrtadh fala a lean air sin, chaill ceudan Mhiocmac air feadh Alba Nuadh am beatha. Chaidh stad a chur air a' chasgair ann an 1752. Tha ceangal agus càirdeas eadar buill dhen teaghlach againne ris na Miocmac agus, gu h-àraidh, ri Don Ros, fear-ciùil a tha ainmeil ann am badan air feadh

stations. In June, 1750, the bounty was increased to £50. After thousands of natives were slaughtered, the programme of extermination ended in July, 1752. My family and I have many friends at Milbrook, including the artist Teresa Marshall, and the classical guitarist Don Ross. Many families on the reserve had Scottish ancestry.

Thanks to the British Council, I had an opportunity of visiting Nigeria in 1974. In spite of its huge oil reserves, Nigeria is one of the world's poorest countries. The people were extraordinarily good-looking, their smiles gleaming in round, mahogany faces. Misgovernment, corruption and crime were endemic. At the University of Ibadan, I met Scots and, at Lagos Airport, a Gaelic-speaking teenager from Fort William who was on her way to do voluntary service in Togo. The Scottish diaspora reaches into the remotest and most unlikely corners!

My store of Gaelic poetry and songs are a priceless heirloom which has been handed down to me through the generations. I feel a close affinity with my fellow Gaels in Australia, New Zealand, Canada, the USA and, particularly, in Ireland where our language was spoken long before St Columba, in the sixth century, crowned Fergus Mor Mac Erc king of Dal Riata, the original Irish colony which occupied an area of Scotland corresponding to the present-day Argyllshire.

Though my native language was forbidden at school, I was fortunate to be immersed in Gaelic in our community since my childhood. I spent much of my adult life in an urban environment, yet continued to speak my language, wrote it, broadcast it or taught it more or less every week until I retired. It is my priceless heritage as dear to me as is the age-old, beautiful land of Scotland.

an t-saoghail. Tha sinn cuideachd eòlach air Teresa Marshall, dealbhadair Miocmac a tha iomraiteach ann an Canada. Bha tùsanaich aig Milbrook a bha uailleil ag innse dhuinn gu robh cuid de an cuid shìnnsearan à Alba.

Ann an 1974, fhuair mi cuireadh bhon Chomhairle Bhreatannach, agus cead bho Oilthigh Ghlaschu far an robh mi ag obair, a dhol gu Oilthigh Ibadan ann an Nigeria airson cuideachadh nan h-òraidaichean a' taghadh uidheam air an robh iad feumach. Bha mo thuras na shùileachan dhomh. Dh' aindheoin ionmhas na h-ola a bha aca fon talamh agus fon mhuir faisg air làimh, tha sluagh na dùthach air sluagh cho bochd dheth 's a tha air an t-saoghal. A - rithist, fhuair mi eòlas air fir agus mnathan thùsanach – daoine mòr brèagha, le craiceann dorch-lachdainn orra; aodannan gàireach cruinn le deud annta de dh' fhiaclan a bha cho geal, làidir ri eabar.

Bha coigrich ann às gach treubh agus fine is iad uile a' feuchainn ris na morairean a mhealladh le airgead nan toireadh iad dhaibh còirichean na h-ola. Measg nan Sìneach, nam Frangach, nam Pòlainneach is eile, fhuair mi lorg air corra Albannach. Nuair a bha mi air an t-slighe dhachaigh, 's mi aig port-adhar Lagos, cho a thàinig a bhruidhinn rium ach caileag às a' Ghearasdan- caileag aig an robh beagan Gàidhlig. 'S ionmhainn leis gach neach a choltas! Bha buidheann nighean còmhla rithe 's iad uile air an slighe gu Togo airson obair a dhèanamh saor-thoileach.

Tha mi ceangailte ri Gàidheil agus ri fo-Ghàidheil air feadh an t-saoghail ach gu h-àraidh ann an Astràlia, New Zealand, Canada agus na Stàitean Aonaichte. Tha an t-oighreachd a tha gar ceangal ri chèile sean. Tha an cànan againn mòran nas sean na a' Bheurla. B' i an cànan a bha aca an Eireann fada ron an t-siathamh linn nuair a chrùn Colm Cille an t-uasal Feargus Mòr Mac Earc, a' chiad rìgh air Dal Riata. B' e siud an linn anns an tug na h-Eireannaich an Soisgeul gu rìoghachd nan Cruithneach, an dùthaich air a bheil an t-ainm 'Alba' againne.

Ged bha morairean, uachdarain agus oighrichean Bhreatainn, agus ceannardan an fhoghlaim an Alba, a' dèanamh dìmeas air ar cànan, cha do leig sinn às ar grèim oirre. Bha i cus ro luachmhor leinn. Ged nach d'fhuair mise no mo cho-aoisean latha de dh'oideachadh tro mheadhan na Ghàidhlig fhad 's a bha sinn anns an sgoil, bha sinn sealbhach gur i a bha coitcheann againn ann am bailtean Eilean Leòdhais.

Tha mo chànan agus mo dhualchas ann an smior nan cnàmhan. Tha mo bhean, mo theaghlach, mo chàirdean agus m'eòlaich uile ionmhainn leam – mar a bha, agus mar bhios, fearann prìseil, eireachdail na h-Alba.

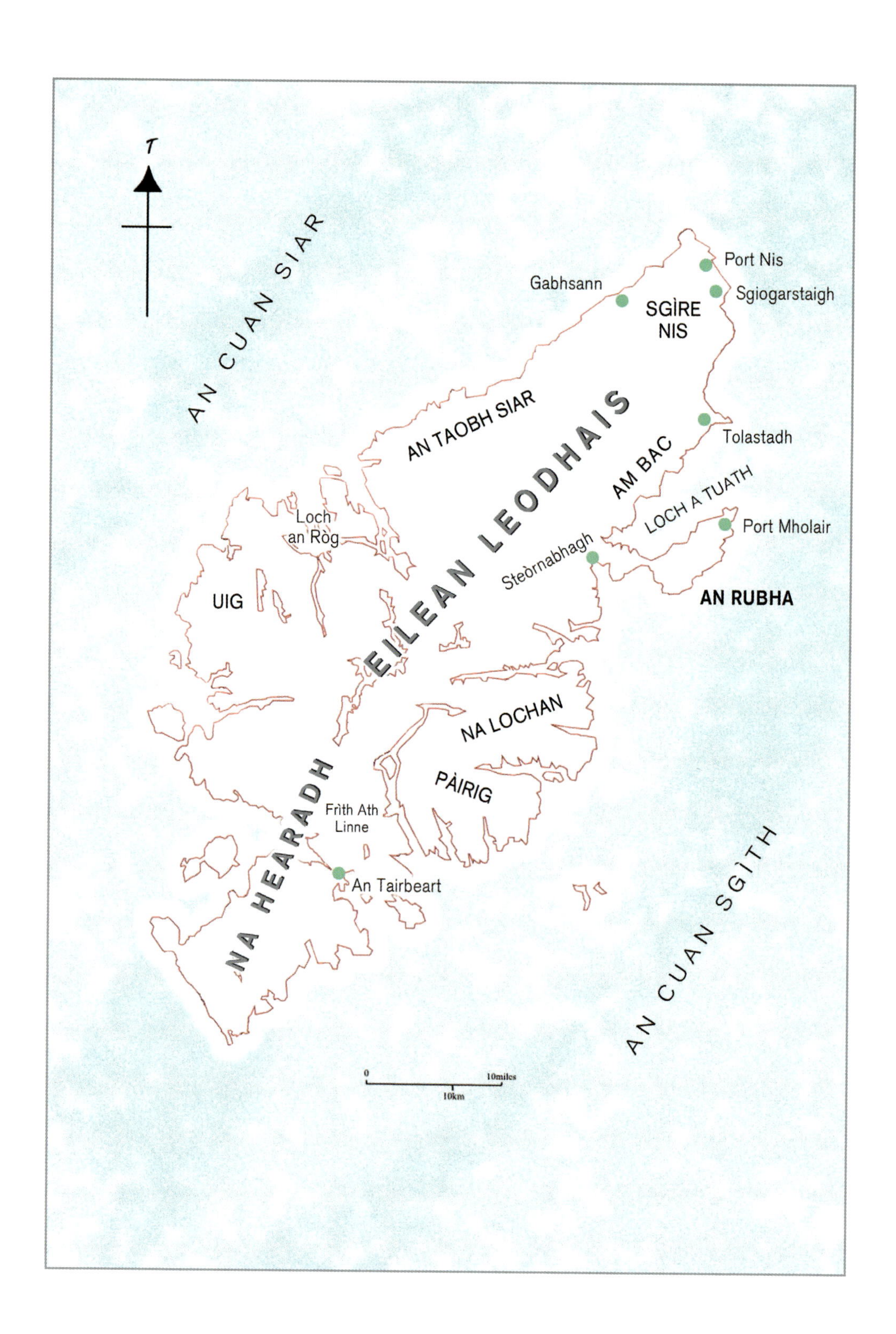
T
AN CUAN SIAR
Port Nis
Gabhsann
Sgiogarstaigh
SGÌRE NIS
AN TAOBH SIAR
EILEAN LEODHAIS
Tolastadh
AM BAC
LOCH A TUATH
Loch an Ròg
Port Mholair
Steòrnabhagh
UIG
AN RUBHA
NA LOCHAN
NA HEARADH
PÀIRIG
Frìth Ath Linne
An Tairbeart
AN CUAN SGÌTH
0
10miles
10km

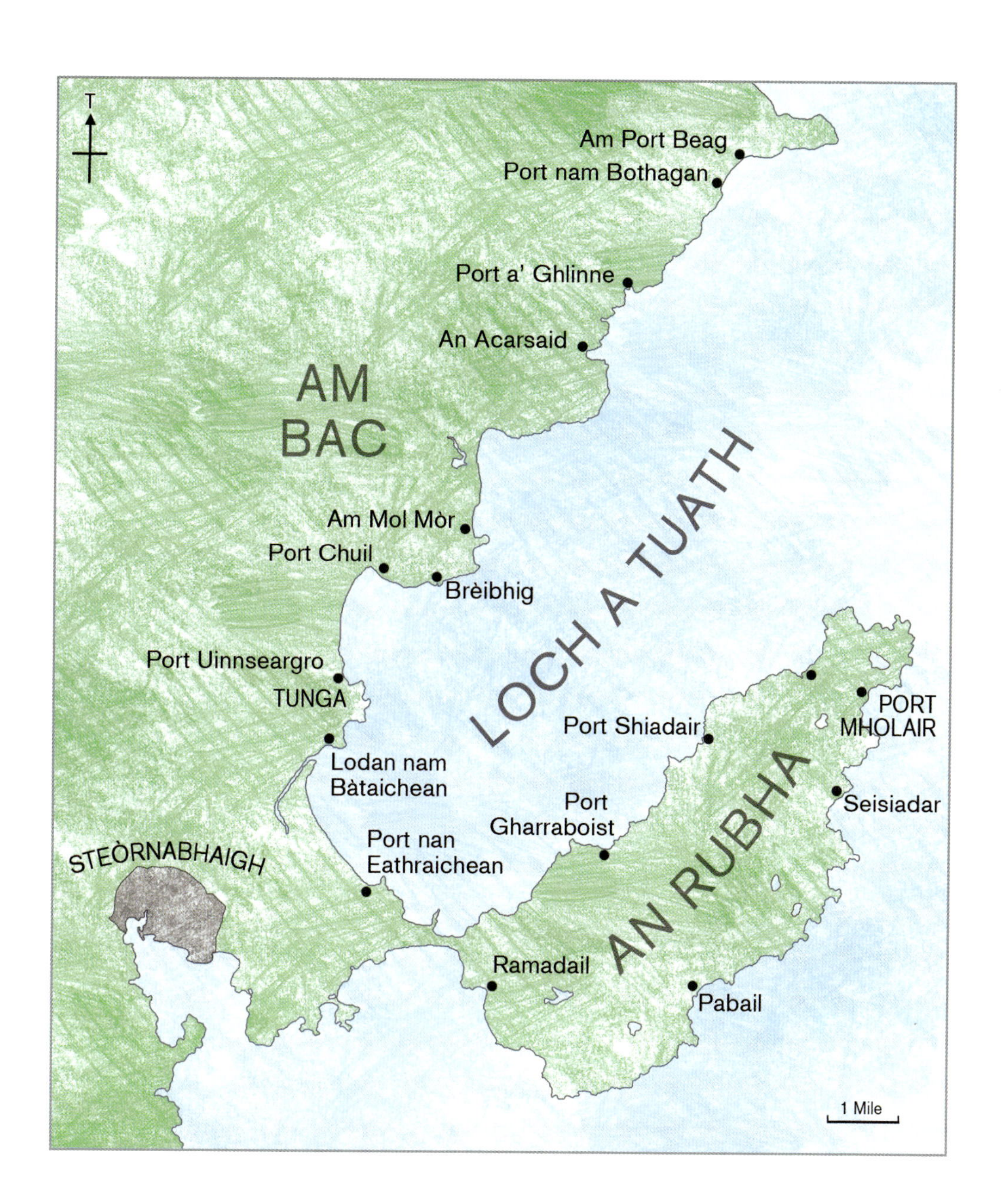
T
Am Port Beag
Port nam Bothagan
Port a' Ghlinne
An Acarsaid
AM
BAC
LOCH A TUATH
Am Mol Mòr
Port Chuil
Brèibhig
Port Uinnseargro
TUNGA
Lodan nam
Bàtaichean
Port Shiadair
PORT
MHOLAIR
Seisiadar
AN RUBHA
Port
Gharraboist
Port nan
Eathraichean
STEÒRNABHAIGH
Ramadail
Pabail
1 Mile

PORT NAN GIÙR
Am Blàr

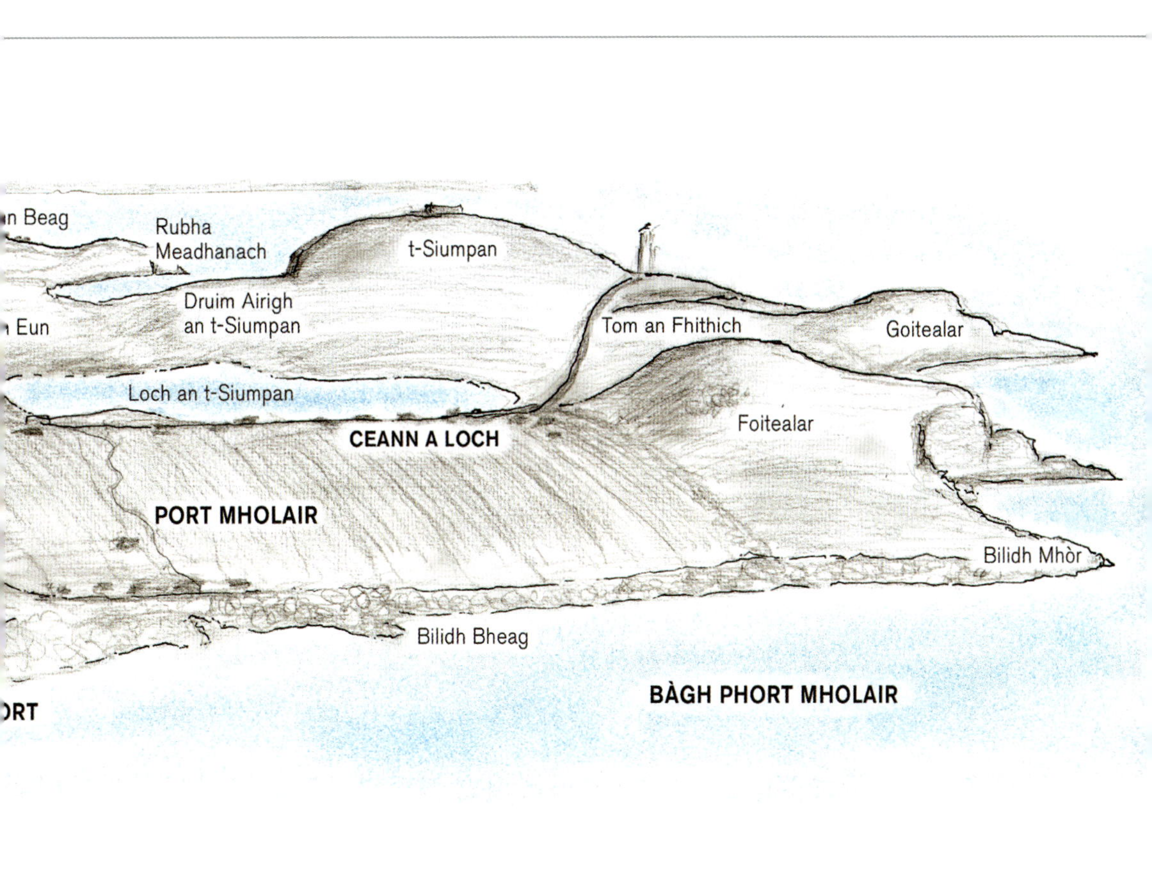

n Beag
Rubha
Meadhanach
t-Siumpan
Druim Airigh
an t-Siumpan
Eun
Tom an Fhithich
Goitealar
Loch an t-Siumpan
CEANN A LOCH
Foitealar
PORT MHOLAIR
Bilidh Mhòr
Bilidh Bheag
BÀGH PHORT MHOLAIR
RT

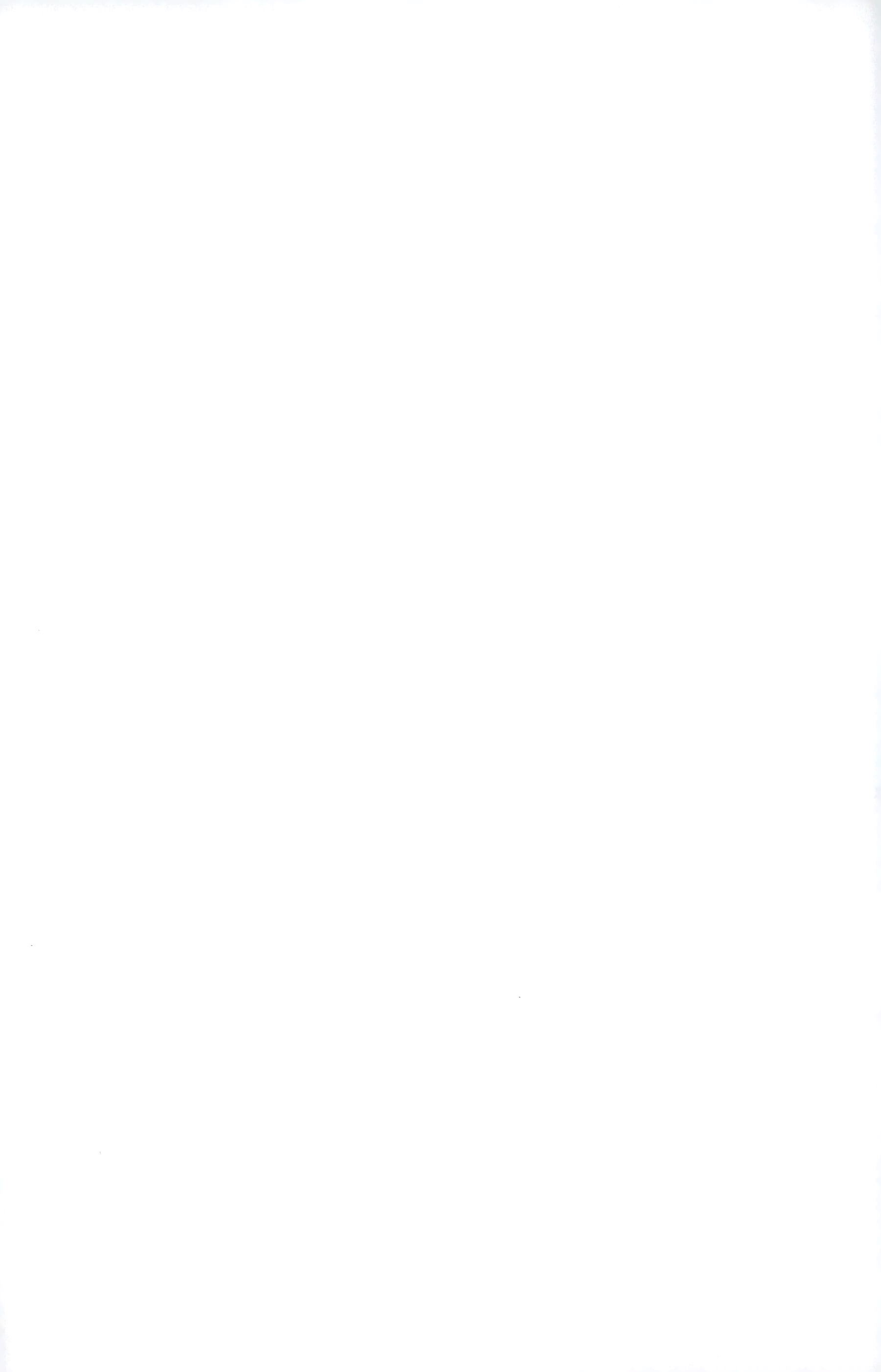

Chapter 1
Caibidil 1

The World of my Childhood
Saoghal na h-Oige

Life in the Blackhouse

People lived in blackhouses but only because they were poor and did not have any choice. In the nineteenth century, the landowner regarded his tenants as his work-force, and expected them to do his bidding. When he told them to move from one settlement to another or, in some cases, on to open moorland, they were expected to do so without resistance or complaint.

The Crofters Land Act of 1886 changed the relationship between the landlord and the families living on the land. By that Act, the tenants were given security of tenure so that it was no longer lawful for the landowner to remove families or to bully them into emigration. There was a discernible improvement in living conditions from about 1900. Those improvements included the construction of chimney-stacks by which peat-smoke was carried away from the living-room and bedrooms so that the inhabitants were then able to breathe clean air. Soot, considered to be a valuable bi-product of the peat fire, was no longer allowed to create a black canopy within the living-room of the blackhouse.

By the 1930s, only six of the twenty families in our village lived in black houses. The rest had managed to construct chimney-stacks by which peat-smoke was carried away from the living-room, thereby bringing fresh air into the house where formerly the atmosphere was smoky and, often, difficult to breathe.

When my parents married, the tenant of the four acre croft at 1 Port Mholair was my great-aunt Annie, a blind widow who had to rely on my Seanair's (Grandpa's) family to bring her food and fuel. In 1928, 'Blind Annie', as she was known locally, proposed that my Dad should succeed her as tenant of Croft No. 1, but only on condition that he promised to support her for as long as she lived. He was happy to accept that responsibility but found it difficult to agree to her second condition: that, for as long as she lived, he would not change the lay-out of her house by adding gables. That condition did not go down well with my Mum who suffered occasional bouts of asthma and hated breathing peat-smoke. In the end, my parents agreed to Annie's conditions and Dad's name was duly entered in the records of the Estate Office in Stornoway.

Surplus population had been a problem. On Lewis, there weren't enough crofts to satisfy families' demand for land. My Seanair and his household lived on the edge of poverty. He was a cottar, one of six married men who had

Taigh-dubh Mhurchaidh Bhàin

Rugadh mi anns an leth-geal de thaigh mo sheanar air Ceanna-loch. Nuair bha mi seachdain a dh'aois, thug mo phàrantan mi gu seann taigh-dubh Mhurchaidh Bhàin a bha mun cuairt air ceud slat bho thaigh mo sheanar. Ged a bha iad fhathast ag èigheach 'taigh-dubh Mhurchaidh Bhàin' air, cha robh ach fiar-chuimhne air an duine sin, sinn-seanair m' athar. Dh'aindeoin sin, bha an t-ainm aige fhathast a' cunntadh rud, oir b' esan aon de na fir a bha air a thighinn bho thaobh thall an eilein ann an 1825 airson Port Mholair a stèidheachadh mar bhaile 's mar phort-iasgaich.

Taigh mòr fada a bh' ann, le dà leabaidh anns a' 'chùlaist-shuas' agus dhà anns a' 'chùlaist-a-bhos'. Anns gach tè, bha trì cisteachan – trì airson aodaichean agus trì airson min-choirc, min-eòrna agus 'annlan-rèist" – feòil agus iasg a bha air an sailleadh, air an ciùradh ann an ceò na mònach agus, an uairsin, air an tiormachadh gus an robh iad cho cruaidh ris na maidean! Anns an rùm far an robh a' chagailt bha stùil agus beingean ris na ballaichean. B' ann an sin aig an teine a bhiodh an teaghlach ag ithe am biadh agus a' cèilidh. Bha dreasair mòr ris an tallan-shios – dreasair làn shoithichean a chaidh a thoirt air bàta-iasgaich à Inbhir Uige ron Chiad Chogadh Mòr.

Ann an ceann-shios an taighe bha a' bhàthach far an robh bòbhlaichean comasach air fois na h-oidhche a thoirt do thrì beathaichean cruidh. Bha togalach eile ceangailte ris an taigh-còmhnaidh agus b' e sin an sabhal. Cha robh ach aon doras air an t-sabhal agus bha sin a' fosgladh thuige tron fhosglan, dìreach mu choinneimh an doras a-muigh. Bha an sabhal cho mòr 's gum biodh dannsa aig an òigridh ann nuair bhiodh bainnsean anns an teaghlach. B' ann ann a bhiodh a' chlann-nighean a' suathadh agus a' fasgnadh tron gheamhradh. Bha a h-uile inneal agus goireas a dh'fheumte airson obair fearainn agus iasgaich air an stòradh ann: baraille de sgadan-saillt agus leth-bharaille de shalainn; tairsgearan, spaidean, gràpaichean, ràcannan, spealan, praisean-iarainn, lìn-bheaga, lìn-mhòra, sìomain, ràimh, ulagan, ròpaichean agus slatan-iasgaich. B' e àite dorcha, fuaraidh a bh' ann; àite far am biodh luchainn a' ruspadaich air an oidhche agus cait a' faire airson smàig a chumail orra – àite far am biodh òigridh a' dol fa-rùm a shuirighe; àite far am biodh coigrich nan òrdaighean a' faighinn aoigheachad agus tàmh na h-oidhche.

Thàinig a' ghriùrach orm agus, aig an aon àm, an grèim mòr agus cha robh dùil gum mairinn. Ged nach eil cuimhne agam air dad mu dheidhinn, chaidh

young families but were without homes of their own but lived in barns on the crofts of their near relations. The village constables allowed each to build a bothan, a small house on rough pasture beyond the village wall. Cottar families were without land and without rights and didn't even have a say in community affairs. Landowners and their representatives regarded them as undesirables and encouraged them to emigrate.

My Seanair built his turf house just outside the wall separating Blind Annie's croft from the Common Grazings. As soon as Dad was given the tenancy of the croft, he gave his parents the use of half of the croft's four acres of arable ground. That was enough to allow them to grow enough potatoes, cereals, vegetables and hay to feed themselves and their dairy-cow and their poultry. The arrangement worked well for many years.

I was born in 1929 in my grandparents' house which, by then, was in two distinct halves. Enough money had been collected by my Seanair and his daughters to enable them to employ a local handyman to demolish half of the old turf-house and, in its place, to build half a 'white-house'. When I was a few months old, my parents flitted from the white-half and into Blind Annie's blackhouse. It was a house built some time after 1825 when the village of Port Mholair was created. A very large building, it provided living-quarters for the humans and a byre large enough to accommodate two cattle beasts and the family's poultry.

The heart of our home was the living room which served as a sitting-room, kitchen and dining-room. In the middle of the room was a hearth on which a peat fire burned continuously. Against the walls were a Welsh-dresser adorned with crockery and Delft plates 'brought home from the fishing'. There was also a small chest of drawers in which fishing paraphernalia was kept: hooks of many different sizes, lures, horse-hair, lead weights and strands of catgut. On the chest sat an old clock which had long since stopped ticking. Against the walls on either side of the fire was a being – a bench on which the family members and visitors sat to have their meals or to enjoy gossipy get-togethers or more formal ceilidhs at which stories were told and songs sung.

The most interesting place in the dwelling was the barn which, though attached to the main dwelling, was, in fact, a large out-house. A large variety of implements was stored there. Some were for cultivating the land, for peat-cutting or for fishing. There were spades, hoes, peat-cutters and garden forks; pulleys for the boat, coils of hemp rope and ropes made from heather stalks. In one corner there was a pile of oaten straw-sheaves which had been threshed and was used as bedding for the cattle.

innse dhomh, uair agus uair, gun robh mi ri uchd bàis nuair a bha mi bliadhna gu leth a dh'aois. Bha mo shuidheachadh cho neo-ghealltanach agus gun do thòisich peathraichean m' athar 's mo mhàthar ag ullachadh airson na crìch. Chaidh an taigh a sguabadh shuas agus a-bhos; chaidh na cearcan a sgiùrsadh chun an ach-a-muigh. Chaidh na cailleachan-sùith a leagail agus thòisich Ceiteag agus clann-nighean mo sheanar a' crochadh bholtaichean brèagha a bha Màiri air a thoirt dhachaigh à Glaschu airson cùlaist mo sheanmhair a' Phuirt a sgeadachadh.

Bha duine-naomh ann am Port nan Giùran air an robh an t-ainm Iain Thormoid Seònaid agus am far-ainm 'Spidil'. Bha e ag obair air an t-Sliabh Mhònach le each agus cairt a' cur dhachaigh na mònach do chuideigin. Chaidh m' athair thuige airson gun 'canadh e focal' agus dh' aontaich 'Spidil' gun dèanadh e sin nuair a bha inntinn suidhichte airson sin a dhèanamh. Dh'fhuirich m' athair faisg air na shuidhe air cip. Air a' cheann thall, b' fheudar dham athar falbh dhachaigh ach chan fhoiseadh e gus am faiceadh e an tigeadh 'Spidil' na chòir. Dìreach mus robh a' ghrian a' ciaradh air cùl Phort nan Giùran, 's ann a chunnaic clann-nighean mo sheanar an duine naomh a' tighinn. A rèir beul-aithris nan seann daoine a bha a' còmhnaidh air Ceanna-loch, thuirt 'Spidil' rim athair, 'Biodh earbsa agaibhse ann an tròcair Dhè. Teichidh na sgàilean agus bidh do leanabh air a theàrnadh'.

A rèir na beul-aithris, latha no dhà an dèidh sin dh' fhosgail mi mo shùilean agus nuair a sheall mi suas agus a chunna mi na boltaichean àlainn a bha peathraichean m' athar agus piuthair mo mhàthar air a chrochadh anns an rùm, thuirt mi, 'Agh-ì!' B' e 'àgh-i' gnàth-fhacal a bha aig daoine o chionn fhada, gu h-àraidh aig cloinn, nuair a bha iad a' moladh rud a bha air leth àlainn leotha.

B' e an seann taigh-dubh ud a bha againn mar dhachaigh airson faisg air trì bliadhna. Gun teagamh, chaidh saothair mhòr a dhèanamh ris nuair a thogadh e oir bha na rumunnan a bh' ann fada agus farsaing. Ach bha e faisg air ceud bliadhna a dh'aois agus, leis an fhìrinn innse, bha a dhroch bhuil air. Spaideil, seasgair, seasmhach gu leòr ann an 1830 ach cearbach, crom, odhar ann an 1930. Bha bunan nan ceangailean air breothadh agus bha na tairgean-iarainn a bh' anns na tarsainnean air meirgeadh 's bha sin a' cosnadh dha na ceangail a bhith, mean-air-mhean, a' sgìabadh bho chèile. Mar sin, cha robh iongnadh gun robh an fhàrdach air a dhol a dhìth. Mus deach sinn innte, cha robh a' còmhnaidh innte ach Anna Dhall, piuthar mo sheanmhar, a bha air bliadhnaichean a chur seachad na h-aonar. Bha Anna Dall dùbhlanach, iarratach na dòigh agus cha robh i airson gun cuireadh duine òdan air dad

The World of my Childhood

When I was about three or four months old, I caught double pneumonia and at the same time measles. My situation was perilous. My father's three sisters – Mary, Margaret and Jessie and my two maternal aunts, Kate and Mary, came as a team to prepare the house for what they thought was the end. My account may sound melodramatic here but I can only repeat the events as I have heard them described by those ladies. They swept the house from end to end and got rid of the stalactites of soot which were hanging from the ceiling. Then they papered the walls of the room and replaced the drapes and frills surrounding the box-beds and cradle in which I lay. The room was probably the cleanest, best decorated in the parish.

My father was persuaded to approach Iain MacMillan of Port nan Giùran who was a pillar of the church, a true believer – a *Duine* (Man) He hoped that he would be able to give him a glimmer of hope that his infant son might survive It happened that the Man, at that time, was working with his horse and cart out on the moor to take someone's peats home. Dad approached him and asked him to pray for the infant. In the evening, the Man came to the house and told him that the child would live.

'You must believe,' he said, 'that what I tell you is the word of God. Be thankful and pray.'

Among my relations the words spoken by the Man, seemed to give me a special status as if I had been 'Mentioned in Divine Despatches'. My Seanair believed that I would become a leading light in the church. Unfortunately, I was not endowed with wisdom and an unquestioning faith – the qualities which, in those days, elevated men like Iain MacMillan to the status of Manhood. I suspect that for the first two years of my life, I was spoiled rotten. It was in 1932 that my beautiful little sister arrived and I both loved her and hated her! In recognition of the generosity of our benefactor Blind Annie who had given our Dad the tenancy of No.1, my sister was baptised with the Gaelic name Anna (Annie). I found it easier to call her 'Nan' and by that name she was known for the rest of her life

Peat soot was regarded as an excellent fertiliser for the crops. My parents had agreed to sleep with the children (Murdo, Nan and me) in the upper bedroom where, unfortunately, the peat-smoke tended to be most dense. Mum craved clean fresh air and felt tight-chested and claustrophobic living in the smoke. During the night, she used to steal out of bed and stood at the open pane enjoying the luxury of clean air. After only a few minutes, she would hear Blind Annie stir and then feel her way into our bedroom to make her way to the source of the séip – the draft. Muttering darkly under

a bha am broinn na dachaigh gun cead bhuaipese. Dh'aindeoin sin, bha a h-uile duine a bhuineadh dhi còir, carthannach, truasail rithe agus, mura biodh iad air bhith mar sin, bhiodh i air a dhol chun na bochdainn. Bha Anna dèidheil air deatach na mònach a bha a' dèanamh nan 'cailleachan-sùith' a bha crochaichte fon tughadh os cionn na cagailte. Bha i measail air na cailleachan-sùith. An-diugh, tha e duilich dhuinn a chreidsinn gum b' ann mar sin a bha daoine anns an latha ud. Gun teagamh, bha an sùith feumail as t-samhradh airson a bhith a' neartachadh an todhair a bhite a sgaoileadh air na h-imrichean as t-earrach. Bhite cuideachd a' cur craiteachan dheth air an talamh ri bonn barran a' bhuntàta. Bha daoine a' creidsinn gun robh sin a' cur teich air na biastagan a bhiodh a' milleadh pòr a' bhuntàta.

Fad ràithean a' gheamhraidh agus an earraich, bha sinn beò ann an saoghal mi-chàilear nan uisgeachan. Le boinne-taige an siud agus boinne-taige an seo anns a' chùlaist-shuas agus cuideachd anns an fhosglan, dh'fheumte miasan a bhith air an càradh air an làr far an glacadh iad na boinneagan. Friog-frag, friog-frag a h-uile uair a thigeadh meall trom! Shaoileadh tu gur e trèicail a bh' anns na boinneagan a bha tighinn ort tron t-sùith!

Cha b' ann a-mhàin am broinn an taighe a bha an dìle. Fad na Mìosan Dubha, bha na mill bu truime a' tighinn thugainn bhon iar-dheas leis a' ghaoith air an robh an t-ainm 'Màiri an t-Sruthain" – Màiri dhubh na dunaidh aig an robh an droch othaig a bhith a' fàgail lodannan air a' ghlasaich far am biodh sinn a' cluiche làithean geal an t-samhradh! Glè thric, bhiodh Loch an t-Siùmpain a' cur thairis agus, ann am badan, a' taomadh tarsainn air an rathad-mhòr – an rathad a tha ceangal taigh-sholais an t-Siùmpain ri bailtean uarach an Rubha agus Steòrnabhagh. Mas math mo chuimhne, cha robh sgàileanan anns an fhasan aig muinntir nam bailtean againn.

Bha Anna Dhall air a fradharc a chall mus robh i dà fhichead bliadhna a dh'aois. Cha robh aice ach leus bheag air an dàrna sùil ach, gu sealbhach, le sin fhèin bha i mothachail air lasair an teine a bha air a'chagailt am meadhan an rùim. Leis an fhìrinn innse, bha mo mhàthair neo-thoileach fad na h-ùine a bha sinn còmhla ri Anna Dhall, piuthar mo sheanmhar, agus cha robh sin na iongnadh! Ged bha i dall, bha i airson ceannardas a chumail air an dachaigh agus smachd air gach nì a bha ri a dhèanamh a-staigh agus a-muigh.

'A Mhàiread, an tug thu am biadh dha na cearcan fhathast? A Chruitheir, nach cuir thu mòine air an teine, a Mhàiread!'

'Leig dhan an leanabh, a Mhàiread. Chan eil ann ach am balach!'

A Mhàiread siud... agus a Mhàiread seo...!

Tha deagh chuimhne agam fhathast air an latha a thuit mi a mhullach an teine.

her breath, she would shut the hinged pane, turn the knob to secure it, then return to her bed. While soot and smoke were one problem, an even greater one was caused by rain water seeping through two different parts of the roof. In rainy weather, we were used to the unwelcome echo of the 'frig-frag', a word which imitates the sound of water dropping into buckets or basins.

Both shopkeepers in the village owned a bus. I took a special liking to the red one belonging to John Murdo Campbell, a constantly-throbbing Bedford monster known as 'Bus John Murdo'. I liked to imitate the actions of the bus driver, turning the steering-wheel this way and that, running up and down the house and making brum-brum noises. On one of my runs, I tried to swerve between Annie and the hearth but came a cropper and I went straight into the fire. Happily, Mum was at hand and, in a flash, pulled me out of the flames. My hair and eyebrows were singed. She told my father that unless he started building a house with gables and chimneys, she would take the children and live with her mother, our Granny Port.

She didn't mention to Dad that she had discussed that notion with her mother whose response was, 'Margaret, you have made your bed, so it is your duty to lie in it! You have an exceptional husband and you owe him your loyalty. You can rely on him to solve your housing difficulties, if you give him time'.

White House Celebration

Dad drew up plans for a new house and prepared to build it a few yards south of Blind Annie's old blackhouse. In those days, it was not necessary to seek planning permission from the local authority. However, he had to submit his plans for inspection to a higher authority – my Mum. She was delighted and didn't have any alterations to suggest. The plan of the house gave my Mum huge pleasure, a treasure which she enjoyed for many years. First of all, he cleared the site. I can remember quite clearly the great excitement of seeing my father putting up the shuttering within which poured-concrete was to create a foundation and gables. Having gone to Bain's Building Store in Stornoway he arrived back with a lorry-load of timber, bags of cement, zinc sheeting and nails. Other lorries arrived with tons of sand and shingle. He worked long hours every weekday and made furniture for it, put up vee-lining in all the rooms, and we were very proud of his handiwork. It was perfectly weather-tight and I remember my mother saying that she was as happy in

Mar bu nòs ann an taigh-dubh, bha craos mòr mònach aig Anna Dhall a' losgadh air a' chagailt. Bha mo mhàthair agus Anna nan suidhe air stùil air gach taobh dhan teine is iad gan garadh fhèin. A rèir aithris, bha othaig agam a bhith a' ruith bho cheann shuas na cùlaist-shuas, sios seachad air an teine agus fad an t-siubhail gus an ruiginn doras na bàthaich. Fhad 's a bhithinn a'dèanamh sin, bhithinn a' durghain beag leam fhìn, ma b' fhìor a' draibheadh bus John Murdo. Gu mi-shealbhach, thàinig an stòl air an robh Anna Dhall na suidhe anns an rathad air 'a' bhus' agus chaidh mi air mo cheann-dìreach a mhullach an teine. Cha robh cothrom sam bith aig Anna bhochd air sin. Mar a dheònaich sealbh, bha mo mhàthair air mothachadh dhomh fhad 's a bha mi air rathad na truaighe. Cho luath 's a thuit mi, thog i mi às an teine mus d' fhuair an lasair air grèim ceart a ghabhail orm. Bùrail gu leòr, tha mi glè chinnteach! Chaidh mo dhosan agus mo gheansaidh a dhathadh ach, seach sin, cha do dh'èirich beud dhomh. Cò dhiù, nuair a thill m' athair bho sheòladh, chuir mo mhàthair a bonnan an sàs nach robh ise a' dol a dh'fhuireach ann an taigh-dhubh Mhurchaidh Bhàin ach gu deireadh na bliadhna. Mhaoidh i gun robh i dol leis a' chloinn sios dhan Phort a dh'fhuireach còmhla ri a màthair. Cha robh fhios aig m' athair gun robh mo sheanmhair air a ràdh rithe, 'A Mhàiread, rinn thu do leabaidh air Ceanna-loch agus feumaidh tu cadal innte.'

Faochadh anns an Taigh Gheal

Choisinn mi-thoileachas mo mhàthar gun do dh'fhuirich m' athair air tìr airson ceithir mìosan. Anns an ùine sin, thog e taigh geal air an lot, leth-cheud slat gu deas air taigh-dubh Mhurchaidh Bhàin. Chuir sinn cùl ris an fhàrdaich sin ann an 1932. Dh'fhuirich Anna Dhall far an robh i agus far am bu mhiann leatha a bhith. Chaochail i an ceann deich bliadhna an dèidh dhan Dàrna Cogadh Mòr tòiseachadh.

Chaidh m' athair suas a Steòrnabhagh agus, ann an sin, cheannaich e ann an Stòr a' Bhànaich mòran de na gnothaichean a dh'fheumadh e airson an taigh a thogail. Air an ath latha, thàinig làraidh leis an fhiodh-gheal, pocaichean saimeant, clàir sionc airson nam ballachan, plancaichean agus 'two-by-twos'. Air an ath latha, thàinig dà làraidh: aon le tonna muil agus tè eile le tonna gainmhich.

Bha dà ghèibhil air an taigh gheal a thog m' athair. Bha am mullach còmhnard 's e air a thearradh; ballaichean sionc leis a' bhalla-staigh air a

the zinc house as the King and Queen were in Buckingham Palace. It was our home until 1952 when our parents decided to replace it with a posh, new bungalow which boasted electric light, cooking facilities and running water. Being sentimental by nature, our family watched as the old zinc house was being demolished and wondered if we would find the same measure of happiness in our beautiful, new home as we had in the old.

Diamond the Dog

Diamond the sheepdog was important in the life of our family and I have vivid recollections of incidents in which he played a part. Because she was blind, Annie was unable to look after sheep and cattle, so that Diamond, her collie, was no longer a working dog but a layabout looking for children to entertain. Like all the indigenous Lewis collies, he sported three colours. His body was black; his face and paws were tan; the tip of his tail was white. There was also a white diamond on his brow which accounted for his name. He was good-natured and intelligent and although he didn't speak a word of Gaelic, he understood everything that he was told. Many dogs yowl when they are in the company of folk who sing or play bagpipes and appear to compete with them by continuously increasing the volume of their accompaniment. Our old collie was not competitive like that at all. Whenever my Seanair sang a psalm, Diamond always kept the volume of his yowling to a subdued whimpering as if he were attempting to improve the overall effect of their duet.

One day, the big boys of Ceanna-loch took Diamond rabbit-hunting at Tom an Fhithich which is a hillock half-way between Ceanna-loch and the lighthouse. After half an hour's scraping in a burrow, a rabbit was not forthcoming. The younger children became bored and decided to explore the area around the lighthouse. In due course, they discovered the lightkeepers' midden. Among the ash from coal fires and all sorts of household junk, they found tins which had contained preserved foods such as bully-beef, salmon and peaches. When they returned to Tom an Fhithich, they were carrying half a dozen empty tins and a length of string which they had persuaded one of the lightkeepers to give them – supposedly for fishing.

The noise of Diamond's scraping underground and his whimpering could be heard quite distinctly. Everybody was beginning to feel peckish and it was

lìnigeadh le fiodh-giuthais. Abair thusa dachaigh bhrèagha ghlan le similear anns gach ceann agus staran mu cheithir thimcheall. B' e siud toiseach tòiseachaidh dhan teaghlach againn a' faighinn air ar casan.

Nuair a chuir iad cùl ris an taigh-dhubh, bha mo phàrantan saor airson rud sam bith a thogradh iad a dhèanamh am broinn na fàrdaich bhlàth, dhìonach againn fhìn, air a thogail agus air a chòmhdach le dìcheall agus le an saothair fhèin. B' e bucas-teatha falamh a thug Seonaidh Aonghais Uilleim dham mhàthair am bòrd a bh' againn agus bha i air cuibhrige anairt geal a sgaoileadh air 'gus am biodh e uasal'. Airson suidhe aig a' bhòrd bha dà stòl a bha m' athair air a dhèanamh agus, airson faisg air bliadhna gus na thill e bhon t-seòladh, bha sinn cho riaraichte le sin 's a bha teaghlach an Rìgh anns an lùchairt mhòr ann an Lunnainn! Ged bha an dachaigh gann de dh'àirneis agus de na goireasan a shaoileas sinn an-diugh a bhiodh deatamach, bha sinn air leth sona mar theaghlach.

Daoimean an Cù

B' ann le Anna Dhall a bha 'Daoimean', cù-chaorach a bha clann a' bhaile air a dhèanamh cho gòrach ris na faoileagan. Beathach solta bh' ann a bha air foighidinn ionnsachadh le bhith am measg na cloinne bho bha e na chuilean. Bha cruaidh fheum aige air foighidinn oir bha e na chùis-bhùirt agus na chùis-amaideis aig balaich Cheanna-loch a h-uile latha a bha iad a' ruagail air na cnuic a' sealg rabaidean.

Bha na balaich air toirt suas an dèidh dhaibh a' mhadainn a chur seachad a' sgrìobadh tholl ann an Tom an Fhithich. Bha Daoimean air bhith a' cladhach gun abhsadh. Dh'èirich e às an lòpar agus leig e na shìneadh airson anail. Fhad 's a bha e na shìneadh cheangail na balaich ceithir sreangan ris le canastair falamh air ceann gach fear. Bha iad air an t-sreang 's na canastairean fhaighinn bho Tommy Hutcheson, gille òg a bh' anns an taigh-sholais.

'Ruith dhachaigh, a Dhaoimein!'

Mach à seo le Daoimean! Lean a h-uile brogach e fhad 's a bha e a' ruith na leth-mìle bhon t-Siùmpan a-steach gu Ceanna-loch. Abair thusa gliogadaich agus gladadaich air an rathad 's a' chlann a' ceala-ghloir air a chùlaibh.

Aig an àm ud, bha am baile làn chrodh agus chaorach. Bha fasan aig feadhainn dhan chrodh a bhith a' tighinn a sheasamh air an rathad fhad 's a bha iad a' cnàmh an cìr. 'S beag a bha dhùil aca ri turalaich nan canastaran a bha dlùthadh orra steach às an t-Siùmpan. Theich iad far an rathaid a-mach

decided, for the time being, to abandon the assault on the rabbit warren.

The eldest of the boys yelled into the cavern, 'Let's go home, Diamond!' The dog received the instruction to 'return to base' with relief. With everybody watching, Diamond reversed into the daylight. He was entirely covered in a muddy brown peat of the underworld and was exhausted. While he lay on the grass, the older boys prepared him for his next challenge. After cutting the light-keeper's string into four pieces, by which they attached the four tin cans to his hind quarters. That done, they led Diamond on to the road and cried, 'Let's go home Diamond!' Obedient as ever, the dog immediately set off at a canter. What a racket as the trailing cans scraped and bounced along the gravel road with the children, in full cry, in pursuit.

As I said earlier, my sister and I were employed on Fridays to do the shopping for our blind great-aunt. Her shopping list was always exactly the same – a plain loaf wrapped in newspaper and a pint of paraffin. Before setting off hand-in-hand, we called to see Annie to receive the empty paraffin-bottle and the money which was always in the form of one silver shilling carefully wrapped in a scrap of brown paper. The cost of the paraffin and loaf was ten pence ha'penny. When we had accomplished our mission and delivered the messages and the penny ha'penny change, Annie would secret the penny in her apron pocket. Then, she would hand the ha'penny to me and ask me to share with Nan any sweeties I decided to buy.

Skookan's old blackhouse was exactly halfway between Ceanna-loch and the shop. It's important that you know that, during the Great War, Skookan was on a ship which was torpedoed by a German submarine. Unlike most of the crew, he escaped with his life and, for that reason, was regarded as a war hero.

'Good morning to you, grandchildren of my sister Effie! And how are you both on this wonderful morning? You look like a couple of angels. No wonder people say that you both look like your Great-Uncle Skookan!'

We were sensible enough not to deny what he said! We smiled diffidently and he continued, 'But who was responsible for the hullabaloo at your end of the village yesterday? Was Ceanna-loch holding a carnival?'

'Och,' said I, 'the big boys tied tin cans to Diamond and he ran home making a loud racket all the way down the lighthouse road. It was very funny'.

Skookan's pipe wobbled in his mouth. After a while he said, 'Trailing tin cans on the road is not proper training for a sheepdog.'

'He is not a sheepdog at all,' Nan retorted. 'He enjoys entertaining children. As soon as he got home, he lay on the floor laughing.'

dhan mhòintich agus sheas iad le uabhas ag èisteachd ris a' mhothar fhad 's a bha e dol seachad orra.

A h-uile Dihaoine, bhithinn fhìn agus Nan a' dol suas gu bùth Sheonaidh a cheannach lof agus botal-paraifin do dh'Anna Dhall. Bheireadh i dhuinn tastan air a phasgadh gu cùramach ann am pàipear-ruadh. Bha an lof 's am paraifin a' cosg deich sgillean 's bonn-a-sia agus bha againn ris an iomlaid a thoirt air ais thuice mar bu nòs air a phasgadh anns an aon phàipear-ruadh. Nuair a gheibheadh i an iomlaid na làimh, bhiodh i cho toileach 's ged a bhitheadh i air gad èisg fhaighinn! Bheireadh i dhuinn am bonn-a-sia eadarainn mar thiodhlac agus chàraicheadh i an sgillinn dhan sporan a bh' aice ann am pòcaid a h-aparain. Bha sinn cleachdte ris an deas-ghnàth sin. Bha am bonn-a-sia a bha sinn a' faighinn a' cunntadh tòrr anns an latha ud.

Glè thric, bhiodh Sguthcan, bràthair mo sheanmhar, gar coinneachadh air cùl a' ghàraidh faisg air an taigh aige fhèin. Tha deagh chuimhn' agam air a' bhodach aincheardach sin, le a phìob na bheul – is i a' dubadaich suas agus sios fhad 's a bha e a' còmhradh. Aon latha, choinnich e ruinn 's dh'aithnich mi gun robh ceist air choreigin aige air 'aire.

'Seadh, oghaichean mo pheathar, tha sibh air chois an-diugh a-rithist agus sibh a' dol dhan bhùth do phiuthair bhur seanmhar. Bheil i gu math an-diugh?'

'Tha i fhathast dall!' chanadh Nan. Bhiodh i a' toirt an fhiosrachaidh sin dha mar gum b' e annas-naidheachd a bh' ann – an aon cheist agus an aon fhreagairt a h-uile Dihaoine!

'Dè a' ghleadhraich a bh' agaibh anns a' mhadainn air Ceanna-loch, a mhic agus a nighean Iain Chaluim Alas' 'C Uilleim? An ann a' sgiùirseadh nam bana-bhuidsichean a bha sibh?'

'Cha b' ann,' arsa mise. ''S ann a bha Daoimean a' ruith air an rathad le slaod de chanastaran an crochadh ris.'

'De an t-iongnadh ged a tha e na amadan! Cha dèan slaodadh chanastaran air an rathad feum dha, ma tha e gu bhith agaibh na chù-chaorach.'

Cha do chòrd an teisteanas a thug e air a' chù ri mo phiuthar. Ars ise agus i a' seasamh aige, 'Chan eil Daoimean idir gu bhith na chù-chaorach! Tha e làn dibhearsain. Cho luath's a ràinig e dhachaigh, laigh e air an làr a' gàireachdainn!'

'A' gàireachdainn? Mathaid gun robh faoilt air aodann an truaghain ach b' ann leis an luaths-analach a bha e 's e agaibh air a shàrachadh! Theirig thusa dhachaigh agus faighnich dhan chù na chòrd fuaim nan canastaran ris.'

Dh' fhàg sinn Sguthcan agus lean sinn oirnn chun na bùtha. Nuair a ràinig sinn dhachaigh leis na gnothaichean a bha sinn air a cheannach do dh'Anna,

I was proud of my little sister that she spoke her mind in the presence of a war hero. Skookan said, 'Ask Diamond if he enjoyed being chased by the tin cans'.

Mum was on the road to meet us. She asked us if we had met anybody on the road and we told her of our usual encounter with her Uncle Skookan. Nan told her how upset he was about the boys' treatment of Diamond.

'Tell you what you might do,' Mum suggested. 'Why don't the two of you ask the dog if he enjoyed yesterday's carry-on. He'll know what you're talking about. Just mention to him Tom an Fhithich and the tin cans. Though he doesn't speak our language, Diamond almost certainly understands everything you say to him.'

We called at Blind Annie's and, as usual, delivered the loaf, paraffin and the penny ha'penny change. Annie opened the brown paper wrapper and pocketed it along with the penny. As she handed me the ha' penny she said with a smile, 'And here is your reward, a ghràidh. Remember to share with your sister whatever you decide to buy.'

As soon as we entered our own house, we saw the dog reclining beside his food-basin. He twitched the white tuft on his tail to welcome us. Nan lay beside him, caressed him and whispered, 'I have a question to ask you Diamond. And you must answer me honestly. Yesterday when you ran down the road from Tom an Fhithich, did you enjoy the clatter of the four tin cans you were pulling?'

Mention of the tin cans came to the dog as a shock. Looking very sad, he got up and with drooping ears and tail, slunk under the table and lay down with his chin resting on his paws.

'Exactly what I thought' said Mum, 'The dog has told you how little he enjoyed being with the ruffians. Don't ever again allow them to be cruel to Diamond.'

Nan took Mum's advice to heart. From that very day, she paid close attention to me and all my pals and our conduct. She didn't abandon her scrutiny of my conduct until the day I married. On that fateful day she began to share her responsibility with her best pal, my wife. Ochan-ochan!!

Satan got stoned

My Seanair was a net-mender to trade and, for many years, worked in a loft in Stornoway repairing nets for the owners of herring-drifters. His wage

rinn Nan feidhir mar bha Sguthcan air a mholadh dhi. Chaidh i chun a' choin agus thuirt i ris, 'Tha agam ri ceist a chur ort, a chuilein. An robh thusa leis an luaths-analach nuair a ruith thu às an t-Siùmpain leis na canastaran?'

Cho luath 's a chuala Daoimean iomradh air 'na canastaran", dh'èirich e air a bhonnan. Phaisg e a chluasan mu a leth-cheannan agus chaidh e a-steach fon bhòrd.

Thuirt mo mhàthair às a guth thàmh, 'Seo dhut, a nighean! Ged nach eil còmhradh aig a' chù, fhreagair e do cheist le sgairt. Tuigidh fear-leughaidh leth-fhacal! Na leig thusa, a ghràidh, dha na balaich siud a dhèanamh air a' chù tuilleadh'. ... agus cha do leig!

Treud nam mallachd!

Chailleadh mo sheanair a' Phuirt ann am Mesopotamia ann an 1915 aig àm a' Chiad Chogaidh Mhòir. Le sin, cha robh agam ach aon seanair. B' esan athair m' athar, is bha e a' còmhnaidh air Ceanna-Loch, mu leth a mhìle bho Thaigh Sholais an t-Siumpan.

Saoilidh mi gu bheil mi ga faicinn fhathast a' falbh dhan t-searmon air Latha Sàbaid. Cha robh gaisinn fuilt na cheann 's a dh'aindeoin sin, bha e a' cur uiread de Bhrylcream air an fhàsaich a bha na mhullaich 's gun robh gleans às. A' dol dhan eaglais, bhiodh lèine gheal air agus peitean-mòr le ochd putannan ìbhiri. Bha deise de sherge dhubh air agus bha e a' coimhead gu math eireachdail innte. Gun fhios nach biodh mill uisge ann, bheireadh e leis sgàilean a thug Seisidh dhachaigh thuige à Dùn-dè. Gu mì-shealbhach, cha robh liut aige air bhith a' fosgladh no a' dùnadh an 'suathaideas umparailea ud'. Mar sin, nam bhiodh gaoth ann, bhiodh e a' falbh dhan eaglais gun an sgàilean, air eagal 's gun cuireadh e an t-sùil à cuideigin.

Airson sia latha san t-seachdain bhiodh e na aodach-obrach. B' iad sin, lèine chriomaidhean, briogais mhòilisgin agus brògan dubha a rinneadh dha le greusaiche ann an Steòrnabhagh. Ged bha e cùiseach, bha e mothachail air a dheagh chliù mar dheucon Eaglais an Aonaidh.

Eu-coltach ri mo sheanmhair a' Phuirt a bha beag, tuilear, le craiceann lachdainn oirre, bha mo sheanmhair Cheanna Loch àrd, bàn le bodhaig ghrinn oirre. Seach gu robh triùir nighean anns an teaghlach aice, bha i an còmhnaidh air a deagh chòmhdach. Mas math mo chuimhne, bhiodh polcan dubh oirre le spiotagan mìn geal air fheadh. Bhiodh sgiort (ris an canadh iad 'còta') oirre a bha a'ruighinn sios gu adhbrann a coise. Ged a bha an currag anns

amounted to a few shillings per week but that didn't seem to bother him. He was very religious and accepted that mending nets was his destiny. He believed that, long before he was born, Fate had decided the occupation by which he would earn his living. He was light on his feet and quick-witted, and was reputed to be able to walk faster than any other man in the Rubha.

Of course, his small wage dictated his lifestyle and what he was able to afford. He wasn't miserly but saved money in every way he could. For example, in travelling the twelve miles to and from Stornoway, he always walked. Thanks to my Seanair's preference for travelling on foot, people began to refer to the act of walking as 'going by Calum's gig' – similar to the English phrase 'travelling by Shanks' pony'. As one might expect, Seanair was teetotal. In fact, he told me once that he never saw the inside of a public-house or hotel. When neighbours teased him about his wealth, he responded by saying, 'I'm not wealthy but I'm enjoying people's suspicion that I am!'

When he died in 1952, he left to his three daughters the princely sum of £27.

My Seanair and Granny were kind and gentle people but, strangely enough, their dealings with one another weren't always plain sailing. Planting crops and harvesting them were my Seanair's responsibility. Raising poultry and feeding them were my Granny's. It's fair to mention that much of the manual labour involved in harvesting the oats and barley and carrying it into the corn-yard to be stacked fell to the female members of the family. My Granny was reputed to build the neatest and most secure corn stacks at Ceanna-loch. However, my Seanair oversaw all the work that was done by his wife and daughters and took pride in work well done. The poultry lived by adventure, raiding cornfields when they could and scrabbling for tidbits all over the neighbourhood. They didn't observe croft boundaries nor did they feel that they should be denied access to the family's fields of grain and vegetable garden. Seanair couldn't reason with the birds, so he felt that he should once more confront the owner of the law-breakers.

'A Mhairi,' he would begin quietly as if begging her support. 'I am being driven demented by your poultry. The hens have Satan as their leader and it has become a full time job for me to oversee his conduct. I feel that Satan must go!'

My Granny was accustomed to playing possum. 'Satan? How can any mortal get rid of Satan?'

'Satan is your accursed cockerel, woman! If I turn my back on him for a

an fhasan aig na cailleachan, chan fhaca mi tè seach tè dhe mo sheanmhairean le currag a' còmhdach an cinn. Air an làimh eile, bhiodh currag-oidhche air mo sheanair a' dol dhan leabaidh. Bha e beag, aotrom, suigeartach, deas air a theanga agus na bu luaithe a' coiseachd na fireannach sam bith eile a bh' anns an Rubha. Thug e bliadhnaichean ag obair air lobht ann an Steòrnabhagh, a' càradh lion-sgadanach. Cha robh am pàigheadh a bha e a' faighinn airson a shaothair ach suarach. Mar mheadhan air sin, cha robh e deònach a bhith ag ana-chaitheamh a thuarastail.

An àite bhith a' pàigheadh air bhith a' siubhal air cairt no gige, bhiodh e a' coiseachd a Steòrnabhagh moch a h-uile Diluain agus a' coiseachd dhachaigh air an fhionnaraidh air Dihaoine. Duine diadhaidh, dòigheil a bh' ann agus eu-coltach ri iomadach fear eile na linn, anns an t-seagh 's gun robh e stuama bho òige. 'S minig a dh'innis e dhuinn nar chloinn nach robh e a-riamh am broinn taigh-òsta. Choisinn an stuamachd sin dha cliù gun robh e na dhuine spìocach, mosach, a bha a' cur seachad a bheatha a' caomhnadh a chuid airgid.

Bhiodh nàbaidhean a tarraing às le bhith ag radh, 'A Chaluim, feumaidh gu bheil ciste làn airgid agad fon leabaidh. Nach math dhut a bhith cho beartach 's a tha thu!' Cha deigheadh e idir às àicheadh gun robh saoibhreas aige. Fhreagradh e leis a' ghàire àbhaisteach is chanadh e, 'A chàirdean, nach math an t-amharas!'

Bha feadhainn anns a' bhaile dhen bheachd gu robh mo sheanair a' saoilsinn.

Nuair a chaochail e an 1952, dh'fhàg e aig a' chlann-nighean am fortan a bha e air a chruinneachadh fad bhliadhnaichean – £27. Anns an latha ud, cha robh mòran beartais aig teaghlaichean nam bailtean againn. Dh'aindeoin sin, bha iad còir ris na nàbaidhean leis a' bheagan a bh' aca – agus, mar an ceudna, còir ri conadail.

Bha nàdar comhstri eadar mo sheanair 's mo sheanmhair. Bha mo sheanair a' dleasadh dha fhèin uallach na curachd air fad. Bha sin a' toirt a-steach na h-imrichean arbhair agus an iodhlann-chàil. Cha robh air seilbhe mo sheanmhar ach a' bhò agus na cearcan agus na cruachan a bh' anns an iodhlann-arbhair.

Bha dubh-ghràin aig mo sheanair air cearcan mo sheanmhar!

'A Mhàiri, nam biodh fhios agad mar a tha mi air mo shàrachadh aig an deamhain agad!'

'Cò an deamhain a tha sin, a Chaluim?'

''S math tha fhios agad cò an deamhain! Nach eil an coileach ruadh nam

minute, he rushes with his followers to ruin my work. Now, I've had to lock your flock in the byre and tomorrow, when I release them, if they promenade as usual down to the crops, I'll take my walking-stick to them and scourge them out to St Kilda!'

'Now-now, dear! Intelligent folks like us should understand that scrabbling and scratching is the way God created poultry. That is their way of finding food and of enjoying being alive in your company.'

'You are winding me up, woman! But I tell you that if you can't control your plague of locusts, then I'll do something about it.'

Muttering quietly under his breath my Seanair would turn his back on Granny and return to his sentry duties. With a sideways glance, Granny would watch him shuffling off and would then snigger quietly to herself. Just as he was beginning his next tour of his croft, my Seanair discovered the cockerel about to prove that he was a fearless and enterprising leader. He was about to launch himself from the thatched roof of the old house on a short flight which would take him into the middle of the vegetable garden.

My Seanair shouted with astonished glee. 'Aha, you villain. So this is going to be your latest adventure! It's as well that I've seen you before you took flight.'

With his walking-stick waggling, he chased the cockerel off his intended launch-pad and quickly went into the barn to fetch out a large bundle of herring-netting. He called to Granny to come and help him spread the netting as far as possible over the garden. She came at once and, when the work was done, they stood back to admire what they had done together.

'I'm surprised,' he admitted, 'that protecting my garden from the birds didn't occur to me before. God knew that I was in torment and reminded me of the old herring-net in the barn.'

He chuckled and the two went indoors for their midday meal. Before eating, Seanair said a long Gaelic grace. After saying, 'Amen', he opened his eyes and continued to address the Almighty asking that he be forgiven for suggesting that the cockerel was Satan.

Granny told my Seanair to get on with the meal. She laughed and said, 'Satan must have had a good laugh being likened to a bird-brained Rhode Island red!'

When Seanair returned to his duties, he was astonished to see what was dangling in his herring-net. Caught in the almost invisible wisp-like trap, the poor cockerel was suspended between earth and sky. It must have been frightening for him yet enjoyable to find himself unable to walk on the

mallachd agad a tha air ceann treud dhubh an Fhir-millidh. Ma chì mi gob dhiubh a' dol a' sgrìobadh dhan iodhlann-chàil a-rithist, sgiùrsaidh mi iad a-mach gu iomallachd Hiort! '

'A Chruitheir, a Chaluim, dè an cothrom a th' agam-sa air dol-a-mach nan cearcan? Tha sgrìobadh agus sgròbadh nan nàdar. Mar sin a chaidh an cruthachadh bho thùs! Theirig thusa a-mach thuca le beagan taois agad ann am mias agus èigh, 'Diug-diug-diug,' agus thig iad thugad anns an spot.'

'Na toir orm mo nàdar a chall, a Bhean! Na biodh tusa a' smaoineachadh gu bheil mise idir a' dol a fhrithealadh do chuid eunlaith, a' falbh nam amadan le mias taois ag èigheach, 'Diug-diug-diug!'

Chuireadh am bodach a chùl rithe agus e a' brunndal beag ris fhèin; agus dhèanadh mo sheanmhair gàire fo a h-anail. Leis na bha e a' dèanamh de mhaoidheadh agus de ghearain, shaoileadh coigreach gun robh an coileach air am Bodach a chur às a rian. Ach nam biodh an coigreach sin air a dhol do thaigh sam bith eile anns a' bhaile, bhiodh e air ceannard-an-teaghlaich an sin fhaicinn leis an aon ghreann air 'aodann agus an aon chorraich 's a bha air mo sheanair. Seadh, a h-uile fear dhiubh cho droch-nàdarrach ris a' chat a bha air an lìon-bheag!

Aon latha, bha mi a' coiseachd sios an staran againn fhìn 's mi dol a dh'iarraidh làdach bùirn dhan Loch. Sheall mi null gu taigh mo sheanar agus chunna mi e fhèin agus an coileach a' buaireadh ri chèile mar bu nòs! Bha an coileach air iteig a dhèanamh bho thobht an taighe gu teis-meadhan na h-iodhlann-chàil far an robh glasraich phrìseil mo sheanar an curachd. Cha robh an Sàtan air toirt mun aire gun robh sgeòid de lion-sgadanach aig mo sheanair air a sgaoileadh os cionn na h-iodhlann, airson dìon a chumail air na bh' aige de churranan, de shnèipean, de chàl agus de pheasairean gan cinneachadh fo a chùram. Air a ghlacadh ann an abhras an lìn, bha an coileach bochd letheach slighe eadar an talamh agus na speuran, 's e a' dol às a thoinisg. Feidhir mar gum biodh e air dreallaig, bha e a' spriacail suas is sios leis an spàirn. Suas agus sios, suas agus sios agus, fad an t-siubhail, bha mo sheanair a' durghain ris fo anail agus, aig an aon àm, ga mhisneachadh le suabagan dhan bhata. Cha robh an dithis a' dèanamh adhartas air thalamh. Air a cheann thall, dh'èigh mo sheanair rium 's e leis an raspars, 'A Chaluim Bhig, nach sad thu clach air an t-Sàtan?'

Cha b' e ruith ach leum! Na mo linn-sa, cha b' ann tric a bha balach a' faighinn cuireadh clach a shadadh. Leig mi às na peilichean agus, mar a dheònaich sealbh, bha clach-mhuile romham air an staran. Thog mi i agus chinntich mi leatha air a' choileach. Thilg mi i le m' uile neart agus bhuail mi

ground suspended as if in flight. He struggled to do one or the other but found that he could neither walk nor fly. He moved up and down – up and down as if he were on a trampoline.

To help Mum with the housework, each member of our family was assigned two or three chores per day. Mine included carrying two pails of 'washing-water' from Loch an t-Siumpan and two pails of 'drinking-water' from Ivor's well. It happened that on the very day that the cockerel was caught in the herring-net, I was on the gravel path leading to the zinc house, carrying two pails of 'washing water' from the loch. I caught sight of the cockerel suspended in the net and heard my Seanair's urgent voice appealing for my help. The old man was exasperated. He shouted to me, 'Why don't you pick up a stone and kill the villain? He is Satan dressed in feathers'.

No sooner said than done! In my generation of boys, stone-throwing was one of our favourite pastimes. Not just in my generation. The men of the Highlands and Islands were famed for their stone-throwing prowess. I'm not going to bore you with history but let me tell you that at the Battle of Tippermuir which was fought in 1644... Och, but that's just another story altogether.

My Seanair stood there waggling his stick which was too short to reach the cockerel. But he kept shouting to me that something had to be done. In front of me on the path was a pebble – one that was just made for the stone-thrower. To be honest, my aim was not perfect. O, I could throw a pebble as far as any other boy in my class. But my aim – well, that didn't compare with the accuracy of Iain Murray and Alasdair Beag who could hit a target from a distance of thirty metres. I laid down the pails of water I was carrying and picked up the pebble. It didn't occur to me that, if my aim was even slightly off the target, I might kill my Seanair. I took aim and with all my strength threw the pebble. That was exactly at the moment that the cockerel spread his wings in yet another attempt to escape.

My missile hit the cockerel bang on target. He flopped into the net and lay there as motionless as a rag doll. 'Hooray!' I shouted and ran over to where my Seanair stood peering at the bird. When I arrived, I found him resting heavily on his walking-stick.

'Now look at what you've done you daft rascal! Why on earth did you go and kill the poor bird?'

'I killed him,' said I 'because you asked me to? Can you not remember, Seanair?'

'Yes I called to you to kill him... but I didn't expect you to KILL him!'

an coileach na theis meadhan. Chaidh e cho fann, rag ri liùthag!

'S mi bha moiteil a' beachdachadh air an euchd a bha mi air a dhèanamh. A' sealltainn air ais, chan eil mi a' smaoineachadh gun do shad mi clach a-riamh a chaidh cho còmhnard, cinnteach gu a ceann-uidhe. Mura biodh i air an coileach a bhualadh, bha i air mo sheanair bochd a mharbhadh.

Ruith mi null agus chuidich mi mo sheanair ag anacladh an t-Sàtain. Fann, rag 's mar bha e, cha robh e duilich closach a bheathaich a spìonadh a-mach as an lion sgadanach. Bha am bodach na thàmh. Cha robh facal aige. Cha do chuir e fiù 's meal-an-naidheachd orm! An ceann ùine, thuirt e is fiamh ghàire air 'aodann, 'O, a pheasain ghrannda, carson a mharbh thu an Sàtan? Thèid do sheanmhair glan às a ciall riut nuair a chì i an rud a tha thu air a dhèanamh air!'

Bha an coileach aig mo sheanair ga altram gu cùramach. Ach seo, b' ann a thòisich an Sàtan a' dùsgadh às a shuain. Chàraich mo sheanair e suas air tobht an taighe far nach mothaicheadh mo sheanmhair dha, nan turchradh dhi a thighinn a-mach. Cha robh an coileach fada air an tobht gus na dh'fhidir sinn e a' gluasad agus a' dol air a chasan. B' ann a bha e coltach ri fear leis an daoraich a' nochdadh ann an doras an Star Inn ann an Steòrnabhagh! Thòisich e a' sporghail air a shifeadh, suas an tughaidh gus na ràinig e am maide-starraig. Sheas e an sin airson mionaid, tharraing e 'anail, bhòc e a bhroilleach, phlac e a sgiathan agus chuir e mach strutan de ghairm a choisinn dha mo sheanmhair a thighinn a-mach ga èisteachd.

Ars ise ri mo sheanair, 'A Chaluim, nach fhalbh thu a-steach agus thoir thuige dòrlach de thaois!'

Ars esan, 'Cha tèid mo chas!'

Shaoileadh tu air a' choileach gum b' ann a' fanaid oirnn a bha e. Mo thogair! Thug an sgairt a bh' aige faochadh dhomhsa oir, nam bithinn air a mharbhadh, cha bhiodh mo sheanmhair air maitheanas a thoirt dhomh airson bliadhna!

Chrath mo sheanair a cheann agus thuirt e fo 'anail, 'Taing do shealbh gun do theàrn thu, a Shàtain dheirg nam mallachd. 'S fìrinneach am facal a bh'aig na cailleachan bho chian: 'Is buan gach deamhain!''

Mo Sheanmhair Eile

Oighrig Dhòmhnaill Mhurch' 'c Dhòmhnaill – boireannach brèagha ciùin air a h-iadhadh anns an aodach dhubh bho an latha muladach, ann an

But the hour of reckoning was at hand. My Granny would soon be coming out with her basin of dough and would be calling her familiar invitation to her flock to come to dine. I used to enjoy her 'Joog-joog-joog' bugle-call which would bring her flock but I was not at all going to enjoy the other kind of bugle-call which was bound to follow when she saw her dead hero lying in the herring-net.

The cockerel began to stir. First his left leg began to quiver and then he winked at me with his left eye. Life was oozing back into him.

'Look Seanair,' said I, 'Satan is stirring!'

My Seanair straightened up and, with the crook of his walking-stick began to pull the weighted net towards him so that he was able to catch the tip of the cockerel's right wing.

'Quickly Quickly!' he urged 'We've got to get Satan out of the net before Herself appears.'

While my Seanair was lifting the cockerel by the wings, I attended to the creature's undercarriage and, after a minute or two, managed to free its cock-spurs from the mesh in which they were entangled. At last, the whole bird was free, and my Grandpa carried him to the old section of the house which was under thatch. He was overcome with remorse for what we had done.

'You poor critter,' he intoned, 'I hope that you will forgive me for my bad-temper. You got stoned but, thank God, you are now awakening from the trance into which you were plunged.'

He pushed the cockerel out of sight on top of the dry-stone wall just as my Granny appeared with her basin of dough.

'Are you gentlemen enjoying yourselves?' She enquired and without even waiting for a reply, she shouted , 'Joog-joog-joog!'

Birds came scurrying from all directions. The cockerel came out of his coma and stood unsteadily like a drunk man exiting the Star Inn. He looked about him and then slowly scrambled up the thatch until he reached the ridge-pole. There he stood for a minute surveying the village. He collected his wits, flapped his wings and crowed. Granny laughed and pointed to the braggart aloft.

'Come on, Bodach!' she said. 'Just listen to his bugle-call – always showing off.'

The old man turned away shaking his head. He mused under his breath, 'I thank the Lord that the criminal survived being stoned'. Alas, how true the old proverb, 'The Devil looks after his own.'

1915, air an d'fhuair i naidheachd bàs Mhurchaidh Eòghainn, a companach. Boireannach beag cruinn a bh' innte agus cha b' ann tric a chunna mi i, dh'aindeoin 's na thachair rithe, gun fhaoilt air a h-aodann. Bha i eirmseach, geur air a teanga, fiosrach anns a' Bhìoball agus air leth fileanta anns a' Ghàidhlig. Leughadh i an 'Daily Express' bho cheann gu ceann – rud a bha i a' dèanamh a h-uile Disathairne, 's a dh aindheoin sin, cha robh i idir earbsach innte fhèin, a' dol a dhèanamh seanchais anns a' Bheurla. Nuair a dhèanadh i gàire bha a colainn mar gum biodh e a' dol air chrith leis an toileachas. Bha gaol mo chridhe agam oirre.

Bha triùir nighean aice agus triùir bhalaich. Cho luath 's a chriochnaich an Cogadh Mòr, fhuair i cead taigh-geal a thogail shios anns a' Phort. Cha robh an làrach aige ach mu cheud slat bhon chladach. Mar bhantraich, bha i a' faighinn crùn (còig tastain) anns an t-seachdain – airgead a bha i air a chaomhnadh gu dìcheallach tro na bliadhnaichean. Gu ìre, thogadh an taigh cuideachd air saothair a' chlann-nighean. B' iad sin, Màiread, mo mhàthair, an tè bu shine, Ceiteag agus Màiri. Eatorra, thog iad às a' chladach an iomadh tonna muil a dh' fheumte airson ballaichean an taighe a chur an-àird. B' e oidhirp a bh' ann a thug an dùbhlan dhaibh oir bha aca ris a' mhol a ghiùlain ann an clèibh air am muin agus leis na h-eallaich, dìreadh stiodhaidh chas bhon chladach suas chun an làraich. Bha an triùir nighean a' dèanamh siud gun sgillinn a bhith ga phàigheadh dhaibh. Air an làimh eile, bha clann-nighean an teaghlaich nas mothachail na bha na gillean air an truaighe a bha bàs an athar air a thoirt air am beatha. Bha na peathraichean gasta ri chèile agus deònach air rud sam bith a b' urrainn dhaibh a thoirt dham màthair a bha an cogadh air fhàgail air an allaban. Aig an àm ud, bha an dithis bhalach bu shine air falbh bhon dachaigh agus ann an ceann an cosnaidh. Cha robh ann an Eòghainn, am fear a b'òige, ach balachan.

Bha mi timcheall air ochd bliadhna dh'aois nuair a chuir mo sheanmhair a' Phuirt fios orm airson gun deighinn air teachdaireachd dhi. Bha i a' fuireach na h-aonar 's mar sin, bha mi umhail dhi agus cha dhiùltainn dhi rud sam bith a bha nam chomas a dhèanamh.

'Nach fhalbh thu suas, a ghràidh, dhan a' Chlèith Dhuibh gu taigh Iomhair agus abair ri Nansaidh gu bheil mise ag iarraidh dusan ugh coilich.'

Thug i dhomh basgaid-na-bùtha nam dhòrn agus thòisich mi a' coiseachd, mo shùil air ais a dh' fhaicinn an robh fiamh-ghàire air a h-aodann. Cha robh!

'Uighean coilich,' arsa mise beag leam fhìn. 'Uighean coilich? Am b' e siud a thuirt i? Tha fhios aig a h-uile duine nach bi coilich a' breith uighean!'

Cha robh a' Chliath Dhubh fada bhon Phort. Bha taigh Iomhair dà cheud slat bho thaigh mo sheanmhar. Ràinig mi e ann an deich mionaidean agus

My Other Granny

My other Granny was called Oighrig – Effie in English – and lived at No. 5 which overlooked the old harbour. That part of the village became known locally as 'Am Port'. Granny Port was a lovely placid lady, always dressed in black: a black dress, shawl and head-scarf and black shoes and stockings. She wore those black 'mournings' to remind herself and her family of the tragic loss of her husband, Murdo Ewen who had died of appendicitis in Mesopotamia in 1915 at the beginning of the Great War.

In spite of losing her husband, Granny Port was good-humoured and always gave the appearance of being content with 'the portion which the Lord had prepared for her'. She never doubted that she and her husband would meet again 'in Glory'. The Great War ended in 1918 and the soldiers who had survived life in the trenches and seamen who had survived attacks from German warships returned to their families The Board of Agriculture had initiated a home-improvement scheme which enabled successful applicants to build 'white houses'. The daughters' application, on their mother's behalf, was successful and as soon as the news was received, daughters began to clear a site for the house about seventy metres from the shore. There was a very good reason for building the house near to the sea. When Port Mholair was in full swing as a fishing port, it was the custom for the men to haul their boats on to a long bank of shingle at the foot of the crofts. During the century of intensive fishing, the fish stocks had gradually diminished and, as they did so, the fishing fleet dwindled. What better use of the shingle than to use it for house-building? The walls were to be of poured concrete: that is shingle mixed with cement and water. A local handyman and two labourers were hired to build the house.

Like every other woman in the village Granny Port reared hens which regarded the shore, known as An Cladach, as part of their playground. The hens were well aware of the ebb and flow of the tide. As soon as the tide began to ebb and patches of sand, rock-pools and bladder-wrack appeared, they paraded on to the Cladach to feed on the variety of tasty tit-bits such as small crustaceans, known as sea-lice and seaweed. As soon as the flowing tide began to invade their playground, they retreated to safer territory. Whatever the state of the tide, Granny Port always appeared at her hen-house about noon, shouting, 'Joog-joog-joog'! What excitement when the hens heard the invitation to dinner. They rushed from wherever in the croft or Cladach they

nuair a chaidh mi chun an dorais, bha e fosgailte. Chuir mi mo cheann a-steach agus dh'èigh mi, 'A Nansaidh, a bheil sibh a-staigh?'

Cha d' fhuair mi freagairt. Dh'èigh mi a-rithist. Cha robh freagairt. Sheall mi anns an leas agus dh'èigh mi, 'A Nansaidh, càit a bheil sibh?'

Thill guth Nansaidh thugam anns a bhad. 'Bidh mi agad ann an tiota.'

Mar a bha a h-uile leas anns a' bhaile againn, bha leas Iomhair air a cuairteachadh le callaid de lus-na-Fraing agus, ann an ceann sreath, chunna mi Nansaidh a' tighinn a-mach às a' challaid sin an comhair a cùil. Thionndaidh i agus thuirt i ann an sanais, 'Gun dìth thusa, a ghràidh! Calum Bhob bho Cheanna-loch! Trobhad gus am faic thu an tiodhlac a tha mise air fhaighinn 's gun dhùil agam ris!'

Chaidh mi air fàth air a cùlaibh agus sheall mi steach dhan t-saobhaidh dhroch a bha i air a lorg ann an coille-dhlùth lus-na Fraing. Chunna mi anns a' bhad, an tiodhlac a bha air an toileachas a chur air Nansaidh: cearc-ghurach le àl de dh' iseanan beaga buidhe is iad a' bìogail fo a sgèith.

Arsa Nansaidh is i a' seasamh air àird a droma, 'Chaidh a' chearc ud air seach ran orm bho chionn trì seachdainean. Abair, a ghràidh, cùis-aoibhneis! Innis dha do sheanmhair gun d'fhuair mi a' chearc a bha dhìth orm.'

''S ann dha mo sheanmhair a tha mi air a thighinn!'

'Thàinig tu airson nan uighean–coilich. Trobhad, a ghràidh, leis a' bhasgaid.'

Lean mi Nansaidh a-steach dhan t-sabhal. Thòisich i a' cunntadh dusan ugh dhomh à basgaid-sgadanach, fear as dèidh fir agus, gu faiceallach, gan càradh ann am basgaid-bùtha mo sheanmhar.

'... deich, aon-deug, dhà-dheug, trì-deug. Siud thu nise! Bheil iad ro throm dhut?'

'Chan eil idir! Ach, a Nansaidh, chuir sibh trì-uighean-deug dhan bhasgaid!'

'Rinn mi sin, a ghràidh! Tha trì-deug anns a h-uile dusan ugh-coilich!' Ma chanas iad riut anns an sgoil gur e dhà-dheug a th' anns a h-uile dusan, abair thusa riutha gu bheil iad ceàrr! Tha trì uighean deug ann an dusan ugh coilich.'

Bha Nansaidh air a dòigh agus thuirt i rium, uair agus uair, innse dha mo sheanmhair gun d' fhuair Nansaidh lorg air eudail ann an dorchadas na lis.

Thill mi dhan Phort a' cnuasachadh air an iomadach rud iongantach air an robh mi dall – agus, gu h-àraidh, ann an ionaltradh chearcan. Cha tàinig e steach orm gun robh uighean-coilich aig muinntir Iomhair seach gun robh coileach aca mar cheannard air na cearcan. Agus cha robh fios agam aig an àm sin, gun robh e na chleachdadh aig mo sheanmhair agus aig Nansaidh coileach a bhith aca bliadhna ma seach. Thurchair gur e siud a' bhliadhna a fhuair

happened to be scratching for tidbits. Those on the Cladach tended to be the most excitable and squawked as they half-flew, half-ran to be first in the melee. After gorging on the dough, they all retired to their favourite nests either in the hen-house or in the barn. There was a short period of silence and concentration as they snuggled down to their task. What a chorus of 'gog-gog-gog-guys' as soon as their eggs were laid – a noisy celebration of their achievement.

One day when I was aged about eight or nine, Granny Port asked me if I would go on an errand for her. I'm pretty sure that I never refused to do anything that my grandparents asked me to do. But on this occasion, I suspected that my Granny was pulling my leg. She said, 'Will you take this shopping-basket up to Nancy at the Cliath Dhubh and ask her to give me a dozen cockerel-eggs'.

Cockerel-eggs? I watched her eyes trying to detect a glimmer of amusement. She remained poker-faced.

'Do I need to take money to pay for the cockerel-eggs?' I asked.

'Not at all, *a ghràidh*,' she replied reassuringly. 'Nancy and I have a barter arrangement so that money doesn't enter into it.'

A barter arrangement? Never heard of it. Anyway, I set off with the shopping-basket. What on earth were cockerel-eggs? Would I look stupid delivering my grandmother's message? As I approached Nancy's house, I noticed that the garden gate was open. I approached it calling, 'Nancy, are you in the garden?'

From deep within the forest of tansy surrounding the garden, a woman's voice replied, 'Just a moment!'

After a minute or two, Nancy emerged from the tansy – walking in reverse! She turned round and beckoned me to approach. She smiled like a woman who had discovered a crock of gold.

'Come and have a keek at what I've found, she beamed. 'Such a treasure! You couldn't have come at a better time.'

I looked into the dark passage and there saw a brooding hen with half-a-dozen mouse-sized chickens peeping out from under her wings.

We withdrew and as we walked out of the garden, Nancy found it difficult to suppress her delight. 'Such a wonderful surprise,' she purred. 'She's one of my white Leghorns – the one that went missing a month ago. Found her with a lovely brood of chickens. Be sure to tell your Granny that I found the wee darling.'

mi freagairt air a' cheist – carson a bhiodh 'Sàtan' mo sheanar a' cliathadh cearcan mo sheanmhar? Agus carson a ghabh mo sheanair an eagal gun robh cearcan-gurach Cheanna Loch gu bhith gun iseanan nam bithinn air an Sàtan a mharbhadh leis a'chloich.

Adagan na Gealaich

Bha a h-uile duine dèidheil air dibhearsain agus bha feadhainn anns a' choimhnearsnachd a bha ainmeil airson a' ghòraich a bhiodh iad a' dèanamh airson 'ploy'. Bha m'athair air aon dhiubh. Eadhon nuair a thàinig e gu latha 's a bha e na cheannard teaghlaich bhiodh e, bho àm gu àm, a' dèanamh mialachd agus fealla-dha. Tha cuimhn' agam air foghar air na chuir e fhèin agus Murchadh Anndra, a dhèagh charaid, mo sheanair ann an ceò le bhith a' 'goid an arbhair" air an oidhche.

Aon bhliadhna, bha 'An t-Iomaire Mòr" aca fo choirc. Speal m' athair an t–iomaire air fhad, bho mullach na lot fad an t-siubhail sios gu bàrr a' chladaich. Cha robh an triùir pheathraichean fada a' cur an arbhair na sheasamh na adagan. Abair sealladh eireachdail – faisg air ochd fichead adag nan seasamh cho stobach grinn fo sholas dheàlrach na gealaich. Eadhon air an oidhche, bhiodh mo sheanair a' buachailleachd an arbhair gun fhios nach tigeadh luch, no caora, no bò a ghoid làn beòil às a' chosnadh a bha an teaghlach air a dhèanamh fad miosan an earraich 's an t-samhraidh. Ach seo, 's ann a chaidh fathann mun cuairt gun robh Màiri Bhàn, Bean Alasdair Masaidh, air tòiseachadh ga call fhèin 's gu robhas air a faicinn ann an solas na gealaich a' spaidsearachd air iomraichean Cheanna-loch an tòir air na h-adagan àlainn stobach a bha nan seasamh cho dùbhlanach air an raon!

Cò an troc a bha air na breugan sin a chur air Màiri Bhàn bhochd – bean aig an robh deagh chliù mar bhoireanach ionrac, còir ris a h-uile duine a thigeadh chun an dorais aice? Cò a dhèanadh an leithid sin ach 'Bob' agus Murchadh Anndra – an dà amadan a bha a' cumail a' bhaile air bhoil.

Bha an 'dà amadan' air cùim a dhèanamh ro làimh ri Màiri Bhàn gun deigheadh a faicinn ann an ciaradh an fheasgair, an dèidh dhi a' bhò a bhleoghan, a' gabhail cuairt ghuanach a-mach 's a-steach an rathad agus i ag amharc fo na mùdan, air an ionmhas arbhair a bh' aig muinntir Cheanna-loch air a bhuain. Tha e follaiseach gun robh Màiri Bhàn a cheart cho dòlasach ris an dà aincheard a bhiodh gu tric a' cèilidh oirre fhèin agus air Alasdair aig Buail' a' Chnocain!

I was becoming a wee bit weary listening to Nancy's out-pouring of news and in the end interrupted.

'My Granny Port sent me up with this shopping-basket to ask you for cockerel-eggs.'

Raising her arms as if to shush me, Nancy shouted , 'Of course, a *ghràidh*! You've come for the cockerel-eggs. You follow me into the barn and I'll get them.'

There were two herring baskets in the barn, both of them half full of eggs. Nancy counted each egg as it went into my basket. 'Thirteen cockerel-eggs, that's a dozen cockerel-eggs,' Nancy told me. 'At school, they teach you that a dozen always means twelve but don't you believe them. It means twelve but not at Nancy's!'

Just before I started my journey back to Port, I placed the basket carefully on the floor and said, 'Nancy, will you tell me why these eggs are called cockerel-eggs. Surely they weren't laid by a cockerel.'

'Och, you're daft this morning. Not laid by the cockerel. But they were fertilized by our cockerel. Your Granny Port doesn't have a cockerel with the hens this year but she will have next year and I won't.'

Sex education had begun to dawn and, all of a sudden, I began to appreciate the importance of the cockerels to the women who were rearing flocks of hens. It also dawned on me why my Seanair was so panic-stricken when I knocked Satan senseless with a stone. What ructions would have resulted if my Seanair's tormentor had died that day. Not only would Granny's hens have been without a brood of chickens in the spring, but so also would the other cailleachs who were relying on Satan to do his business!

Moonlit Stooks and Spooks

Shortly after he was born, my father was given the name 'Iain'. but since the Stornoway registrar felt it inappropriate that a Gàidhlig name should be entered on an official document, he entered for my father the name 'John'. Growing up, he was known as 'Iain Chaluim Alasdair Uilleim' – Iain, son of Calum who was the son of Alasdair the son of William. To the school teachers, he was known as John Ferguson. Somewhere along the line, he became known as 'Bob' a name which he accepted though he never understood how or why he had acquired such a non-Gaelic nickname. Murdo MacAnndra, my Dad's best pal told me that, on one occasion, my father came to school having used

Aon oidhche, fo sholas na gealaich, bha mo sheanair am meadhan na h-Iomaire Mòir' is e a' cunntadh nan adagan. Ach seo, 's ann a chunnaic e cruth boireannaich ann an ceann shios na h-iomaire is i le eallach arbhair aice air a druim. Choisich e gu sgiobalta an taobh a bha i ach, ann am priobadh na sùla, chaidh i às a shealladh mar gum biodh i air a slugadh ann an ceò. Ràinig e far an robh dùil aige a bhiodh i ach cha robh sgeul oirre. Nuair a thòisich e air a shocair a' triall air ais suas gu ceann shuas na lot, chunnaic e roimhe an aon bhoireannach is i a-rithist anns an aodach dhubh agus i le eallach arbhair aice air a druim. Ghreas e air, ach bha i air a dhol à sealladh mus do ràinig e i. Sheas e airson mionaid a' deasbad air an ath cheum bu chòir dha a thoirt. Suil air ais gu deas gu ceann shios na h-iomaire. Sin i a-rithist anns a' cheann shios a' falbh le eallach eile! Cabhaig eile sios gu far an robh i ach, aon uair eile, chaidh am mèirleach às a shealladh. Sùil a-nis gu tuath a dh'fhaicinn an robh a' bhana-bhuidseach na mallachd a' gluasad aig a' chinn shuas. Bha! Dh'èigh e aig àird a chinn, 'A mhèirlich dhuibh gun nàire, tha thu air mo chuid arbhar a spriùilleadh orm. Ach ma gheibh mise grèim ort, bidh cuimhne agad air a' chorraich a th' ormsa, a' bhoireannaich ghrànnda, shuaraich gun nàire!'

Siud am mèirleach às a shealladh le ultach de dh' arbhar air a druim! An robh dithis bhoireannaich a' dèanamh an uilc no an robh e a' faicinn thaibhsichean?

Sàraichte 's mar a bha e, dhearbh e nach b' e gealtaire a bh' ann! Bha e duilich dha a dhol a chreidsinn na chridhe gun dèanamh Màiri Bhàn an t-olc ud air teaghlach sam bith a bh' anns a' bhaile – Màiri Bhàn a bha cho còir, gasta ris a h-uile duine a dh'aithnicheadh i. Fo imcheist, thug e sgrìob a-null gu Buail a' Chnocain a dh' fhaicinn an coinnicheadh e ri cuideigin anns an astar sin a bhiodh leis an luathas-analach no le eallaich arbhair fhathast air a druim. Mar a b' fhaisg a chaidh e air a cheann-uidhe, b' ann bu chinntich a dh'fhàs e nach robh sràbh a chaidh a ghoid air Buail a' Chnocain.

Bha an doras-a-muigh fosgailte. Dh'fhidir e guthan mar gum biodh feadhainn a-staigh a' cèilidh. Chunnaic e gun robh teine mòr mònach fhathast a' gabhail air a' chagailt. Chuir sin iongnadh air oir b' fhada bho bha càch de theaghlaichean a' bhaile air a dhol a ghabhail fois na h-oidhche. Chaidh e steach dhan fhosglan air fàth agus chunnaic e nan suidhe mun chagailt, Màiri Bhàn agus Alasdair, a companach. Còmhla riutha bha an dà aincheard a bha air a bhith a' toirt a char às.

'A mhic,' ars am bodach, 'dè tha thu a' dèanamh nad shuidhe an seo, fhad 's a tha na meirlich a' goid an arbhair bhon Iomair Mhòr againn?"

Rinn Màiri Bhàn lasgan gàire.

his mother's tailoring scissors to sheer off his frontal mop known as a dosan. The teacher had amused the class by telling 'John Ferguson' that he had given himself 'a bob'. That comment may have resulted in my Dad's nickname, 'Bob'.

It seemed that, when I was young everybody craved laughter. Practical jokes were all the rage. Guising and composing satirical songs was an important entertainment at house ceilidhs and weddings. The practical jokers were usually teenage boys and young men. When my father was in his late teens, he and his pal, Murdo MacAnndra, spent their spare time dreaming up new ways of 'putting one over' their neighbours at Ceanna-loch. Even when he was in his mid-twenties and married, the neighbours looked on my Dad as someone who was always brewing mischief. There was a saying that nobody at Ceanna-loch slept soundly while the two mischief-makers were home from the sailing. My impression is that everybody wanted to be young at heart and to participate in the entertainment. Everybody had to be on his or her guard. Fools' Day came frequently – and not always in April.

My Seanair revelled in the beauty of the crops that resulted from the family's months of hard labour. Barley and oats, potatoes and vegetables were his passion. But not his only passion! He was devoutly religious and he addressed the Lord in his prayers every night and morning and also before and after meals. Apart from his love of praying in church and precenting the psalms, my Seanair's greatest joy came from the productivity of his two acres of arable ground. No two acres in Lewis could have been more generously fertilized with seaweed from the February foreshore and with creel-loads of manure from the croft midden. He considered ploughing by horse to be too haphazard and far too expensive. Cultivation had to be done 'properly' by his family's spades and sheer hard labour.

My Seanair walked up and down the lines thrice during the day and twice as often during the night. It gave him great pleasure to see the family's golden harvest in the Big Field. Of course, as a devout Christian he had to be careful not to appear to gloat over his possessions. But anybody who owned 170 stooks standing proudly in an unfenced field would have felt his property to be vulnerable. What if a monstrous marauding cow or a flock of sheep from No. 5 were to attack? Perish the thought, but what if there were a neighbour tempted by the Devil to carry off some of his golden stooks?

My father and Murdo MacAnndra, approached Mairi Bhàn, Alasdair Massey's wife, and pleaded with her to help them hoodwink my Seanair. To begin with, she had to take a detour through the crofts when going out to

'Gun dìth sibhse, a Chaluim chòir! Suidhibh a-steach còmhla rinn. Tha na mèirlich a chunna sibh air an Iomair Mhòir agaibh nan suidhe mun chagailt againne.

'Bheil thu dol a ràdh riumsa gur e Iain againn fhìn a choisinn dhomhsa uair a thìd' a chur seachad nam amadan a' cunntadh nan adagan?'

'Iain agus Murchadh Anndra, an dà fhear-millidh, an dà amadan a tha cumail Cheanna-loch air bhoil leis na h-àmhailtean aca! Dithis air an aon srian 's cha mhillear math ri olc aca!'

Shuidh mo sheanair a' coimhead dhan teine. ''S ann bho thaobh a mhàthar a thug Iain a' ghòraich a tha na nàdar. Tha dibhearsain agus dìth cèille nan gnè.'

Seachd-sgìth dhan 'a' phleothaidh", bha Alasdair ag iarraidh sleuchdadh air falbh dhan leabaidh. Arsa esan is e a' coimhead muladach, 'A Chaluim, 's fìor am facal 'mura cronaich ris a' ghlùin, cha chronaich ris a ghualainn!"'

Dh'iarr m'athair maitheanas air mo sheanair uair agus uair. Ach riamh bho thachair 'Oidhche nam Mèirleach', bha mo sheanair gu math frionasach gach latha bha m' athair aig baile. Ann an 1939, chaidh diochuimhn' air cleasachd nuair a thàinig an Dàrna Cogadh. Bha an sgrios cho mòr 's nach robh cleasachd no fealla-dhà air aire dhaoine. Chaidh an t-sìth a h-eigheach ann an 1945 ach cha do thill seann àmhailteachd balaich a' bhaile chaoidh tuilleadh.

Thill m' athair às a' Chogadh, agus b'e am bata-làidir a bha aig mo sheanair gus na chaochail e ann an 1950, beagan mhìosan as dèidh mo sheanmhair Cheanna-loch.

An Sgait-adhair

Dìreach mar tha cùisean an-diugh, bha fir agus clann-nighean na Gaidhealteachd a' siubhal fad agus farsaing airson an lòn a chosnadh. Bha mhòr-chuid dhe na fir a'dol chun an t-seòlaidh agus a' chlann-nighean chun a' chutaidh no air mhuinntireas dha na bailtean mòra mar Glaschu agus Dùn Eideann.

Bha Ceiteag, piuthair mo mhàthar, air a dhol chun an sgadain a Phort Soy, thall air a' Chosta Sear. Anns an latha sin, bha e na fhasan aig màthraichean chlann-nighean an sgadain a bhith cur chearcan tron Phost chun a' chriutha. Bha thu a' marbhadh na circe agus ga cur air falbh air a' Phost gun na h-itean a spìonadh. Cha robh agad ris na spuirean no an ceann a thoirt far a' chirc. Cha bhiodh e glic sin a dhèanamh cò dhiù, air èiginn 's gu sileadh a cuid fala

the grazing to fetch her cow. It was important that she be seen inspecting the impressive rows of stooks on the Big Field. Again she was happy to do so. It happened that my Seanair met her while he was performing his first evening inspection of the harvest. He and she spoke courteously to one another but when my Seanair returned to his seat by the fireplace, he blurted out the question, 'Why do you think Màiri Bhàn was on the Big Field this evening, gawping about as if she were inspecting our stooks?'

When night fell and the world was flooded with the moon's silvery light, My Seanair took a walk down the croft to inspect the Big Field. On reaching about half way, he noticed a figure at the share end of the Big Field carrying a large burden of sheaves. He raised his walking stick and walked briskly towards the stranger. When only about fifty yards away from the figure, it disappeared. He hurried on, came to the end of the field and then walked a further ten yards to the cliff overlooking the Cladach. Had the robber slunk down on to the shore? Seanair peered down but couldn't see any movement apart from the billows of the tide as it advanced in the bright moonlight. He then walked briskly up through the serried ranks of stooks and immediately sighted a figure heavily laden at the far end of the field. Again, when, within a stone's throw away, the stranger disappeared as if by magic. Had my poor Seanair not been in such a lather of excitement, he might have noticed, at either end of the Big Field, that there was one stook slightly bulkier than the others. The reason for the bulkiness was that there was a young man hiding within it! He raised his walking-stick as he would raise a Lochaber axe when advancing into battle and shouted at the retreating figure, 'I shall have you in court you black-hearted besom who this night has robbed me of my harvest'.

He remembered the rumour circulating at Ceanna-loch that Mairi Bhàn had begun to act strangely. Was it possible that that well-respected member of the community had been seduced by the Devil. No, it was impossible. As he approached the doorway, he became more nervous and unsure of how to explain his presence there. The door was slightly ajar and he could hear animated conversation within. He moved closer and saw that at least half a dozen persons were seated round the fire. When he recognized the voice of his son contributing to the conversation, he opened the door and stormed in with rage in his voice. 'How dare my son sit here at Buaile Chnocain while our family is being robbed of our harvest?'

Mairi Bhàn intervened. 'My dear friend, welcome to our fireside. Come in, and sit while I make us all a cup of tea. The robbers in the Big Field were not robbers at all! Mischief makers they were and I have been guilty of

agus gun deigheadh litrichean chàich a ghànrachadh! An-diugh, tha e duilich dhuinn a chreidsinn gun robh cearcan a' siubhal tron Post gu an ceann-uidhe air tìr-mòr agus iad gun phasgadh orra gan chòmhdach ach na h-itean.

Bha mo sheanmhair a' Phuirt air a dhol air gige Aonghais Uilleim a Steòrnabhagh a dh'iarraidh threalaich. Am measg nan rudan a bha i air a cheannach, bha roileag de shreang anairt – sreang a bha caran annasach oir bha e làidir, seasmhach agus air a dhath liath-ghorm. Abair gun robh e brèagha!

Bha m' athair air a thighinn dhachaigh bho sheòladh. Thug e dhachaigh gu mo sheanair dealbh dhan 'Pacific Exporter', an t-soitheach air an robh e na A.B. Bho dh'fhàg an t-soitheach Lunnainn, bha i air a dhol ceithir thimcheall an t-saoghail. Bha ainmean feadhainn dhan na puirt a thadhail i aig mo sheanmhair Cheanna-loch air a teanga – 'Fran Sansisico', 'Hollow-Lulu' agus 'Shag High'.

Ann an Singapore, bha e air Sìnich fhaicinn le sgaitean-adhair ioma-dhathte a bha uiread ri seòl an 'Endeavour' – an t-eathar a bh'aig Balaich Na Sràid ag iasgach leis na lìn-mhòra. Chan fhoiseadh m' athair gus am faigheadh e air sgait-adhair a dhèanamh air cumadh nan sgaitean-adhair a bha e air fhaicinn aig na Sìnich. 'S cinnteach gun robh mo mhàthair foighidneach oir cha do chuir i bacadh sam bith air, ged bha obair an fhoghair aca fhathast ri a chrìochnachadh. Ged bha sradag Chloinn Choinnich gun teagamh na nàdar, chunna mi i uair is uair, air èiginn, a' cumail a teanga! Thug i dha m' athair poca-flùir falamh – rud a bha prìseil anns an latha ud, oir bhiodh na mnathan gan dèanamh nan cluasagan. Sgoilt e bunag-slait chuilc-Innseanaich a bhiodh aig mo sheanair ag iasgach chudaigean. Cha do chòrd sin ri mo sheanair ach shìthich e nuair a dh'innis m' athair dha gun robh dà fhichead slat de chuilc-Innseanach gu bhith air an reic ann am bùth Sheonaidh air an ath Dhiluain. Gheall e gun ceannaicheadh e tè dha – tè leis na h-uilt innte faisg air a chèile – an comharradh a bha gu dearbhadh gum biodh an t-slat làidir.

Thug e fad latha a' cur na sgait-adhair ri chèile agus abair gun robh i air leth dealbhach, grinn. Thàinig Murchadh Anndra thuige le canastair de pheant liath-ghorm a bha air a bhith aig a bhràthair Domhnall a' peantadh eathar balaich na Sràid – 'Am Prestige'. Thàinig Banntrach Dhòmhnaill a' Bhogs thuige le canastair beag de pheanta dearg. Och, thàinig iad thuige bho thall 's a bhos le athtach de pheant a bha air a bhith aig na h-iasgairean a' cur ainmean agus comharraidh air na h-eathraichean aca – geal, dearg, purpaidh, dubh, buidhe agus uaine.

Mus do chriochnaich m' athair a dh'obair air an sgait, bha i gu math eireachdail. Cha b' e a-mhàin gun robh mo Bhoban còir grinn air a làmhan,

abetting them. One mischief-maker is your own son, Iain and the other was his wicked friend, Murdo MacAnndra'.

My Seanair sat on a stool and hung his head in disbelief. Alasdair quietly remarked, 'Two rogues egged on by my irresponsible wife!'

Even though Dad apologised to him many times and promised never again to draw him into an ambush, the old man continued to keep him at arm's length.

Things changed in 1939 when the Second World War broke out. All able-bodied young men and women were conscripted to serve in the army, navy or air force. Dad was directed to serve on mine-sweepers and the moon-lit ploy on the Big Field was all but forgotten. Practical jokes of that kind were deemed inappropriate and, in our village at least, the urge to create 'ploys' was never recovered.

The Sky Skate

My Aunt Kate had gone 'to the herring' to Port Soy on the East Coast. In those days, it was permissible for broiler hens to be sent by Post to herring-girls working at Scottish fishing-ports. One simply had to kill the hen, tie its legs together with string and attach a card with the intended recipient's name and address securely round its neck. It was not necessary to pluck the hen. On the other hand, it was important, of course, to ensure that, before posting, the hen was dead! It was also important that the fore-and-aft orifices were blocked so that other people's mail wouldn't be soiled.

Girls whose mother could afford to do so each sent a broiler hen every third week. Today it is difficult for us to believe that the Royal Mail was carrying dead fowl between the Western Isles and Mainland destinations without any form of wrapping. Granny Port had travelled on Innis Uilleim's gig all the way to the town of Stornoway to buy essentials, but particularly string with which to secure the dead broilers being sent to Port Soy. She purchased a reel of blue linen string in Fat Jack's drapery shop. It cost 7d and, according to the retailer, was worth every farthing.

My father's next absence from Ceanna-loch lasted six months during which his ship – the 'Pacific Exporter' visited several ports in the Orient. When he arrived home, he proudly showed my Seanair a photograph of the ship and was closely questioned about his duties as an AB (Able Bodied Seaman) while she circumnavigated the world. Even Blind Anna was able to

bha e cuideachd gu math innleachdach. Chuir e earball air an sgait anns an robh aitheamh de dh'fhad agus an t-earball sin air a sgeadachadh air fhad le ribeanan agus ribeagan de dh' aodaichean sìoda agus sròil a fhuair e mar thiodhlac bho oghaichean piuthair a sheanmhar a bha nan tàillearan ann am Port nan Giùran.

Mu dheireadh thall, bha an sgait-adhar deiseil airson a dhol air iteig dha na speuran. Cha do dheònaich sealbh gum biodh an aimsir freagarrach anns a' mhadainn. Cha robh deò air a' ghaoith ach bha mi-fhoighidinn air cosnadh do dh' uspag corraich èirigh air mo mhàthair. Cha b' ann air an sgait a bha a h-aire. Fhad 's a bha muinntir na sgait nan suidhe a-staigh a' feitheamh ri caochladh a thighinn air an aimsir, bha muinntir nam bailtean an ceann an gnothaich, a' dèanamh sìgean feòir agus cruachan-coirc.

'Gòraich nan gòraich,' arsa mo mhàthair agus i a' truiseachadh a h-aodaich-obrach uimpe. 'Bheil sinn a'dol a stubadh am broinn an taighe gus an tig gailleann gaoithe agus droch-shìd na chois? Nach eil e idir a' dèanamh dragh dhut gu bheil an tràthach air bhith cho tioram ris an spìonn airson seachdain 's gum bu choir dha a bhith gu seo anns na sìgean. Seadh, an tràthach agus na tudannan-coirc a bu choir a bhith nan cruachan anns an iodhlainn?'

'A Mhàiread, thug thu am poca-flùr dhomh le deòin airson gun dèanainn sgait-adhair dhan chloinn. Nise, nach cum thu do theanga gus am faigh mi air an sgait a chur air seòladh anns an iarmailt?'

An dèidh na diathad, thàinig caochladh air a' ghaoith agus fhuair m'athair air an sgait a chur ar iteig mu leth-cheud slat bhon thalamh agus 's i gu dearbh a bha eireachdail leis na dathan a bh' oirre cho deàlrach brèagha. Thòisich na fir a bh' anns an astar a' spreòtach m'athar ag iarraidh air an sgait a chur suas na b' àirde na bha i. 'Nach bochd,' arsa Tuileastar, 'nach eil tuilleadh sreang agad rithe airson gu seòl i nas còmhnard na tha i.'

Thàinig Iain Thorcaill agus Nomaidh agus Dòmhnall Anndra le pìosan sreing. Thug m' athair an dragh phrìseil a bh' aige air a shlait dhith agus nuair a cheangail e iad sin uile ri chèile agus ris an fheist-chaol a bh' aige mu thràth air an sgait, dh' èirich i ceud slat eile. Saoilidh mi gun robh teaghlaichean ann am Port nan Giùran, agus anns A' Chleitig (an ceann shuas Phort Mholair) a' faicinn a' chlàir ioma-dhathte a bha air èirigh mar iolaire os cionn Cheanna-loch.

Siud b' ann a thòisich a' ghaoth a' clòthadh agus an sgait a' cromadh.

'A Mhurchaidh, nach ruith thu sios dhan Phort agus abair ri do sheanmhair gum bithinn fada na comain nan toireadh i dhomh greiseag bheag dhen t-sreang anairt a cheannaich i ann am Bùth Iain Reamhar ann an Steòrnabhagh. Abair

recite the names of some of the ports she visited – all of them with foreign names: 'Fran Sansisiko', 'Hollow-Lulu' and 'Shag-High'.

While he was in the Orient, my father had watched people flying kites and admired their designs and their bright colour. Some were as big as the sail of the 'Endeavour' which was one of only two long-line boats still operating from Port Mholair. He determined to make a 'sky-skate' which is a perfectly appropriate name for what, in English, is called a 'kite'. To start with, he asked Mum for an empty flour-bag, something which many housewives regarded as a useful commodity. In our home, empty flour-bags were usually washed and ironed and filled with barley husks or feathers to make pillows. Mum handed over a flour-bag reluctantly and, out of his hearing, muttered her doubt that he ever intended to grow up. The project he had in mind was the construction of a children's sky-skate. It was to be of Oriental design, using a light framework which would be covered with cloth and decorated with oil-paints of different hues. While trying to land a massive lithe which he had hooked at Bilidh Mhòr, his old bamboo fishing-pole had snapped in two. That had happened in the previous Autumn and the lower half of the bamboo pole had served the family well as a support for the middle of the clothes-line. It was decided that that half bamboo should be sacrificed to the construction of what became known in the community as 'Bob's sky-skate'.

Mum was a very patient woman in her young days. The autumn was advancing and every able-bodied man and woman in the crofting villages was out in the fields reaping the harvest and securing it in stacks and byres. Her sparky MacKenzie temper was always threatening to burst forth but she managed to hold her tongue while my Dad was at the critical stage of making the frame.

Murdo MacAnndra arrived with a near-empty pint tin of light-blue paint which his brother, Donald, had been using to paint the 'Prestige', the boat belonging to the boys from the Sràid. Och people came from far and near with near-empty tins of paint, some of which had dried out and was as hard as rock. Old Widow MacKay came with a small tin of brilliant 'Rose Red' and John Murdo Campbell who had the bus brought old near-empty tins of oil-paint – white, red, purple, yellow and green. In a sense, 'Bob's sky-skate' had become a community project.

He attached a long tail to the skate – one decorated with bows of cotton, silk and satin clippings provided by his Port nan Giùran cousins who were into tailoring as a cottage industry.

rithe nach biodh ann ach iasad agus gun toir sinn air ais an t-sreang thuice eadar seo is uair a thìd'.

Dh' fhalbh Murchadh na ruith sios dhan Phort agus cha robh fada gus an do thill e leis an t-sreang aige na làimh.

'Thuirt mo sheanmhair rium,' ars esan, 'mi a ràdh ribh gum feum i seo fhaighinn air ais na a làmhan ann an leth-uair a thìd. Bha i dìreach a' ceangal spuirean na circ a mharbh sibh dhi 's i dol ga cur air falbh air a' phost.'

'Ceud mìle taing', arsa m' athair is e a' ceangal sreang anairt mo sheanmhar air ceann na feist a bha cumail na sgait air àird. Leig e a-mach an t-sreang gus an robh i aig a ceann. Dh'èirich an sgait anns a' bhad. Cha robh an fheist ach feidhir air teannachadh nuair a thàinig uspag gaoithe cho làidir 's gun do dhragh i ceann na sreing à dùirn m' athar. Mach leatha às a ghrèim suas dha na speuran, a' siubhal gun iar-thuath aig astar a bha mi-choltach 's i leis a' mhòr-chuid de shreang Phort Mholair aice na cois.

Arsa Oighrig Bheag Iain Ruaidh, 'Suathaideas ort, a Bhob, as dèidh do shaothair, carson a leig thu às an sgait? An robh thu air fàs fed-up dhi?'

Bha Oighrig Bheag agus m' athair daonnan a' farranaich air a chèile agus nuair a chuala na fir a bh' anns a' chuideachd an rud a bha i air a ràdh, thòisich iad a' ceala-ghlòir. Bha feadhainn dhiubh air an dromannan air a' ghlasaich a' gàireachdainn. Anns a' Phort, cha b' ann gu ceòl-guil a chaidh naidheachd na tubaist ach gu ceòl-gàire! Nuair a dh'innis sinn dha mo sheanmhair gun robh an t-sreang anairt a bha i air a cheannach ann am bùth Iain Reamhair air a shlighe a dh' Aimearaga, shuidh i air stòl agus crith-thalmhainn oirre a' gàireachdainn! Cha b' e call na sreing an èiginn bu mhotha a bh' aice. Bha a' 'chearc a b' fheàrr a bh' aice' na laighe marbh anns an t-sabhal agus bha dol-a-mach m'athar a-nis air a fàgail gun shreang leis am feumadh i na spuirean aice a cheangal ma bha i dol ga cur tron phost gu ruige Port Soy.

'An toir thusa, a ghràidh, teachdaireachd bhuamsa gu d' athair. Abair ris an amadan, gu bheil aige fhèin 's do mhàthair ri a thighinn sios dhan Phort airson a' chearc a spìonadh agus a h-ullachadh airson a bhith againn airson diathad na Sàbaid.'

Mar bhiodh na seann dhaoine ag radh bho chionn fhada, 'Cha tàinig bàs fir gun gràs fir!'

At last, the day of the trial flight dawned – one that was overcast and glum and without a breath of wind. Mum wasn't bothered one way or an other. She confided to Granny Port that while her husband's attention was focused on the creation of a sky-skate, the rest of the community was working feverishly on the harvest, some belatedly scything grass while others were already building-haycocks or stacking oats and barley. It seemed that every able-bodied person in Port Mholair except my parents, was out on the fields securing their hard-won harvest. In our living-room, Mum stomped about impatiently watching her husband beginning to fuse together the various sections of his sky-skate.

After two hours of watching and waiting, Mum's patience finally wore out. There was an edge to her voice as she asked, 'Are you going to sit indoors until the weather goes sour?'

'No!' he replied, 'I hope not!'

Red-faced with frustration, she tied her work-clothes about her person, declaring, 'It's stupid beyond stupid!'

Dad winced as the door slammed, looked up momentarily then continued to apply himself to his handiwork.

An hour later, Mum returned and prepared to continue her tirade but Dad spiked her cannon before she could discharge.

'Margaret dear! We'll have the oats in the yard by this time tomorrow! I promise, honestly. I hear that Mairi Webster has forecast that the weather is going to turn fair this evening and she is pretty reliable. You encouraged me to make a sky-skate for the children and that has been done. Surely you can now hold your tongue for an hour while I try to get the damn thing airborne?'

Shortly after lunch, an easterly breeze wafted in from the Minch and gradually gathered strength. Dad managed to get the sky-skate off the ground. It rose to about fifty feet. What a wonderful sight it was dipping and yawing in the breeze, its brilliant colours making it look like some exotic bird which had flown in from the Tropics.

A number of young men and children abandoned their work on the fields and hurried across to No. 1 to see the launch of 'Bob's sky-skate'. They stood and watched the craft as it rose in the air but were disappointed that it flew no higher than thirty feet which was all that the cord controls operated by Dad could afford.

'You need more string, Bob!' they cried.

As if by magic, Torachan, Nommy Campbell and Norman MacAnndra

Bò Bhradach Sguthcain

Bha droch bhò aig Sguthcan – bò mhaol dhubh a bha cunnartach am measg crodh a' bhaile oir ged nach robh adhaircean oirre, bha i dona gu bhith 'a' bualadh'. Nuair a bhiodh an crodh còmhla ag inneilt air cùl Foitealar, bha i dualtach air feuchainn ri mart a chur leis na creagan. Cha b' e a-mhàin gun robh i cunnartach am measg bheathaichean eile, bha i cuideachd seòlta as t-fhoghar nuair a dh'fhosglar geataichean a' bhaile 's a bha an crodh 's na caoraich air an leigeil saor air na h-iomraichean a bha air a bhith fo churachd. Bha bò Sguthcan agus bò a' Bhonnaich ainmeil airson a bhith a 'ag ith' an aodaich'. Aodach sam bith, biodh e na lèine, na shearbhadair, na dhrathais no na ghùn-oidhche, cho fad 's gun robh iad air an nighe agus crochaichte air sreang-aodaich, bha iad uile air menu an dà mheirleach ceithir-chasach ud! Bha e air aithris gun robh an todhar a bh' ann am bàthaichean Sguthcan agus a' Bhonnaich breac le putannan-ìbhiri a bha air siubhal bho cheann gu ceann am broinn an dà mhart.

A h-uile foghar, bhiodh bò Sguthcan a' dèanamh ruaig air an iodhlainn anns an robh na glasraich aig Alasdair Masaidh air cùl an taighe. Seach gu robh i gun adhaircean, bha e furasta dhi a ceann a chur a-steach eadar an ueir-ghathach agus an lion-ueir agus an uairsin a h-amhach a shearradh roimpe agus, aig an aon àm, bruthadh gus an dìobradh na puist.

Aon latha, chunnaic Alasdair Beag i ris an dol-a-mach sin – Alasdair Beag, mac piuthair mo mhàthar. Steach leis gu Màiri Bhàn agus Alasdair a dh'innse na h-uirsgeòil. Abair glaodhaich agus èigheach an uair sin! Mus d' fhuair a' bhò air a ceann a tharraing a-mach às an t-suidheachachadh anns an robh i, bha Uilleam Thorcaill air steidhir a thoirt dhi le slacan a mhàthar. Thàinig meall chlachan oirre cuideachd bho dhithis ghillean às na Fleisearan a bha air an slighe chun a' chreagaich. I fhathast a' cagnadh air ceirsle chàil a bha i air a thoirt leatha, chaidh am mèirleach na ruith a-mach an rathad. A rèir Oighrig Bheag, shaoileadh tu oirre gun robh i a' gàireachdainn beag leatha fhèin!

Fhuair Alasdair Beag an duais air an robh e airidh. Thug Màiri Bhàn a-steach dhan taigh e 's i ga ghràdhachadh 's ga mholadh.

'Mo ghràdh ort, trobhad thusa-steach gus am faigh thu mìr de dh'aran-eòrna 's e cnuaiceach le ìm ùr agus bàrr is gruth. Gaisgeach nan gaisgeach! Sin gu dearbh a th' annad – balach beag Ceiteag Mhurchaidh às a' Phort! Dè an aois a tha thu?

'Tha mi seachd'.

arrived with lengths of string. Dad thanked them for their contributions and brought his sky-skate to earth. Having duly attached the new lengths to his controls, there was a murmur of approval as the skate rose high over Ceanna-loch. People seeing it from afar must have marveled at the strange object which hung in the sky over Ceanna-loch.

After no more than twenty minutes, during which Dad became adept at using the two control cords by which the craft was made to dip and yaw in the breeze. But then the breeze slackened and the skate slowly descended and finally landed on the grass in front of our house.

All the young men then wanted to 'have a shot'. Mum appeared on the scene and surprised everybody by saying, 'It's a beautiful thing you've made, Iain. Pity that you haven't got enough string to send it aloft properly. You made a fine job of it.'

Thus flattered, Dad called my brother Murdo and sent him hurriedly down to Granny Port to ask if she would lend him the green linen cord which she had bought at Fat Jack's shop in Stornoway.

'Tell her, that I need it just for an hour. Come back with it as soon as you can.'

But the best laid schemes of mice and men – and women! Granny was tying address labels to the neck and feet of the fowl which Alasdair Massey had killed for her and she was preparing to send post-haste to Aunt Kate in Portsoy. Her handing the roll of the precious green linen cord to Murdo was conditional on his coming back with it in half an hour.

'Tell your father that I am letting him have it only because he's my son-in-law but I must have it back here in half an hour so that I can post the hen to Kate in Portsoy.'

In a dither, Murdo arrived back at Ceanna-loch with Granny's cord and delivered Granny Port's message.

'Thanks very much,' Dad said quietly to himself as he tied the green linen cord to the ends of the controls. 'This will let the skate soar as high as Foitealar. Now won't that be a sight worth seeing?'

The craft rose effortlessly and thanks to Granny Port's green linen cord reached such a height that sharp-eyed folk in Port nan Giùran and Aird were able to see it like a golden eagle soaring majestically on the up-draft. Some said that it was the sheer excitement and admiration of what Bob had achieved that caused Wee Effie to approach Dad from behind and wrap her hands round his chest. Her doing so coincided with an exceptionally strong gust which tugged the controls out of Dad's grasp. Disaster!

'Seachd bliadhna a dh'aois! Agus mu thràth nad ghaisgeach! Cionnas, a ghràidh, a chunna tu bò ghrànnda Sguthcain?'

Ghabh Alasdair na làimh am mìr eòrna cnuaiceach le ìm, agus bàrr is gruth. Thug e glaim mòr às a' mhìr; chagainn e e; agus shluig e e mus do fhreagair e a' cheist.

'Uill,' ars esan 's e a' leigeil ann-fhèin, 'thàinig a' bhò chun na h-iodhlainn agus 's i a chuir an eagail orm! Dearg eagal mo bheatha! Bha mi feidhir air crùbadh sios agus air dà churran a shlaodadh às an talamh is mi a' dol gan goid, nuair a thàinig an ceann iargalta aice steach far an robh mi. Cha mhòr nach do dh' fhanntaig mi leis an eagal!'

Rinn Màiri Bhàn gàire, ' Seadh gu dearbha, a ghràidh, nach math nach do dh'ith a' bhò thu fhèin agus gun do dh'fhàg i thu airson innse dhuinn, gu h-onarach, gum bu tusa a tha air a bhith goid nan currannan ann an iodhlann Alasdair Masaidh! Cha mhillear math ri olc agaibh – thu fhèin agus Bò Bhradach Sguthcan!'

An t-Ord Mòr

Chaidh an tràlair, an 'Convallaria' air na sgeirean air taobh thall an Loch-a-Tuath agus, cho fad 's is aithne dhomh, fhuair an sgioba aice aiste mus deach i thairis. Le onfhadh na fairge, shiubhail i an taobh-sa 's an taobh-ud 's i letheach fodha, na cunnart dha na h-eathraichean a bha ag iasgach a-mach à puirt mar Col, Tolastadh, Port nan Giùran agus Port Mholair. Air a' cheann thall, thàinig stoirm bhon ear-thuath agus le làn an reothairt chaidh an 'Convallaria' a thogail a-steach dhan Gheodha Ruadh, an saobhaidh uamhalta a tha nàdar air a thoirt à taobh deas an t-Siùmpain. Bha an cochall aice anns a' bhad sin airson beagan sheachdainean ann an cunnart gum falbhadh an fhairge leatha a-rithist. Air a beul foidhpe, bhris a' bheart-iarainn a bh' innte tron deac agus, nuair a bhios tràigh ann, tha cuid dhan sin ri fhaicinn chun an latha an-diugh. Cha robh mise ach mun cuairt air ceithir bliadhna a dh'aois nuair a chuir Seonaidh Aonghais Uilleim teachdaireachd gu m' athair ag radh ris gun robh obair mìos aige dha agus gum biodh e air a dheagh phàigheadh air a shon. Chaidh m' athair ga fhaicinn agus nuair a thill e bha e air a dhòigh. Bha Seonaidh air cochall a' 'Chonvallaria' a cheannach.

Ars esan, 'Chan e airgead a bha Seonaidh a' tairgsinn dhomh ach cuibhreann dhan fhiodh a th' anns an t-soithich. Thairg e cairteal an fhiodha dhomh ach mu dheireadh thàinig sinn gu aonta gum faighinn a dhàrna leth – sin, ma

Like a wild animal released from its chains, the sky-skate rocketed upwards. It flew at an amazing speed. As it gained height, it travelled in a north-westerly direction, all the while trailing virtually all the string in Port Mholair. Except for Dad who cursed under his breath, all the onlookers were silent. But then, with a mischievous twinkle in her eye, Wee Effie exclaimed, 'Och Bob, why did you let your masterpiece escape? Had you become fed-up of her?'

Her questions met with a gale of laughter from the onlookers. Down at Port, news of the escape of the sky-skate and the loss of the green linen cord was met neither by sorrow nor by recrimination. When Murdo told Granny Port that the precious cord she had bought from Fat John in Stornoway was on its way to America, she sat on a stool and laughed.

'*A ghràidh*, will you take a message from me to your Dad. Tell the fool that he and your Mum must come down to Port this evening to pluck the fowl and prepare it for the pot. We'll all come together on Sunday to enjoy an unexpected feast.'

According to an old proverb, 'One person dies, another benefits by it'.

Skookan's Thieving Cow

Skookan had a heavily-built beef-cow which although she was without horns was still a menace to other cattle and human passers-by. To be fair, she did give fair warning before attacking. She would lower her head and snort before rushing like a battering-ram towards her intended target.

One of her favourite ploys was to mosey along with the village herd until they reached the three hills on the Common Grazing. The back of Foitealar was a perfect place for an ambush. Gnarled by countless millennia of wear and tear by the thundering seas of the Minch, its eastern flank has been shaped into a series of gullies gouged out of cliffs which are about a hundred feet high. Skookan's cow waited her chance to head-butt a heifer and sent it over the edge of Geodha nan Calman. Of course, it did not survive.

Two of our village cows were noted for their enjoyment of a digestible snack. Both were addicted to clothes newly washed and hung out to dry on washing-lines. Skookan's notorious, black beef cow and the Bonnach's brindled dairy-cow were the principal villains. Linen tea-cloths and shirts were on their menu. A rare silken or satin scarf were favourite snacks.

ghabhas mi os uallach an cochall a thoirt as a chèile agus am fiodh a ghiùlain suas gu beul na geodha far am faigh cairt is each thuige.'

Cha robh mo mhàthair no a cuideachd-chèile idir airson m' athair a dhol a dh'obair fo bhearradh na Geodha Ruaidhe. 'S e àite cunnartach a th' ann – saobhaidh mòr gruamach, dùbhlanach far a bheil aodann na creige breòite agus, a h-uile leth-cheud bliadhna, a' briseadh 's a' leigeil tonnaichean dhan chloich bhreòite dòirteadh nan garbhlaichean sios gu ùrlar na geodha.

Ach bha m' athair fada na cheann agus, air a' cheann thall, ghabh e an cùmhnant bho Sheonaidh. Cha robh mo mhàthair idir rèidh ris nuair a thòisich e ag ullachadh airson a dhol a dh'obair. Thug Seonaidh dha màileid leathair, dà gheinn agus sàbh mìn-fhiaclach. Chaidh e fhèin suas am baile agus thill e le òrd-ceàirdich, òrd-ladhrach agus sàbh garbh-fhiaclach a chosg faisg air £3 – tuilleadh connspaid anns an dachaigh! Dh'aindeoin na connspaid, dhearbh m' athair gun robh e air rud glic a dhèanamh. Fada mus tàinig creach an Dàrna Cogaidh, rinn e feum às an acfhainn a bh' aige ag obair anns a' Gheodha Ruadh. Mhair an acfhainn sin ann ann ciste ri taobh mo leapa anns a' chlòsaid airson iomadach bliadhna.

Bliadhna no dhà mus deach mi dhan sgoil, bhiodh m' athair a' falbh a-mach dhan t-Siumpan leis a' mhàileid leathair air a ghualainn cheàrr agus òrd-mòr Sguthcain aige air a ghualainn eile. Bha mi air bhiod ag iarraidh a dhol còmhla ris ach chan fhaighinn cead bho mo phàrantan idir. Ach mu dheireadh, thàinig an latha ann an 1936, air an tug m' athair dhomh cead a thighinn a dh'fhaicinn fiodh a 'Chonvallaria'. Rinn e sin air chùmhnant gun cumainn grèim air làmh Mhurchaidh fad an t-siubhail.

Bha Seonaidh Aonghais Uilleim air a dhol le each agus cairt a-mach tràth dhan mhadainn. Còmhla ris bha dithis fhireannach eile a bha e air fhastadh airson am fiodh a chairteadh dhachaigh. A' dlùthadh air beul na Geodha Ruaidhe, 's a chunnaic mi a' bheàrna mhòr uamhalt a bha a' fosgladh romhainn, ghabh mi grèim teann air Murchaidh le mo dhà làimh. Na b' fhaisge 's na b' fhaisge air an oir, chunna sinn m' athair agus na fir eile shios fodhainn air an ùrlar. Shaoilinn gun robh iad cho beag ri sneaghanan. Bha iad nan seasamh aig oir na garbhlaich agus iad air an cuairteachadh le tiùrran de dh' fhiodh dearg-gheal a' ghiuthais agus an learaig. Chan aidichinn e aig an àm ach faodaidh mi nise a ràdh gun robh mi toilichte a' cur cùl ris an àite aognaidh anns an robh sinn agus tilleadh gu tèarainteachd ar dachaigh air Ceanna-loch.

Leis na bha e air a chosnadh de dh'fhiodh learaig a' 'Chonvallaria', rinn m' athair callaid a bha a' dùnadh na pàirce-feòir a bha (agus a tha) anns an lot againn. Thuilleadh air sin, leis an fhiodh giuthais a choisinn e, rinn e àirneis

Annie, Torquil's daughter, from No. 4, lost a silken nightdress to the Bonnach's gourmet.

Inevitably, having been chewed and then passed through the cow's mashing-mill: (stomach and gut), the garments arrived back in the open air well digested and in a sorry state. It is said that after a meal of shirts at No 10, the manure deposited in the Bonnach's byre on the following night was speckled with ivory buttons! Many such improbable tales were told of what were found in the gut of those two animals after they were slaughtered. It is worth telling you the story of how my cousin Alasdair Beag was terrified out of his wits one day when he thought he was about to be eaten by Skookan's marauder. On a September forenoon, his yells were heard by Wee Effie who was on her way home carrying a creelful of peat.

Wee Effie called to Alasdair Beag, 'Stop crying, a ghràidh! Just go in and tell Alasdair Massey that Skookan's cow has raided his vegetable garden.'

Carrying a bunch of cabbage leaves in her mouth, the cow ran along the road with Wee Effie in pursuit, throwing stones and yelling insults. With his tear-stained face, Alasdair Beag did as he was told. Alasdair Massey and his wife hurried out of the house to survey the damage to their property. They saw that two posts of their garden had collapsed under the weight of the brute's chest and it was clear that it would take a handyman a few hours to mend the damage.

Mairi Bhan led Alasdair Beag into the house and showered him with expressions of love and gratitude. 'You are such a hero; such a clever boy. Alasdair Massey and I don't quite know how to thank you. Come right in to the fire and I'll give you a slice of barley bread smothered with crowdie and cream. Would you like that do you think?'

'Of course I'd love crowdie and cream. Anybody would like a feed like that!'

'Hero of heroes! That is what you are for sure. How old are you now?'

'I am seven – nearly eight. I'll be eight next year and nine some time after that, perhaps ten.'

'And how, a *ghràidh,* did you happen to see that horrible, thieving, Skookan cow raiding our vegetable garden?'

The hero of heroes was in the act of sinking his teeth into the barley bread smothered with mouth-watering crowdie and cream and was tempted to answer but decided to continue with his repast. After chewing and swallowing he drew his sleeve across his mouth and, then answered the question. But what was the question? 'O yes, where were you when you saw that horrible thieving raider?'

a bha gu math eireachdail – dreasair, bòrd, stùil agus ciste-dhràthraichean. Ged bha mo mhàthair air bhith an aghaidh dha a dhol a Steòrnabhagh a chosg air locraichean agus sgeilbean a cheannach, bha i gu math uailleil nuair a chrìochnaich e an t-saoirsinneachd agus a chunnaic; an t-àirneis a bha e air a dhèanamh dhi.

Ged a bha obair a' 'Chonvallaria' a-nis seachad, bha rud no dhà aig m' athair ri a dhèanamh. Bha aige ris an òrd mhòr a bha e air fhaighinn air iasad a chur dhachaigh gu Sguthcan. Bha e feidhir a' dol a dh' fhalbh leis an òrd air a ghualainn nuair a thàinig Sguthcan a-steach le stùirc air aodann.

'Och,' arsa m' athair, ' bha mi dìreach a'dol a dh' fhalbh a-null thugad leis an òrd,' arsa m' athair. 'Tha mi duilich gu bheil e air a bhith agam nas fhaide na bha dùil agam.'

'Tha mi air a thighinn,' arsa Sguthcan, 'chan ann a-mhàin a dh'iarraidh an ùird ach cuideachd am fear aig a bheil liut air an òrd a làimhseachadh – is e sin thu-fhèin!'

Fhreagair m' athair gun a' cheist bu choir dha fhaighneachd. 'Tha mi,' ars esan, 'a' dol air ais a sheòladh aig toiseach na seachdaineach ach mas urrainn dhomh càil a dhèanamh dhut roimhe sin, nì mi e.'

'Glè mhath, a Bhob. Cha toir seo ach uair a thìd'.

B' ann an uair sin a dh'innis Sguthcan gun robh a' bhò bhradach reubaltach a bha cho ainmeil anns a' bhaile air an agh riabhach aca fhèin a chur le Geodha nan Calman.

Air an ath Dhisathairne, thachair rud air Buail' an Dòmhnallaich a choisinn do dh'fhir a' bhaile cruinneachadh aig A' Chreag Gheal, letheach slighe eadar taigh-dubh Sguthcain agus an cladach. B' e siud an latha air an robhas a' dol a chur crìoch air an ainmhidh a b'ainmeil a bh' anns a bhaile againn nam linn-sa. Sheas mo mhàthair leam aig an uinneig a' coimhead a-null gu Buail' an Dòmhnallaich, far an robh a' ghreigh fhireannach nan seasamh timcheall na bà.

Nuair a thill m' athair, dh'fhaighnich mo mhàthair dha an robh a h-uile càil air a dhol mar a dh'iarradh e. Fhreagair e 's a cheann crom, 'B' fhasa dhomh an ceala-deug a chuir mi seachad anns a' Gheodha Ruadh nam aonar a' toirt a' 'Chonvallaria' às a chèile, na bhith far an robh mi airson an uair a thìd, a' faicinn a' bheathaich ud ga cur gu bàs.'

Mus do thill e chun na mara, rinn e bara-cuibhle mòr dha fhèin airson a bhith toirt dhachaigh na mònach. Ghabhadh am bara sin luchd mhòr dhen mhòine-bhàn a bha sinn a' buain ann am mullach Foitealair. Rinn e cuideachd bara-làimh leis am biodh e-fhèin agus Eòghainn, bràthair mo mhàthar, a giùlain leacan mòra a bha m'athair air a bhuain air a' chladach aig earball na

'Well,' said he with a flourish. 'I was in your garden stealing a carrot and got the scare of my life. You see, I had just got hold of the green end and pulled the largest carrot I could see out of the soil. I had just put it in my armpit ready to pull it – to clean it of the soil as you do. It was then that I saw this huge ugly black head appear out of nowhere. I could easily have touched it. Skookan's monster had pushed her head through the wire and her mouth came straight through the fence. I thought I'd die on the spot! I was terror-stricken. Well anybody would! I lost my carrot. She probably ate that an' all. And so, I ran in to tell you.'

Màiri Bhàn shook her head and said comfortingly, 'What a terrifying adventure, child! Must have been a bad experience for you, right enough! A brave little boy! So now we have found the two thieves who cannot resist Alasdair Massey's vegetables. One is an ugly big brute and the other a beautiful cherub who not only eats unwashed carrots but also loves barley bread smothered in crowdie and cream. Now, you'd better run home and tell Kate MacKenzie why Alasdair Massey has suddenly become speechless.'

The Sledge-Hammer

In February, 1924, the steam trawler 'Convallaria' ran aground near North Tolsta and, so far as I know, everybody on board escaped before she capsized. Owing to their weight, the engine, boiler and other heavy fitments become detached from the wooden hull and crashed though the deck. By the activity of the wind and tide, the wreck, twenty six metres long and six broad, was carried hither and thither and was a danger to shipping in the North Minch. During a northerly gale, the remains of the Convallaria was lifted on to the rocky floor of the Geodha Ruadh, that yawning cavern which thunderous seas had gouged out of the south side of the Siumpan headland. There, her discarded hulk lay for eight years, battered by the weather and always in danger of being re-floated and carried back into the shipping lanes.

I was no more than three or four years old when Johnny MacLeod, the merchant, sent a message to my father, asking him to visit him urgently as he had bought the hulk of the 'Convallaria'.

'Johnny is offering me a job,' he told Mum. 'He has bought the wreck of the 'Convalleria' but instead of paying me money for taking it apart, he is offering me a share of all the wood I salvage. He is offering me one quarter but I told him that I'd only do it if he agreed to giving me one third.'

lot. Bu toil le m' athair obair chruaidh a bheireadh braon fallais air. Agus, gu dearbha, a' buain chlachan le òrd-ceàirdich agus geinn, bha e a' faighinn pailteas dhen sin. Bha a bhuil – bha na gàirdeanan aige air leth treun agus neart a chuirp a rèir sin. Bha na leacan a bha e air a bhuain ann an àite cho cugallach 's nach b'urrainn do dhuine a dhol thuige le bara-cuibhle. Cha robh dòigh air am faotainn ach le bara-làimh. Gu sealbhach ged nach robh Eoghainn ach deugachadh bhliadhnachan a dh'aois, bha e gu math calma.

Nuair a chaidh m'athair air ais chun na mara, thug e Eòghainn leis. Shiubhail iad le chèile gu Glaschu agus fhuair iad obair air soitheach ùr, an 'City of Karachi'; m' athair na AB (Able-Bodied Seaman) agus Eòghainn na EDH.(Efficient Deck Hand). Sheòl an t-soitheach air turas fada a thug i gu bailtean-puirt air taobh thall an t-saoghail. Thadhail i Auckland ann an New Zealand agus Sydney ann an Astràilia. Fhuair m' athair agus Eòghainn dhachaigh mìosan ro thoiseach a' chogaidh ach cha robh iad fada an sin gus an deach an cur air ais gu muir – m' athair air sguabaire mhèinnichean agus Eòghainn na ghunnair air HMS Orion – crùsair a chaidh tro na blàir bu teotha anns a' Mhuir Mheadhan-thìreach.

Chuir na Gearmailtich fodha an 'City of Karachi' anns a' Mhuir Mheadon-thìreach ann an 1941.

Air oidhche geamhraidh ann an 1943, bha na maoir-cladaich, mar bu nòs, a' faire anns an stèisean air mullach an t-Siùmpain. Aig trì uairean sa mhadainn chuala iad buille-spreadhaidh cho coimheach 's gun do chrithnich i na cupanan-teadha a bh'aca air a' bhòrd. Bha na maoir mionnaichte gu robh mèinn no depth-charge air spreadhadh faisg air cladaichean an t-Siùmpain. Chuir iad fòn gu Ionad nam Maor-chladaich ann an Steòrnabhagh ach cha robh na seòid a bha an sin air guth a chluinntinn mu bhuille-spreadhaidh aig Ceann an t-Siùmpain.

Aig an àm ud, bha an Nèibhidh agus an RAF air làmh-an-uachdair fhaighinn air U-boats nan Gearmailteach a bha air a bhith a' liugradh a steach ri cladaichean na Gàidhealtachd. Le gormadh an latha, chaidh na maoir a mach a dh'fhaicinn an robh fiodh-sgoid no lìgh-ola ri fhaicinn anns na geodhaichean. Chan fhaca iad dad annasach gus an tàinig iad timcheall chun na Geodha Ruadha. Ann an sin, ann an achlais na geodhaidh, chunnaic iad an rud a bha air cosnadh a' bhrag uamhalt ud ann an dàmhar a h-oidhche. Feidhir far an robh cochall na 'Convallaria' air a bhith na laighe agus far an robh m' athair air a bhith a' tartair le ùird airson iomadach seachdain ga toirt as a chèile, bha càrn mòr de phronn-chreag a bha air tuiteam à aodann na bearraidh – càrn anns an robh iomadach ceud tonna.

Johnny agreed to that but said that I would have to carry all the wood to the top of the cliff where a horse and cart could reach it.'

Mother was doubtful. 'No wage?' she protested. 'You'll be exhausted for a cart-load of planks. Anyway, what would you do with a load of wood half eaten by shipworms?'

My Father smiled and said, 'You'll see that in due course.'

The cliff overhanging the rift of the Geodha Ruadh consisted of friable, crumbly rock which was constantly being worn by the weather and the thunderous Atlantic. Rock falls and screes occurred every few years and was an exceedingly dangerous place for anybody to work and my Father was under a lot of pressure from Mum and from his parents to reject Johnny's offer of work.

In the end, my Dad followed his instinct and prepared to begin the work of dismantling the wreck. One day, he came home with a large leather shoulder-bag – a gift from Johnny. It was very heavy and contained a variety of carpentry tools including chisels, planes, steel wedges, a claw-hammer and a saw. He borrowed a sledge hammer from Skookan. After hours of argument, he managed to persuade Mum to give him £5 which probably represented half of their entire savings.

He returned from Stornoway having had drink taken! As a peace offering, he presented Mum with a half-bottle of brandy. She was tee-total and laughed at him. But his visit to the town was not entirely a wasted one. He had bought a forge-hammer, a claw-hammer and two saws – a rip saw and a cross-cut, which together had cost him £3. For many years thereafter, his tools, each coated with grease, were kept in a strong wooden box under their marital bed.

At last, in 1935/36, his work on the wreck was almost complete. He allowed my brother and me to walk to the lip of the gully to see the piles of wood he had salvaged. I was told that on no account was I to let go of Murdo's hand. As we approached the edge, I clung to my brother for dear life. I could hardly believe the sight of our Dad some seventy feet below us in that forbidding gully, looking to me as small as an ant. I felt quite afraid and shouted to our Dad to leave the wood and come home. Completely drowned by the sound of the wind and waves, my voice went unheard.

A week or two after our visit to the Geodha Ruadh, Johnny MacLeod came with two workmen and the horse and cart to begin the work of sharing the wood and transporting it as agreed to Johnny's yard and to No. 1. Our neighbours were amazed that so much valuable timber had been salvaged.

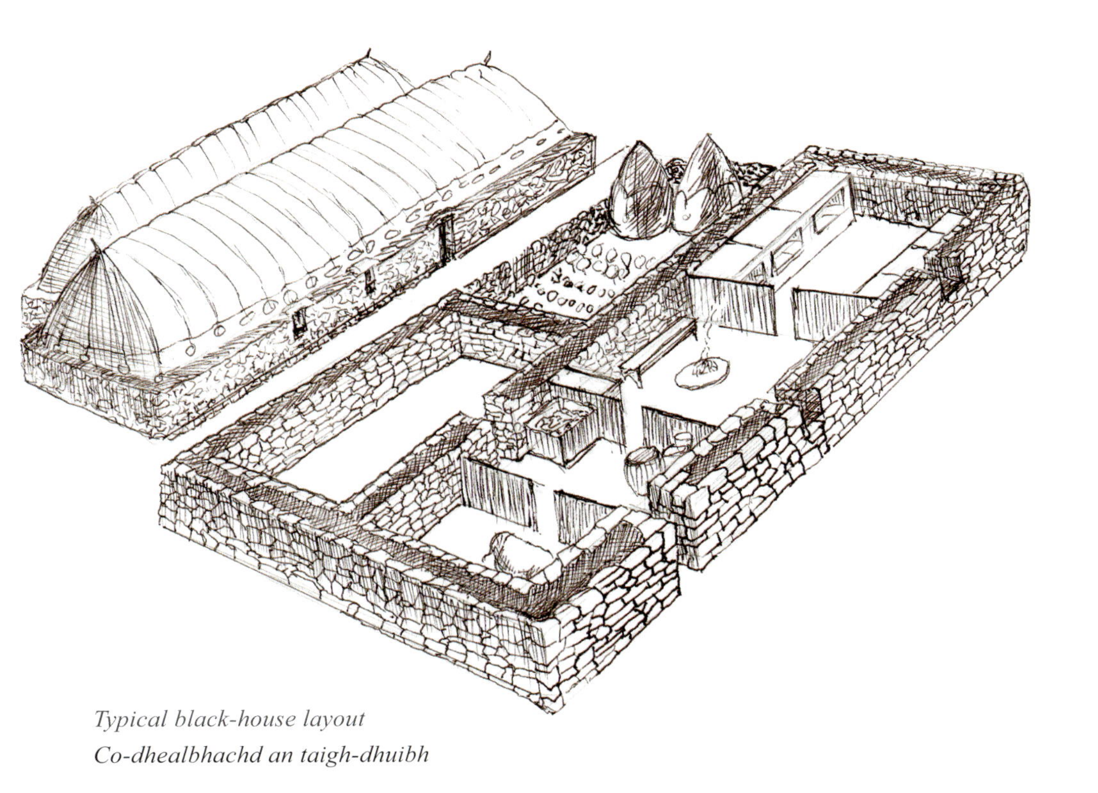

Typical black-house layout
Co-dhealbhachd an taigh-dhuibh

Partial conversion of the old turf-house
Leth-geal agus leth taigh-cheap

Using his share of the larch, Dad fenced the half-acre field which he ploughed and sowed with clover seed and rye-grass. From his share of pine, he produced furniture which, for many years, were our family's most precious possessions: a Welsh dresser, a chest of drawers, a dining-table and three stools. Though at first, Mum had resisted his purchase of joinery tools, she was overjoyed by the excellence of his handiwork. He had proved himself to be a considerable craftsman. Now that his work on the old 'Convallaria' was complete, Dad had a few things to do before he could begin his journey to Glasgow and thence his deep-sea voyage. He was just about to set off to return the sledge-hammer to No. 6 when Skookan walked in. He appeared glum as if he had received sad news.

Dad thanked him for allowing him to use his sledge-hammer.

'I wonder if you'd do me a wee favour, Bob. When it comes to wielding the sledge-hammer, there's no-one in the village more experienced than you.'

'Well, I owe you a favour but I do intend to leave home in three weeks to get back to the deep-sea sailing.'

'Och, this wee job would take you less than an hour.'

My father agreed but when he heard what he was expected to do that very afternoon, it was his turn to look glum and to regret his promise to Skookan.

There was an atmosphere in our home, a sadness to which we were not accustomed. After a hurried bowl of porridge, Dad departed. Nan and I stood at the window of the living-room watching him as he crossed the fields to No. 6. Half a dozen men were already gathered at the White Rock which was half way between Skookan's blackhouse and the shore. Then we saw Skookan's infamous, black cow on a tether being led in their direction. I instinctively knew that I would never again see the animal.

When Nan asked why so many men were standing at the White Rock, Mother answered sharply. 'Come over here,' she said, 'and let the two of you sit with me by the fire. I have a story to tell you – story of a beautiful parrot which flew into a house in Siadar when I was young.'

I found it difficult to concentrate on what Mother was telling us for my mind was on my father and the men at Skookan's croft. The outer door opened suddenly and Dad walked in looking flushed and upset. Mother asked, 'Did you manage to do what Skookan wanted?'

'I did, but I would rather have spent another fortnight working alone on the 'Convallaria' than spend the hour despatching that poor animal.'

Before returning to the sea which he loved, he made for himself a wheel-barrow capable of carrying huge loads of lightweight, hill-top peat.

'Diamond' was regarded as a boys' entertainer
Cù Anna Dhall a' ruith leis na canasdtairean

He also made a 'hand-barrow' – a form of litter – by which two men might carry loads of rocks from places on the shore which were inaccessible to a wheel-barrow. Using the forge-hammer and a steel wedge, Dad began to split sedimentary rocks on the fore-shore at the foot of the croft. After a week's work, he had harvested a large cairn of slabs suitable for building a byre and barn. The ever-ready Uncle Ewen came to help him carry the rocks up to the site of the new building which was close to our new home. Using the hand-barrow, those two navvies worked together with comradeship and good humour. As soon as the work was complete, Dad rewarded Uncle Ewen by offering to take him under his wing and support him on his first sortie out of the island. At that time, my Dad was an AB (able-bodied seaman) Ewen accepted the offer and accompanied Dad on his next deep-sea voyage. He served as an EDH (efficient deck-hand) on board the 'City of Karachi' and visited Auckland, New Zealand and Sydney, Australia. At both ports, they were feted by family members who had emigrated from Port Mholair before the Great War.

On a winter's night in 1943, the coastguards on duty in the station on Siùmpan Hill heard the sound of an explosion which caused the crockery on their table to rattle. They telephoned the Coastguard Centre in Stornoway to suggest that a depth-charge or mine had exploded very close to the headland. Of course, that event took place at the height of the Royal Navy's and Coastal Command's campaign against German U-boats operating in the North Minch. In the morning, the coastguards discovered that the noise heard in the night had been caused by a rock fall in the Geodha Ruadh. The site once occupied by the wreck of the Convallaria was hidden under hundreds of tons of rock.

'Satan', the wicked leader of Granny's poultry!
An 'Sàtan' a bha a' milleadh glasraich mo Sheanar

by Iain G Smith

Dad's masterpiece escaped with borrowed string
Sgait-adhair m'athar a dh'fhalbh leis an t-sreang!

Skookan's aggressive cow
Bò chunnartach Sguthcain

Dangerous work under a friable cliff-face
An 'Convallaria' anns a Gheodha Ruadh

My paternal grandparents and three daughters
Mo sheanair, mo sheanmhair agus an triùir nighean

Centre: Granny Port, humorous, generous, a devout Christian
Anns a' mheadhan, mo sheanmhair a' Phuirt, bata-làidir dhuinn uile

Mum, Nan and I in front of our 1930s house built by Dad
Mo mhàthair, Nan agus mise air beulabh an 'Taigh Sinc'

Between the Black-House and new Zinc-House
Eadar an Taigh-Dubh agus an Taigh Sinc

Our family, 1931
An teaghlach againn, nuair bha mi dhà

Aunt Mary with Alasdair Beag (left) and me
Piuthar mo mhàthar le Alasdair Beag (clì) is mise

Mum seated with Nan flanked by Alasdair Beag and me
Alasdair Beag, mo Mhàthair le Nan agus mise. Cuideachd Oighrig Bheag (clì) agus Mairi piuthat m' athair

My paternal granddad
Seanair

Nancy, Evander's daughter, who had cockeral-eggs
Nansaidh Iomhair aig an robh uighean coilich

1930s: Dad rehearsing for a stage play
M' athair ag ullachadh airson an àrd-ùrlar

Chapter 2
Caibidil 2

School & Education
Sgoil agus Foghlam

Strange Encounters

Some of the old folk enjoyed telling tales which frightened the children. Tales of ghosts and mysterious creatures which were said to inhabit the nether-world were favourite topics. Now that I am an old man – a *bodach* – I have to tell you that when I was an infant, the word *bodach* conjured up in my mind the vision of a gaunt, bug-eyed, crabbed old weirdo! Of course, I wasn't the only child spooked by the notion of meeting him.

There's a bodach in the bedroom with two grey eyes

The bodach in the bedroom has twelve big eyes!

Apart from the bugged-eyed resident in the bedrooms, there were three varieties of spook at large in our village. Out at Tom nan Airigh, on the moor near the scenic Loch an t-Siùmpain, the ghost of a man was seen – a *taibhse* with sad countenance reminded those who saw him of a chap who had died some considerable time ago. People thought it strange that he was still wandering about as if looking for the route to his Eternal Rest.

There were other apparitions which were not ghosts. There was the *tathaich*- a presence which resembled someone who was still alive but was in danger of losing his or her life. This one was equally spooky as you might imagine – particularly if the *tathaich* looked vaguely like a member of your own family.

Today, it is difficult to believe that some people believed such nonsense but we must remember that long before the advent of television, people craved entertainment and make-believe. Of course, I remember that world for I lived in it for the first ten years of my life. It was a world which disappeared in 1939 when Hitler's blitzkrieg began to shatter Europe.

As I mentioned before, Blind Annie was living on her own. She had been blind for most of her life and was lonely. My sister and I spent much of our day in her company and, though she departed from us more than fifty years ago, I continue to remember her voice and her toothless smile. Anyway, in Annie's black house there were only two windows. Each of the windows had four panes; one window was in the living room and the other was in the upper bedroom. It didn't really matter whether the day was dull or whether the windows were covered by a curtain or not, because Annie lived in darkness. Yet, she was conscious of the warmth and light of the summer sun. I often heard her describe the cold darkness of winter as muladach (depressing) and that made me aware of my good fortune in being sighted.

Eagal

Bhiodh feadhainn de na seann daoine a 'cur eagal air a' chloinn 'airson *ploy*': le bhith ag innse sgeulachdan mu dheidhinn thaibhsichean agus rudan dìamhair a bh' anns an àrainneachd againn bhiodh iad 'a' cur bodach orra".

Tha bodach anns a' chùlaist is dà shùil liath air
Bodach anns a' chùlaist is dà shùil dheug air.

A rèir aithris, bha trì seòrsaichean de dh'aogasan anns a' bhaile againn. A-muigh aig Tom Airigh an t-Siùmpain, chunnacas taibhse coltach ri cuideigin a bha air bàsachadh bho chionn fhada ach a bha fhathast gun siubhal gu Innis Flathanais. Bha tathaich eucoltach ri taibhse. B' e tathaich a chanadh tu ri aogas a chite air cruth chuideigin a bha fhathast maireann ach a bha ann an cunnart a bheatha. Tha cuimhne aig a h-uile duine air an tathaich a chunnacas feidhir mus do thòisich an Dàrna Cogadh. Chunnacas e thall aig Bothan Mòr glè fhaisg air Allt Loch an t-Siùmpain. A rèir nam boireannach a bha air fhaicinn, cha tuirt an tathaich dùrd. Ach bha suathalas aige ri ìomhaigh Iain Tharmoid Uilleim (Suileabhan) a bha air seacharan thall thairis. Ach, mar a chaidh a dhearbhadh dhuinn bliadhnaichean an dèidh sin, bha Iain Tharmoid Uilleim beò fallain anns a' phrìosan an Astràilia nuair a chaidh an t-aogas fhaicinn. Cho-dhùin na seann daoine gur e tathaich Tharmoid Uilleim fhèin a chunnacas (athair Shuileabhain) agus e mar gum biodh e a' tadhal air na badan anns an robh a mhac eòlach mus deach e na mhac-stròdhail, dha na tìrean cèine. Cha robh a h-uile duine a' gèilleadh dha na comharraidhean gòrach ud. 'S iomadh gille a lean orra a' siubhal na h-oidhche aig cèilidhean agus a' suirighe gun eagal orra ro chàil a bha a' còmhnaidh ann an dorchadas.

Mar a dh'innis mi dhuibh a cheana, bha Anna, piuthair mo sheanmhar, dall agus chaith i a' mhòr-chuid dhe beatha aonranach agus a' caoidh làithean a h-òige agus mar a chunnaic i an saoghal mus do chaill i a fradharc. M'eudail air a guth agus a h-ìomhaigh ged a shiubhail i bhuainn bho chionn leth-cheud bliadhna!

Cha robh ach dà uinneag anns an dachaigh aice – aon uinneag aig an teine agus tè eile anns a' chùlaist a-bhos. Anns gach uinneag bha ceithir leòsan nach robh ach troigh a dh'àird agus naoi òirlich de leud. Bha Anna beò ann an dorchadas na doille agus ged a bhiodh fichead uinneag air bhith anns gach rùm, bhiodh e fhathast air bhith gun sholas. Cha robh ise a' cur umhail air broinn na dachaigh a bhith cho dorcha, muladach agus, mar bu tric, làn ceothaidh.

My sister and I used to visit Annie just to listen to some of the things she said – often forgetting that she had an audience. She said them whether she had an audience or not.

Her grandfather, known as Fair-haired Murdo, had been born in Galson. His brother Donald and he were, in effect, pioneers – part of the group of about a dozen families who walked some thirty miles with their wives to help create two new settlements at the outmost part of the Rubha. Those settlements became known as Port Mholair and Port nan Giùran. Fair-haired Murdo, Annie's grandfather settled in Port Mholair and her uncle Donald in Port nan Giùran.

Annie's mind was full of the most interesting stories about events in Galson, that strange place that I had not visited and, indeed, never did visit until I retired in my sixties. Annie used to sing songs belonging to ancient times, ancient so far as I was concerned! Some of them were composed during the Boer War. One of her favourites ended with this verse:

Enjoy relaxing as you smoke your pipes,
Relax as you eat your bread,
For the time is fast approaching,
When a great noise will be heard in the Transvaal,
When the prison doors shall swing open
And your cheering will be heard in the streets.

When she became tired of telling tales of the Boer War, she would switch to songs she had learned as a child. Her favourite was Craobh nan Ubhal. She sang her songs in a nasal, off-key monotone. It was a song which Nan and I used to sing at family ceilidhs. We loved singing it in the style perfected by our old great-aunt: 'Oh apple tree of blossomed branch... oh apple tree... oh how straight and strong you grow... oh apple tree oh'.

Our new house, the 'zinc house', was no more than 20 yards away from the old black-house. Of course, in those days there was no street-lighting in rural districts of Lewis. In the darkness of winter, it seemed like a huge challenge to walk the intervening space between the houses.

It was customary for me and my sister to visit Blind Annie most afternoons and stay chatting with her until dusk. When it was time for us to go home, Annie would hand me the tongs which she used for placing peats on the fire. I used the tongs to choose a small burning peat which I was to carry all the way to the Zinc House. With that flaming, smoking torch in my right hand and Nan's hand firmly in my left, I would launch out towards our home.

Ged a bha gaol aig Nan air Anna Dhall, bha i a' faireachdainn sgriabhan eagail a h-uile uair a dheigheadh sinn a-steach dhan fhosglan air 'rathad nan taibhsichean' agus cha deigheadh i suas chun an teine mun robh grèim teann aice air mo làimh. Cho luath 's a chitheadh Nan lasair an teine air a' chagailt 's a chluinneadh i guth na caillich a' cur fàilte oirnn, bha i toileach gu leòr.

Mura fidreadh Anna gun robh sinn air a thighinn a-steach dhan fhosglan, leanadh i oirre a' bruidhinn leatha fhèin. Bha sin caran iargalta dhuinne mar chloinn a bhith nar seasamh anns an dorchadas agus anns a' cheò ag èisteachd na caillich a' dol tron repertoire a bha i air ionnsachadh na h-òige:

... Gabhaibh ar smoc às bhur pìoban
Is gabhaibh ur pìos às bhur làmh
Ach tha 'n tìd a' teannadh gu dlùth
A chluinnear am fuaim san Transvaal;
'S nuair a dh'fhosglar dorsan nam prìosan
Gun teid sibh le glaodh chun na sràid...

Nuair a dh' fhàsadh i sgìth de dh'òrain 'Cogadh nam Boer', dheigheadh i gu òrain a bhiodh a' toirt a-steach oirre seallaidh àlainn an t-samhraidh nach fhaiceadh i a chaoidh tuilleadh:

O craobh nan ubhal, geug an abhal
O craobh nan ubhal O.
Tha i fàs gu dìreach brais
O craobh nan ubhal O....

Cha robh an dachaigh ùr againne – an taigh-sinc – ach mu leth-cheud slat air falbh bho dhachaigh Anna ach, ann an dùbhlachd a' gheamhraidh, bha an t-slighe a bh' againn ri a choiseachd dhachaigh gu math uamhalt. Bheireadh Anna dhomh an clobha. Thogainn fàd lasrach às an teine. Leis an lòchran sin nam làimh dheis, agus grèim teann aig Nan air mo làimh chlì, thòisicheadh sinn a' coiseachd dhachaigh. Bhiodh Anna Dhall fo àrd-dhoras an taigh-dhuibh ag èigheach, 'Na ràinig sibh?'

'Cha do ràinig fhathast'.

Ann am mionaid eile, 'Na ràinig sibh?'

'Ràinig. Oidhche mhath, Anna!'

'Dia air ur crann, a ghràidh, agus Iosa air bhur cluasaig!'

Le sin, thionndaidheadh Anna air ais a-steach dhan fhosglan agus, dall 's

Annie would follow us through the lobby until we got to the outer door. As soon as we ventured into the night, she would shout, 'Have you arrived?'

We would call back, 'Not yet!' and then, about fifteen seconds later, she would repeat her call, 'Have you arrived, yet?'

At last, she would call just as we were opening our scullery door.

'Yes we're home now, Annie. Goodnight'.

Back would come her voice as she turned into the dark loneliness of her own home, 'God be with you children. May Jesus sleep on your pillow tonight'.

We often thought of Annie living there on her own; imagined her fumbling her way through the lobby, then through the door leading to her living-room with the fire in the middle of the floor. After a little while, she would pour ash on to the fire and put dampened peat on to the ash to ensure that it would take hours to burn and have a live fire ready for her when she got up in the morning.

Nan and I used to imagine how awful it used to be for her to go up to her bed close to where the bogeyman lived – the bodach with his twelve grey eyes!

You might well ask if I have ever seen any of those ghosts which haunted people's imagination. The answer is that I did not. On the other hand, it is absolutely true that, when I was five or six years of age, I did see creatures of the nether-world. And I wasn't the only one who saw them. They emerged as if by magic from Creagan Foitealair, the outcrop of rock in the side of the hill, which overlooks croft No. 3.

I was standing with my pal Iain Murray and his grandfather, Calum Uilleam. I had been invited to be there with Iain at the best time to see them: that is in the gloaming, the time of day just before the sun sets and everything is turned to gold. We saw what I estimate was about twenty of the Little Folk pouring out of the Creagan and down to the barley field on No. 3.

Calum Uilleim said, 'Shush now lads! Not a word from you. Just watch'.

He told us in a whisper that the Little Folk came down every evening to drink from the pail of milk which he had left for them by the edge of the field; that in return for his kindness, they would help him reap the barley as soon as it was ripe. Now, some of my relations, including my brothers Murdo and Iain Hector, scoffed at for me for saying that I had seen the Little Folk. Of course, it was understandable that they were jealous of my having seen those beings with my own eyes. My two brothers were too hard-boiled to see those tiny beings and would have ignored them even if they had appeared in their bowls of porridge. Anyway, I believe Calum Uilleim when he says that

mar a bha i, dhèanadh i a slighe suas tron taigh dhan chùlaist a' sireadh bòrd-slios na leabaidh-àrd far an robh i a' dol a ghabhail fois na h-oidhche. Bhithinn fhìn agus Nan gu tric a' cur eagal oirnn fhìn le bhith a' smaoineachadh air an àite uamhraidh, dhorch sin anns am biodh Anna dol a chadal.

Bodach anns a' chùlaist is dà shùil dheug air!

Air feasgar ciùin Foghair, bha Bantrach Anndra a' coiseachd an rathad-mhòir a' tighinn às a choinneimh nuair a thurchair dhi manadh fhaicinn. Dh'aithnich i anns a' bhad gur e rabhadh a bh' anns an rud a thàinig thuice: ro-radh air truaighe a bha dol a thachairt faisg air an tobair a bha fir a' bhaile air a dhùsgadh air lota Sguthcain. Gu mi-shealbhach, cha robh an tobair gu feum oir cha b' e bùrn fìor-ghlan a bh' innte ach bùrn-iarainn. Nuair a chuireadh tu am bùrn-iarainn ann am bòla, chitheadh tu gun robh lìgh ghorm air uachdair, dìreach mar gum biodh tu air balgam peatrol a dhòirteadh ann. Cha e sin a-mhàin, ach nan dèanadh tu teatha leis, chuireadh am blas aige sgàig ort. Cha b' urrainn dhut a h-òl eadhon ged a chuireadh tu dà làn spàin de shiùcar innte airson a dèanamh blasta.

Ach dè a b'urrainn dhan bhaile a dhèanamh le tobair a bha dusan troigh de dhòimhne agus a bha comasach air bò no leanabh a shlugadh gun dòigh aca air faighinn àiste? Bha e follaiseach nach robh Bantrach Anndra air an rabhadh ud fhaighinn gun adhbhar! Cho-dhùin conastapail a' bhaile, gum feumte saobhaidh na tobrach a dhùnadh gun dàil agus b' e sin dìreach a chaidh a dhèanamh.

Nise, ged nach fhaca mi taibhse no tathaich no manadh a-riamh, tha fhios agam le cinnt gun robh seòrsa eile de dh'aogais anns an àrainneachd againne nuair a bha mi òg. Bha gun teagamh agus b' e sin na sìthichean. Nuair a bha mi timcheall air sia bliadhna a dh'aois, chunna mi ficheadan dha na sìthichean a tha a' còmhnaidh ann an Creagan Foitealar os cionn na h-iomraichean arbhair aig Calum Uilleim. Bha mi fhìn agus dithis de mo cho-aoisean nar seasamh còmhla ri Calum Uilleim nuair a thàinig greigh de na meanbh-dhaoine sin a-mach às a' Chreagan. Och, tha feadhainn de mo chàirdean a ghabhas orra mo bhùirt às nuair a nì mi inneas air na sìthichean a chunna mi le mo dhà shùil!

Mar tha mise a' tuigsinn, chan fhaicear na sìthichean ach air an fhionnaraidh. Nuair a tha a' ghrian air a dhol fodha agus mar a chaidh a dhearbhadh uair agus uair, chan fhaicear iad idir mur eil neach a' creidsinn gu bheil a leithid de chreutar ann.

Bho chionn dà bhliadhna dheug, bha Murchadh (an t-isean deireadh linn againn) aig an taigh à Canada. Thurchair gun robh an ceathrar chloinne aige a-muigh còmhla rium airson cuairt timcheall air Loch an t-Siùmpain. Bha sin

unless you heartily believe in the Little Folk, you'll never see them.

You might well ask if anybody in our village has seen the Little Folk in recent years, and that's a fair question, but one has to remember that conditions in our environment have changed so much since I was a boy say, eighty years ago. Just consider how the golden light of the gloaming has been lost to us. The reason for that is that it is subdued by the street lighting. Furthermore, there's the problem that nowadays in our village, hardly anybody bothers to speak Gaelic which I believe is the language of the Little People. So to answer your question: are those creatures continuing to live in Creagan Foitealair the answer is almost certainly yes. Just ask my Canadian granddaughters, Bethany and Mairead. Now aged twenty, Bethany is studying medicine in Dublin, and Mairead, a year younger, is in the University in British Columbia studying music. Two very smart young ladies.

It was in the middle of August, when the calm air was disturbed only by the rasp, rasp, rasping love calls of the corncrakes, some nearby in the oats and barley and some lurking far away amongst tall grasses and crops at Broker and Port nan Giùran. Well, that was the evening that I asked my Canadian grandchildren Bethany, Mairead, Calum and Sean the youngest, who was only aged four, to come with me round the lovely Loch an t-Siumpan. The air was perfectly still and the surface of the loch was rippled only by an occasional mallard taking her brood across the surface for an evening stroll.

I led the children along to a knoll on the moor, just beyond the western edge of the loch. It was a place which I had not visited since my own childhood. Covered in purple and white heather, blue and pink scabious, bog asphodel and buttercups, the knoll looked as if had been dressed specially for our visit. The children were drawn to the white heather and prepared to take fistful of it back to their parents.

'It's not ours to take,' I exclaimed. 'The white heather belongs to the Little Folk. We, their friends, mustn't take more than a little sprig of it.'

We continued on our circular tour until we reached the Lighthouse Road, followed that for a hundred yards, then left it to climb up the steep side of Foitealar hill. When we reached the crest we stood viewing the village. Spread below us were the fields, most of which were fallow but were knee-deep in rank grass or clover. Each of the half-dozen croft houses of Ceanna-loch had a haze of blue peat-smoke over its chimney.

We walked on until we came to the Creagan, the glowering, haunted, buttress against the south face of the hill. It consists of a shallow cave overhung with a mighty brow of bare rock. Twenty minutes before the sun

am meadhan Lunastail, mìos thorach, bholtrach, thoileach an t-samhraidh agus bha am feasgar a' ciaradh. Anns a' mhadainn, bha culm air an iarmailt agus ciuthairnaich dhrùiteach a' laighe mar cheò air a' bhaile. Le àrd-fheasgar, thàinig caochladh air an aimsir. Dh' fhosgail solas an grèine anns na speuran agus thiormaich an latha. Cha robh deò air a' ghaoith. Thug mi a' chlann gu tom air sliabh-mònach a' bhaile – àite dìamhair far a bheil blàr àlainn de fhraoch-geal a' fàs. Bha muinntir an àite bho shean a' creidsinn gur e am fraoch-geal arbhar nan sìthichean agus gum b' e an curachd a bh' aca.

'Nise,' arsa mise, 'chan eil e ceadaichte dhuinn am fraoch-geal a ghoid oir chan ann leinn a tha e. Faodamaid trì diasan a thoirt leinn – trì diasan an làimh an urra – mar chuimhneachan air bòidhchead an tuim seo agus airson sealltainn gu bheil sinn mothachail air a' cheangal a th' againn ris na meanbh-dhaoine'.

Mar dhùbhlan rium, spìon Beathag dos mhòr dhan fhraoch-gheal às an talamh agus thog i e gu a sròin. Chunnaic i cho tàmailteach 's a bha mi gun robh i air sin a dhèanamh agus, ann am mionaid no dhà, ghabh i an t-aithreachas agus dh'iarr i maitheanas orm.

Arsa mise rithe, 'Chan eil math dhut a bhith ag iarraidh maitheanas ormsa oir, mar a stèinn mi dhuibh, chan ann leamsa a tha am fraoch-geal a tha fàs an seo.'

Chuir i an dos air ais mar a b' fheàrr a b'urrainn dhi. Choisich sinn timcheall an loch agus a-null gu Gearraidh Foitealair. Le dol fodha na grèine bha am baile againn cho àlainn 's gun robh e gam dhèanamh cianail a' coimhead an eireachdais a bha gar n-iadhadh. Fhad 's a bha e a' snàigeadh anns a' choirc, bha an traon a' gràiceil rinn agus bha faoileagan-an-sgadain àrd os ar cionn, air iteig ghuanaich a' tilleadh bho iola ann an Cuan nan Orc. Bha an sliabh air an robh sinn a' coiseachd air a sgeadachadh le fraoch-dearg agus leis a' ghille-Brìd, an dìthean boltrach, purpaidh air am bi an seillean a'cosnadh na meala san Lunastal. Mhothaich a' chlann gun robh paidearan dhan dealt an crochadh ris gach blàth agus gun robh sreangan de ghrìogagan air craobhagan lus-an-radain. Cha robh àite air an t-saoghal na b'àille leinn.

Nuair a ràinig sinn suas gu Creagan Foitealair, thug mi m' oghaichean gu far am biodh òigridh a' bhaile, linn as dèidh linn, nan suidhe a' seanchas air feasgair ghrianach shamhraidh. Sheall mi dhaibh far am biodh sinn a' cur ar làmhan air a' chreig airson ceòl nan sìthichean a chluinntinn. Cho luath 's a rinn a' chlann sin, chuala Beathag ceòl-dannsaidh na fìdhle. Bha e follaiseach gun robh na meanbh-dhaoine air maitheanas a thoirt dhi airson a' mhillidh a bha i air a dhèanamh air Tom an Fhraoich!

sank, the fragrance of the purple heather was so strong that Calum suggested that it was as if someone had opened a pot of honey. The dour overhang of the Creagan is south-facing and, because of that it retains the day's warmth for a few minutes after the sun has set. The corncrakes creaking calls were becoming distant and muted. I invited the children to place their hands on the rock and listen. Bethany did so on the lowest outcrop and shouted excitedly that she could feel the rhythm of music deep within the Creagan. None of the other children was able to share that experience.

Although the ever-changing light of the twilight gave way to the silver light of the moon, the Little Folk refused to appear. Yet, I feel certain that the sweet sensations experienced by the children on that evening will stay with them for as long as they live. Back in her school in Nova Scotia, Bethany wrote an essay describing the joy of holidaying in Port Mholair and, not least, the rare pleasure of hearing the Little Folk playing their music in Creagan Foitealair. For reasons which I find difficult to understand, the teacher did not believe a word of it!

Aird Public School

In 1878, Aird Public School was built at Druim Oidealair – a cold, wind-swept ridge which was open to gales from every direction. The site was chosen because it was roughly equidistant from the five fishing villages: Seisiadar, Siadar, Aird, Port Mholair and Port nan Giùran. Bad weather was raging during the Autumn that I first went to school. I was aged between five and six at the time. Of course, in those days, there weren't any cars or buses or any other form of transport to take pupils to or from Druim Oidealair.

We had to walk to and from school come gale, hail, rain or sunshine. I remember that, on a particular spring morning in my first year, the weather was fair as we trooped along the road. The good weather affected everybody – even the teachers. Our teacher was called Miss Christina Murray, a nice gentle lady who never raised her voice in anger. She loved her brood of infants and consequently excelled in her work. At first, Miss Murray spoke to us in Gaelic which, because it was the only language we understood, was a very wise thing to do. She introduced English words and phrases gradually, so that our experience of infant school was not at all stressful. As I said, it was the spring time and an important day, for it was then that I got my first reading book. It had a picture of a cat sitting on a mat. It also had a picture of

Air ais anns an sgoil an Alba Nuadh, sgrìobh Beathag cunntas air an fheasgar àghmhor, iongantach a bha air a bhith aice air a saor-laithean an Eilean Leòdhais. Mar thoradh air sin, chuir an tidsear gu a pàrantan gearain gun robh cleannan aig an nighean aca a bhith ag innse nam breug! Chaidh Linda, bean Mhurchaidh, chun na sgoile ach cha b' ann airson rèit a dhèanamh ris an tidsear.

'Tha am pàiste agaibh ag innse ràbhartan mu dheidhinn uile-bheist Loch Nis agus nòsan diamhair a bhuineas do na sìthichean a tha i ag radh a tha a' còmhnaidh air Gàidhealtachd na h-Alba'.

'Chan eil facal brèige aig Beathag ag innse na h-eachdraidh sin. Aig àite-còmhnaidh nan sìthichean ann an Eilean Leòdhais, chuala i ceòl nam meanbh-dhaoine le a dà chluais agus chan eil càil ceàrr air a claisneachd. A bheil thusa comasach air dearbhadh nach e an fhìrinn a tha sin?'

Gu sealbhach, cha do rinn cuairt an fheasgair còmhla ri an seanair cron sam bith air m' oghaichean. An-diugh, tha Beathag ga h-oideachadh ris an dotaireachd ann an Oilthigh Baile Atha Cliath an Eirinn agus tha an triùir eile a' leantainn dlùth air a sàil le foghlam agus le ultach de bheul-aithris nan Gàidheal nan cinn.

Sgoil na h-Airde

Ann an 1878, thogadh Sgoil na h-Airde air Druim Oidealair – tom aognaidh, uspagach a bha fosgailte dhan h-uile gaoth a thigeadh às an adhar. Chaidh an làrach ud a thaghadh dhan sgoil oir bha e eadar mìle agus dà mhìle bho na còig bailtean-iasgaich anns an robh teaghlaichean chloinne: b'iad sin Siadar, Seisiadar, An Aird, Port Mholair agus Port nan Giùran.

Bha droch shìde ann nuair a chaidh mise dhan sgoil anns an Lunastal, 1935. Anns an latha ud, cha robh càr no seòrsa eile de chòmhdhail ann airson a' chlann a thoirt dhan sgoil. An-diugh, is iongantach leam mar a dh' fhàs sinn cleachdte ri bhith a' coiseachd gu Druim Oidealair dh'aindeoin gach uisge, cathadh no gailleann a thigeadh oirnn air an t-slighe.

Tha cuimhne mhath agam air a' chiad latha a fhuair mi mo chiad leabhar dhachaigh leam às an sgoil. Tha mi den bheachd gum b' anns an Earrach 1936 a bha sin. Bha mi a' fiughar ris an duais phrìseil a bha mi air fhaighinn a shealltainn dha mo phàrantan agus do mhuinntir mo sheanar. A' cromadh Leathad na Bùtha dh'fhairich sinn fàileadh grod a bha a' tighinn thugainn air a' ghaoith. Mus do ràinig sinn Ceanna-loch, cha b' e fàileadh a bh' ann

children called Jack and Jill – or was it Janet and John? However, I remember that day as it was the very first day on which I enjoyed school.

Anyway, I was looking forward to showing my brand-new book to my relations. As soon as we walked down the Shop Brae, there was a terrible stench in the air. The further we walked towards Ceanna-loch the stronger the smell became. At last we saw Big Effie, daughter of Iain Roy.

She was outside and always sat at the family peat-stack which was beside the loch. She carried a crooked walking stick in her hand and wore a white mutch and a grey shawl. And, as I said, she seemed to me to be very old. My little sister said, 'Big Effie, there's a terrible stink in the village.'

Big Effie laughed for ages and when she recovered she said, 'Sweet child, the Ceanna-loch families are so busy carrying the farmyard manure to the fields, your mother and your father's sisters, your aunts, have opened the òcrach, where they stored the manure for months and months. They are busy carrying the manure in creels out to the fields.

'Why do they have to do that? The stink is spoiling the village. Even the bees are falling out of the sky!'

The old woman laughed again. She said, 'You see they spread the manure over the fields and that will give us good crops next summer and autumn.'

We saw two or three bumblebees which, indeed, had fallen out of the sky. We imagined that they had fainted and were sputtering about on the grass. The fragrances which normally attracted them to beautiful flowers had been switched off and, in their stead, was the choking pong of the fields. A Ghia! We tried nervously to help one bumblebee but, rather than hum as it should, all it could do was give a little noise like a burp. On the following day, I reported to Miss Murray the sorry story of the Ceanna-loch òcrach. It was the very first time, I heard her laugh. It was also probably the last time for, within a few weeks, our class was moved on to another teacher.

Our new teacher was young and ill-tempered and we sometimes felt the full weight of her rage. She was a Gaelic speaker but she felt obliged to speak to us only in English, a language which continued to be difficult for me to understand. She made full use of the 'tawse' – the leather strap used to inflict physical punishment. As if that were not enough cruelty, she slapped her pupils' faces, my own most frequently. Her angry voice and the continuous threat of physical violence certainly focused the children's attention. In my second year with that teacher, my fourth year at school, Cupid came to our rescue! On a gloriously sunny day, the headmaster went round the classes announcing that our teacher was about to marry and move to Glasgow.

ach samh! Bha Oighrig Mhòr Iain Ruaidh, seann bhoireannach le bata aice na làimh, na suidhe ris a' chruach-mhònach aice a bha ri taobh an loch. Tha cuimhne agam gun robh currag gheal oirre agus plèide ghlas.

Thuirt mo phiuthar rithe, 'Oighrig, nach ann anns a' bhaile a tha am fàileadh!'

'Mil air do theanga, a m'eudail! Tha na teaghlaichean air na h-òcraichean fhosgladh agus tha ur mhàthair agus clann-nighean do sheanar a' cur a-mach an todhair.'

'Dè,' arsa Nan, 'a tha iad a' dèanamh leis an todhar?'

Rinn Oighrig Mhòr gàire. 'Tha iad ga sgaoileadh air na talmhaichean. Ma bhios sinn beò as t-foghar, gheibh sinn buntata math leis na tha iad a' cur de thodhair air an talamh.'

Ma bha na seilleanan-mil dripeil am measg nam blàthan nuair a bha sinn a' falbh dhan sgoil sa mhadainn, cha robh iad comasach air sin a dhèanamh nuair a thill sinn. Bha cùbhraidheachd nam blàthan air teiche agus bha 'breuntas na loibhre' air a thighinn na àite. Nuair a ràinig sinn dhachaigh, chunna sinn na boireannaich suas is sios nan iomraichean le clèibh air an dromannan agus na fireannaich leis na gràpaichean a lìonadh nan cliabh. A ghìath! As aonais cùbhraidheachd nam blàthan, bha na seillean-mil a' fanntaigeadh. Bha feadhainn dhiubh a' tuiteam chun na talamhainn leth-mharbh. Cha b' e srann am fuaim a bha iad a' dèanamh ach casadaich!

Làrna mhàireach nuair a dh'innis mi siud dhan tidsear, rinn i lachan gàire. B' ise Ciorstag Mhurchaidh a' Bhac (Ciorstag Mhoireach) à Siadar – boireannach glic, carthannach a bha air a bhith a' teagaisg na cloinne bige airson iomadach bliadhna. B' e a' Ghàidhlig a bh' aice rinn aig toiseach tòiseachaidh ach bha i a' toirt a-steach facail Bheurla mean-air-mhean mar a bha sinn a' fàs cleachdte ri ùghdarras na sgoile. Mo bheannachd aice! Saoilidh mi gun cluinn mi a guth gàireach tlachdmhor nuair a bhiodh sinn ag innse dhi ar naidheachdan 's gum faic mi grìogagan mòra ioma-dhathte na h-abacas leis am biodh i gar cuideachadh le cunntais.

Ma bha Ciorstag Mhurchaidh a' Bhac gasta, còir rinn anns an dà bhliadhna a bha sinn fo a cùram, bha an ath thè a bh' againn tur eadar-dhealaichte rithe. Bha i sin òg, brèagha ach cha robh i còir no carthannach rinn agus chan eil iongnadh ged bha eagal againn roimpe. Cha b' e a-mhàin gun robh i a' toirt dhuinn sràicean leis a' chuip ach bha othaig ghràineil aice bhith a' sgìamhail an aodainn nan sgoilearan agus a' toirt sgalan chruaidh dhaibh mun peirceall le a bois. Tha mi cinnteach nach robh mise no leanabh eile dem cho-aoisean a bha eòlach air a bhith a' faighinn an leithid siud de dhroch ghrèidheadh nar dachaighean.

We rejoiced. On her final day at Aird Public School, she freed her pupils at 3 pm, an hour before the rest of the schoolchildren were released from their bondage.

My third teacher was Annie MacSween, then aged about thirty, an excellent teacher and a strict disciplinarian. Because of my having occasional bouts of asthma, I was absent from school for much of my second year with her and I had to repeat that year. I had no fear of Miss MacSween and, in fact, enjoyed school as I had never done before. I spent a second year in her primary six without any problem. Annie MacSween's sister Eilidh was married to Murdo MacAnndra, my father's best pal. Mum used to say that Dad used to accompany Murdo MacAnndra to Garrabost, ostensibly to keep him company on the four miles walk there and back but that, in fact, my Dad fancied Annie, my kind and excellent teacher.

'Och, be quiet woman,' my Dad would say. 'Never-ever did I fancy that woman. You're trying to make me look stupid in front of the children but I refuse to amuse you!'

During my year off school, our friend Mrs Mary MacLeod, wife of Johnny the shopkeeper, presented me with a bundle of books which included three novels: 'Waverley' by Sir Walter Scott; 'Snow Shoes and Canoes' by William HG Kingston; and 'Settlers in Canada' by Captain Marryat. I found that 'Waverley' was very difficult for me to read. Yet the story was fascinating and I persisted. Fortunately, my parents had bought our family an English dictionary and I worked my way through the three novels several times and learned a great deal from them. They described a world which was very different from the one in which I lived. I spent much of my time looking in the dictionary for the meaning of unfamiliar words which cropped up in my reading.

My teacher in Primary 7 was Margaret Murray, (Mairead Dollag) of Siadar, an excellent teacher who helped me with English and who unofficially began to teach me French. I loved her as a teacher, not least because she frequently flouted the law of the education committee, which forbade her teaching in Gaelic. Miss Murray was in the habit of explaining things in Gaelic whenever she felt that the message was not getting through to us when she explained it in English.

From my early days in Aird Public School, it was customary for the senior boys, those up to fifteen years of age, to arrange fights between younger boys. Of course, there wasn't any money involved, but it did give the senior pupils, pleasure to see contests which usually ended with bleeding noses or split lips.

Nam biodh m' athair no mo mhàthair air bhith nàimhdeil, borb rium gam chronachadh, 's mathaid nach biodh uiread de dh'eagal orm fo stiùireadh na bana-Ghàidheil ud. Agus b' e sin a bh' innte – bana-Ghàidheal nach tuirt smid a-riamh rinn anns a' chànan a fhuair sinn le bainne na cìch. A' coimhead air ais, feumaidh mi aideachadh gu bheil mi a' tuigsinn an adhbhair a bh' aice air a bhith cho borb ris a' chloinn. Bha an Achd Pàrlamaid air an robh rìaghladh nan sgoiltean stèidhte aig an àm ud a' coimhead air a' Ghàidhlig mar chnap-starra a dh' fheumte a mhùchadh agus a chur à bith. Tha mi a' smaoineachadh gum b' e sin a choisinn dhan tidsear ud dubh-ghràin a bhith aice oirnn a bha cho slaodach, aindeoineach a' leantainn na slighe a bha i a' lasadh romhainn.

Cò dhiù, fhuair sinn faochadh anns an dàrna bliadhna a bha sinn fo a h-ùghdarras, nuair a phòs i gille às an Aird agus chur i a cùl ri Druim Oidealair. Anns a' chòigeamh bliadhna a bha mi anns an sgoil, chaidh an clas againn gu Anna NicSuain (Anna a' Chumaidh), tidsear aig an robh droch chliù airson a bhith cruaidh, fiadhaich, an-iochdmhor ris a' chloinn. Leamsa, bha i na tidsear air leth sgileil. Bha i caomh, foighidinneach agus, fo a cùram, fhuair mi mo chiad mhisneachadh ann am foghlam. Bhiodh mo mhàthair ag radh gum b' e an t-adhbhar a bh' aig Anna a' Chumaidh a bhith cho còir rium, gun robh m' athair air a bhith suirighe oirre nuair bha iad òg. Bhiodh esan a' dol às àicheadh gun robh!

'O nach ist thu, a bhoireannaich!' chanadh e. 'Cha robh ann an saoghal Dhia mise a' suirighe air Anna a' Chumaidh!!'

Eadar 's gun robh no nach robh, rinn mise adhartas fo a sgèith. Phòs Murchadh Anndra (caraid m' athar) Eilidh a' Chumaidh (piuthar Anna) agus lean an cleamhnas a bha eadar mo phàrantan agus na teaghlaichean sin rè nam bliadhnaichean a bha iad beò.

Anns an dàrna bliadhna a bha mi aice, dh'fhas mi tinn leis a' chuing agus bha mi na bu tric ann an 'leabaidh nan òisgean' na bha mi ann an Druim Oidealar.

Chuir Bean Sheonaidh Aonghais Uilleim, sios ultach leabhraichean a bha i a' smaoineachadh a chumadh leughadh rium airson beagan sheachdainnean. Tiodhlac luachmhor a bh' ann agus ged nach robh mi comasach air bhith anns an sgoil, dh' ionnsaich mi mòran às an ultach a chur i thugam. Bha faclair Beurla ann, dà leabhar a sgrìobh Captain Maryatt agus 'Waverley'a sgrìobh Sir Walter Scott.

Dh'fhosgail na leabhraichean aig Maryatt agus Scott saoghal ùr dhomh Ach bha mi air uiread de leasanan a chall tron earrach 's gum b'fheudar dhomh fuireach airson bliadhna eile anns an aon chlas – a-rithist aig Anna a' Chumaidh agus, gu dearbh, cha bu mhiste mi an rèis a chur mi seachad fo a cùram.

All the boys I was invited to fight were my pals and relations. Though I was neither competent as a fighter nor brave, I was often led to the gravel pit which was about a hundred yards from the school. There, the senior boys were ready to referee the fights. Some of the boys of my own age refused to fight and I often wondered why on earth I, as an under-sized semi-invalid always accepted whatever challenge was put to me. I simply refused to acknowledge that anybody was a better fighter than I. To this day, I become uptight thinking of my fear while walking down to the gravel pit among a crowd of senior boys who egged me on, telling me my opponent that afternoon was scared of me. As we took off our school bags and jackets, I could sense that my opponent was less afraid of me than I was of him. The headmaster could easily have stopped those gravel-pit tournaments by identifying the 'Don Kings' who were the promoters. I'm sure that the little battlers would have rejoiced if he had hauled them over the coals.

My uncle Ewan had heard of my interest in fighting, or boxing as we now call the noble art. He had bought for me two pairs of lightweight boxing gloves and my cousin Alasdair Beag and I were anxious to spar. We went out to a place on the moor where there was the ruin of a cabbage nursery which had been abandoned years earlier. The ruin was a perfect square which resembled a boxing ring. Alasdair Beag and I took off our togs and donned the boxing-gloves. We threw powder-puff punches, danced, ducked, and occasionally clinched as we imagined real boxers might. After more than twenty rounds of that charade, we noticed that a man was on the Lighthouse Road walking slowly and showing some interest in our 'Rumble in the Jungle'. The man was Soolivan who at one time was a real pugilist sometimes fighting for money and, according to himself, often fighting involved in physical violence when he was in 'The Old U.S. of A'. Attracted by the sight of the two moorland gladiators in combat, Soolivan ventured across the broken moor to reach our venue. He spent some five minutes with us during which he disapproved of our posturing, neither of us being willing, or perhaps capable, of landing a telling punch. As he was strolling off, we overheard him say, 'Och, you're just like a couple of nancy boys who don't know squat'.

My cousin and I were much older before we understood the meaning of the insult!

B' e Màiread Mhoireach (Màiread Doileag) à Sìadar an tidsear a mhisnich mi ann am Beurla agus a threòraich mi, mar ghean-math, airson dà ràith ag ionnsachadh Frangais. Bha gaol agam oirre gu h-àraidh seach nach seimeadh i, fhad 's a bha i gar teagaisg, tionndadh bhon a' Beurla chun na Gàidhlig. Bho bha sinn air bhith sia bliadhna a dh'aois gar teagaisg aig Ciorstag Mhurchaidh a' Bhac, cha robh tidsear eile againn a ghabhadh oirre siud a dhèanamh. Le bhith a' toirt a' cheum ud tarsainn air a' challaid a bha Achd an Fhoghlaim air a chur eadar sinne mar ìochdarain agus iadsan, na h-eilthirich a bha gar riaghladh, bha Màiread Mhoireach a' dearbhadh dhuinn gun robh ise mar bha sinne tòrr nas cofhurtail a' bruidhinn rinn nar cànan fhìn.

Fad nam bliadhnachan a bha mi ann an Sgoil na h-Airde, bha na balaich mhòra – balaich a bha suas ri ceithir bliadhna deug de dh'aois a' spreòtadh nam balach bheag airson gun deigheadh iad a shabaid ri a chèile.

'An gabh thu air Pididh a' Bhogais? An gabh thu air an Sgarbh? An gabh thu air Uilleam a' Phaighd?'

Bha mi beag ach bha mi beachdail agus choisinn sin dhomh gun robh mi den bheachd gun gabhainn air a h-uile balach a bha san sgoil dem aois fhìn. Bha mi air mo mhealladh! Bha feadhainn ann a bha mòran na bu treise 's na bu mhotha na mise ach a bha cho glic agus nach deigheadh idir a shabaid. Nam ghiodraman beag beachdail, choisinn mo ghòraich dhomh a bhith gu tric anns an Doca-Chrèadhadh a bha dà cheud slat bhon sgoil, a' cur dhiom mo sheacaid airson a dhol an sàs ann am feareigin a bha cheart cho gòrach eagalach rium fhìn. 'S iomadh latha a chaidh mi dhachaigh às an sgoil is mi le sèid nam leth-cheann no le mo chuid-aodaich air a shracadh. Cha b' fheàirrde mo mhàthair no mi fhìn an dol-a-mach sin a bh' agam! Glè thric, bhithinn fhìn agus Alasdair Beag a' spàraigeadh aig Gob na Cloinne no aig Tom nan Corra-ghritheach far an robh làrach seann iodhlann-chàil na ceàrnaig anns a' mhòintich. Cha bhiodh sinn a' toirt buillean dha chèile chun a' chinn idir ach bha e ceadaichte anns na riaghailtean againn fhìn, ducaichean a thoirt seachad chun a' chuirp. Bha puill-mhònaich aig Suileabhan glè fhaisg air far an robh a' cheàrnag againn. Bha bràthair mo mhàthar air miotagan a thoirt dhomh mar thiodhlac agus mach à seo mi-fhìn agus Alasdair Beag airson 'spàdhar'. Cearbach 's mar a bha Suileabhan, choisich e a nall tron mhòintich gu far an robh sinn an sàs na chèile. Cha robh e còmhla rinn airson fada.

Ars esan, 's e ri cur cùl rinn, 'S ann a tha mi a' samhlachadh an dithis agaibh ri dà bhalach-boireann. Chan aithne dhuibh cidseag!'

Bha sinne air an robh e air an tàire ud a dhèanamh, iomadach bliadhna na bu shine mus do thuig sinn an tàire a bha e air a dhèanamh oirnn.

Bad Language

When I first went to school I spoke only Gaelic. At that time, Gaelic was the language of all the families in our community. At school, we discovered that our teachers' effort was aimed at making us forget our own language and learn English instead. That was easier said than done. We were taught that to become successful in business or in the professions, we had to become proficient in English and arithmetic.

Like the other boys in my class, I learned English slowly but made faster progress in yet another language – one that was forbidden to us but was easily learned from older pupils in the playground. It was called *droch cainnt*, i.e. foul language. In Gaelic we have numerous words which mean 'devil' – *donas, dòlas, fear-millidh, sàtan* and so on. Interestingly, some carry more weight than others though why that should be escapes me. Mention of 'him' continues to be discouraged, but not completely forbidden. It really depended on the name for him which you chose. If, for example you happened to stub your toe on a stone, it would not be considered inappropriate for you to say *'An donas, bha siud gort'* which is like saying 'Dammit, that was sore'. But there was one satanic word which was totally verboten, and that was *diabhal.* Ochan-ochan! I feel terrible for having yielded to the temptation to mention that horrible word. It is a word that should never be heard either from a child or adult. It would be more horrible still if the word were to be used as a curse. The Devil upon you! That was the ultimate in curses – and still is.

Perversely, it is not considered wicked to mention An Dòlas or an Donas or an Sàtan –which are alternative names for the Evil One. As a child I was sometimes described affectionately as a sàtan – a little devil. But adults would have to be truly exasperated by my conduct to have resorted to the use of the big D word.

As pupils, we regularly played football on the pitch behind the school. As one gradually moved up the school, one became more confident and vocal. 'Pass the ball to Uilleam' or 'have a shot at goal', 'that was definitely a penalty', etc. Once we entered our teenage years, we used additional words to lend authority to what we were shouting. 'Pass the *dòlas* ball to Uilleam' or 'have a shot at the *donas* goal.'

Those meaningless adjectives were expressions used in the rough and tumble of the open air. Both adults and children were allowed to use expletives which had lost their original meaning but continued to be considered undesirable.

Droch Cainnt

Nam linn-se, chaidh a' chlann uile do Sgoil na h-Airde gun Bheurla. Bha sinn beò ann an saoghal na Gàidhlig agus bha sinn mothachail air an oidhirp a bhatar a' dèanamh air ar n-iompachadh a-steach ann an cànan eilthireach nan Sasannach. Bha cùisean searbh dhuinn mar a b' àird a chaidh sinn anns an sgoil ach, a dh'aindeoin sin, cha robh a' mhòr-chuid againn a' breabadh an aghaidh nan dealg. Bha sinn airson a' Bheurla ionnsachadh ach chan eil mi a' smaoineachadh gun robh a h-uile tidsear 's na morairean a bha os an cionn-san a' toirt mun aire cho duilich 's a bha e dhuinne, mar chlann òg,a bhith am measg inbhich a bha diùltadh facal Gàidhlig a' labhairt airson stèinneadh dhuinn an rud a bha iad ag iarraidh oirnn a dhèanamh.

Gu sealbhach dhuinne a bh' ann an Sgoil na h-Airde, mar a dh'innis mi roimhe, b' e Ciorstag Mhurchaidh a' Bhac a' chiad tidsear a bh' againn. Bha i air a bhith leis a' chloinn bheaga airson iomadach bliadhna mus deach mise thuice. Boireannach gasta, glic, gràdhach a bh' innte agus tha an aon aithris oirre aig a h-uile duine a fhuair oideachadh fo a cùram. Aig toiseach ar rèis còmhla rithe, bha i deònach air a' Ghàidhlig a bhruidhinn ris a' chloinn. Mean air mhean, bha i comasach air gnàth-fhacail anns a' Bheurla a thoirt a-steach na còmhradh.

Thuilleadh air a' Bheurla bha seòrsa eile de chànan againn ga h-ionnsachadh ann an Druim Oidealair. Cha robh mi air aois deich bliadhna a ruighinn, nuair a dh' fhàs mi fileanta air droch chainnt! Bha sinn mothachail gun robh facail anns a' Ghàidhlig a bha air an crosadh dhuinn bho ar n-òige ach, airson gun dearbhadh sinn dha chèile gun robh sinn a' fàs mòr, bha na 'droch fhacail' sin againn air ar bilean a h-uile latha fhad 's a bha sinn a-muigh a' cluich air raon air cùl na sgoile.

Tha ceithir facail anns a' Ghàidhlig a tha air leth grànda, drabasta, agus a bha air an toirmeasg ann am bilean neo-chiontach, fìor-ghlan na cloinne. Bha na facail sin a' ciallachadh 'An Droch Fhear', no 'An Sàtan': 'Am Fear Millidh', 'An Dòlas', An 'Donas', agus 'An Diabhal'. Fhad 's a bhiodh mo sheanair a' gabhail an Leabhair, bheireadh e iomradh uaireannan air 'an t-Sàtan'.

Nam òige, cha bhiodh e a' dol an aghaidh modhalach do dh'inbheach a ràdh ri balach, 'Chan eil annad ach sàtan!'; no 'S e donas a th' annad'; no 'Sguir a shadadh an dòlas ròpa sin!' Ach, bha aon ainm air an t-Sàtan air a chrosadh dhuinn gu tur. Nuair a chluinneadh tu am facal grod, gràinneil, grànnda sin, bha e mar gum biodh e a' cur goirseachadh ort agus gaoir tro

Let me tell you a little about blasphemy. There was a boy in the next class called Uilleam, who towered over all the children in the school. Somebody suggested 'The Almighty'. When Uilleam heard of that blasphemous suggestion, he lost the rag! The result was that nobody ever referred to him by that nickname if he happened to be within earshot.

One frosty winter's morning, we were sliding on a frozen drain running parallel to the playground wall. It happened that Uilleam was in front of me in the queue. When it came Uilleam's turn to skid along the ice, he reversed before shooting forward. As he reversed, he brought the heel of his left foot down on my right toes. For the rest of that cold frosty day, I hirpled about the school unable to feel my injured toes.

At home, I discovered that my Mum was attending to the ewes. Holding the fort' was my Granny Port. 'Calum *a ghràidh*, you are in pain. What has happened to your foot?'

I eased off my shoe and stocking and found that my foot was swollen like a small loaf and discoloured. Congealed blood was like glue between my toes. I answered my Granny's question while I was massaging my ankle.

'We were sliding on the roadside drain at Druim Oidealar. I was in the middle of the queue waiting to get a shot. The fellow in front of me is called The Almighty. He's a huge boy with the biggest boots you've ever seen with steel plates on the heels and the toes. He took three steps back to allow himself to gather speed. Well, that thundering big Almighty stood on my foot and flattened my shoe with my toes inside it. I don't think The Almighty should be allowed to wear boots like that.'

Granny's mirth didn't soothe the pain in my foot.

'A ghràidh,' she said, 'flattening your toes like that doesn't sound to me like the work of the Almighty.'

'But it was Granny,' I told her. 'It definitely was'.

Cat on a Small-line

Many of the men in our village earned their living from fishing. In summer they did so by using small-lines, which were baited with small morsels of herring or mussels. Each small-line was more than 100 yards long. Small hooks were suspended by sneads of horse-hair from the head-line at intervals When the fisherman baited the hooks he needed to work with concentration and precision for each baited hook had to be placed on a tray at an angle so

d' fheòil! B' e sin am facal 'Diabhal'! Ud-ud-ud! Carson a thug sibh orm a ràdh an seo? Bha am facal sin cho geur, drabasta agus nach robhas ga chluinntinn ach ainneamh air taobh a-muigh na h-eaglaise agus sin bho bhilean fìor-ghlan a' mhinisteir nuair bhiodh e a' searmonachadh anns a' chùbainn.

Cha robh sinne fada air raon-cluiche na sgoile gus an robh e againn air ar teanga. Nuair bhiodh sinn a' cluich air ball-coise, dh'fheumadh tu a bhith a' guidheachdainn mar bha càch. Is ionmhainn leis gach neach a choltas! Bha na facail a bha nar beòil grànnda ach mar bu ghràinnde a bha iad, b' ann bu mhìlse leinn! Bha sinn neo-lochdach, neo-chiontach ged nach saoileadh inbhich – gu h-àraidh, luchd nan eaglaisean, gun robh sinn neo-chiontach. Cha b' e droch bhalaich a bh' annainn idir ach bha taghadh math againn de dhroch fhacail leis am faodamaid mionnan – sin cho fada 's nach robh inbheach anns an èisteachd. Ach nam biodh ar pàrantan air ar cluinntinn leis an droch chainnt a bh' againn a h-uile latha, biodh iad air ar feannadh. Nam bharail cha do rinn ar n-eòlas air na facail sin na b' fheàrr no bu mhiosa sinn nuair a dh'fhàs sinn mòr agus a thilg sinn às am faclair suathaid a bh' againn nar cloinn. An-diugh, chan abrainn na facail ud ann an conaltradh ged a gheibhinn an saoghal mun iadh a' ghrian. Agus tha mi ag radh sin ged tha deagh fhios agam nach do dh'iadh a' ghrian an saoghal bho chaochail linn mo sheanar!

Cat air Lìon-beag

Bha tòrr de na fir a' cosnadh am beò-shlaint leis an lìon-bheag. Bha còrr air ceithir ceud dubhan air agus mus cuireadh tu dhan t-sàl e airson iasgach, bha agad ris na ceudan a bha sin a bhiathadh le greimannan sgadain no le fiasgain. B' e sin obair a bha toirt ùine airson bha aig a h-uile dubhan a bha sin ri baoit a ghiùlain chun a' ghrunna.

Bha 'Sgeadaidh', mac Mhurchaidh Aonghais, air a lìon-beag a bhiathadh le baoitean sgadain, gach dubhan leis a' bhaoit air a chur gu cùramach nan sreathan, sreath air an t-sreath, anns an sgùil leis an robh e a' dol chun an eathair. B' e obair a bh' ann a bha air toirt trì uairean a thìde agus barrachd foighidinn na bha nàdar air a bhuileachadh air.

Mar tha fhios aig a h-uile duine, tha miann a' chait anns an tràigh ged nach toir e fhèin às e. Glè thric, far am bi iasg, bidh cat – cat a bhios a' snòitearachd le droch rùn, agus an dòchas gun tuit pìos èisg thuige a bheir làn beòil dha. Mura faigh e baoit le cead, feuchaidh e ri baoit a ghoid às an sgùil. An cat a tha cho aineolach 's gun dèan e sin, cha bhi fhios aige gu bheil dubhan an cois na

that when the head-line was released from the fishing boat, each baited hook leapt freely into the sea without catching the one before or the one after.

The house in which Murdo Campbell lived was the last before you reached Tiumpanhead lighthouse. Murdo Campbell had five sons of whom Angus, aged nineteen, was the second youngest. He was a fisherman and he was known to everybody by the nickname Skeddy. When I was aged six or seven, he was one of my heroes and I regarded it as a privilege to be in his company while he was baiting his small-line. Row after row of baited hooks he laid in his tray, each one placed precisely with its barb pointing down, ready to be shot on to the fishing ground in Port Mholair Bay.

There's an old Gaelic saying that 'although cats cannot catch fish they crave the taste of it'. The Campbell's cat was ignorant of the fact that anybody trying to steal a morsel of herring out of the fisherman's tray was in for a terrible shock. I was out at the Campbell's house watching Skeddy as he was completing the baiting of his small-line. Skeddy's mind was on the haddock, plaice, whiting and grey gurnets which his small-line would bring into the boat on the afternoon tide. All those images were dispelled from his mind when he became aware that the cat at his feet had stolen the bait out of the tray and had a hook buried in his jaw. Suddenly, the thief became airborne as it felt the sting in its mouth and began to anticipate the wrath of the fisherman. Skeddy let rip a strutan of swear words. Shocked by his language, both his parents responded with, 'Ud- ud-ud! Stop that at once!'

His mother was very upset, 'You should be ashamed of yourself,' she cried, 'Using such profanities in the presence of a child.'

The panic-stricken cat launched itself hither and thither until in the end, it landed on the rows of baited hooks so immaculately laid on the tray.

As Skeddy trapped the animal under a towel, he spoke under his breath. 'I'll flay you alive, you son-of-a-witch!'

There's no point in my trying to repeat all the expletives which escaped from Skeddy while he was in pursuit of the cat. But the crudeness of the expletives in his vocabulary came as a shock to his mother! Old Murdo Campbell, the young man's father, stayed calm throughout.

'Son,' he said, 'you surely know that all cats have a craving for herring. It is their nature. But you really have to control your anger not least when you are in the presence of children'.

'I apologise for my language, father' replied his son. 'But look at the mess the mangy little thief had done to my morning's work.'

Repairing the damage to the small-line took a long time. Unfankling the

mèirle. B' ann dìreach leis an leithid sin de dh'aineolas a bha cat Mhurchaidh Aonghais a'liugradh timcheall air 'Sgeadaidh'. Cha tug fear a' bhiathaidh an aire dha oir bha a' mhac-meamna a' dealbhachadh nan adagan, nan leòbagan agus nan cnòdan leis an robh dùil aige a thighinn dhachaigh am beul na h-oidhche. Ach cha robh e 'n Dàn gun robh Sealbh gu bhith còir ris air an latha ud. Abair ùpraid nuair a ghoid an cat baoit às an sgùil agus a dh' fhairich e an gath a' gabhail greim na phluic! Leis an tabhann, leum e cho fad 's a leigeadh an t-snaoit dha sin a dhèanamh. Leis an eireapais, chuir e car-a-mhuiltein a mheasg nan sreathan bhaoitean a bha cho brèagha, rèidh anns an sgùil. Ann am priobadh na sùla, mhill cat nam mallachd an obair a bha 'Sgeadaidh' air a dhèanamh cho dìcheallach fad na maidne. Thòisich Sgeadaidh a' sgalartaich agus a' griasaich dhan chat.

'Ud-ud-ud!' arsa Muinntir Mhurchaidh Aonghais à beòil a chèile. 'Tha e nàdarrach dhan chat a bhith ri mèirle am measg an sgadain. Na bi ris idir!'

Cha b' e rèiteach an lìn-bhig an obair bu dorra bh' aig 'Sgeadaidh' bochd ri dhèanamh air a' mhadainn ud. Nuair a bha an ùpraid seachad agus a leig e 'anail, thuirt e ri 'athair, 'Bho thòisich mi ris na lìn-bhig, thug mi dubhan à ceudan de bheòil chnòdan agus easgann agus sgait, ach b' fhasa sin dhomh a dhèanamh na sgròbadh an dubhain a bh' ann am pluic a' mhèirlich na croich ud!'

'Ud-ud-ud' arsa Murchadh Aonghais ri mhac a-rithist, 'Na bi ri droch cainnt 's an leanabh nad chuideachd.'

'Daingid!' arsa Sgeadaidh, 'Cha do mhothaich mi gun robh e sin ri mo thaobh! A Chaluim Bhob, chan fhaca 's cha chuala tu càil!'

'Mi-thapadh,' arsa mise, 'Seall air a' chat na croich! Tha e air a dhol fon bhòrd le pìos sgadain aige na bheul!"

Leis an t-Slat-chudaig

Aig deireadh an Fhoghair bhiodh iasgairean, sean agus òg, a' tilleadh dhachaigh bho na creagan le peile chudaigean. Tha geodhaichean-iasgaich domhainn timcheall cladaichean Phort Mholair agus bhiodh brogaich eadhon à Port nan Giùran, an Aird agus Na Fleisearan a' tighinn chun 'nan creagan againne' agus nam bheachd-sa cha robh gnothach aca a bhith a' dèanamh sin!

Cha robh mi fhathast air a dhol dhan sgoil ach, eadhon aig an ìre sin, bha mi cho seilbheachail air a h-uile cnoc, creag, crùbag agus cudaig a bh' ann am Port Mholair, 's nach robh mi airson caoran no lann-èisg a thoirt do dhuine

fankled bundle of razor-sharp hooks and re-baiting them and laying them back in the neat lines took a lot of patience. An even bigger challenge was in holding the cat and extracting the hook from its jaw. When at long last, the cat was released from captivity, it shot through the doorway like a rocket blasted into space. Skeddy had quite forgotten that I was present during the hullabaloo. He turned to me and said, 'Did you enjoy all that fuss over the cat?'

'Mì-thapadh air,' said I, 'I'm surprised you didn't throw the frigging son of a witch into Loch an Tiumpan.'

Cuddies in Flight

At the end of the Autumn, fishermen both old and young used to come home from fishing off the rocks each with a pail of cuddies. These are saithe or lithe (pollock) when about six inches long. The recognised places where there was good fishing were deep and devoid of lots of kelp. Fishing was best in places where there was a sandy bottom. There were plenty of places like that around the seashore of Port Mholair. Young men, some from as far away as Port nan Giùran, Aird and Fleisearan, used to come there. When I was a little boy, I looked upon those rocks as belonging the people of our village. I considered it unfair that young men from neighbouring villages should invade our territory and take what I imagined to be rightfully ours.

My Mum used to say, *'Ist, a ghràidh*! You have to learn to be generous to everybody and to enjoy sharing. The fellows you saw walking along the road there are from Fleisearan. They're all related to you. Yesterday, you saw Hector MacAskill, the son of your Aunty Margaret, pass by us with seven big lithe. He gave two of those to your Seanair. You must remember that Hector, who lives about two miles away from us, is one of our own family. He is your father's nephew. You also saw Iain the son of Strachan going past with another load. He also comes from Fleisearan and is one of my relations. So even if you were to see fishermen from India or Egypt taking a few fish from Port Mholair rocks, remember that there is enough for us all to share.'

The older I became the more I began to realise that I was living on an island which is like a clan territory. A strong bond exists between our various families because all of them are related to me one way or the other. When I became really old and became interested in genealogy, I began to realise

nach buineadh dhan bhaile againn. Nach mi a bha mosach?

Chanadh mo mhàthair, 'Eist, a ghràidh! Feumaidh tu bhith còir ris a h-uile duine! 'S ann às na Fleisearan a bha an dithis bhalach a chunna tu dol seachad air an rathad a-raoir le eallaich èisg. Tha iad sin gu math càirdeach dhut. Chunna tu Eachainn Phuf le seachd liùghannan aige. Uill, sin agad mac piuthar d' athar. Chunna tu Iain Shrachain le eallach aige-san. Sin agad fear eile a tha glè chàirdeach dhut tro Chlann 'ic Leòid agus cuideachd tro Chlann Dhòmhnaill.'

Mar bu shine a dh'fhàs mi, b' ann bu treise a bha e a' buadhachadh orm nach robh teaghlach ann an sgìr' an Rubha nach robh càirdeach dhomh. B' ann nuair a dh'fhàs mi buileach aosta agus a thòisich mi a' gabhail suim ann an sloinntearachd a thug mi mun aire gun robh sluagh an eilein air fad cho toinnte, dlùth ri chèile ann an càirdeas agus gun robh sinn mar aon chinneadh. Le sin, tha mi ag iarraidh maitheanas air a h-uile mac màthar aca dhan robh mi, nam chridhe, a' diùltadh cuibhreann dhe na cudaigean 's na liùghannan a bha a' snàmh ann an geodhaichean Phort Mholair!

'Ann am mios eile bidh tu còig bliadhna a dh'aois,' arsa m' athair. 'Tha e a' cur iongnadh orm nach eil thu fhèin ag iarraidh a dhol chun a' chreagaich!' Saoilidh mi gun do fhreagair mi le faoilt air m' aodann. 'Dheighinn chun a' chreagaich nam biodh slat agus biadhadh agam!' ''S cinnteach nach eil thu air a' bhunag slait a dh'ullaich mi dhut fhaicinn. Trobhad gus am faic thu seo'.

Thug e mi gu doras an t-sabhail agus chunna mi gun robh dà shlat ann an sin: tè mhòr fhada agus tè a bha gu math na bu ghiorra. Rug m' athair air an tè ghoirid. 'Seo dhutsa, Balach! Seo a' bhunag slait a bhios agad airson trì bliadhna eile. Nise, tha thu a' dol còmhla rium a-nochd gu Fide-geodha agus, nuair a dh' fhàsas e dorch, tillidh sinn dhachaigh le peile làn chudaigean.'

'Nach feum sinn biadhadh?'

'Sin far am feum sinn a dhol an toiseach – a dh'iarraidh a' mhaoraich. Tha conntraigh ann an-drasta ach gheibh sinn na dh'fheumas sinn de bhàirnich bhlasta aig bun an uillt.'

Thug sinn leinn muga-ceàird agus òrd-maoraich – seann sgeilb air an robh am faobhar air caitheamh. Nuair a ràinig sinn an cladach, chaidh an dithis againn gu bun an uillt far an robh m' athair air a mholadh. 'S ann an sin a bha an t-uisge bho Loch an t-Siùmpain a' taomadh sios chun na mara.

'Seall air a' bhàirneach-sa. Seall cho biorach 's a tha bidean na slige aige. Tha e tur eadar-dhealaichte ris na bàirnich a gheibh thu a-muigh anns a' bharr-bhraga, fon langadar. Tha iad sin nas motha, ach staoin mar gum biodh cuideigin air seasamh orra. Chan eil na cudaigean idir cho measail air a' bhiadh

that the indigenous population of the whole island were somehow related by blood or by marriage.

When I was a wee boy, I developed the urge to go rock-fishing. My Dad gave me a bamboo rod which was about half the size of his own. Next, he showed me how to get shellfish with which to bait my hook.

I sat on his knee one day, while he was telling me some of his fishing secrets. 'I'll tell you my fishing secrets because you're my son. I have already taught your brother Murdo some of them. I would even share my catch with another fellow who was going home empty-handed. On the other hand, I would never tell him how I caught my fish nor where. Those are secrets we keep to ourselves.'

I was thrilled to be with my Dad when he was sharing his secrets with me. His advice seemed never-ending. He gave me his advice in a whisper.

'Now *balach*,' he said, 'you'll keep these tips to yourself. At this time of the year, the best bait is limpet. But there are many kinds of limpet. We'll go down to the shore at low tide which, today, is at two o'clock. I'll show you then where to get the best limpets.'

I was agog with excitement and when, at last, two o'clock approached, he and I set off with a big tin mug and a blunt chisel.

Dad said, 'If you watch Iain Uilleam, the oldest fisherman in the village, you will see that he always goes to the same spot for his limpets. That spot is at the foot of the burn that empties the water from Loch an t-Siùmpain into the sea. The tastiest limpets are in the small area in which the fresh water mixes with the salt water of the sea.'

He took me down to that important place and he showed me the small limpets which are like little pyramids growing on the rocks. He had brought a tin mug and what was known as a limpet hammer which was not a hammer at all. It was a blunted chisel with which it was easy to scrape limpets off the rocks. In no time at all we had a mugful.

'The preparation of the limpets is very important. You put them into a zinc pail, and you pour boiling water on to them. You take a spatula and stir the limpets in the pail and, in a short time, you'll see that the bait is coming clear off the shells. As soon as you see half a dozen of the bait coming detached from the shells, you pour a mug of cold water into the pail. If you leave the limpets in the boiling water for any length of time, the bait becomes rubbery and loses its sweet taste.'

Dad's teaching went on for ages. 'Now balach, you've actually got to put the limpet into your own mouth before you put it onto the hook. You chew it

a th' anntasan. Cum thusa sùil air Iain Uilleim, an t-iasgair as sine a th' anns a' bhaile. Nuair a thig esan dhan chladach a bhuain bhàirneach, thig e sios an seo gu bun an uillt. Tuigidh fear-leughaidh leth-fhacal!'

Chaidh sinn dhachaigh leis a' mhuga-ceàird làn 'bhàirnich bun-an-uillt'. Bha mo mhàthair air an coire a ghoil. Chuir sinn na bàirnich ann am peile-sinc agus dhòirt m' athair am bùrn-goileach orra airson an slaopadh. Chuir e na bàirnich mun cuairt le slacan gus am fac e gun robh am biadh air tòiseachadh a' tighinn às an t-slige. Nuair sin, dhòirt e muga de bhùrn fuar dhan pheile.

'Siud iad agad a- nise, Balach! Tha iad air an slaopadh. Nam biodh sinn air am fàgail anns a' bhùrn-ghoileach bhiodh iad air am bruich. Bhiodh iad an uair sin ruighinn agus cha bhiodh na cudaigean cho measail orra'.

Nuair a bha am muir-làn ann, thug m' athair mi gu Fide-geodha, cearcall de mhuir sèimh, dhomhainn le grunnd gainmhich. Bha ar caraid, Torachan, air Fide-geodha nuair a ràinig sinn agus bha beagan chudaigean agus smalagan aige mu thràth anns a' pheile.

Cho luath 's a chaidh a' ghrian fodha, thàinig na cudaigean chun na creige nan cliathan. Bha agam ri ionnsachadh mar a chuirinn baoit maoraich air mo dhubhan. Bha agam ris a' bhàirneach a chagnadh agus a chur air an dubhan gus nach biodh an riobhag ri fhaicinn. Mu dheireadh chuir mi mo bhaoit dhan mhuir. Sios leis agus ann an tiota chaidh e às mo shealladh.

'Thoir ort!'

Cho luath 's a chluinninn sin, bheirinn orm – ach cha b' ann air mo shocair! Dheigheadh a' chudaig a bh' air mo dhubhan air iteig suas dhan iarmailt.

'Eist rium, Balach. Bheil thu ag èisteachd? '

'Tha, a Bhobain!'

'Nise, cha leig thu a leas a' chudaig a chur air iteig! Nuair a thèid a' bhaoit às do shealladh, tha sin ag innse dhut gu bheil iasg air am baoit a shlugadh. Na biodh cabhaig sam bith ort. Thoir breab air an t-slait agus, an uairsin, air do shocair, suas leis. Feumaidh tu bhith faiceallach , socair, a' togail na cudaig thugad! Seall a-nise, tha am baoit agad anns an t-sàl. Tha na cudaigean a' tighinn thuige. Bheil thu gam faicinn?'

'Tha, a Bhobain.'

'Sin thu! Nise, chaidh am baoit às do shealladh, a Chaluim Bhig. Dè nise a th'agad ri a dhèanamh? Breab bheag le do shlait agus thoir ort!'

Thug mi breab air an t-slait ach cha b' e breab bheag! Aon uair eile, chaidh a' chudaig a bha air mo dhubhan air iteig agus bhuail i Torachan an clàr an aodainn. 'Suathaideas ort!' arsa Torachan. 'An ann a' feuchainn ris a' chudaig a chur nam bheul a tha thu?'

first of all, you don't have to swallow the sweet juice that comes off it unless you really like it. Then you take the bait out of your mouth and put a bit of it on to the hook. Do it to make the morsel look attractive, hiding the sharp point of the hook. With practice you'll know how to do it quickly'.

At last we were ready to go fishing. The sun was very low in the sky and we walked briskly to a lovely geo called Fide-geo.

The sun had to be low in the sky and the tide had to be near to full tide. We traipsed off across the moor, my father with a very long heavy rod and I with a bunag, a third the length of my father's. I was very excited climbing with my Dad down to the fishing rock at Fide-Geo. When we arrived there we found that my mother's first cousin Torachan was already on the rock and had a dozen cuddies in his pail. Oh, I was really disappointed because I thought he'd caught all the cuddies in the geo.

The sun was now near to setting and it is a fact that when that time of day comes the fish become more desperate for food. My father emptied the water from the pail into the sea and cuddies appeared from nowhere, going crazy eating the little titbits which had come off the limpets. Now, my father said, 'I'm sure that Torachan doesn't know where to get the best limpets. I'm sure that our bait will prove more successful than his. I know that he normally goes out into the kelp to get the large, flat limpets. If he did, he'll have tough rubbery bait. Time will tell.'

My father had put a limpet onto the hook. As it went into the water it was visible, slightly greenish, yellowish in colour and then suddenly it disappeared. My father said quietly, 'Pull!' I pulled so violently that my hook with a fish on it went up into the air. The cuddy flew off it and plonked into the sea about ten yards away.

Slowly I learnt through experience how carefully you use your strength to hook the fish and then bring it to the surface. Within half an hour, the sun had set. With the darkness gathering, we had the pail nearly full of these delicious little fishes and then, off we went home feeling triumphant.

The war started and the men all disappeared to fight the Germans. I was nine years old then and quite experienced as a fisherman of cuddies. Because of food rationing, my skill as a rock fisherman became more and more important for the family. I graduated from cuddies to saithe and later to lithe – or pollock as it's called nowadays. During the war, any fish caught by rock-fishing was a very important addition to the family menu.

One of the advantages of living in Port Mholair was that our rocky shoreline included little bays or gullies which were sheltered from heavy

Sgoil agus Foghlam

Nuair a bha mi naoi bliadhna a dh'aois, thòisich an Dàrna Cogadh agus chuir an saoghal anns an deach m' àrach car-a- mhuiltein! Dh' fhalbh m' athair agus, mar an ceudna, a h-uile fireannach òg a bh' anns na bailtean. Dh'fhalbh cuideachd na cur-seachadan a bh' aig an òigridh. Cha robh cruinneagan gan seòladh air Loch an t-Siùmpain; cha robh tartair nam brògan no ceòl a' mheileòdian ri an cluinntinn a' tighinn bho dhanns an rathaid; cha robh 'Duan na Callainn' ga aithris. Gu h-obann bha an saoghal againn air a bhogadh ann am mulad agus iomagain.

Saoilidh mi gun robh mi timcheall air deich bliadhna a dh'aois nuair a thòisich mo mhàthair gam leigeil chun a' chreagaich air mo ghurt fhèin. Tha fhios gun robh m' athair anns a' chogadh agus gun robh gainnead bidhe anns an rìoghachd mar bha anns na dachaighean am Port Mholair. B' fheudar dhan a h-uile balach agus bodach a b'urrainn streap sios chun na mara feum a dhèanamh leis na slait-iasgaich.

Aon latha as t-Earrach 1940 no 1941, tha geur-chuimhne agam gun robh gaoth mhòr choimheach bhon ear-dheas ann ach, a dh'aindeoin sin, chaidh mi dhan tràigh a bhuain bhàirneach bun Allt Loch an t-Siùmpain far an robh na bàirnich bu bhlasta leis na cudaigean agus leis an iasgair aig an robh rin cagnadh mus cuireadh e am baoit air an dubhan.

Leis a' ghaoth bhon ear-dheas bha agam ri dhol gu creag-iasgaich a bha fasgach le muir rèidh. Bha ceithir àitichean ann gus am faodainn a dhol: Leacan an Toill Duibh, Fide-Geodha, Aidigeadh no Creag Iasgaich Geodha nan Crùbag. Thadhail mi anns gach àite mus do rinn mi roghainn. B' e sin a' chomhairle a bha na bodaich air a thoirt orm. Bha a' chiad àite ro uamhalt leam. Bha droch ioma-ghaothachadh ann am Fide-Geodha agus, ann am broinn na Geodha Ruadha aig Aidigeadh. Chaidh mi chun na Creag-Iasgaich ann an Geodha nan Crùbag. Cudaigean! Chan eil mi a' smaoineachadh gum faca mi leithid de chudaigean a-riamh. Bha iad cho pailt 's gu saoilinn gun robh iad a' feitheamh ri mo bhaoit a thighinn thuca dhan t-sàl. Cha robh mi fada ag iasgach gus an robh mo pheile taosgach làn. B' ann an uairsin a thuig mi an t-adhbhar air an robh na cudaigean cho pailt fodham. Gu h-obann, leum còig no sia de liùghannan a bha air a bhith gan cròdhadh chun na creige nam measg agus sgap na cudaigean.

Nuair a ràinig mi Ceanna-Loch, bha mo mhàthair air a' chaoch! Cha robh mi air innse dhi gun robh mi a' dol a dh'iasgach nam aonar. Shìthich i nuair a chunnaic i mo chosnadh. Chuir i mi a thaigh mo sheanar le tràth chudaigean agus, nuair a thill mi à sin, gu taigh mo sheanmhar shios anns a' Phort. Cha do dhìchuimhnich mi riamh a' bhuaidh a bh' aig an turas sin air m' inntinn.

weather coming at us from all points of the compass. During a particularly bad south-easterly gale, I had walked up the Lighthouse Road and settled myself against the sheltered cliff of Geo nan Crùbag. I fished there with limpet bait and was rewarded with some three dozen cuddies. Mum was delighted with my catch and, as soon as I had eaten a plateful of brose and milk, I was dispatched to three of our neighbours with a share of the fish. Having done that my Mum said, 'One more mission of mercy! You'll really have to run down to your Granny Port with some of these beautiful cuddies. The evening was drawing in and there was a strong wind blowing and the sea was raging against the cliffs. In those days, before the war, there were no fences as there are now separating one croft from another. It was the autumn and crops growing in the fields had been securely stored in barns. It was a clear run from No. 1 to No. 5 and when I finally arrived with the fish at my Granny Port's globules of foam called spindrift were being blown from the shore right up to the far end of the crofts. The evening light had died in the west and it was almost dark by the time I arrived at my Granny's scullery door. Still clinging to my small gift of fish, I could hear my Granny's voice quite clearly and concluded that there was someone with her. As I stood against the door, I watched as the spindrift flew past me, driven by the gusting wind. After a time I realised that there was no one with my Granny; that she was saying her prayers before going to bed. I did not wish to interrupt and just stood listening as she read from St John's gospel and then sang two verses from the 40th psalm. When her worship was over, she came to the door and said, 'I felt that there was someone standing here. Welcome dear. Welcome.'

I followed her into the scullery and showed her the present of the fish and she grinned and thanked me. I felt that I was in the presence of a really holy person – a true believer. It was an experience which has lived with me very strongly to this day. I loved my Granny for her generosity, her courage and her good humour. Her praying and singing and her reading from the Bible comforted her in her loneliness and sustained her during the wearying darkness of night.

'Conky Murdo'

My mother had a different kind of reveille for different months of the year! It was always difficult for her to get our feet on to the floor at 7.30 a.m. when we had to get up to get ourselves to school by 9. It was particularly

Anns an latha ud, cha robh feansaichean eadar na lotaichean. Eu-coltach ris an latha'n-diugh bha a h-uile iomaire fo churachd. Seach gur e an t-earrach a bh' ann, bha na h-iomraichean lom agus bha mi comasach air coiseachd cho cabhagach 's a leigeadh a' ghaoth dhomh, air ruith-na-saighid gu taigh mo sheanmhar. Bha a' ghaoth na corraich agus bha i a' tilgeil siaban na mara bhon chladach gu ceann shuas nan lotaichean. Nuair a ràinig mi taigh mo sheanmhar sheas mi aig doras na sguilearaidh. Shaoil mi gun robh cuideigin a-staigh romham oir bha mi a' cluinntinn a guth a' bruidhinn gu misneachail a' còmhradh. Mus do dh'fhosgail mi an doras, thàinig e steach orm gum b' ann a bha i 'air an Leabhar'.

Sheas mi an sin, anns an fhasgadh ga h-èisteachd agus bha blàths agus cofhurtachd dhomh a bhith ga cluinntinn a' còmhradh ri Dia. Sheinn i rann às an dà fhicheadamh salm. Bha am marcan sìne a' frasadh seachad orm leis gach tonn a bhuaileadh air a' chladach. Tro shrann na gaoithe, guth misneachail mo sheanmhar agus an oidhche a' mùchadh solas an latha.

Thàinig mo sheanmhair chun an dorais agus thuirt i gam fhàisgeadh thuice, 'Gun dìth thu, a ghràidh. Dh'fhidir mi gun robh cuideigin air a thighinn chun an dorais. 'S tu a tha air a thighinn thugam leis an tròcair air feasgar aognaidh!'

Cha deach a' ghreiseag a sheas mi ann an fasgadh sgailiridh mo sheanmhar a-riamh às mo chuimhne; no a chofhurtachd a bh' agam à bhith ag èisteachd guth carthannach mo sheanmhar os cionn gleadhair na h-aimsir, cho sèimh a' crònan a taing do Dhia airson a choibhneis rithe. Boireannach naomh le facail chaomh an t-Soisgeil ga tàladh na h-aonranas agus ga h-ullachadh airson dorchadas na h-oidhche.

Murchadh Sròineach

Bha diofar seòrsa *reveille* aig mo mhàthair airson caochladh mhiosan. Dh'fheumadh i sin oir bha e duilich dhuinn ar casan a chur fodhainn aig cairteal gu ochd airson ar faighinn dhan sgoil ro naoi uairean sa mhadainn. Bha e air leth doirbh dhuinn a bhith èasgaidh tron gheamhradh agus tron earrach. Nuair a dh'fhàgadh sinn Ceanna Loch airson coiseachd faisg air dà mhìle gu Druim Oidealair, bhiodh e mar bu tric dorch, mi-chàilear, agus gaoth uspagach bhon iar-dheas a' sèideadh oirnn le mill bho 'Mhàiri an t-Sruthain' a' drùidheadh oirnn.

Anns an Dùbhlachd no san Fhaoilleach, dheigheadh sinn air ar casan gu math sgiobalta nan cluinneadh sinn mo mhàthair a' gairm, 'Tha am baile geal!' Nam òige-sa, cha sheasadh sneachd ach airson seachdain no dhà agus, nuair a

difficult for us to be enthusiastic and alert during the winter and through the spring when the world was shrouded in darkness and cold.

As soon as Mum opened the main door, we launched ourselves into the weather. There was usually a strong wind, most often from the south-west and that always carried heavy showers. The south-westerly was known by the nickname 'Màiri an t-Sruthain' (Mary of the Stream). Having trudged over the two miles of gravel road, we often arrived at Druim Oidealair soaked to the skin.

Every January or February, there was an event which got our feet on to the floor quickly and without a grumble. That was when Mum would shout, 'The village is white!' Snow arrived seldom and usually lasted no more than a week. The snow made our dog go crazy – skipping, and rolling through it and showing every sign of happiness.

Two of my great-aunts were spinsters called Catriona and Kirsty. They were always first in the village to be down at the shore gathering seaweed. When the great storms of January came we could hear our mother's wake-up call in the mornings, 'Your great-aunts are already in the fields and have dotted their fields with creel-loads of seaweed. Come quickly and admire the work they've done while you were snoozing under the blankets.'

Mum's most exciting reveilles came in July.

'Come children! The corncrake has arrived from Africa. Come and listen to his creaking love-song! Get up quickly and try to see her before she flies away to Johnny MacLeod's park, where she nests.'

The events I describe took place just before the war broke out. I was in bed with a bad chest infection. Since becoming a bit older I often wondered if my parents were afraid that I had developed consumption, the disease which, at that time, was ravaging families throughout the island. Fortunately, our household escaped the disease. Mum had prepared everything in the big bedroom. All the bed clothes were new, the furniture nicely polished and the walls and ceiling newly painted. Since I was now in the big bedroom, I concluded that my mother was expecting Doctor Fraser to call. He was a kind and caring man.

I heard Mum welcoming a visitor and expected her to appear at my bedroom door along with Dr Fraser. They chatted as they approached through the lobby. Mum knocked gently and opened the bedroom door and asked, 'Will it be OK for Skeddy to come to see you? He wants to introduce you to his dear friend 'Conky Murdo'. Who was 'Conky Murdo? I had never met him. What a strange name! I nodded and sat up in bed. Skeddy entered

thigeadh e, bha a' chlann agus na coin a' dol às an rìan, a' sgeòtal agus a' buiceil leis an toileachas.

Bha peathraichean mo sheanar, Catriona agus Ciorstaidh, uabhasach talmhaidh agus air thoiseach air a' chòrr dhen bhaile le feamhnadh, curachd agus buain, agus a h-uile gnìomhachas eile a bh' ann an cois an fhearainn. An dèidh rotaichean an Fhaoillich, chluinneadh sinn mo mhàthair ag èigheach, 'Tha peathraichean bhur seanair air na h-iomraichean a bhreacadh bho raoir leis na clèibh! Trobhaidibh gus am faic sibh iad a' dìreadh às an tràigh leis na h-eallaich feamad!'

An *reveille* a b'fheàrr buileach, b' e am fear a bhiodh aice san Iuchar, 'Tha an traon air a thighinn dhan arbhar bho raoir. Air ar casan sibh ann an cabhaig mus fhalbh e a-null a Phàirce Sheonaidh!'

Bha mi air an leabaidh anns a' chùlaist le brochan nam bhroilleach. Feumaidh gun robh mi gu math tinn oir thug mo mhàthair mi às a' chlòsaid far am bithinn a' cadal còmhla ri mo dhithis bhràithrean. Cha chuimhne leam carson a bha mi anns a' chùlaist an àite dhomh bhith anns a' chlòsaid. Gun teagamh, bha a' chùlaist na bu mhotha 's na bu spaideil na a' chlòsaid. Bha i air a h-ùr pheantadh – a mullach geal agus a ballaichean liath-ghorm. 'S mathaid gun robh dùil aig mo mhàthair ris an dotair – Dr Gordon Friseal nach maireann. B' e duine gasta, carthannach a bh' ann; duine air an robh deagh eòlas againn oir bhiodh mo mhàthair a' cur ga iarraidh a h-uile uair a bhiodh 'diol-deirce an teaghlaich' gun smiach aige leis a' chuing no le sìoch na bhroilleach! Bu mhise an dìol-dèirce!

Nam laighe anns an leabaidh, chuala mi seanchas shios aig an teine aig feadhainn a bha air a thighinn a-steach. Cha robh fada gus an tàinig mo mhàthair a-nuas dhan chùlaist leis a' cheist, 'Am faod Sgeadaidh agus Murchadh Sròineach a thighinn a nuas a shealltainn ort?'

Thuirt mi gum faodadh. Dh'aithnichinn Sgeadaidh ach cò a bh' ann Murchadh Sròineach? Cha robh fada gus an robh Sgeadaidh a-nuas air sàil mo mhàthar. Thàinig e chun na leapa.

'Càite', arsa mise, 'a bheil Murchadh Sròineach?'

Thug Sgeadaidh a-mach fo a gheansaidh eun mu mheud eireig – eun brèagha, iomadh-dhaite le gob mòr air; eun de sheòrsa nach robh mi riamh air fhaicinn. 'Seo agad Murchadh Sròineach. 'S ann ainneamh a chì sinn e a' tadhal nan cladaichean againne ach tha a sheòrsa cumanta gu leòr anns na h-eileannan iomallach. Nise dè do bheachd? Nach eil e eireachdail?'

'Tha e bòidheach,' arsa mise. 'Tha mi 'n dòchas nach eil sibh a' dol ga mharbhadh?'

and came straight over to the bed. He had something hidden in the crook of his arm with a towel over it.

I said, 'Where is Conky Murdo?'

Skeddy removed the towel and revealed the most beautiful bird I had ever seen. Its plumage was black except for its chest which was white. It had a large, coloured beak, and bright eyes. The bird looked at me as if to say, 'Why are you in bed?' Smiling broadly, Skeddy said, 'This is my dear friend, 'Conky Murdo'. Good-looking fellow, isn't he?

'We very seldom see puffins off Port Mholair. This fellow caught a bait as we were laying the small-line. If we hadn't rescued him, he would have gone to the bottom and drowned.'

'Is Conky Murdo his real name?' I asked.

'Och, Conky Murdo is a name we made up for him! Dougie MacCallum who, as you know, is from Tiree, says that its real Gaelic name is *buthaid'*. There are plenty of his kind nesting on remote islands like Hiort and the Shiants.'

Mum looked worried. 'You're not going to leave the Conky fellow here as a pet. We wouldn't know how to feed him?'

'No, I wouldn't do that to Calum nor to young Conky Murdo! Dougie and I are going to launch him on the shore so that he'll go home to his mother. He must be a very young one. An old-timer wouldn't be so daft as to eat a bait with a hook in it!'

It's amazing how my encounter with Conky Murdo brightened my day and continues to live on in the mind. It is the only puffin I was ever in a position to touch. Nor have I forgotten the kindness shown me by Skeddy who had brought the strange bird to my bedside for me to enjoy.

The Threshing Mill

It happened on the 15th March 1939. I remember the date because that was the day on which Germany attacked Czechoslovakia and annexed that country's territory. Germany's action brought Europe to the brink of war.

My sister and I came home from school and I remember that we were both ravenously hungry. We found Granny Port waiting for us with a feast of fried herring and boiled potatoes ready to be eaten.

We sat at the table and Granny said grace. Nan asked, 'Why are you the cook today Granny? Where's Mum?'

'Chan eil idir!' arsa mo mhàthair agus Sgeadaidh à beòil a chèile.

'Bha e feidhir air grèim a ghabhail air baoit fhad 's a bha sinn a' tarraing an lìn-bhig. Tha amharas agam gun robh e air cluinntinn nach robh thu gu math agus dh'iarr e a thighinn a shealltainn ort.'

'Eil fhios dè an t-ainm ceart a th' air?' arsa mo mhàthair.

' 'S e 'buthaid' an t-ainm a th' aig Dougaidh MacCaluim air – ach dè a dh' iarradh tu air Tirisdeach ach gun toireadh e ainm gòrach mar sin air! Ach a Chaluim, biodh cuimhne agadsa air an ainm 'Murchadh Sròineach', an strainnsear a thàinig a shealltainn ort seach gu bheil thu nad 'dhiol-dèirce' ann an 'Leabaidh nan Oisgean'.'

'Dè tha thu a' dol a dhèanamh leis?'

'Tha mi nise dol a dh'fhalbh leis sios chun a' chladaich airson a leigeil às aig Bilidh Bheag gus am faigh e dhachaigh gu a mhàthair!'

A' Mhuileann-Bhualaidh

Tha cuimhne agam air an dearbh cheann-latha: 15mh Màrt, 1939. B' e sin an latha air an tug a' Ghearmailt ionnsaigh air Tèacoslobhacia, agus a choisinn do Bhreatainn a bhith air a ribeadh a-steach dhan Dàrna Cogadh Mòr.

Bha mi fhìn agus Nan air ruighinn dhachaigh às an sgoil. Bha an dithis againn air ar tolladh leis an acras agus bha ar seanmhair a' Phuirt romhainn leis an diathad – buntàta bruich agus sgadan ròsta air a mheidheadh. Nuair a bha sinn gu sgogadh, thuirt Nan, 'Càit a bheil mo mhàthair agus an leanabh?'

'Tha iad thall aig Buail a' Chnocain. Cha mhòr nach eil a h-ule duine th' air Ceanna-loch thall an sin, a' cuideachadh Muinntir Thorcaill aig a' mhuileann-bhualaidh. 'S mathaid nach cuala sibh fhathast gu bheil a h-uile coltas gum bi cogadh eadar Breatainn agus a' Ghearmailt. Tha sinn an dòchas gun till bhur n-athair bho sheòladh mus tachair sin.'

Thòisich Nan a' rànail. 'A bheil na Gearmailtich a' dol a mharbhadh m' athar?'

'A ghraidh, feumaidh sinn a bhith ag ùrnaigh ri Dia nach tachair sin.'

Bha na deòirean ann an sùilean mo sheanmhar oir bha i mothachail gun robh i-fhèin air a companach a chall ann am Mesopotamia anns a' Chogadh Mhòr.

Bha fhios agam dè a bh' ann am muileann-bhualaidh ach cha robh mi a-riamh air tè fhaicinn ag obair. Bha cuideigin shuas an sgìre air tè a cheannach agus le cuideachadh bho fir threuna nam bailtean bha iad ga giùlain bho lot

Granny replied, 'She and your little brother are over at No.4. There's a lot of activity over there today. Everybody in Ceanna-loch who is able is helping to feed the threshing-mill at Torquil's house on No. 4.'

As an afterthought she said, 'You should know that there is a likelihood that Britain and Germany may soon be at war. I hope that your Dad will return from sailing soon. We don't want him to be at sea when the guns start firing.'

Granny's eyes filled with tears and all of a sudden both my sister and I realised our Granny was reliving the terrible events of the Great War of 1914-18 when she received news of the death of her husband. Nan and I hugged our Granny, and comforted each other with words which I'm sure were being repeated all over Europe, 'Please God, don't allow Britain and Germany to go to war again.'

After a few minutes, Granny bucked up. 'Come on now children,' she said brightly. 'Don't you realise that there is an unusual event taking place at Buaile a' Chnocain? You'd better run over there or else you'll miss all the fun.'

I remember seeing four of the strongest men in our village carrying the threshing mill from Big Effie's croft at No.2 over to Torquil's at No.4. It must have been very heavy for they stopped and rested every few minutes. Geordie Thomson had brought the threshing mill from Stornoway and was travelling with it from croft to croft, threshing the families' oats.

Torquil's sons and daughters soon removed the anchors and ropes which had held their two stacks of oats in place since they were built at the end of the previous autumn. The anchors were large stones brought up from the sea shore. From a large tank, Geordie Thomson poured paraffin into the engine of the mill and shortly afterwards the mill roared into action.

The threshing mill was very noisy. Sheaves were fed into it at one end of the mill, and within seconds were spat out at the other, having had the grain removed. The precious grain poured into a sack hung at the side of the mill. It was fascinating to watch. Everybody worked hard, removing the sheaves and all the while reducing the size of the stack. Others were hauling sacks full of the precious grain to the security of Torquil's barn, where cats were permanently on watch looking for mice or rats. When the last half dozen sheaves were removed, a warren of mouse-holes was discovered in the foundation. Torquil's son William dashed off to the loch and soon returned with two bucketfuls of water. He poured the water into the warren and within a minute, mice appeared from underground. Half drowned and

gu lot airson an sìol a bhualadh far a' chorc. Bha an t-inneal air a dhèanamh de dh'iarann gu math trom agus bha aig ceathrar de ghillean a' bhaile ri a giùlain bho lot gu lot. Bhathas a' dèanamh sin fhad 's a bha an t-arbhar anns na cruachan.

An toiseach, thug Muinntir Thorcaill na h-acraichean far an dà chruach – na h-acraichean a bha air an cumail glèidhte, seasgair dh'aindeoin gailleannan cruaidh a' gheamhraidh. Nuair sin, thug iad dhiubh an sìoman-Theàrlaich a bha air an rèileadh umpa.

Leis an dà chruach-choirc fosgailte thòisich muinntir Cheanna-loch a' slaodadh nam badan às na cruachan agus a' beathachadh na muilne leotha. Bhathas gan cur a-steach do 'bheul' na muilne agus ann an còig diogan bha iad a' taomadh a-mach air a' cheann eile. Rud bu mhìorbhailich idir, bha an sìol a bha tighinn far na badan a' dòirteadh ann am pocannan a bha crochte air cliathach na muilne.

Ann an dà uair a thìd rinn a' mhuileann de dh'obair na bha air dà latha a thoirt bho Muinntir Thorcaill.

Nuair a thog Iain agus Uilleam Thorcaill an t-ultach bhadan mu dheireadh a bh' ann an glutadh nan cruachan, ruith luchainn an taobh-sa san taobh ud. Air eagal 's gun tigeadh luch an taobh a bha iad, thòisich na mnathan a' sgìamhail agus Nan mar bha càch! Cha b' urrainn dhaibh a bhith air barrachd ceala-ghlòir a dhèanamh ged b' e leòmhainn a bha air leum a-mach às a' choirc. Bha na fir a' stampadh le am brogan agus na coin air bhiod a' feuchainn ris na luchainn a mharbhadh .

Chunnacas gun robh na luchainn air tuill a dhèanamh anns an talamh fon dàrna cruach. Dh'fhalbh Uilleam Thorcaill dhan Allt le dà pheile a dh'iarraidh làdach–buirn. Cha robh e fada gus na thill e. Nuair a dhòirt e am bùrn dha na tuill thàinig trì luchainn am bàrr agus iad gam bàthadh. Cha robh iochd a' feitheamh orra!

Ceòl agus Creideamh

A' chuimhne as fheàrr a th'agam air òigridh a' bhaile againn 's e gun robh iad làn beatha – dibhearsaineach agus èasgaidh. Bha ceòl agus gastachd nan nàdar. Eadar seinn òran, fuinn-eaglaise, agus luadh, agus cluich a' mhaileòdian agus an trump, a' dèanamh luinneagan, bha iad gu math aotrom, aighearach nan dòigh. B' e siud linn nan dannsan-rathaid, le ceòl a' mhaileòdian agus tartair nam brogan tacaideach air an rathad. Tha a' cheala-ghlòir sin fhathast

terrified though they were, they fled in all directions. Women squealed as if a pride of lions were on the loose. Dogs pounced on mice and men stamped clumsily on any unfortunate escapees which came their way. There was no mercy for them.

Music and Religion

The young of our community were light-hearted and mischievous and were interested in all sorts of traditional activities and, particularly, our distinctive style of music. They sang songs, psalms, played the melodeon, and composed satirical poems and rhymes and serious Gaelic poetry. It was the age of impromptu road-dances, one of the traditional pastimes which disappeared along with tackety boots and melodeon music.

By contrast, the older generation were neither carefree nor light-hearted. The majority were, by nature, hard-working and law-abiding They were also religious and hard-working and strove to obey the admonition in Genesis Ch. 3 : 'By the sweat of thy brow shalt thou eat bread'.

On the seventh day, they arose early, silent, downcast and religious as they prepared for their Christian worship. That was the Lord's Day, the Sabbath, which they spent solemn, introspective and idle. We children, found their behaviour difficult to understand. During that entire Sabbath, I was not allowed to be noisy or do anything light-hearted or creative. Of course, there were reasons why men and women of that older generation behaved as they did. All of them had lost family members or friends during the Great War and, some two months of the war ending, had lost more in the 'Iolaire Disaster'. They had suffered what they interpreted as the wrath of God and nothing but the gentle words of the Gospel, could ease their pain or give them hope. It took a few years for me to begin to understand why the older generation behaved as if they had been punished by the Almighty.

For the most part, the world of my youth was a happy one. I was surrounded by family members who were kind, helpful and, within what they were able to afford, generous. Music, dancing, laughter and fun-making became increasingly important to me and my siblings. Mum had good reason for doubting that my father 'intended ever to grow up!' Even in his thirties, he was as care-free and good-humoured as he had been as a lad. Some of his contemporaries had become 'solid citizens'- religious, censorious and 'wise' and regarded my father as a 'caillteachan' – literally, a lost soul.

geur air mo chuimhne agus nuair a bhios mi a' smaoineachadh orra, bidh iad a' toirt air ais thugam na rudan tlachdmhor a bha nam bheatha anns an t-Sean Aimsir.

Ach cha robh na seann daoine aotrom no aighearach. Bha iad gu nàdarrach dìcheallach, dèanadach agus cleachdte ri bhith ag obair cruaidh sia latha san t-seachdain. B' i an t-Sàbaid an latha a bha aca airson aithreachas, mulad agus dìomhanas! Dh'èireadh iad sùmhail, crom-chùiseach, ùmhlachdail agus ghabhadh iad an Leabhar.

Dhuinne mar chloinn, bha an dol-a-mach a bh' aca duilich a thuigsinn. Air an latha sin, cha b' e do bheatha fuaim a dhèanamh no bhith aotrom, aoibhneach, dibhearsaineach. Ach cha bhiodh e ceart dhomh, 's mi air a thighinn gu aois, gun iomradh a thoirt air na fùrnaisean tron deach gach fear agus bean a bh' anns an linn ud rè a' Chogaidh Mhòir – a chùis-uabhais a bha air a thighinn gu crìch deich bliadhna mus do rugadh mi. Bha na lotan a chaidh fhosgladh ann an cridhe dhaoine fhathast gan cràidh.

Nise nam shean aois, tha mi a' tuigsinn an adhbhar a bh'aig mo chuideachd air a bhith cho brònach, muladach aig àmannan. Bha Port Mholair air buill teaghlaich a chall anns a' chogadh – saighdearan ann am blàir anns an Fhraing no ann an Gallipoli. Thuilleadh air sin, chailleadh seòladairean air longais-chogaidh agus air soithichean-caragò. Eadar Leòdhas agus Na Hearadh, chaill sinn faisg air ochd ceud fireannach. Air chùl sin, thàinig 'Call na h-Iolaire' far na chailleadh corr air dà cheud seòladair.

Chriochnaich an cogadh air an 18mh latha den Damhar, 1918, agus thòisich na fir a fhuair às a' ghàbhadh lem beatha ag ullachadh airson a thighinn dhachaigh. Chuir an Riaghaltas treanaichean air dòigh airson ceudan sheòladairean a thoirt dhan Chaol far am biodh dà shoitheach a' feitheamh orra airson gum biodh iad aig an taigh le an cuid theaghlaichean ann an Leòdhas 's na Hearadh air Oidhche na Bliadhn' Uir, 1918. Cha robh e an Dàn gun ruigeadh an 'Iolaire' a ceann-uidhe. Chaidh i air na sgeirean aig beul Loch Steòrnabhaigh agus chailleadh dà cheud agus ochdnar a bha air bòrd. B' e call na h-Iolaire truaighe cho cràiteach 's a thàinig air an eilean na eachdraidh agus thug an sluagh iomadach bliadhna mus d' fhuair iad os a chionn.

Thachair truaighe na h-Iolaire deich bliadhna mus do rugadh mi. Bha mi deich bliadhna a dh'aois mus do thuig mi an t-adhbhar air an robh uiread de bhoireannaich a dh'aithnichinn cho tùirseach, osnachail agus còmhdaichte ann an aodaichean dubha. Bha co-aoisean aig m' athair a bha air fàs sòlaimte, osnachail agus, gu ìre, glaiste ann an rabhaidhean agus toirmeasgan a'

In the late Thirties, many young men and teenage boys attended the 'Sgoil Fhonn' (Precenting School), held in the local Free Church. Two local men – Donald Smith (Dolly Froagy) and Donald Ferguson (King) served as unpaid teachers. My father and brother Murdo regularly attended with the result that, on the day following a singing lesson, they gave vent to involuntary outbursts of psalm-singing to tunes such as 'Torwood', 'Kilmarnock', 'Moravia' or 'Crimond'. Ever since those early days, I have enjoyed attending Gaelic church services at which, as a member of the congregation, I was required to respond with heartfelt gusto to a precentor's melodious voice 'giving us the line'.

On a summer morning of warm sunshine, Dad was tarring the roof of the byre and I can clearly remember hearing him precent the first line to the 16th Psalm to the tune Moravia. It seemed that, to my brother Murdo, that one line was like a call to arms! He immediately abandoned his game and responded as a congregation might. Cat-a-bat was a boys' game popular between the two world wars. The competitors, took turn about using a caman to hit a short stick standing vertically in the earth. He continued to respond to each successive line precented from the roof of the byre by our Dad. Though I was very young, I stood listening and was deeply moved by the beauty of their singing. Even now, some seventy-years later, I find the experience of being in a full-throated congregation singing a psalm in the traditional manner, so beautiful that it brings tears to my eyes.

When Dad returned from a trip to the USA and Australia, he brought home a gramophone and a pile of Gaelic records produced by Beltona, Decca and Parlophone. Among them were the Gaelic stars of the day: Kitty MacLeod, Alan MacLean, Neil MacLean and Archie Grant. Those records introduced us to singers and songs from all over the Gàidhealtachd. What an enjoyable education.

In 1937, Dad also brought home a box of tomatoes – a vegetable which we had never seen before. He showed us how the sailors ate it on board ship. He sliced a tomato in two, sprinkled fine salt on the halves and ate them raw. We were all intrigued. Mum washed a tomato, cut it in two but, then, looked doubtful.

'Iain, are you sure that you don't eat tomatoes with a sprinkling of sugar?' she enquired.

'Well, I eat them with a wee sprinkle of salt and so did all the sailors I ever sailed with but, as you are not a sailor, I suppose you could try them with sugar, or pepper, or oatmeal, but if you want to be in the fashion, try them with salt!'

Bhìobaill. Bha 'an cùram' orra. Seach gu robh m'athair aighearach na nàdar, bha cuid a' coimhead air mar 'chaillteachan' – anam a bha ann an cunnart a dhol dhan Loch Theine.

Cha robh càil ann a bha toirt faochadh dha na teaghlaichean a dh'fhuiling ach ùmhlachd do Dhia agus a bhith ag altachadh facal chaomh an t-Soisgeil. Anns a' mhadainn agus air an fhionnaraidh, dh'fheumadh an teaghlach a thighinn cruinn 'airson an Leabhar a ghabhail'. Leughadh an ceannard-teaghlaich caibidil ás an t-Soisgeul; sheinneadh an teaghlach còmhla ri trì no ceithir de rannan à salm; agus, airson crìoch a chur air an t-seirbheis, shleuchdadh gach fireann agus boireann air an glùinean fhad 's a bha an ceannard teaghlaich a' dèanamh ùrnaigh fhada.

Eadar 1935 agus '38, shoirbhich Sgoil Fhonn na h-Eaglais Shaoir le suas ri dusan dheugairean agus fireannach anns na bailtean againn gan teagaisg fo stiùireadh dithis a bha ainmeil nan latha mar phreseantairean; b' iad sin Doilidh Frógaidh agus 'King' (bràth'r mo sheanar). Bhiodh m' athair agus Murchadh a' dol dhan Sgoil Fhonn air Diardaoin a h-uile seachdain air an fhionnaraidh agus dh'fhàs iad fìor mhath air foinn mar 'Torwood', 'Crimond', 'Kilmarnock' agus 'Moravia' a sheinn.

Cha do dhi-chuimhnich mi riamh a bhith ag èisteachd m'athar, fhad 's a bha e a' tearradh am mullach na bàthaich, a preseantadh na siathamh salm deug air fonn 'Moravia' agus Murchadh ann an co-sheirm leis fhad 's a bha e a' cluich cat-a-bat air a' ghlasaich aig ceann an taighe! Bha e ion-mhionnaichte leamsa a bhith gan èisteachd. Bha iad ceòlmhor agus bha iad annasach. Bha guth seinn aig mo sheanair a bha ainmeil na latha. Bha a ghuth làidir milis agus, anns an eaglais, bhiodh e a' cur a mach an t-sreath le 'uile chridhe. Air feasgar ciùin samhraidh – air Latha na Sàbaid no air Diciadaoin nuair bhiodh doras mòr na h-eaglaise fosgailte, bhiodh sinn nar seasamh aig Loch an t-Siùmpain ag èisteachd ri coitheanal an Aonaidh le mo sheanair an ceann an t-seinn.

An 1937, thàinig Multrie Kelsall bhon BhBC airson prògram a dhèanamh air caithe-beatha nan Leòdhasach. Fhad 's a bha e ann an Sgoil na h-Airde thaghadh Murchadh airson òran a sheinn. Lìon an dachaigh againn le muinntir Cheanna-loch airson Murchadh a chluinntinn a' seinn 'Tir nam beann àrd'. Bha am prògram cho tarraingeach 's gun robh a h-uile duine a bha an làthair airson tuilleadh a chluinntinn.

Nuair a bha e sia-deug, bhuannaich Murchadh a' chiad duais aig mòd ionadail ann an Steòrnabhagh. Chaidh e a Ghlaschu nuair a bha e seachd-deug agus cha robh fada gus an robh e air seinneadair cho ainmeil 's a bha ann an saoghal nan Gàidheal. Fhad 's a bha e a' toirt a-mach a dhreuchd na

She did as he advised and she was pleased with the taste. Tomatoes were gifted to my Seanair, to both Grannies and to me and my siblings.

In 1937, our parents purchased a radio, known at that time as a 'wireless', a medium which introduced us to the clear, crisp, officially-approved 'King's English'. It also enabled us to hear foreign languages and also the almost incomprehensible English spoken by the skippers of Fleetwood trawlers poaching in our coastal waters. As soon as the neighbours heard that 'Bob had brought home a wireless and got it to work', they came to share in the excitement of seeing the instrument and hearing voices issuing from it as if by magic. My Seanair arrived with his friend, Murdo Campbell, who had survived the Dardanelles campaign in the Great War and had experience of signaling while serving in the Lovat Scouts in France. As such, he had some knowledge of semaphore and Morse code and understood well the potential of radio for instantaneous communication As a net-mender my Seanair was spared active service in the war. Apart from two or three seasons fishing on the East Coast of Scotland, he had never travelled beyond our Lewis shores. He had become a committed Christian at the age of fifteen and had memorized the metrical psalms and long passages from the Bible.

At the outbreak of the Second World War, the flat land at Melbost, known as the Machair, was hurriedly prepared to accommodate bombers such as Whitleys, Ansons and Wellington bombers and much heavier aircraft as the war progressed. The north wind brought us the sound of distant explosions far out in the Atlantic and piles of flotsam and jetsam, including an upturned lifeboat, were strewn on the Cladach. Overnight, our silvery sands were turned to black as huge slicks from sunken oil-tankers and cargo-ships drifted ashore.

Throughout the war and in the decades following it, a new kind of music invaded our homes. The wireless brought us the voices of singers such as Gracie Fields and the equally popular Vera Lynn singing 'The White Cliffs of Dover'. For the first time, we heard the stirring sounds of brass-bands and orchestras. Fiddling knobs on the set, Dad found foreign stations which allowed us to hear foreign languages. Short-wave transmissions allowed us to hear barely comprehensible exchanges between the skippers of Fleetwood trawlers poaching in our own Broad Bay, less than five miles from Port Mholair.

One evening, the drone of a high-flying German aircraft interrupted our listening to Lord Haw-Haw's 10 pm propaganda bulletin which he always started with the words, 'Germany calling! Germany calling!' During Lord

dhraughtsman bha e ri bàrdachd agus aig an aon àm a' cur fuinn ris na h-òrain a bha e air a dhèanamh. An 1951, fhuair e obair na mhanaidsear-obrach ann am Beul-Feirste ann an Ceann a Tuath na h-Eirinn. Chaith e sia bliadhna an sin agus , gu ìre, bha e sona gu leòr ann ged bha aimhreit eadar buidhnean phoiliticeach gu tric a' deanamh cùisean anshocair.

Seach mulad na Sàbaid, bha saoghal na h-òige dhomh gasta agus fhad 's a bha mi ag èirigh bha mi air m' iadhadh le muinntir a bha fialaidh, carthannach.

Nuair a thàinig m' athair bho sheòladh ann an 1936, thug e dhachaigh thugainn gramafòn agus deich clàr Gàidhlig a bha Decca, Beltona agus Parlophone air a chur a-mach. Cha robh fada gus an robh eòlas againn air na seinneadairean ainmeil a thogadh am badan air feadh na Gàidhealtachd. Mar sin, thog sinn òrain ùra agus chuala sinn na guthan ceòlmhor aig Ailean MacGilleathain, Ceitidh NicLeòid, Màiri NicNibhein, Eairdsidh Grannd, agus Niall MacGilleathain. Anns an latha sin, bha bàird ionadail anns gach ceàrnaidh dhan Ghàidhealtachd agus cha robh an Rubha air cùl chàich le bàird a bha dèanamh òran a tha fhathast ri an cluinntinn air an rèidio agus telebhisean.

Thàinig m' athair dhachaigh bho sheòladh an 1937 agus bha rudan aige na chois a bha iongantach leinn. Thug e dhachaigh bucas de tomatoes – meas nach robh sinn a-riamh air fhaicinn. Bha m' athair cleachdte gu leòr ri bhith gan ithe air bòrd an t-soithich. Bhiodh e a' dèanamh dà leth air fear agus a'cur craiteachan beag de shalainn-mìn air na pìosan mus blaiseadh e orra. Gheàrr mo mhàthair tomato na dhà leth mar a rinn m' athair. Agus thuirt i, 'Iain, 's cinnteach nach e salainn-mìn is còir dhut a bhith cur air tomato. Bheil thu cinnteach nach e siùcar a bhios sibh a' crathadh orra?'

'Faodaidh tu siùcar, piobair, min-choirc no gruth a chur orra! Biodh tusa aig saorsa do thoile fhèin, a Mhàiread, ach ma tha thu airson a bhith anns an fhasan, cuir salainn mìn orra.'

Thuilleadh air na tomatoes bha e air rud eile a thoirt dhachaigh a bha na b' ùidheil. B'e sin *wireless* a bha na cùis-iongnaidh air Ceanna-loch. Saoilidh mi gun cluinn mi mo sheanair agus Murchadh Aonghais agus Tolmie a' cnuasachadh air na caochlaidhean a bha a' faomadh a-steach air ar beatha. Smaoinich fhèin air feadhainn dha na caochlaidhean sin. Air Rathad an Rubha agus air sràidean Steòrnabhaigh bha busaichean air fàs cho lìonmhor orra 's a bha eich is cairtean. Bha plèanaichean a' tòiseachadh a' tadhal air Machair Mhealboist faisg air Steòrnabhagh; agus leis an *wireless* bha sinn gu bhith comasach air ceòl agus air guthan dhaoine a chluinntinn a bha tighinn bho bhadan a bha ceudan mhìltean cian air Port Mholair!

Haw Haw's broadcast, we were distracted by someone calling to us from outside. Mum went to the window and saw two soldiers shouting that we should go out to see some unusual object overhead. The whole family rushed outside and saw a high-flying aircraft. One of the soldiers shouted, 'A Heinkel bomber flying north-west. Listen to his droning!'

The aircraft was flying at perhaps ten thousand feet above the island and, within a minute, disappeared into cirrus cloud in the sunset. We went inside in time to hear the smarmy voice of William Joyce bidding us, 'Good night! Sweet dreams! I shall soon be there to meet you in person.'

Now that we had the enemy's familiar voice beamed into our homes, it reminded us that nowhere in Britain was safe.

As many of our relations were soldiers in the Seaforth Highlanders, army favourites became equally popular everywhere. Everybody knew the songs 'Lili Marlene', 'Keep the home fires burning' and 'Keep right on to the end of the road'.

Torachan, who had won an award for gallantry in the Great War, remained light-hearted and buoyant into his old age.

One spring evening, I was walking along Lighthouse Road, having spent the day on the moor cutting peat. Walking before me on the road was Torachan with his four-foot-long peat-cutter over his shoulder. As I came closer to him, I could hear him singing softly. He was embarrassed that I had overheard him singing.

'I haven't got much of a voice,' he confessed, ' but many's a mile I marched in France singing, "It's a long way to Tipperaray". There was never a truer word uttered for we never did reach Tipperaray.'

'Is Tipperaray in France?'

'We marched all over France hoping to find it!'

'Where is Tipperaray then?' I asked, 'Is it in Ireland?'

'God only knows!'

He winked at me and then continued to sing, 'It's a long way to go...!'

Cho luath 's a chuala muinntir Cheanna-loch gun robh Bob air an *wireless* aige a chur a dh'obair, thàinig feadhainn a-steach airson an inneal a chluinntinn. Bha Calum Uilleim ann, duine a bha 'a'leantainn' ann an Eaglais an Aonaidh. Na òige, bha e iomraiteach mar fhear-ciùil agus mar dhannsair ach a bha nise air 'fàs glic'! Bha mo sheanair ann – fear a bha air a bhith a' leantainn bho bha e na bhalach, a bha air leth foghlamaicht anns a' Bhìoball ach ainfhiosmhor air saoghal nam bailtean mòra.

Aig toiseach a' Chogaidh chaidh Machair Mhealboist ullachadh airson gum biodh e comasach do bhomairean trom a bhith falbh 's a' tighinn bhuaithe. Dh'fhàs sinn eòlach air bhith faicinn bhomairean mar an Whitley, an Anson, an Halifax agus an Wellington. Mar bu teotha a chaidh an Cogadh b' ann bu lìonmhor a dh'fhàs na seòrsaichean phlèanaichean a bha sinn a' coimhead air iteig: nar balaich dh'aithnicheadh sinn Superfortress, Mosquito, Spitfire, Hurricane, Lightning agus iomadach seòrsa eile. Nuair a bhiodh a' ghaoth bhon iar-tuath, chluinneadh sinn tartair fada bhuainn a-muigh anns a' Chuan Shiar. Mar bu tric, bha an tartair sin a' tighinn bho urchairean a bha bhomairean Gearmailteach no U-boats a' losgadh air soithichean-caragò Breatannach. Air an ath mhadainn, bhiodh fiodh-sgoid glè thric anns na geodhaichean agus, cuideachd, lòpar de dh'ola dhubh a' gànrachadh mol agus gainmhichean nan cladaichean againn.

Bha sinn nar suidhe air feasgar foghair a' gabhail ar suipear agus, aig an aon àm, ag èisteachd ri naidheachdan ràbhartach Lord Haw-Haw, Eireannach Ameireaganach suarach a bha air a dhùthaich fhèin a thrèigsinn. Mar bu nòs, bha e air tòiseachadh leis an fhàilte àbhaisteach, 'Germany calling! Germany calling!'Anns na facail, chuala sinn sgarrathart bho dhithis shaighdearan a thurchair a bhith dol seachad air an taigh againn. 'Seallaibh! Seallaibh air a' plèan Ghearmailteach beagan gun iar oirnn.'

Leum sinn a-mach agus chunna sinn am plèan air àird, is i a' siubhal gun iar gus an deach i ann an ceann-snàidhme far an robh a' ghrian a' dol fodha. Chluinneadh sinn an srann aice fad às agus, aig an aon àm, guth Lord Haw Haw, ar dubh-nàmhaid, am broinn ar dachaigh a' dèanamh tàire oirnn. Bha e soilleir nach robh àite ann am Breatainn anns am faodadh duine faireachdainn sàbhailte.

Fad a' chogaidh agus anns na bliadhnaichean as a dheidh, chualas, air an wireless, seòrsaichean de cheòl a bha conadail dhuinne ach a bha annasach, aotrom rin èisteachd. Bha e comasach dhuinn cuideachd guthan a chluinntinn a bha ainmeil fad is farsaing: seinneadairean mar Gracie Fields, Vera Lynn agus Harry Lauder. Cha robh fada gus an robh eòlas againn air na h-òrain a bhiodh

Oat-stacks and a hay-stack secured with Charles Morison's coir rope
Cruachan-corc agus sig-fheòir air an ceangal le sìoman Theàrlaich

aig na saighdearan gan seinn glè thric fhad 's a bha iad a' spaidsearachd, m.e. 'Lili Marlene', 'Keep the home fires burning', agus 'Keep right on to the end of the road'.

Ged a chaidh a leòn trì tursan nns a' Chogadh Mhòr, bha ar nàbaidh Torachan fhathast aotrom, lùthmhor, sunndach na dhòigh agus bha cuimhne mhath aige air na h-òrain a bhiodh aig na saighdearan gan seinn nuair bhiodh an rèiseamaid anns an robh e a' màirdseadh na mìltean mòra anns an Fraing.

Aon fheasgar earraich bha an dithis againn a' tilleadh bhon t-Sliabh Mònaich ann an Tom Airigh an t-Siùmpain. Bha esan romham air Rathad an Taigh Sholais, an tairsgear aige air a ghualainn agus òran aige ga sheinn beag leis fhèin. Thàinig mi gu a chùlaibh air fàth agus dh' aithnich mi gur e 'It's a long way to Tipperaray' a bh'aige.

Thuirt mi ris. ' 'Se fonn suigeartach a th' air an amhran a bha sibh a' seinn. Ach càite a bheil Tipperaray?'

Rinn e gàire agus thuirt e, 'Bha sinn air feadh na Fraing agus cha d' fhuair sinn lorg air anns an dùthaich sin cò dhiù'.

'N dùil a bheil e ann an Eirinn?'

'Aig Dia tha fhios!' arsa esan. 'Tha mi 'n dùil nach d'fhuair iad lorg air fhathast!' Phriob e orm agus lean e air a' seinn, '.... It's a long way to go!'

The puffin was known locally as 'Conky Murdo'
Buthaid air an robh am far-ainm 'Murchadh sròineach'

Lewis immigrants' school, Saskatchewan, 1930s.
Sgoil muintir Leòdhais air a' Phrèiridh

A fisherman whose hooks caught more than fish!
'Sgeadaidh' còir, ogha piuthar mo shin-seanar

Metaphor for an ill-tempered person
'Cat air lion-beag'

Torachan showing off his dawn catch
Creagach-mhadainn: naoi liùthannan

Chapter 3
Caibidil 3

The Second World War (1935–45)
An Darna Cogadh (1935–45)

February

Every teenager and old man carried a pocket-knife and whittling wood was one of their favourite pastimes. You could almost say that whittling wood was in their genes. Many of them put the skill to good use. Some made cages to imprison pets such as rabbits or male linnets caught in traps in the autumn.

Every man in the district was expert in judging the shape of fishing boats and many of them were experienced joiners or carpenters. In the winter some of them would spend a lot of time working with saws, planes and chisels. Making model boats called 'croonyaks'. was a popular pastime. In our district, croonyaks were used in racing competitions on Tiumpan Loch in the spring before croft-work demanded that young men turn their attention elsewhere. Of course, like all competitions, the Croonyak Competitions were governed by strict rules, the most important of which were the following: 1) a croonyak should measure no more than three feet in length; and 2), it should have only one mast and one sail.

The competition could begin when a stiff breeze began to ruffle the surface of the loch. Young men from Port Mholair and from the nearby villages of Aird, Flesherin, and Port nan Giùran came full of hope for success. Two judges were chosen from among the many old fishermen in Port nan Giùran and Port Mholair. The judges chose the starting point and the destination on the opposite side of the loch. Before a race could begin, the judges inspected the croonyaks and commented on the design and livery of each craft! The youngest competitors revelled in the judges' words of praise. I can still remember the praise heaped on the 'Pansy' by Tormod Chailein of Port nan Giùran, who happened to be a cousin and friend of my father.

Following the tradition of painting full scale fishing-boats in the three traditional colours my father made a beautiful croonyak. It was probably no more beautiful than croonyaks from Port nan Giùran but to me as a five year old, it was a masterpiece. The hull was painted black and the water-line white. The section under water section was painted red.

As often happened, Wee Effie came to offer my father something which might help him with his latest venture - an old cotton table-cloth.

My father painted the name 'Pansy' on both her bows.

'Pansy!' exclaimed my brother Murdo when he saw the name being created, 'surely to goodness you're not serious. You're not going to call her

An Gearran

Bha sgian-luthaidh aig a h-uile fireannach agus bha slisneadh mhaidean aca na chur-seachad. Cha mhòr nach fhaodainn a ràdh gun robh slisneadh mhaidean nan gnè. Bha cuid dhiubh a bhiodh a' dèanamh chèidsichean airson peataichean a ghleidheadh - rabaidean no ceòlairean - samhail dhìdigean agus *canaries*.

Bha a h-uile fireannach eòlach air eathraichean-iasgaich agus bha mòran dhiubh a bha gu math ealanta air saoirsinneachd. Anns a' gheamhradh, chuireadh iad seachad ùine ag obair le sàibh, locraichean agus sgeilbean, gach fear a' dealbhachadh 'cruinneag' - eathair a sheòladh ann am farpaisean a bhiodh aca air Loch an t-Siùmpain mus tòisicheadh obair an earraich. Bha na cruinneagan sin air an dèanamh air cumadh nan eathraichean mòra a bha ris an iasgach timcheall nan cladaichean againn fhìn.

Bha aig a h-uile fear a bha tighinn le cruinneag ri bhith mothachail air riaghailtean nam farpaisean. Cha robh e ceadaichte do dh'eathar-maide a bhith na bu mhotha na slat de dh'fhaid, 's cha robh e ceadaichte barrachd air aon seòl a bhith oirre. Nuair a bhiodh ialtagan-gaoithe a' rìochadh uachdair luaisgeanach Loch an t-Siùmpain, thigeadh balaich às an Aird, Na Fleisearan agus à Port nan Giùran leis na cruinneagan a bha iad air a dhèanamh air feasgair aognaidh a' gheamhraidh.

Ged bha e nise na cheannard teaghlaich, bha m' athair fhathast airson comhstrì ris na gillean a bha tighinn airson dearbhadh gum b' iad a bha am bàrr ann am farpais nan cruinneagan. Rinn m' athair cruinneag àlainn agus pheant e i dubh gu h-àrd, dearg fon fhliuch-bhord agus strìochag gheal air a fad far an robh i a' gearradh an uisge.

Airson an t-siùil, thug Oighrig Bheag Iain Ruaidh dha seann chuibhrige-bùird de dh' anairt-ghil agus thug e fad feasgair a' peantadh an ainm aice: 'Pansy'.

"'Pansy!' arsa Murchadh is e ga shearradh fhèin. "'S cinnteach nach e sin an dòlas ainm a tha gu bhith oirre!"

Bha Murchadh seachd bliadhna na bu shine na mise, agus le foghlam aige air rudan nach buineadh fhathast dham shaoghal-sa!

Leig m' athair air nach robh e air Murchadh a chluinntinn. Lean e air a' peantadh an fhacail 'Pansy'. 'S cinnteach, a Bhobain, nach eil sibh a' dol ga cur ann am fianais dhaoine le ainm cho suarach ri sin! Carson nach do chuir sibh 'Steàrnag' no 'Cearban' no ainm iomchaidh, làidir mar sin oirre? B' fheàrr

a pansy?' My brother was seven years older than I and he had a vocabulary which was far in advance of mine.

'Why don't you put Skua, or Basking Shark, or something aggressive like that; something strong? How about Nettle? Any of these names would be better than Pansy'.

Dad said patiently, 'Pansy' is the name which your brother has chosen because I gave him the choice. There's nothing wrong with 'Pansy'.

The name 'Pansy' was completed on either bow of our croonyak and when Dad launched her along with ten other competing vessels, none looked more handsome than ours. No one mentioned the name which, for reasons I didn't know, was regarded as effeminate. The proof of her worth would depend on how she would perform in crossing Loch an Tiumpan, from one side to the other.

She led in the race and when she was about half way across the loch the wind veered and she more or less stopped, heeled over on her side. Dad had set her rudder so she was making full use of the wind. The problem was that when the wind blew a degree or two to the nor'east, her sail lay limp against the mast and she was paralysed. What a disappointment! There was a great cheer when all the other boats passed our Pansy. It came from teenagers whom I regarded as ruffians from other villages and, no doubt related to me in one way or another. They spoke disparagingly about the performance of our boat and said that, with a name like Pansy, she didn't have any hope of winning. Their own boats had names like Tàrnach (Body-punch), Rùit (Bad temper), Astar (Speed) and Sgudal (Rubbish).

In the next three races that took place that day, several competing boats reached their destination before ours. According to our brother Murdo, our boat was so embarrassed by the name I had given her, that she didn't want to have any publicity. Today, I have the hull of the 'Pansy' in the garage looking the worse for wear. It is a precious possession and a reminder of days gone by. It suffers from woodworm, but the name and the number of the boat are still legible. And it reminds me of the days when my parents were young and fit and able and I have calculated that she was launched in 1936 – three years before the war.

When the war was over, the majority of the young people went off to start careers in faraway places – some in Glasgow, Leeds or London; others in Canada, New Zealand or Australia. For those who remained on their native heath, their lives were transformed by measures introduced by the Labour Government which won the General Election of 1946. That was when the

leam 'Deanntag' no 'Cuiseag' a bhith oirre na 'Pansy!'

'Tha 'Pansy' oirre seach gun do gheall mi dha do bhràthair gum biodh a roghainn aige-san. Chan eil càil ceàrr air 'Pansy''.

Arsa mise, 's mi a' faireachdainn rudeigin an-shocair gun robh fios aig Murchadh air rudeigin diamhair nach robh agamsa, 'Nach e am 'pansaidh' an dìthean brèagha a tha fàs ann an gàradh Sheonaidh?'

Chunna mi mo mhàthair a' priobadh air Murchadh. 'Gu dearbha 's e! Pansaidh agus seòbhrag,' ars ise, 'an dà dhìthean as àille leam a chì mi.'

Dh'fhàg m' athair 'Pansy' sgrìobhte air dà chliathaich an eathair ach, nuair a chuir e i air seòladh a chòmh-stri ri cruinneagan nam balach eile, bha i a' coimhead cus ro spaideil, boireann airson cliù a chosnadh. Cha robh gin dhe na cruinneagan eile cho grinn, dealbhach rithe no idir le seòl cho brèagha. Anns a' chiad rèis, dh'èirich aimlisg a bha a' dearbhadh fìrinn an fhacail a bha aig na h-iasgairean anns an t-sean-aimsir - 'chan fhiach cùrs' gun a cùram'. Chaidh am 'Pansy' sèib ann am meadhan an loch agus thug m' athair ùine mus d'fhuair e air a toirt air ais chun a' chladaich. Cùis-nàire nach b' urrainn tàmailt a shaoradh!

Leamsa, bha na conadail a bha air a thighinn chun an loch againn cus ro àrd-ghlaodhach, coimheach nan dòigh agus bha na h-ainmean a bh' aca air an cuid chruinneagan a' dearbhadh cho borb, neo-bhrosnaichte 's bha iad – 'Tàrnach', 'Mulcaire', 'Rùit' agus 'Sgudal'! Anns na trì rèisichean, ràinig a h-uile cruinneag a ceann-uidhe ron tè againne. A rèir Mhurchaidh, bha am 'Pansy' air a nàrachadh leis an seòrsa ainm suarach, diùid a bha mise air a thoirt oirre!

Saoilidh mi gun robh nàdar Mhurchaidh mòran nas agharnail, connspaideach na bha m' fhear-sa. 'S bochd nach eil esan, mo bhràthair, maireann airson e-fhèin a dhìon! An-diugh, tha closach a' 'Phansy' agam air a gleidheadh anns a' gharaids agus, raodanan ann no às, bithidh i agam an sin cho fada 's mhaireas mi, mar chuimhneachan air cho lùthmhor, gleusta 's a bha an cinneadh againn ann an 1938. Goirid an dèidh siud, thòisich an Dàrna Cogadh agus mus robh e seachad, bha suas ri seachd millean deug dhan chinne-daonna, fireann agus boireann, air am beatha a chall anns a' chreich.

Choisinn an Cogadh iomadach caochladh a thighinn air beatha dhaoine air feadh an t-saoghail. Anns a' cheàrnaidh bheag againne den Ghàidhealtachd, chaidh an dòigh-beatha a bh' againn buileach ma sgaoil. Chan fhacas farpais chruinneagan air Loch an t-Siùmpain bhon bhliadhna a nàirich am 'Pansy' Murchadh!

Nuair a bha an cogadh seachad, dh'fhalbh mòran airson beatha dhèanamh dhaibh fhèin ann an àiteachan fad às – bailtean mòra agus tìrean cèine.

Welfare State was established. Crofters were encouraged to accept funding (Grant & Loan) which enabled them to build better housing. Within ten years after the defeat of Germany and Japan, the villages of the Rubha and others close to Stornoway had been provided with running water and Hydro Electricity. It was a time of advancement and rejoicing.

Cold Turkey and Cabbage Seedlings

In 1940, the Germans were sinking thousands of tons of our shipping in the Atlantic Ocean while battering the armies of the Allies in France. Only a few dozen miles off the coasts of the Hebrides, German bombers were attacking British ships. At that time, my father was a petty-officer on a minesweeper based in Leith for the purpose of sweeping in the Firth of Forth. It was a time for rejoicing when he came home on a ten days' leave.

My Granny Port lived alone and, though she was in poor health, wished to remain independent. I had just returned from Ivor's Well with two pails of drinking-water for her. After chatting with me for a while, she said, 'I'm sorry to ask you to run messages for me here, there and everywhere but I wonder if you would do me one more favour tomorrow.'

'Of course,' I replied brightly. 'What kind of favour?'

'You know that caterpillars destroyed the cabbage harvest in Port Mholair last summer. Because of that, I lost all the plants that I left to produce seed. Unless I get seedlings, I'll be without cabbages next autumn and winter. So would you go for a message for me to Small Head and ask Iain Sheòrais if he has enough cabbage seedlings if he could sell me a hundred.'

I saw her wrap two coins in a scrap of brown paper. 'There you are, a ghràidh - two whole shillings. That should be more than enough. Keep the money in your pocket until you hand it to Iain Sheòrais. But don't forget to tell your mother that I'd like you to go to Small Head to buy seedlings.'

As soon as I arrived home and told Mum that I had promised to go to Small Head to buy cabbage seedlings from Iain Sheòrais, she became very shirty.

'You are certainly not going to Small Head to buy cabbages or anything else. You would have to cross the moor with its water-holes and bogs, and underground streams. If she asked you to go there on your own, she must be losing the place!'

Don fheadhainn nach do dh'fhalbh thàinig piseach air an dòigh beatha le poileasaidhean chum math an t-sluaigh on Riaghaltas Làborach a bhuannaich an Taghadh Coitcheann ann an 1946. Mu chòig bliadhna an dèidh crioch a' chogaidh, fhuair bailtean an Rubha cumhachd an dealain agus cha robh fada an dèidh sin gus an d'fhuair sinn bùrn nam pìoban am broinn nan taighean.

Carghas agus Càl

Ann an 1940, bha na Gearmailtich a' slacadaich oirnn anns an Fhraing agus anns a' Chuan Shiar agus bha na plèanaichean aca a' toirt ionnsaigh eadhon air soithichean nach robh ach beagan mhìltean bho chladaichean Leòdhais. Bha m' athair air fòrladh fhaighinn a leig dha a thighinn dhachaigh airson ceithir latha agus bha an teaghlach againn air ar dòigh gun robh e còmhla rinn. Cha robh duine againn cho dòigheil 's a bha e-fhèin. Bha e na phetty-officer air soitheach a bha a' sguabadh mhèinnichean anns na lochan-mara a tha fosgladh gu Lìt agus Dùn Dè. Dh'aindeoin 's na bha de dh'obair ri dhèanamh air mòine agus air an lot, cha robh càil air aire ach iasgach liùghannan air Bilidh-Mhòr – rubha beag a bha mu dhà cheud slat bho earball na lot againn.

Bha na bratagan air ithe tòrr dhan càl a bha fàs air Ceanna-loch. Le sin, cha do dh'fhàs abhal as t-foghair agus cha d' fhuair mo sheanmhair a' Phuirt sìol a chuireadh i anns an iodhlann-chàil.

Bha mi air a thighinn à Tobair Iomhair le làdach bùirn dha mo sheanmhair agus cho luath 's a dhòirt mi am bùrn dhan a' bharaille aice, thuirt i rium, 'Tha mi duilich, a ghràidh, toirt ort a bhith a' ruith 's a ruagail air feadh a' bhaile ach am b' urrainn dhut aon ghean math eile a dhèanamh rium a-màireach?'

'Nì mas urrainn dhomh!' arsa mise. 'De an seòrsa gean math?'

'Theirig a-null dhomhsa dhan a' Cheann-Bheag gu taigh Iain Sheòrais a cheannach ceud planntrais.'

Thug i dhomh dà bhonn airgid – dà dhà-thastan a phaisg i ann an sgeòid de phàipear-ruadh.

'Nise, cum sin nad phòcaid gus an lìbhrig thu e do dh' Iain Sheòrais. Agus cuimhnich gun innis thu gad mhàthair gu bheil thu a' dol dhan Cheann Bheag a dh'iarraidh nam planntraisean.'

'Nae problem!' arsa mise. B' iad siud dà fhacal a bha mi air ionnsachadh bho Chaluim Caimbeul agus a bhràthair Dòmhnall - oghaichean Mhurchaidh Aonghais a bha air a thighinn dhachaigh à Glaschu airson fasgadh nuair a thòisich plèanaichean Gearmailteach a' sgrios bhailtean air feadh Bhreatainn.

Although it was little more than half a mile from Ceanna-loch, as the crow flies, I had never been to Small Head. The two communities were separated from each other by the loch and, beyond that, the peat moor which was water-logged because of generations of peat-cutting. My father had overheard my mother's tirade and, shortly after the dust had settled, I heard him say to her very quietly, 'The boy promised that for his Granny and I would like to see him keep his promise'.

When I heard Dad say those words, I knew that my Mum would change her mind. I was dead keen to go. Dad walked with me to the far end of the loch and then to the top of the little hillock called the Birds' Knoll from which we could clearly see, on the skyline, the crescent of houses which is called Small Head. Dad pointed out the house which belonged to the Campbells. As I prepared to set off on my own, Dad spoke to me very seriously. 'Now Balach, there are places on the moor which you must avoid: deep pools and bogs and underground streams. In some places there are 'blisters' on the surface of the moor where water had become trapped under the tough layer of matted turf. If you were to rupture the surface turf, you could easily drown in the vat below. Avoid those blisters. Walk only on the narrow paths you see through the heather and are used by the peat-carriers and by cattle and sheep. Don't be afraid. Use your common sense, Balach!'

With my Granny's coins secure in my right pocket, I set off, feeling like an explorer venturing into the unknown. I followed paths which were easy to see in the heather with plenty of little lochans and bogs on either side. At that stage, we were about half a mile from the Small Head wall.

The moor was not as I expected. There were low hillocks which had been scarred by generations of peat-cutting, Some with little pyramids of freshly cut slabs of peat drying in the wind and sun. In one hollow, I heard the eerie gurgling of an underground burn which was carrying water from the moor and emptying it into the sea at Camus Suinn.

A few hundred yards further on, I saw a large blister in the heather. I left the track I was following and as I approached the blister, I felt the ground began to tremble. I bounced up and down for five minutes but nearly fainted when a woman's voice spoke very close to me. I turned round and saw the woman with a creelful of peats – a load which was so tall that it hid the sun from me so that I was in its shade.

The woman's voice was friendly. 'Great fun you were having. Whose son are you, laddie? Are you lost?'

'No,' I answered 'I'm on my way to buy cabbage seedlings from a man

'Nae problem!' ars ise'. Nae problem! B' eòlach do Sheanair air glambar Gallda mar sin!'

Nuair a ràinig mi dhachaigh, thug mi am pasgan airgid dham mhàthair agus dh' innis mi dhi an rud a bha mi air a ghealltainn dha mo sheanmhair.

Fhreagair mo mhàthair le sguabag. 'Cha tèid do chas – thusa a cheannach phlanntraisean! Cha robh thu riamh anns a' Cheann Bheag agus, nas mò, cha do choisich thu slighe na mòintich ann. Ma dh'iarr do sheanmhair ort sin a dhèanamh, tha i ga call fhèin'.

Ann am beagan ùine, chuala mi m' athair ag radh, 'A Mhàiread, tha mi airson gu leig thu do Chalum a dhol dhan Cheann Bheag!'

Thàinig m' athair còmhla rium gu Tom nan Eun agus sheall e dhomh taigh Iain Sheòrais anns an t-sreath thaighean a bha air fàire air taobh thall Loch an t-Siùmpain. Bha mo cheann-uidhe mu leth-a-mhìle bhuainn air taobh thall Blàr nan Eun.

'Nise Balach,' ars esan is a ghàirdean mu mo ghuaillean, 'Tha mi dol a thoirt comhairle ort. Tha botaichan anns a' Bhlàr agus leacan-crithich agus mar sin tha e deatamach gun èist thu ris a' chomhairle a tha mi dol a thoirt ort. An dean thu sin?'

'Nì, a Bhobain.'

'Tha am Blàr air a sgoltadh le puill-mhònach – feadhainn dhiubh a tha gu math domhainn. Na leum gin dhiubh. Gabh bràigh orra. Chì thu gu bheil frith-rathaidean ann a leanas tu – frith-rathaidean a tha na caoraich 's an crodh air a dhèanamh. Nuair a ruigeas tu Gàradh a' Bhaile thall aig a' Cheann Bheag, na feuch ri a shreap idir. Faigh lorg air a' chachailear, seòrsa de gheata, a leigeas dhut faighinn seachad air a' Ghàradh. Fosgail e agus bidh tu aig bonn lot Iain Sheòrais. Theirig suas chun an taigh agus thoir an airgead dhaibh. Ceart?'

Nuair a ràinig mi Poll Mòr Iomhair air taobh thall an Loch, chunna mi gun robh m' athair fhathast aig Gob na Cloinne a' cumail sùil orm. Smèid sinn ri chèile agus a-mach leam tro fhàsach an rèisg.

Bha am Blàr eucoltach ris mar a bha dùil agam a bhiodh e. Bha cnocannan ìosal ann agus puill-mhònach air fheadh, a' mhòr-chuid aca le rùdhannan agus torran orra. Anns gach laighe rèisg, bha uillt a' durghain - iad a' dìabhadh a' bhùirn air falbh chun na mara. Chluinninn onfhadh Camus Suinn beagan gu tuath orm le tartair nan tonnan air mo làimh dheis a' briseadh air Leac an Eòlaindich agus anns a' Gheodha Dhorch - uamhalta nuair a sheas mi airson tiotadh gan èisteachd.

Ach seo, b' ann a thàinig mi air balg mhòir de sgrath chruaidh a dh'èireadh

called Iain Sheòrais.'

'Are you one of Bob's sons? Are you Calum?'

'I am.'

'I'm closely related to him – and to you.' As she spoke, she was knitting a grey stocking and there was a ball of yarn attached to her right pinkie.

'I loved your father when we were children. Tell him I said so. Is he still as daft as he was, full of practical jokes?'

'Now you are on the path leading to the cachalair, the snicket gate in the wall. If you go through it, you'll be at the foot of the Campbells' croft.'

The woman saw that I was embarrassed to be discovered on the shaking-slab and , as she spoke, I sidled on to safer ground.

She said, 'I won't tell anybody that I saw you bouncing on the *leac-chrithich*!'

Perhaps she expected me to thank her. I wanted to ask her who she was but was lost for words. When I remained silent, she laughed and, with her creel creaking and her knitting-needles clicking, she set off on a path leading to Port nan Giùran.

The *cachalair* was wide enough to allow an adult through. Before I could pass through to the village, I had to push aside three horizontal, wooden bars which were slotted into the turf. Having thus gained entry to Small Head, I placed the bars across the *cachalair* as I had found them.

Behind me were the untamed, rugged rough-grazings of the moor; in front of me, the beautiful, fertile, parallel fields of the croft-lands sloping from the row of houses on the hill down to the Wall. Some fields were knee-deep in bottle-green potato plants; others ankle-deep in lime-green oats and barley. Here and there were fallow fields left 'resting for a season' to produce succulent grass used to make hay.

I paused to consider which of the ten houses on the skyline belonged to the Campbells and decided that it was the house third from last on the left. A few yards beyond the cachalair, I saw a young ram which was tethered, as I later discovered, to an iron bolt driven into the ground. The animal was facing away from me and, while grazing, seemed to be watching a man who was scything grass further up the croft. When I appeared from the direction of the cachalair, it took fright and ran the length of its tether and pulled the iron bolt out of the ground. Having gained its freedom, it dragged its tether and iron bolt and barged into the nearest field of oats and began to eat as fast as it could.

After I managed to get hold of the iron bolt, I tried to drag the animal out of the field. It became a tug of war in which my opponent proved the

's a thuiteadh leam fhad 's a bha mi nam sheasamh air. Bha an aimsir blàth agus a' ghrian na teine os cionn Bhrocair. 'S mi bha dòigheil anns an àite annasach ud, mi a' brunndail leam fhèin, 'Suas is sios. Suas is sios!'

Gu h-obann chaill mi solas na grèine agus chuala mi guth boireannaich ag ràdh, 'Cò leis a tha thu a' bhalaich?'

Cha mhòr nach deach mi às mo thoinisg! Thionndaidh mi agus chunna mi boireannach le cliabh air a druim – eallach cho mòr air a' chliabh 's gun robh e a' toirt bhuam solas na grèine. Bha an t-eallach a bh' oirre faisg air bhith cho àrd rithe fhèin. Bha i air a casan luirmeachd, 's i a' fighe stocainn a bha crochaichte ris na bioran aice sios chun nan osanan a bh' oirre gu leth a calpannan.

'Co leis a tha thu, a ghràidh?'

'Tha mi le Iain Chaluim Alas' 'C Uilleim,' arsa mise, 'agus le Màiread Mhurchaidh Eòghainn.'

'Seadh gu dearbha, le Bob!' ars ise.

''S ann.'

'Tha mise an càirdeas riut agus mura biodh, bhithinn air d' athair a phòsadh bho chionn fhada! 'S mi a bhiodh agad nad mhàthair! Tha gaol agam air Bob agus faodaidh tu sin a ràdh ris! Bheil e fhathast cho gòrach leis na h-àmhailtean?'

Rinn i gàire agus lean i oirre leis an fhighe fhad 's a bha i a' coiseachd air falbh bhuam, an cliabh a bh' oirre a' dìosgail fon eallach. Nuair a bha i mu dheich slait bhuaim, stad i agus dh'èigh i, 'Feuch nach tèid thu tron an leac-chrithich air a bheil thu a' rabhsaigeadh. Ma thèid, 's mathaid nach fhaicear thu a chaoidh tuilleadh. Mach leat, a ghràidh. Tha cachailear a' Chinn Bhig romhad ann an sin.'

Dh'fhàg mi an leac-chrithich agus ghabh mi am frith-rathad a bha dol chun a' Ghàraidh.

Nuair a dh'fhosgail mi an cachaileith, dh'fhàg mi saoghal garbh an rèisg air mo chùlaibh. Ach càite an robh mi dol a dh'fhaighinn lorg air Iain Sheòrais?

Air a' chluanaig feòir a bha air taobh staigh a' Ghàraidh, bha reithe ceangailte air feist agus cho luath 's a mhothaich e dhan troich a bha air nochdadh thuige tron chachaileith, ruith e air fad na feist agus thug e am bacan às an talamh. Mach à seo leis agus a-steach dhan fhochann, ag ithe bhileagan cho luath 's a b'urrainn dha. Fhuair mi grèim air a' bhacan agus thòisich mi a' slaodadh ach bha am beathach cho làidir 's nach fhaighinn air a tharraing a-mach às an eucoir. Thàinig duine mòr fiadhaich na ruith bho far an robh e air a bhith a' spealadh. Fhad 's a bha e a' ruith, bha e ag èigheach agus a' maoidheadh. Gus

stronger. I heard angry shouting and, looking in the direction of the house, saw that the man who had been busy with his scythe was bearing down on me, waving his right fist and threatening violence. By the time he arrived, he was out of breath and took a while doubled up before he snatched the bolt from my hands.

'How dare you release the ram from where I had him tethered, you rascal?'

Thinking that the stranger was joking, I smiled at him and asked if he could tell me whether I was near to the home of Iain Sheòrais.

He ignored my question and barked, 'Listen to me, boy. If my ram has the runs tomorrow, I'll hold you responsible for letting him eat a bellyful of my oats! Just look at the mess my field is in. Disgraceful.'

When at last the stranger managed to bring the ram under control and had it securely tethered to the iron bolt, he turned to me and asked, 'What was it you wanted to know?'

I repeated my question, 'Can you tell me which of these houses belongs to Iain Sheòrais?'

'The house of Iain Sheòrais? Surely, every intelligent person in the district knows where Iain Sheòrais lives.'

The angry man pointed to the nearest of the houses and said, ''There it is at the end of this field of potatoes. Go to the back door, open it and then call out, 'Is there anybody at home?'

The stranger strode back up to his scythe muttering as he went. I stood a few yards away and watched him as he cut swathes through the grass. He did not acknowledge my presence so I continued up to the nearest house. I went to the back door, opened it and called out as the stranger had suggested.

A woman's voice called from within, 'Here by the fire! Come on in. O my dear, do come over to me so that I can see you properly.'

As I approached her, I could see that the woman was sitting by the hearth and looked spherical, dressed overall in black and wearing a black shawl over her shoulders. Her face was rosy and friendly and her voice crooned with friendliness and delight as I shook hand with her. When I told her the purpose of my visit, she exclaimed, 'To come all this way for cabbage seedlings! I'm going to tell you something that you are unlikely to know. Your Granny Port and I are second cousins. Did you know that?'

I didn't, but since everybody in my world at that time was closely related to everybody else, the information didn't come to me as a surprise. Our tete-a-tete was ended abruptly when the 'Wild Man' entered and addressed me sharply.

an robh e gu bhith agam, cha do thuig mi dè a bha e ag èigheach.

'Dè a thug ort an reithe a leigeil saor air feadh a' choirc. Tha e air làn a bhroinn dhan fhochann ithe agus bidh an spùt air a-màireach. Do choire-sa a pheasain ghrànda, ma bhios; agus ma bhios, bidh rud thugad!'

Nuair a fhuair e air an reithe a cheangal air ais air a' chluanaig, thuirt mi ris, 'A bheil mi faisg air taigh Iain Sheòrais?'

'Taigh Iain Sheòrais? 'S cinnteach gu bheil fios aig a h-uile duine glic a tha am Breatainn air far a bheil taigh Iain Sheòrais! Sin e agad, shuas aig ceann an iomaire bhuntàta sin.'

Bha doras-cùil an taighe fosgailte agus chaidh mi steach air fàth. 'Bheil duin' a-staigh?'

Thàinig guth boireannaich, 'Staigh an seo aig an teine!' Bha boireannach cruinn, tuilear na suidhe ris a' chagailt, i air a còmhdach ann an aodach dubh. Bha plèide dhubh mu a guailnean. Ach ma bha a còmhdach dubh, bha a h-iomhaigh grianach gàireach le rudhadh càirdeis ann. Dh'innis mi dhi cò mi agus fàth mo thurais.

'M' ulaidh air do theanga! Bheil fhios agad gu bheil mise agus do sheanmhair a' Phuirt anns na h-oghaichean? Is sinn a tha sin!

'Chuir mo sheanmhair a' Phuirt a-nall mi a cheannach ceud planntrais bho Mhuinntir Iain Sheòrais. An e seo taigh Iain Sheòrais?'

'A ghràidh, thàinig tu chun an taigh cheart. Nach tu a bha geur-chuiseach a dhol a choiseachd na mòintich air do ghurt fhèin.'

Anns na briathran, cò a thàinig a-steach ach an 'duine mòr fiadhaich' agus bhruidhinn e rium gu cas. 'Dè a tha thu a' dèanamh nad shuidhe ris a' chagailt againne ag ithe pìos is silidh còmhla ri Bean Iain Sheòrais?'

Rinn a' chailleach gàire chridheil.

'A ghràidh, na toir feart air! Tha Iain Sheòrais goirid anns an nàdar a h-uile latha a tha an carghas air. Chan eil tombac ann am Bùth Sheonaidh no ann am Bùth John Murdo agus cha bhi gu Dimàirt.'

'Tugainn a mhic Bhoib. Ma tha agam-sa ri dìreadh dhan iodhlann-chàil a-muigh ann am Blàr nan Eun, chan ann nam shuidhe an seo bu chòir dhomh a bhith.'

Bha agam ri ruith as dèidh fear-an-taighe a bha, ann an tiota, air a bhòtannan a chur air agus a bha coiseachd sios chun a' chachailear le searragan mòra cabhagach.

Nuair a bha sinn a' dlùthadh air an reithe, dh'èigh e, 'Socair a bhalaich! Socair!'

Cha do leig an reithe air gun robh mi ann. Bha iodhlann-chàil Iain

'What is the meaning of this? Sitting down by our hearth, scoffing our bread and jam while chatting to the wife of Iain Sheòrais?'

Mrs Campbell chuckled. 'Och, don't listen to that old man's nonsense, *a ghràid*h!' He is my husband and is called Iain Sheòrais. Today he is short-tempered because he has run out of tobacco. Unfortunately, there's no tobacco to be had in Johnny MacLeod's shop, nor in John Murdo Campbell's and there won't be until next Tuesday.'

Her husband set off striding down the croft at a frantic pace! I had to run to catch up with him. As we approached the skittish ram, Iain Sheòrais, shouted to me, 'Go easy, boy! Easy as you pass him.'

The ram pretended that he hadn't noticed me and, with a wicked smile on his face, continued to graze. We squeezed through the *cachalair* and on to the moor. The cabbage-nursery was built like a little fortress. Its walls were as tall as the Village Boundary Wall – much taller than Iain Sheòrais. It was surrounded by a deep moat and, I'm sure that its walls were made of the peat dug from the moat. Iain Sheòrais, who was wearing his wellingtons, had to give me a piggy back- across the moat and then help me to get me up on to the parapet.

'One hundred seedlings, you said?' he muttered gruffly.

'Yes, just a hundred,' I squeaked.

He began to pull the seedlings by the roots and to count them as he went along. As soon as he had twenty, he bound them with a thin string and lay the bundle aside. He continued to count and bind bundles of twenty and when he had laid five bundles aside, he continued to pull and to count. I knew that he was making a mistake and was too nervous to interrupt him. In the end, I couldn't bear it and said. 'Excuse me, but my Granny wants only one hundred.'

He continued to pull and count until his bundle of twenty was complete. When he stood up to tie them, he asked me, 'How many twenties do you require to make up one hundred cabbage seedlings? Now, think carefully before you answer.'

I pondered for a while and ventured, 'Five?'

'Five!' he exploded. 'Maybe you give that kind of hundred cabbage seedlings at Ceanna-loch. But here, at Small Head, we give six twenties to the hundred seedlings.'

Before we parted, I remembered to hand over the money which my Granny Port had wrapped in brown paper. Iain Sheòrais unwrapped the money and said, 'Your Granny Port has sent me two shillings which is the correct sum

Sheòrais faisg air breun-loch bheag air an robh an t-ainm neònach Lochan Duine Dàdhaidh. Airson faighinn dhan iodhlann bha aig Iain Sheòrais ris an dìg-uisge a bha timcheall na h-iodhlainn a leum agus mise aige casa-gòbhlagan air a ghuailnean.

'Cia mheud planntrais a thuirt thu?'

Bha mi caran anshocair na chuideachd agus, air mo shocair, thuirt mi 'Ceud.'

Thòisich e a' tarraing nam planntraisean às an talamh. Cho luath 's a bha fichead aige na dhòrn, chuir a sreang thana gu cùramach timcheall air an dos. Nuair a bha e air còig dusan a bhuain, lean e air a' tarraing. Air eagal 's gun cuirinn Iain Sheòrais buileach dè rìan, bha mi caran aindheonach a' dol a bhruidhinn ris. Cò dhiù, cha b' urrainn dhomh fuireach nam thost. ''S e ceud a tha mo sheanmhair ag iarraidh.'

Lean e air gus an robh dos eile de dh'fhichead planntrais aige na dhòrn. Sheas e.

'Agus cia mheud fichead a th' ann an ceud planntrais?'

'Còig.'

'Còig? Smathaid gur e sin an àireamh leibideach a th' agaibh air Ceanna-loch ach, anns a' Cheann Bheag, tha sia fichead planntrais anns a h-uile ceud.'

Anns an dealachadh, thug mi do dh'Iain Sheòrais am pàipear-ruadh a bh' agam leis na buinn airgid. Dh'fhosgail e am pasgan air a shocair.

'Seo dhutsa do thuarastal, a bhalaich. Agus tha mi gad phàigheadh ged a choisinn thu gum bi an spùt air an reithe agam a-màireach. Dh'aindeoin sin, bidh tu airidh air do phàigheadh mus ruig thu Ceanna-loch.'

Cha robh mi idir airson an tastan a ghabhail.

'Na gabh ort, a bhrogaich, an tastan-sa a dhiùltadh. Nach eil fhios agad gu bheileas a' pàigheadh fear-an-eallaich airson an càl fharadh gu cheann uidhe?'

Cha robh m'eallach furasta a ghiùlain air a' mhòintich. Cha robh e idir cus ro throm ach bha e duilich a cheannsachadh nam dhùirn mar a b' fhaide a choisich mi. Gu sealbhach, nuair a bha mi letheach slighe gu Tom nan Eun, nochd m' athair à badeigin agus ghabh e bhuaim eallach nam planntraisean.

'Na chord an turas riut, Balach?' ars esan.

'Gu math,' arsa mise. 'ach 's e dreimisg a th'ann an Iain Sheòrais. 'S e fìor bhoireannach gasta a th'anns a' bhean aige. Thuirt i gu robh an carghas air an duine aice.'

'Na chumhnich thu air Iain Sheòrais a phàigheadh?

'Chuimhnich! 'S e dreimisg a th' anns an duine ud. Dhearbh e gu bheil sia fichead planntrais anns a' cheud! Agus thug e dhomh tastan airson na

to pay for one hundred seedlings and also for the freight across the moor. This shilling is for me and the other is for you, the porter.'

He wrapped the 'porter's shilling' in the old brown paper, and insisted that it was my pre-paid wage. After loading me with the bundles, he stood watching as I began my homeward journey.

The bundles of seedlings were not too heavy but were awkward to carry. Years later, I learned that my Dad had shadowed me all the way to Small Head and saw me break the golden rule of moorland travel: i.e. avoid the blisters. When I was about half way to the Birds' Knoll, my Dad appeared out of nowhere and, as he took my load, he said, 'Well done, Balach! Did you enjoy your adventure?'

'I did,' I replied, ' but that Iain Sheòrais was very strange salesman. He was convinced that there are six twenties in each hundred seedlings.'

Dad laughed. 'I hope you remembered to pay him.'

'I gave him the money, but he told me that one of the two shillings was to pay me for carrying the bundles.'

While my description of the strange behaviour of Iain Sheòrais continued to amuse my father, I failed to understand why he thought it was funny. Though I didn't say so, I just wondered why neither Iain Sheòrais nor Nancy Iomhair followed the rules of arithmetic which we were being taught at Druim Oidealair.

Friendly Fire

Hitler had anticipated the war, and he felt fully prepared for the consequences of his actions. He dispatched U-boats into the Atlantic and no sooner was war declared than he gave them permission to attack. Almost half the numbers of sailors in the British merchant fleet came from the Western Isles. The greater the number of ships sunk, the greater the toll of deaths among our island sailors. Of course, hundreds of cargo-ships were at sea, taking cargoes to ports such as Glasgow, Liverpool, London and Southampton. Most of them were without big guns with which to defend them from the U-boats stalking them.

Just before the war started in 1939, my brother Murdo had become an apprentice draughtsman in the ship-building yard of Barclay Curle which, at that time, had the task of building cargo-ships to replace ships being lost to the enemy. Barclay Curle's yard was on the river Clyde. Since the work of

planntraisean a ghiùlain gu Ceanna Loch.'

Rinn m' athair lasgan-gàire.

'Ach nach e bha còir riut ged bha an carghas air?'

Cha deacha mi ann an dearbhadh ri m' athair ach thuirt mi rium fhìn, 'Chan eil mi a' tuigsinn an seòrsa cunntais a th' aig na daoine a tha air taobh thall Blàr nan Eun! Chan e siud an seòrsa cunntais a bhios iad a' teagaisg dhuinn aig Druim Oidealair.'

Chaidh bliadhnaichean seachad mus do dh'innis mo mhàthair dhomh gun robh m' athair air mo shàil fad an t-siubhail fhad 's a bha mi air mo thuras dhan Cheann Bheag. Gus nach fhaicinn e, bha e a' liugradh air chùl nan torran-mònach. Bha e eadhon air m' fhaicinn a' rabhsaigeadh air an lic-chrithich – an dearbh rud a bha e air a chrosadh dhomh.

Buille bho Charaid

Bha Adolf Hitler air smachd fhaighinn air riaghladh nan Gearmailteach agus bha e air ath-nuadhachadh agus meudachadh na h-armachd aca air muir air tìr agus anns an adhar. Trì mìosan an dèidh sin bha an Roinn Eòrpa aca na theine. Mar sin, bha e ullaichte airson ionnsaigh a thoirt air rìoghachdan na Roinn Eòrpa mura toireadh iad dha an t-uachdranas a bha e a' miannachadh. An toiseach, thug e ionnsaigh air a' Phòlainn agus cho-dhùin Breatainn agus an Fhraing nach robh an sin ach toiseach tòiseachaidh. B' e sin toiseach an Dàrna Cogaidh Mhòir. Chaidh sinn an top nan dos ris a' Ghearmailt air an treas latha den t-Sultainn, 1939.

Bha droch amharas aig Hitler nach seasadh Breatainn a thaobh fhad 's a bha esan a' cur rìoghachdan beaga na Roinn Eòrpa fo a chasan. Chuir e U-boats gu muir ùine mus tàinig am buaireadh gu buillean.

Aig toiseach a' Chogaidh, bha faisg air leth an àireamh sheòladairean a bh' ann an Cabhlach Mhalartachd Bhreatainn (RNR) à eileanan na Gaidhealtachd. Mar bu mhotha an àireamh shoithichean a bha an nàmhaid a' cur fodha, b' ann bu mhotha a bha an àireamh ghillean a bha a' call am beatha. Timcheall chladaichean Bhreatainn, bha U-boats a' feitheamh. Bha na ceudan shoithichean a' tighinn 's a falbh bho bhailtean-puirt mar Glaschu, Lìte, Lunnainn agus Southampton gun dòigh sam bith aca air iad fhèin a dhìon bho na sionnaich a bha falaichte fon mhuir agus leagte ri an sgrios.

Air an dearbh latha a chaidh an Cogadh èigheach, chunnaic Fritz Julius Lemp , Comanndair an U-30, soitheach mhòr Breatannach a' tighinn air fàire.

building ships was deemed essential to the war effort, Murdo was not called up to serve in the Forces. The Germans were well aware of the important work being done on Clydeside. Time after time, their bombers raided the major shipyards around the coasts of Britain.

There was an absolute ban on gossiping about the experiences of our men and women serving in the Armed Forces. All the news we got was through the wireless, not only through the BBC but also through German propaganda beamed at us with the familiar voice of Lord Haw-Haw. The government didn't discourage our listening to Lord Haw Haw, an Irish American called William Joyce who had thrown his lot in with the Nazis. Inevitably, when my brother Murdo came home on leave, he was pressed to tell us interesting stories of his own experience. There's an old Gaelic proverb that says 'Confidences whispered by the fire-side should not be heard in the community'.

In the summer of 1940, Murdo was given ten days leave, and he immediately made his way north to receive our welcome and to enjoy the peace and serenity of our home at Port Mholair. One of the pieces of information which we managed to winkle out of Murdo was that there were eight raw apprentices working on a ship at Barclay Curle's, of whom he was one of the apprentices given the task of designing the vents that allowed air to circulate round certain areas of the ship. The ship was called the 'Empire Light', a cargo-ship launched on to the River Clyde, shortly before Murdo appeared in Port Mholair.

Senior staff at Barclay Curle's decided that, of the eight apprentices working on the ship, three should be allowed to travel on board the 'Empire Light' as she was taken on her trials on a run down the Clyde from Port Glasgow to the Cloch Lighthouse. Murdo was fortunate enough to be one of the three whose names were 'taken out of the hat'. What delighted him most was that so many of the crew spoke Gaelic and, as the ship was steaming down to the Cloch Lighthouse and back to the yard, they were hearing Gaelic as often as English. One of the crew members was George, the son of Iain Sheòrais, the gentleman whom I had encountered when I went to buy cabbages at Small Head, Port nan Giùran. George was better-known by his nickname 'Shoudan'.

Before the war, Shoudan had been the driver of John Murdo Campbell's bus. He was well known for his good humour and his courtesy to passengers. As the bus travelled to and from Stornoway, friends and relations often asked Shoudan if he could deliver messages or buy items for them in the town. For

B' ise an 'Athenia' a bha a' giùlain greigh mhòr bhoireannach agus cloinne is iad a' teiche le am beatha bhon sgrios cogaidh a bha an ìmpis bualadh air bailtean Bhreatainn. Bha mòran dhiubh a bhuineadh do Chanada agus na Stàitean Aonaichte. Eadar luchd-siubhail agus sgioba bha còrr air 1,400 air bòrd an t-soithich. Nuair a bha i mu 240 mìle tuath air Innis-Tràigh-Tholl ann an Ceann-a-Tuath na h-Eireann, loisg an U-30 oirre le toirpeadan. Chaill 112 am beatha, a' mhòr-chuid dhiubh boireannaich agus clann.

Anns an àireamh dhan sgioba a theàrn, bha seachdnar Leòdhasaich – aon dhiubh, 'Seochal' às an Aird anns an Rubha, fear air an robh mi gu math eòlach. B' i an 'Athenia' a' chiad soitheach a chuireadh fodha anns a' chogadh. Dhubh am masladh a bha Lemp air a dhèanamh cliù nan Gearmailteach air feadh an t-saoghail. Ach cha robh ann an truaighe na h-'Athenia' ach a' chiad bhuille a bhuail air Breatainn agus air iomadach rìoghachd eile anns na sia bliadhna ri teachd.

Feidhir mus do thòisich an Cogadh, bha Murchadh mo bhràthair air obair fhaighinn na phreantas ann an gàradh-iarainn Bharclay Curle a bha a' togail shoithichean air Abhainn Chluaidh. Seach gun robhas a' meas gun robh obair nan gàraidhean-iarainn deatamach ann an dìon na rìoghachd, cha deach Murchadh a thogail airson an nèibhidh no an airm. Cha robh na Gearmailtich idir dall air gnìomhachas na gàraidhean-iarainn. Uair agus uair, dh'fheuch na plèanaichean aca ris na gàraidhean-iarainn a bha air bruaichean Chluaidh a spadadh à bith.

Ann am meadhan an t–samhraidh, fhuair Murchadh deich làithean saora agus, anns a' bhad, rinn e air an dachaigh Bha sinne a bha, gu ìre, sàbhailt ann an sàmhchair nan eilean, cìocrach air eachdraidh a chluinntinn bho dhuine sam bith a bha air a thighinn dhachaigh à ùpraid a' Chogaidh. Bha iomadach tuairisgeul aig Murchadh ach cha robh e deònach air mòran innse nach robh anns na naidheachdan aig a' BhBC air a' wireless. Cò dhiù, dh'innis e dhuinne mar theaghlach aona thuairisgeul nach robh e airson innse air taobh a-muigh na dachaigh. Mar a bha an sean-fhacal ag ràdh, 'S iomadh rud a thèid mu theine nach tèid mu bhaile'.

Mas math mo chuimhne, bha ochdnar phreantasan a' cuideachadh le dealbhachadh nam pìoban a bha leigeil dhan àile sruthadh air feadh an t-soithich, an 'Empire Light'. Soitheach-charagò a bh' innte, ùr nodha nuair a chaidh a cur air bhog ann an Abhainn Chuaidh. Bha sin trì seachdainean mus tàinig Murchadh dhachaigh.

Fhuair Murchadh agus dithis phreantais eile cead a dhol air bòrd an t-soithich fhad 's a bha i air na 'trials' a' ruith eadar Port Ghlaschu agus

example, a cailleach living on her own might ask, 'Would you be so kind as to bring me a bottle of syrup of figs, from Tolmie's chemist's shop?'. His answer was invariably, 'I will do that, but you will have to meet the bus when I'm on my run back!' It was said of Shoudan that he never learned to word 'No'.

Anyway, the three apprentices were on the quay at Port Glasgow on the very evening the 'Empire Light' sailed down the Clyde to do business in foreign places, places which were unknown to the apprentices. As the ship began to move away from the quay, the young apprentices shouted, 'Turas Math' or 'Bon voyage' to the crew.

In their preparations for war, the Germans had built several heavily-armed ships which were disguised as ordinary cargo-ships. They put to sea under neutral flags and entered the shipping-lanes used by British cargo-ships. Those so-called 'commercial raiders' operated off the coasts of countries as far away as Australia, India and South Africa and sinking ships by laying mines, by shelling or by torpedoes.

One in particular was working in the Indian Ocean and was travelling as far as the ports of Australia and the coasts of India and Africa and was wreaking havoc among British merchant ships. That ship's name was the 'Pinguin', which had been built in the shape of a cargo vessel but was, in fact, a heavily armed war-ship, with a commander who was a professional in his nefarious and quite callous way. She sailed out into the Indian Ocean and played havoc in the shipping lanes used by the British.

The 'Pinguin' was only one of a number of vessels, known as 'commerce raiders'. which, together with U-boats, were responsible for sinking a huge number of British ships in the first two years if the war. But the Pinguin had her come-uppance in the month of April 1941.

Carrying a cargo of iron ore, the 'Empire Light' was on her way between Madras in India and Durban in South Africa. Her course was to take her close to the islands of the Seychelles. Occasionally, those on watch sighted other ships on the horizon. One in particular was travelling on a course which brought her to within half a mile of the 'Empire Light'.

Already aware of the presence of a commercial-raider in the Indian Ocean, it did not come as a complete surprise when the captain saw a German flag being hoisted at the Pinguin's mast. At the same time, sections of the iron cladding on the Pinguin's side were being removed to reveal guns. The Empire Light was in the presence of the notorious commerce raider. Using a megaphone, a German voice warned, 'Abandon your ship at once. We are going to sink you.' The British crew were given time to get into the lifeboats

Taigh-sholais na Cloich. Bha a' Ghàidhlig ri a cluinntinn cho tric air bòrd an t-soithich 's a bha a' Bheurla. B'e sin rud a chuir uabhas agus moit air Murchadh.

Bha 'Shoudan' (Seòras Iain Sheòrais) oirre – balach a bha, ron Chogadh, na dhraibhear air Bus John Murdo Mhurchadh Bhig - ainmeil airson cho gasta, dìcheallach, foighidneach, eirmseach 's a bha e air bhith ri luchd-siubhail suas agus sios à baile mòr Steòrnabhaigh.

'A Shoudain, an urrainn dhut botal de 'Shiarapo-figs' a thoirt thugam à Bùth Tolmie?'

'S urrainn ach feumaidh tu bhith nam choinneachadh nuair a thig mi.'

Bhiodh iad a' cur air nach tuirt a bheul a-riamh am facal, 'Chan urrainn!'

Bha an triùir phreantasan air a' chidhe am Port Ghlaschu air an fheasgar a bha an 'Empire Light' an ìmpis seòladh a-mach à Cluaidh. Nuair a thòisich i a' gluasad, ghuidh na h-òganaich beannachd leis na seòladairean a bh' air an deac. A rèir 's mar a bha Murchadh ag innse dhuinn, bha e fhèin agus Shoudan a' còmhradh chun na mionaid mu dheireadh air naidheachdan na dachaigh.

Bha soithichean-cealgach aig a' Ghearmailt a rinn droch mhilleadh air cabhlach-mhalairt Bhreatainn. Bha aon tè dhiubh a bha ainmeil airson na sgrios a bha i air a dhèanamh air soithichean-caragò Bhreatannach anns an sgaoilteach mhòr mara a tha eadar bailtean-puirt Astràilia agus feadhainn timcheall air oirthir Deas agus Sear Afraga. B' ise am 'Pinguin', soitheach a thogadh air riochd soitheach-charagò agus a bha coimhead neo-lochdach, sìtheil. Ach air a' chaochladh, bha i neimheil bàsmhor le armachd agus comanndair a bha proifeasanta agus neo-thruacanta. Leis na gunnaichean a bh' oirre agus na mèinnichean a bha i a' cur anns na rathaidean-mara, rinn i barrachd call air cuid Bhreatainn na soitheach-chealgach sam bith eile a bh' aig muir anns an Dàrna Cogadh.

Anns a' Ghiblean, 1941, bha an 'Empire Light' air a slighe le caragò de mhèinn-iarainn bho Madras gu Durban air cùrsa a thug i faisg air eileanan na Seychelles. Bha soithichean-caragò eile ri am faicinn air fàire bho àm gu àm, ach bha aon tè a bha air cùrsa a thug i nas dàine na càch. Gu h-obann chunnacas gun robh bratach na Gearmailt ga togail ris a' chrann aice. Chunnacas cuideachd gun do leagadh na clàir a bha a' falach nan gunnachan a bha na cliathaich. Bha e nise follaiseach gun robh am Breatannach ann an làthair fear-spadaidh na Gearmailt. Loisg am 'Pinguin' aon iorchaill agus bhris sin uidheam-stiùiridh an 'Empire Light' agus b'fheudar dhi stad. Mus do chuir am Pinguin an 'Empire Light' fodha, thug iad dhith an seachdad ghillean a bh' oirre nam prìosanaich.

Air feadh fàsach a' Chuain Innseanaich, bha longan-cogaidh Bhreatannach

and move away from their doomed ship. As soon as the lifeboats were clear, the Germans used six inch shells to send the 'Empire Light' to the bottom. The ship's crew of seventy were taken on board the 'Pinguin' as prisoners of war.

In the wide wilderness of the Indian Ocean, British warships were on the lookout for the culprit and, at last, on the 8th April, the heavy cruiser 'Cornwall' caught up with the 'Pinguin'. As the 'Cornwall' closed with her, the Pinguin dropped her disguise, ran up her battle flag, turned sharply to port to bring her full broadside to bear and opened up with five guns simultaneously. The Cornwall suffered two hits one of which damaged the electric circuits controlling the deployment of her heavy guns. The Cornwall moved out of range, giving her crew time to repair the electric circuits. A Walrus spotter-plane was launched and information from her pilot enabled the Cornwall to direct her barrage accurately. One salvo destroyed the Pinguin's bridge. The next salvo hit the magazine in which a hundred mines were stored. There was a huge explosion and, according to the reports logged on board the Cornwall, flames shot thousands of feet into the sky. More than five hundred men were killed instantaneously: 341 were crew members of the Pinguin.

The 214 POWs who died were former crew members of ships sunk by the Pinguin. Eleven were from Lewis and Harris:

George Campbell ('Shoudan') son of Iain Sheorais, aged 29,
Murdo Campbell, aged 34, from Sheshader
Norman Montgomery, aged 22, from Sheshader
Donald Macleod, aged 34, from Broker
Donald Macleod, aged 30, from Aird
Donald Graham, aged 18, from Garrabost
Murdo Macdonald, aged 34, from Gress
Norman Macleod, aged 30, from Vatisker
Donald Macleod, aged 55, from Scalpay
Roderick Macleod, aged 35, from Scalpay
Donald Morrison, aged 25, from Scalpay

a' sealg an eucoirich. Mu dheireadh, air an 8mh latha dhen Ghiblein, thàinig 'Di-luain a Bhreabain' air a' Phinguin. Fhuair an Crùsair HMS 'Cornwall' lorg oirre. Loisg an dà shoitheach air a chèile agus chaidh milleadh a' dhèanamh air na dhà. Chuir an Cornwall astar eadar i fhèin agus an nàmhaid oir bha na gunnaichean a bh' oirre-se mòran na bu treise na gunnaichean a' Phinguin anns an t-seagh gun robh na h-iorchaillean a loisg iad comasach air siubhal mòran na b' fhaide na feadhainn a' Ghearmailtich. Loisg i aon salbho a chuir crìoch air a' bhlàr. Chuir i drochaid a' Ghearmailtich na spealgan agus chaidh an ath iorchaill tro theis-meadhan an t-soithich gus na bhuail i ann an airm-lann far an robh còrr air ceud mèinn air an gleidheadh. Chaidh an t-soitheach na smùireagan agus, a rèir clàr-eachdraidh a' Chornwall, leum na lasraichean 'mìltean de throighean' dhan iarmailt. Chaidh mòran air bòrd a mharbhadh: 341 de sgioba a' Phinguin agus 214 de phrìosanaich.

Anns an àireamh phrìosanach a chaill am beatha, bha triùir à Sgalpaigh agus ochdnar à Leòdhas:

Seòras Caimbeul, aois 29, (Shoudan) à Port nan Giùran
Murchadh Caimbeul, aois 34, à Seisiadar
Tormod MacGumaraid, aois 22, Seisiadar
Dòmhnall MacLeòid, aois 34, Brocair
Dòmhnall MacLeòid, aois 30, Aird an Rubha
Dòmhnall Greumach, aois, 18, Garrabost
Murchadh Dòmhnallach, aois 34, Griais
Tormod MacIomhair, aois 30, Bhataisgeir
Domhnall MacLeòid, aois 55, Sgalpaigh
Ruairidh MacLeòid, aois 35, Sgalpaigh
Dòmhnall Moireastan, aois 25, Sgalpaigh

Cha robh fada gus an tàinig naidheachd na truaighe chun nan teaghlaichean. Buille chràiteach dhaibh mar theaghlach agus do na dàimhean uile. Bha tuilleadh bhuillean ri thighinn.

Collie Dan

Skookan and his wife and family lived at number 6, in a blackhouse built shortly after the war with Napoleon. As you know, Skookan was my great-uncle, a brother of my Granny Port. His family consisted of three girls and a boy named Donald. As there were so many Donalds in the village, Skookan's son became known as Dan Skookan.

Before the war, almost every crofting family owned a flock of sheep and a sheepdog. Skookan owned a sheepdog called 'Collie' which, as it became too old to work sheep, became a family pet. It was so attached to the teenage Dan that it followed him everywhere he went and became known as Collie Dan.

When war broke out, Dan was conscripted and told to report to Devonport. He joined the crew of the 'Waveflower', a minesweeper working off the coast of Suffolk in the southeast of England. There were quite a few Gaelic speakers in the crew, the skipper was Robert Macdonald, and there was Murdo Nicolson from Buaile na Creig in Stornoway. While home on leave in the autumn of 1940, Murdo Nicolson came down to Port Mholair to spend an afternoon with Skookan's family building a peat-stack. Collie Dan followed him around as if, somehow, he associated the stranger with his master.

On 22nd September, 1940, Dan arrived home on leave and neighbours and other service-men who happened to be on leave crowded into Skookan's house to enjoy a sense of togetherness and ceilidh. No one present was happier than Collie Dan which was so exuberant that he gambolled round the house several times before coming indoors to lie exhausted at his master's feet.

Iain Murray and Calum Campbell (a Glasgow refugee) and I sat in Creagan Foitealair on a balmy afternoon, in the hope that Dan would come out for a cliff-top stroll. As we were looking across to No. 6, we saw Dan appear with his dog. They walked down the croft to the old quay, then ambled across to Bilidh Mhòr gazing across the expanse of the Minch to the blue mountains of Sutherland. When he resumed his cliff-top stroll, we ran down to meet him. We rounded Foitealar with him and then sat together on Spòg an Rìgh, a grey rock into which men of the Ordnance Survey had chiselled a broad-arrow in the nineteenth century.

Some ten miles out to sea. a convoy of about a dozen cargo-ships, laden with essential supplies from the USA and Canada, was steaming up the Minch. Protecting the convoy from aerial attack, two ships were overhung

Collie Dan

Bha Muinntir Sguthcan a' fuireach air aireamh 6 anns an taigh-dhubh a thog Dòmhnall Mhurc' 'C Dhòmhnaill timcheall air 1830. B' e Sguthcan, bràthair mo sheanmhar a' Phuirt, an aon balach a bh' anns an teaghlach. Bha mac aige-san air an robh an t-ainm Dòmhnall ach cha do dh'èigh duine an t-ainm sin air bho bha e na leanabh. 'S e a bha air ach 'Dan Sguthcan'!

Bha cù aig Dan air an robh an t-ainm 'Collie' – seann chù-chaorach a bha ag ionndrainn a bhith air a' mhòintich còmhla ri a mhaighstir a' cròdhadh chaorach. Mar thachair dhan chòrr de ghillean nam bailtean a bh' anns an RNR, thogadh Dan aig toiseach a' chogaidh agus chuireadh e sios a Shasainn. Ann am beagan sheachdainean chuireadh e na fhear-criutha air bàta-sguabaidh, an 'Wave Flower' a bha stèidhichte ann an Harwich. Bha Gàidheil eile anns a' chriutha. B' e Raibeart Dòmhnallach an sgiobair a bh' oirre ach bha Murchadh MacNeacail, à Buaile na Creig ann an Steòrnabhagh na charaid aige bho chaidh e air an t-soithich.Tha deagh chuimhne agam air Murchadh MacNeacail a thighinn sios gu Muinntir Sguthcan airson cèilidh an uair a thàinig e dhachaigh air fòrladh ann am meadhan an t-samhraidh. Thug e feasgar còmhla ri Sguthcan agus Seonaid a' stèidheadh cruach-mhònach air cùl gàradh a' bhaile. Bha e neònach a bhith faicinn Collie mu a chasan a h-uile ceum a bheireadh e.

Fhuair Dan seachdain de fhòrladh agus rinn e air an dhachaigh mar bu nòs. Air latha Sàbaid, chaidh e cuairt timcheall a' bhaile a' leantainn nan ceumanan a bhiodh aige fhèin agus a cho-aoisean bho bha iad nan cloinn.

Bha mi-fhìn agus dithis charaidean dhomh a' cumail faire air taigh Muinntir Sguthcan, an dòchas gun tigeadh Dan an taobh a bha sinn. Choisich sinn còmhla ri Dan timcheall nam bearraidh air cùl Foitealar. Dh'fhaighnich Calum Caimbeul do Dan dè na rudan a bha e ag ionndrainn fhad 's a bha e anns an nèibhidh.

'Fichead rud, a sheòid,' arsa Dan. 'Ach an-dràsta, bheirinn rud sam bith air dos mòr de dhuileasg brisgeanach air a bhuain bhar nan sgeirean shios an sin, ann an Geodha Na Muic no ann an Geodha an Duilisg!'

'Nam faigheadh sinn duileasg dhut an toireadh tu dhuinn Collie?' arsa mise.

'Bheirinn dhut na cearcan, mo mhàthar 's a' chruach-mhònach mus toirinn dhut Collie!'

Shuidh sinn aig an sgeir air a bheil an t-ainm Spòg an Rìgh agus thug Dan

with a barrage-balloon. Like sheepdogs bringing home a flock of sheep, two fast-moving destroyers and a corvette moved restlessly along the flanks of the convoy.

'These ship are probably only the remnants of a convoy which left Halifax, Nova Scotia, more than a week ago,' Dan told us. Then as if annoyed with himself for breaking his code of silence, he added, 'Pity it's a flowing tide. I would give anything to have a bunch of juicy, salty, crisp dulse newly reaped from the rocks down there. That's something that they never included in the seamen's diet!'

'If we got you a big bunch of juicy, wet dulse, would you give us your dog?' I asked.

Shocked by my suggestion, Dan replied, 'I would give you my mother, her peat-stack and the hens, before I would part with Collie!'

Ian Murray arrived with a big bunch of dulse which, days before, we had discovered growing in a deep rock-pool at Geodha na Muic. Dan accepted the dulse and immediately began to share it among the company. Soon we were all munching like four contented cows chewing the cud. Dan told us he wished to complete his cliff-top ramble on his own. Then he took off down the hillside accompanied by Collie. He crossed the shallow glen of the Leabaidh Laighe which separates two of our village hills Foitealar and Goitealar. We admired his fitness as, still running, he dodged round hummocks scarred by peat-cutting and leaping over burns and mires abloom with forget-me-nots.

I was in the crowd of well-wishers at Skookan's house when Dan set off to join the 'Waveflower' at Harwich. During the war years, we all had a sense of belonging to an extended family. Whenever anyone left us to go back to war, we were conscious of their being sent to places where enemies trained to kill them were waiting. As he boarded the bus, I was with the group of youngsters at the cross-roads to shout our good wishes.

Some days later, with the good weather continuing, Skookan's wife, Seònaid took her creel and set off to bring a creelful of peats home from a small stack which was still out on the common. Just as she opened the gate to cross the main road, she noticed two men wearing black suits, coming down the Shop Brae. In both the First and Second World Wars, it was customary for church officials in black attire to deliver news of fatalities.

Letting the creel-strap slip off her shoulder, she knew immediately that someone close to her was about to receive bad news. She prayed in her heart that the blow was not for her household. She watched as the men approached the track leading to No. 6. They did not hesitate but slowly turned on to the

iomradh air an t-sealladh eireachdail a bha mu ar coinneamh. Bha Goitealar agus an Siùmpan gu tuath oirnn agus, air ar làimh dheis, sgaoilteach Cuan nan Orc agus beanntan liath-ghorm na Mòr-thir nan seasamh sùmhail air fàire. Eadar sinn agus beanntan Chataibh, bha cabhlach mhòr de shoithiche-an-caragò - deugachadh dhiubh le dà sgriosadair agus corvette gan cròdhadh gu bailtean-puirt air Abhainn Cluaidh agus ann an Sasainn. B'e sealladh a bh' ann nach robh annasach tron Chogadh oir b' iad soithichean dhen t-seòrsa ud a bha a' cumail beatha ri sluagh Bhreatainn le gràn, ola, gunnaichean agus ceud nì eile a dh'fheumte airson ar dìon fhìn bho fhoirneart nan Gearmailteach.

Air an latha balbh Sultain ud, chùm sinn sùil air a' chabhlaich fhad 's a bha i a' gluasad gu deas. Coltach ri coin-chaorach a' tàladh na treud chun a' chrò, bha na trì longan-cogaidh a' cuachail na mara, a' cumail dìon air na soithichean-caragò. Dh' fheumadh iad sin, oir mar a chaidh a dhearbhadh dhuinn anns na clàir-eachdraidh a chaidh fhoillseachadh bho chionn beagan bhliadhnaichean, bha U-boats fad a' Chogaidh gu tric a' liugradh air cladaichean na Gàidhealtachd.

Seo 's ann a thàinig Iain Moireach suas à Geodha na Muic le dos mòr duilisg a thug sàl bho m' fhiaclan. Ag èirigh le aoibhneas na choinneimh, thuirt Dan, 'Leis a' chonntraigh a bhalaich, càit an d' fhuair thu an tràth-sa? Is tu a thàinig leis an tròcair! Cumaidh seo a h-uile duine againn a' cagnadh airson leth-uair a thìd. Ceithir mairt a' cnàmh an cìr.'

Shuidh sinn an siud aig Spòg an Rìgh, a h-uile duine sona a' cagnadh fhad 's a bha an càbhlach shoithichean a' bualadh orra gu deas. Sheas Dan airson mionaid a' geur choimhead nan soithichean. Ars esan. 'Is mairg ma bhios aca ri seòladh tron a' Chaolas Shasannach, oir cha ruig feadhainn dhiubh an ceann-uidhe. 'S truagh balaich às na h-eileanan againn fhìn a bhith cho faisg air an dachaighean. Bidh brùidean na Gearmailt a' feitheamh orra, a h-uile fear leis an àrdan agus cop ri a bhus!'

Rinn e gàire agus gun fhacal tuilleadh ruith e-fhèin agus Collie sios an leathad. Chum sinn sùil air a' ruith tron Leabaidh Laighe. Lean e am frith-rathad air an d' fhuair e eòlas na bhalach, a' leum ghrobhagan agus a' seachnadh nan glumaichean air an còmhdach le lus-an-t-suirighe. Chunnaic sinn e a' ruighinn mullach Ghoitealair. Smèid e rinn agus ann am priobadh na sùla chaidh e às ar sealladh, a' leantainn bàrr nan creagan air a shlighe gu Cnap Cìleag air cùl an t-Siùmpan – feidhir mar a bhiodh e a' dèanamh còmhla ri gillean eile a bha nise air an sgapadh air feadh an t-saoghail.

Bha greigh dhàimhean cruinn aig taigh Sguthcan air an latha dh'fhalbh Dan. Anns an latha sin, bha an ceangal a bha eadar teaghlaichean nam

track that took them to her home. Seònaid abandoned her creel and walked home unsteadily. When she reached the house , she found the black-suited elders with her husband and three daughters. Alice, Jessie and Maryann. Alice, the eldest was reading a telegram, 'I regret to inform you that Murdo Donald Macdonald was killed on board his ship on the 22nd October, 1940'. The Waveflower had been sunk by a mine off Aldebury, Suffolk.

In a very short time the house filled with neighbours. It is impossible to describe the feeling of helplessness that our community felt in that kind of situation. At the wake that evening, the house was full. Collie Dan, which had started howling as soon as the men bringing the news had entered the house, was still weeping outside, and as soon as the minister left, Seònaid said to Alice, 'Please go out, a ghràidh, and bring in Collie Dan so that we can feed him?'

Alice went out as her mother had asked, but failed to find the dog. Then Alice was joined by Maryann and Jessie, all calling the dog's name. The dog did not respond. The news of the dog's disappearance travelled fast. People in all the villages of the Rubha scoured the moors and shores looking for Collie Dan but he was never found.

The Nicolson Institute, Stornoway

My mother accompanied me to a meeting with Mr Henderson, the rector of the Nicolson Institute. At that time, the Nicolson Institute, the island's only senior secondary school, was one of the most prestigious in the Highlands & Islands. As I remember him, he was a lean, unhappy looking man, with a greyish countenance, a tick in his left cheek and a ring of fury in his voice. If my father instead of my mother had accompanied me for that first meeting, the man would have not been quite so abrupt and dismissive as he was. If Mr Henderson had spoken Gaelic, my mother would have been more fluent in what she wanted to say on my behalf and more determined. As it was, he was on Active Service and I was one of a number of pupils who were left without a sound education. To be fair, the young teachers who, in peacetime, would have been supporting Mr Henderson who was educating hundreds of children without adequate teaching staff.

I was allocated a place in class 2D where I was given tuition in Art, Woodwork, Metalwork, Music, English, Science and Mathematics. I enjoyed all of those subjects except Science taught by Dr Ferrier who never spoke

bailtean cho daingeann 's gun robh seilbheachd againn uile air gach siad a bha gar fhàgail airson a dhol an coinneamh an nàmhaid.

Shleuchd Dan sios air a chorra-chnàmh le a ghàirdeanan timcheall amhach a' choin. Thuirt Màiri-Ann, a phiuthar, 'S bochd nach eil Kodak agam an-dràsta!'

Là bha seo, bha Nan agus mi fhìn air an rathad a' dol don bhùth do dh'Anna Dhall. Chunnaic sinn Seònaid, bean Sguthcain, a' nochdadh bhon taigh is i a' coiseachd a-mach chun na cruach-mhònach air cùl a' ghàraidh. Bha cliabh falamh aice air a gualainn. Le a sùil chun na Sràid, dhearc i air dithis fhireannach, is iad ann an aodach dubh, a' cromadh Leathad na Bùtha. Sheas Seònaid agus leig i dhith an cliabh. Cò an taigh gun robh "naidheachd na h-èiginn" a' tighinn? Na leigeadh Dia gur ann dhuinne bhios seo!

Thionndaidh na fireannaich a-steach air staran Sguthcan. Mus do ràinig Seònaid dhachaigh, bha an teilegram aig a' chlann-nighean air fhosgladh. Chuala i Ailig ga leughadh, '*I regret to inform you that Murdo Donald MacDonald was killed on board his ship on 21st October*'. Bha mèinn air an Waveflower a chur fodha, a-mach bho Aldebury, Suffolk.

Ann an ùine aithghearr, lìon an taigh leis na dàimhean. Bha taigh-fhaire ann air an fheasgar agus an taigh loma-làn. Tron t-seirbheis, lean Collie aig an doras a' caoineadh, mar a bha e air a bhith a' dèanamh bho thàinig na daoine chun an taighe leis an droch naidheachd. Cho luath 's a dh'fhàg am ministear, thuirt Seònaid ri Ailig, 'Nach fhalbh thu mach, a ghràidh, agus thoir an cù a-steach airson grèim-bidhe'.

Chaidh Ailig a-mach mar a mhol a màthair ach cha robh an cù ri fhaicinn. Chaidh an triùir nighean, Ailig, Mairi Ann agus Seasag agus clann a' bhaile air feadh Phort Mholair a lorg a' choin ach bu diomhain dhaibh. Chaidh fios a chur air feadh na sgìre a dh'innse gun robh Collie Dan air chall ach chan fhacas a dhubh no a dhath a chaoidh tuilleadh.

Ard-sgoil Mhic Neacail, Steòrnabhaigh

Chaidh mo mhàthair leam a dh'fhaicinn Mgr Henderson, Ceannard Ard-sgoil Mhic Neacail. Duine caol do-riaraichte a bh' ann, ìomhaigh geal-bhuidhe air le breab na ghruaidh cheàrr agus ràchd an droch nàdair na ghuth. Nam b' e m' athair a bha air a bhith còmhla rinn, cha bhiodh an duine air bhith buileach cho cas, reachdmhor rinn. Nam b' i a' Ghàidhlig a bha air bhith aige, bhiodh mo mhàthair air a bhith mòran nas rasanta, ladarna anns

to me personally and seemed to feel that teaching Science to Class 2D was a waste of time. I envied those of my contemporaries who were in classes 2A and 2B. Those were the crème de la crème – the chosen few - who were taught 'academic subjects' and were assumed to be intellectually superior to the dunderheads of 2D. If I be honest, I must confess that many of them were and graduated from universities with glittering first-class honours degrees. In judging my own behaviour, I would say that I was reasonably bright, well-mannered, obedient to my parents and to my teachers and, to an extent, careful to avoid getting into trouble. Forgive me if you are of my generation and know that I claim to have been a more solid citizen than I actually was. As often as I meet Henry Paterson, one of my classmates, he reminds me of incidents and escapades which suggest that my behaviour was not as pure as the driven snow and should have earned me a kick in the pants. I do remember that when I was fourteen years old, I was responsible for an act of folly that bothers me to this day. It happened during the winter of 1944.

In the morning we awoke to find ice on the pools and to a light covering of snow. It was not enough. The children hoped for a proper blizzard. Sitting in the class-rooms, we watched as snowflakes continuously poured past the windows. It was an uplifting sight for there was then a prospect of our having snow-fights at lunch-time. Of course, throwing missiles of any kind was against the school rules but as soon as we got into the playground, the battle began. Snowballs flew this way and that; flew to the windows; flew at the teachers, and flew at our fellow pupils. As my grandfather would confirm, I had become quite handy with my stone throwing. Someone had taught me that to make a snowball aerodynamic, it should have a chip of ice at its centre. Using that formula, I made a snowball and threw it at the entrance to the ladies' cloakroom where there was a crush of girls donning their coats before launching out into the playground. Unfortunately, the snowball which I threw carelessly, and was not aimed at anyone in particular, struck a little fair-haired girl in the face. I mingled with the other boys who were in the snow-battle, pretending that I had nothing to do with it.

To my undying regret, I didn't rush to the girl to apologise. It is very difficult for me to admit that I was terrified of the consequences. After the lunch break, Mr Henderson came round trying to discover the villain who had thrown the missile. He was seething, and the tick in his left cheek was ticking worse than ever.

'Who was the boy who did such a thing?' he asked menacingly. 'Who was responsible for injuring the girl? If he is present, let him stand up'.

an t-seanchas a bh'aice ris an duin'-uasal. Ach bha m' athair anns a' Chogadh agus, mar an ceudna, leth nan tidsearan bu chòir a bhith ri gualainn Mgr Henderson a' teagaisg nan ceudan chloinne a bha air uallach.

Chuireadh mise ann an Clas 2D, far am faighinn eòlas air: Beurla, Ealain, Saoirsinneachd, Obair-meatailt, Ceòl, Saidheans agus Matamataig. Bha farmad mo chridhe agam riutha-san a bh' ann an Clasaichean 2A, 2B oir, bha an cothrom aca-san, nan soirbheachadh leotha anns na clasan sin, air leantainn orra gu àrd-fhoghlam.

Ach 's fìor am facal, 'S e farmad a nì treabhadh!'

Cho fad 's is cuimhne leam bha mi riamh modhail, umhail do mo phàrantan 's mo thidsearan agus faiceallach nach brisinn riaghailtean a bheireadh orra mo chronachadh. Air an làimh eile, bidh rudan a' tighinn a-steach orm a rinn mi a bha nàir agus airidh air spochadh agus sgal na chois! Bha na seann daoine a' creidsinn gum bu chòir balach a bhith luaisgeanach, iarratach, crosta ma bha e gu bhith dèantanach, geur-chuiseach nuair a ruigeadh e aois na feusaig. Bhiodh mo sheanmhair a' Phuirt ag ràdh *'Nuair a tha thu a' saoradh balach tha thu a' saoradh ceann a' choin-bhradaich'.'*

Nam bharail fhìn, cha robh mi air leth luaisgeanach, crosta no iarratach. Nuair a bha mi ceithir bliadhna deug de dh'aois, rinn mi rud a bha cho suarach 's gu bheil e gam bhuaireadh chun an latha an-diugh. Rinn mi an t-olc sin anns a' gheamhradh, 1945, a' bhliadhna mu dheireadh agam san sgoil. Tha mi cinnteach nach b' fheàirde mi an t-eisimpleir a bha sinn a' faicinn le neo-thruacantas nan nàimhdean anns a' Chogadh. Blàir le marbhadh, pronnadh agus leòintich thall agus a-bhos. Bheil iongnadh gun robh mise agus na co-aoisean agam dèidheil air a bhith sadadh rudan air a chèile agus, uaireannan, air targaidean nach bu chòir.

Aon latha, thàinig cur mhòr shneachd. Fhad 's a bha na h-oileanaich a-staigh ann am braighdeanas na sgoile, bha sinn a' faicinn tuilleadh bhleideagan a' dòirteadh seachad air na h-uinneagan. Thog an sealladh sin ar misneachd oir bha h-uile coltas gum biodh sinn comasach air blàr a bhith againn, cho luath 's a gheibheadh sinn chun na sitig, a' caitheadh an t-sneachd air a chèile.

Cho luath 's a fhuair sinn a-mach, thòisich am blàr. Thilg sinn ceirsle-ballan shneachd air a chèile, air na h-uinneagan, air na tidsearan – eadhon air rud sam bith a shaoileadh sinn a bhiodh air a chrosadh dhuinn. Chinntich mi air doras fosgailte le 'Ladies' Cloakroom' sgrìobhte os a chionn. Gu mi-shealbhach, choinnich m' iurchaill nighean bheag bhàn air an t-slighe mach. Bhuail e oirre ann an clàr an aodainn. Bha an ciont cho mòr orm 's gun do leig mi orm nach bu mhi a thilg e. Cha deach mi eadhon thuice a ràdh rithe gun robh mi duilich

I'm sure that beads of sweat were forming on my brow. But like the coward I was, I remained seated and silent. Six years after that, I found myself in a situation in which the coward in me was forced out of hiding. By the time, I was older and wiser. But that is yet another story.

Hògaraid, 15th August, 1945

At last, in May 1945, we celebrated VE Day, the day on which peace in Europe was restored. The war in the Far East continued and Japan continued to resist the American forces. On 6th August the Americans dropped an atomic bomb which destroyed the Japanese city of Hiroshima. Three days later, they dropped a second atom bomb which destroyed the city of Nagasaki. We waited to see whether they would drop a third bomb but the destruction of Hiroshima and Nagasaki was so great that the Emperor and the military decided to negotiate. The world waited to hear the outcome.

I heard the news of the Japanese surrender in strange circumstances. It was delivered by a drunken gentleman on a day which was the hungriest, most wearisome of my long life.

As usual in the month of August, we were busy retrieving sheep which we had sent to the Lewis moor in the early summer. Shepherds were paid by the crofters of the Rubha to look after them and there was a lot of excitement when it was time to bring them home. That date, 15th of August, was carefully noted on the calendar. Helped by their dogs, the shepherds rounded up the sheep – and there were hundreds of them - in the Hògaraid enclosure, situated about three or four miles to the north of Stornoway. It was the responsibility of the owners to collect them there and, if hey could afford the to hire lorries, transport them. Needless to say, most crofters chose to walk them home – in our case, a distance of fourteen miles.

Each carrying a hessian message-bag containing parcels of sandwiches and a bottle of milk, Alasdair Beag and I boarded the 'mill-workers bus' at eight o'clock in the morning. We arrived in the town about nine and, since we had nothing else to do, decided to walk the three or four miles to Hògaraid.

We arrived at the fank about 10 am and found a big crowd of people waiting for the sheep to arrive. The size of the crowd and the atmosphere were different from those of the war years. Many of the men present were youthful ex-serviceman who, after VE Day, had been demobbed and had returned to their families and crofting.

– rud a bha mi, gun teagamh! Ged tha e duilich dhomh sin aideachadh, bha eagal orm gun do chuir mi an t-sùil aiste.

An dèidh na diathad, thàinig Mgr Henderson timcheall a dh'fheuchainn ris an tràill a bha air an olc a dhèanamh fhoillseachadh.

Le rùit na shùilean agus an grèim a bha na ghruaidh a' breabail, thuirt e, 'Cò an gealtaire a bha air an leithid de rud a dhèanamh air nighean bheag neo-lochdmhor? Ma tha e an seo, seasadh e.'

Le crith na fheòil agus braon fallais air a ghnùis, dh'fhuirich an gealtaire na shuidhe, sàmhach.

Sia bliadhna air chùl sin, thachair rud a choisinn dhomh aidmheil a dhèanamh air beulaibh dhaoine. Innsidh mi dhuibh mar a thàinig orm sin a dhèanamh ann an ceann sreath - nuair a bhios m' eachdraidh air abachadh agus mo chiont air traoghadh!

Hògaraid, 15mh Lunastal, 1945

Mean air mhean, chaidh armachd na Gearmailt a chlòthadh agus, air a cheann thall, b'fheudar do Hitler strìochdadh. Chaidh an t-sìth èigheach air an 7mh latha agus bha e duilich dhuinn a chreidsinn gun robh an cunnart air teiche. Chuir balaich a' bhaile suas gu mullach Foitealar a h-uile seann phìos fiodha agus aplach rud a loisgeadh agus air Latha VE chuir sinn teine ris. Fhuair a h-uile duine faochadh ach tha e furasta a thuigsinn nach robh aoibhneas anns a h-uile dachaigh – gu h-àraidh aig na teaghlaichean a bha air an cuid a chall. Cha robh sinn a' dìochuimhneachadh nam balach a bha nam prìosanaich aig saighdearan brùideil Iapan anns an Ear Chian far an robh na h-Aimearaganaich agus Breatannaich fhathast a' feuchainn ri neart na rìoghachd sin a chlòthadh. Lean an spàirn fad mìosan an t-samhraidh agus chaill iomadach saighdear agus seòladair am beatha anns an ùine sin. Mu dheireadh, bhris na h-Aimearaganaich an dùbhlan le dà atom-bom a sgrios bailtean mòra Hiroshima agus Nagasaki.

Cha b' ann nam shuidhe ag èisteachd na wireless a chuala mi gun robh Iapan air strìochdadh. Chuala mi sin air an latha a b'acraich agus bu shàraichte a bha mi riamh nam bheatha.

Mar bu nòs, dh' ullaich sinn airson a dhol chun na mòintich aig toiseach an t-samhraidh a thoirt nan caorach dhachaigh gu Port Mholair. Bha cìobairean as an Rubha air a bhith gam buachailleachd.

Ceala-deug mus robh Faing Hògaraid ann, bha cuid dhe na fir a bha air a

We could see shepherds gathering the sheep and driving them towards the fank, some of them more than a mile away on the moor. Alasdair and I just sat idly at the enclosure, watching men and women arriving and shaking hands. We became a bit hungry so we decided to open up our parcels of food and I have to say we had a great feast. Granny Port's sandwiches were different from my mother's, and we exchanged some of the best out of either parcel.

My Dad arrived by Narro's lorry along with my uncle Braijan and Torachan. More than a dozen others arrived in vans and old cars and spent a lot of time shaking hands and expressing their delight at being at Hògaraid that year. It took more than an hour for the shepherds with their dogs to corall all the animals in the fank. The gates were shut and the crofters began to wade through the packed, bleating animals looking for sheep bearing their croft markings.There was a tremendous kerfuffle caused by the continuous chorus of bleating ewes, barking dogs, ill-tempered crofters arguing with each other, and shepherds calling out ear markings. Identity was established by the cuts in the ears of the sheep, but also by the keel markings on the wool.

Braijan and Torachan each owned about a dozen ewes and struggled through the pack to identify their own and drag them out of the enclosure. They helped my Dad and me to identify and capture our six animals and, at long last, Braijan, Torachan and Dad, rounded up our sheep and with our Braijan's sheepdog and Torachan's, we started the long trek to Port Mholair. It was wonderful to see how skilled the dogs were at keeping the animals on the road and not allowing the wildest ones to rush on in an attempt to outrun their owners and possibly get into Stornoway where they would lurk about in some of the town's alleyways.

Alasdair Beag and I were tired and hungry by the time we passed through the outskirts of Stornoway. At last we reached the road which leads directly from Stornoway to Port Mholair. Approaching the Nicolson Institute, Narro caught up with us with his lorry. He was a great mate of my uncle Braijan and after a short pow-wow, he said, 'I have to go into town to collect a hundredweight of salt from Kenneth Innocent's store.'

Alasdair and I were both tired and we asked, 'Would it be OK if we went home on the lorry with Narro when he returns from collecting the salt?'

Narro said, 'I would give you a lift home but it sometimes takes time to get the salt. And by the way, Braijan , you told me that you have to collect a prescription from the chemist?'

There was conspiracy was in the air! It was clear that Braijan, Torachan and Narro could not pass through Stornoway without visiting a pub. Seeing

bhith anns a' Chogadh air a thighinn dhachaigh agus a' feuchainn ri grèim fhaighinn, às ùr, air na dòighean-beatha a bh' aca mus do ghairmeadh iad air falbh ann an 1939. An-diugh, tha e duilich cunntas a thoirt air an aoibhneas a bh' anns na dachaighean aig an àm ud. Bha an taigh againn air ghoil nuair a thill m' athair thugainn. Cha robh e fada nar measg gus na mhothaich sinn nach robh e cho suigeartach 's a b'àbhaist dha a bhith. Aig toiseach a' chogaidh, bha e air tuiteam an comhair a chùil air bòrd an t-soithich agus air a dhubhag cheàrr a phronnadh. Ach ged a bha cràdh na dhruim air madainn na faing, thuirt e gun robh e airson a dhol còmhla ri seòid a' bhaile a bha dol gu Hògaraid.

Dh'fhalbh mi-fhìn agus Alasdair Beag air bus nam muilnean aig ochd uairean sa mhadainn. Aig aon uair deug, bha m' athair agus ceathrar fhireannach eile a' dol a-mach gu Hògaraid air làraidh Narro. Thug mo mhàthair dhomh botal bainne agus pasgan mhòr de dh'aran-coirc le ìm ùr is gruth. Bha Alasdair Beag air an leithid cheudna fhaighinn bho a mhàthair-san. Bha fèist gu bhith aig an dithis againn aig tràth diathad!

Leis an fhìrinn innse, cha robh mi fhìn no Alasdair èasgaidh ag èirigh ach bha a' mhadainn blàth tioram agus choisich sinn a-mach gu Hògaraid gu mear agus Alasdair leis an fheadan a' cur mireachd nar ceum. Ràinig sinn Hògaraid timcheall air deich uairean agus cha robh beathach caorach fhathast anns an fhaing. Chitheamaid fada bhuainn air na beannaibh agus na buachaillean 's na coin gan cròdhadh chun na faing aig Hògaraid. Chluich Alasdair puirt air an fheadan ach dh'fhàs e anfhoiseil a' faicinn a' phasgain-bidhe a bha e air a chàradh air an fhraoch ri a thaobh. Cha robh fada gus an tuirt e, 'Tha mise a' dol a dh'ithe mo dhiathad.'

Thug e glaim mòr à brabhta de dh'aran-coirc air a chòmhdach le silidh-rùbrub agus thàinig sàl fom fhiaclan. Thòisich mi a' rùsgadh mo phasgan agus, ann am mionaid no dhà, thàinig mi chun an arain. Shlaod mi a mach cairteal-breacaig de dh'aran-coirc 's e cnuaiceach le gruth agus bàrr. Nam shuidhe air badan fraoich anns a' mhòintich, air madainn acrach samhraidh, cha b'urrainn dhomh a bhith air biadh na bu bhlasta a thogail gu mo bheul. Thug mi fhìn agus mac-phiuthair-mo mhàthar cairteal na h-uarach gun smid eadarainn, a' cagnadh agus a' slugadh!

A' dlùthadh air meadhan latha, ràinig na buachaillean leis na caoraich. Abair mèalaich chaorach, comhartaich chon agus èigheach bhuachaillean! Chaidh Braighdean, bràthair mo mhàthar agus Torachan a mheasg nan caorach agus thòisich iad a' slaodadh bheathaichean a-mach às an fhaing. Tha mi cinnteach gun robh dà fhichead neach eile, fireann is boireann, a' dèanamh

the three men going off for a pint, my Dad said, 'Okay, I'll join you and the boys can just start walking with the flock. We won't be away for more than ten minutes'.

Neither Braijan nor Torachan would allow their trained sheepdogs to come with us to control the flock. According to them, it would be unwise for them to give us the dogs as we might undo their months of training. The lorry moved off and my father, sitting in the stern, held up the fingers of his two hands to indicate that he'd be back in ten minutes. Alasdair muttered, 'S an cac!', a dismissive Gaelic phrase, which politely translated means 'Rubbish!' Anyway, we were left with about thirty sheep and without sheep-dogs to help us.

We drove them towards the Rubha but half a dozen decided to rebel. Three tried to escape down James Street and, hoping to return to the moor, three ran down Matheson Road. Alasdair Beag and I were quite exhausted by the time we got them back. Gradually it dawned on our flock why we were insisting that they travel along Rathad an Rubha which would take them home to Port Mholair.

We plodded wearily along the road and when we reached Garrabost, we heard a motor approaching from behind us. We felt that at last, 'the cavalry' was about to relieve us! No doubt, the four rascals who had deserted us had prepared some cock and bull story to explain their conduct but, hopefully, would make amends by suggesting to Narro that he take us home in his lorry without delay.

In fact, the vehicle was a baker's van which barged its way slowly through the flock, sending some animals scurrying into the moor. Alasdair used his strongest language to curse the driver and indeed he banged so loudly on the side of the van that the man stopped the vehicle, switched off the engine and came out. For a moment, I thought that he was going to attack us. But no, the man smiled and said, 'I'm sorry that I've scattered your flock to the four winds.'

Red-faced and trachled, Alasdair replied, 'The flock scattered to the winds is the least of our problems, Mister! Our greatest concern is that we're half-dead with hunger. We haven't eaten since round about ten o' clock this morning'. The man stood unsteadily and took a few moments to focus on us.

'Dear-me, dearie-me!' he sighed. 'You are two starving desperadoes in a land of plenty. It so happens that you have met a knight of the road who can save your lives. In the back of my van, I have five dozen loaves, new baked. Let's see what we can do to help.'

an aon rud. Bha m' athair agus sinne dripeil gan ceangal air feistean beagan astar air falbh bhon fhaing. Bha tuilleadh ùpraid agus gleadhraich an sin agus, aig cuid, droch nadur agus droch cainnt!

Dh'fhàg muinntir Phort Mholair leis an sprèidh aca fhèin aig trì uairean feasgar agus, seach gun robh na caoraich air a bhith saor air a' mhòintich airson ceithir mìosan, cha robh e furasta an ceannsachadh. Mura biodh na coin aig Braighdean agus Torachan, bha sin air a bhith do-dhèante dhuinn. Mus do ràinig sinn Ard-sgoil MhicNeacail (an Taigh-sgoile Ur), rug Narro oirnn leis an làraidh agus stad e leatha. Bha mi fhìn agus Alasdair air ar claoidh agus air ar tolladh leis an acras.

'Am faod mi fhìn agus Alasdair a dhol dhachaigh air an làraidh còmhla ribh?' arsa mise.

Fhreagair Narro, 'Uill, a bhalaich, tha agamsa ri tiotadh a-steach a Bhùth Choinnich Innocent a dh'iarraidh dà chlach salainn. Agus tha treallaich eile agam ri a dhèanamh cuideachd.'

'Tuigidh fear-leughaidh leth-fhacal,' arsa mise leam fhìn! Bha droch amharas agam gun robh cuim aig Narro agus Braighdean air a dhèanamh airson gun deigheadh iad a-steach am baile "airson pinnt."

Air a' cheann-thall, thuirt m' athair rium, nach fhalbh thu fhèin agus Alasdair leis na caoraich air bhur socair sios an rathad. Thèid mi fhìn agus Torachan a-steach am baile còmhla riutha-san airson pinnt.'

'Na bithibh ro fhada, a Bhobain. Cuimhnichibh nach eil ann ach an dithis againn agus bithidh sinn ag iomairt nan caorach gun na coin.'

'Bheirinn dhuibh an t-saigh,' arsa Braighdean, 'ach cha ghabh i comhairle bho dhuine ach bhuam fhìn.'

'Mise cuideachd,' arsa Torachan. 'Chan eil ann ach cù òg a tha mi air a bhith a' trèanadh airson trì mìosan. Cha bhithinn airson a thoirt dhuibh mus cur sibh iomrall e.'

Os cionn turalaich an einsein, dh'èigh Narro, 'A Bhob agus a Thorachain, ma tha sibh a' tighinn, tugnaibh!'

Leum Braighdean, Torachan agus m' athair dhan làraidh. Nuair a bha iad air siubhal beagan air falbh bhuainn, chuir m' athair a dheich meuran suas rium agus dh'èigh e. 'Deich mionaidean.'

Chuala mi Alasdair Beag ag ràdh às a ghuth-thàmh, ''S an cac!'

Cho luath 's a chunnaic na caoraich gun robh na coin 's na fireannaich air cùl a chur riutha, thòisich iad ag èaladh air falbh bhuainn – feadhainn a' feuchainn ri tilleadh chun na mòintich, feadhainn a-steach Sràid Sheumais dhan bhaile agus, mar a bha sinn ag iarraidh, leth-dusan a' dèanamh an slighe

He opened the double doors and a lovely gust of fragrant, mouth-watering air wafted in our direction. He bent forward and tore a loaf from a tray-load of plain loaves. Alasdair accepted the loaf and, holding the crusts at both ends, pulled the loaf in two. He gave one half to me and immediately set about devouring his share. For the first time since we left Hògaraid, Alasdair smiled. He said to the driver, 'I am afraid that I haven't got any money in my pocket to pay for the loaf.'

Likewise, I confessed that I was penniless. The man smiled and, waving away our guilt, he said, 'Och, I'm only proud of the two of youse that you are herding this big parcel of sheep on your own and without dogs.Friggen proud!'

'Och, I said, 'you're very kind. My father and his three mates went into town with a lorry to have a pint. It was supposed to be for ten minutes but that was nearly three hours ago.'

'I know where they are,' he replied. 'Irresponsible they are not, son! Emperor Hirohito and his bloody Japanese have had to throw in the towel. Today, we have victory in the Far East.'

'That is absolutely fantastic,' said Alasdair, "on the same day as I have sworn never again to visit Hògaraid!'

'The 15th day of August 1945. The whole world is now at peace.'

He brought out of his inside pocket a half-bottle containing an inch-worth of whisky.

Alasdair said, 'I'd would give anything to have a mouthful of that golden liquid.'

The driver shook his head and replied, 'Not a drop will I give you, boy! Did I not give you a friggen loaf free gratis? Anyway, you are too friggen young. If I were to give you even a mouthful of this, I would be breaking the friggen law.'

With that, he took the lid off the bottle and poured the contents down his throat. He was already 'fou' and walked unsteadily back to the van. We watched as he climbed into the driver seat, take up his position at the steering wheel and drive the stuttering van through what remained of our flock on the road. The news of Japan's surrender, coupled with the warm bread in our empty stomachs, boosted our morale and our sense of purpose. We managed to bring our flock back on to the road. After Garrabost, the animals were so tired that they shuffled along the road as if they knew that they were only four miles from their destination. The four shirkers which had gone into Stornoway 'for a pint', caught up with us three hours later at Johnny

dhachaigh air Rathad an Rubha gu Port Mholair.

Cha b' ann gun spàirn a fhuair sinn air na caoraich a chur còmhla ri chèile air Rathad an Rubha. Ach bha iomadach fosgladh romhainn a bha gam mealladh gu tuath no gu deas. Anns a' chòmhlan, bha aon sheana chaora a rinn a dìcheall air a h-uile taigh air an robh geata fosgailte a thadhal. Cha robh oirre ach aon adhairc. 'S iomadh guidhe mhòr a rinn Alasdair dhi air an t-slighe tro Shanndabhaig agus tro Aiginis.

'Suathaideas air do chnàmhan!' dh'èigheadh e. 'Mi-thapadh air d' adhairc!'

Bha fhios agam gun robh e air fhoighidinn a chall gu tur nuair a dh'èigh e, 'Guma h-olc dhut, a bhaobh bhusach mhosach gun mhodh ...!'

Bha sinn ann am meadhan Gharraboist mus cuala sinn fuaim motair a' tighinn gu ar cùlaibh. Am b' e seo làraidh Narro? Cha b' e! Bhana bèiceir a bh' ann. Lean i oirre slaodach tro na caoraich, gan sgapadh gu tuath agus deas. Dh'èigh Alasdair guidhe a bhiodh cus ro dhrabasta a sgrìobhadh an seo agus bhuail e cliathaich na bhan le sàil a dhùirn. Cha mhòr nach do chuir a bhrag a rinn e mi fhìn agus caora-na-h-aon-adhairc à cochall ar cridhe.

Stad a' bhan gu h-obann agus thàinig an draibhear a-mach aiste le fiamh a ghàire. Bha fàileadh an uisge-bheatha dheth.

'A bhalachaibh, tha mi duilich gun do sgap mi na caoraich oirbh'.

'A Dhia,' ars Alasdair, 'chan e na caoraich as dorra dhuinn ach gu bheil sinn a' tuiteam leis an acras. Bheil aran agad air bòrd?'

''S ann agamsa a tha sin – còig dusan deug lof.'

Dh'fhosgail e dorsan-cùil na bhan agus thàinig plàigh de dh'fhàileadh cùbhraidh an arain a-mach thugainn. Chaidh e gu a leth a-steach dhan bhan agus thàinig e a-mach le lof. Thionndaidh e ri Alasdair agus thuirt e, 'Seo dhut lof, a bhalaich agus 's mise a tha air mo dhòigh ga toirt dhut.'

Ghabh Alasdair an lof na làmhan agus shlaod e i na dà leth. Thug e dhomh a dàrna leth agus dh'ith sinn an t-aran gus nach robh smùireag dheth air fhàgail.

Sheas an draibhear gar coimhead fhad 's a bha sinn a' cur às dhan aran. Ars esan, 'Balach fireann 's e ri fàs, dh'itheadh e mar mheilleadh brà. Nach sibh a bha cìocrach chun an arain. Bha sibh cho mosach ri dà mhuc!!'

Airson a' chiad uair bho dh'fhàg sinn Hògaraid bha faoilt air aodann Alasdair. 'Feumaidh mi aideachadh,' ars esan ris an draibhear, "nach eil sgillin ruadh agam airson do phàigheadh airson na lof.'

'Chan eil no agamsa,' arsa mise. 'Bha còir aig m' athair a bhith còmhla rinn airson biadh a cheannach dhuinn ach chaidh e air siabhan ann an Steòrnabhagh.'

MacLeod's shop. Narro and his three passengers were drunk but gloriously happy.

My father had a go at singing, 'Keep right on to the end of the road'. The others applauded and called for an encore. One way or another, we had all reached the end of the road! Alasdair and I were feted for herding the sheep all the way from Hògaraid, and the four inebriated men continued to celebrate the end of the Second World War. Of course, they had good reason to celebrate for they had survived six years of fighting in a war in which close on six million British people had died and nearly seventy million worldwide.

HMS 'Cornwall' which sank the 'Pinguin'
Chuir an 'Cornwall' an 'Pinguin' fodha

'Na dèanadh sin dragh sam bith dhuibh,' ars esan. 'Tha fhios agamsa far a bheil d' athair agus iomadach athair eile.'

'Càite?' arsa an dithis againn còmhla.

'Tha e far an robh mise mus tàinig mi an seo leis a' bhan - a' guidhe slàn leis na gillean a chuir muinntir Hirohito a thaigh na croich. Tha an t-sìth air èigheach anns an Ear Chian.'

'Latha Faing Hògaraid!' arsa mise.

'An còigeamh latha deug dhan Lunastal, 1945,' ars an draibhear. 'Thall agus a-bhos, tha an saoghal aig sìth.'

Thug e mach às a' phòcaid leth-bhotal uisge-beatha. Cha robh ach fiach òirleach air a thòin.

'A Dhia,' arsa Alasdair, 'nach toir thu dhuinn làn beòil?'

'Cha toir deur,' ars esan. 'Nach tug mi dhut lof? Cò dhiù, tha sibh ro òg. Nan toirinn-sa dhut balgam, bhithinn a' briseadh an lagh.'

Chuir e an leth-bhotal air a cheann agus dh'òl e a h-uile deur. Le cas a' dol 's a' tighinn, dhìrich e air ais chun na cuibhle-stiùiridh. Ghluais a' bhan air falbh le sgreadail aig an einnsean agus dùdaich air a' chonocag.

Cha do rug làraidh Narro oirnn gus an robh sinn a' cromadh Leathad na Bùtha ann am Port Mholair. Bha na bodaich leis an daoraich agus cò a chuireadh umhail orra? Bha sinn uile a' faireachdainn gun robh sinn air crìoch na h-euchd a ruighinn agus gun robh sinn airidh air anail a ghabhail agus beagan fois.

Bha m' athair, Torachan, Braighdean agus Narro air an dòigh. Dh'innis iad iomadach sgeulachd èibhinn dha chèile agus iomadach breug. Bha e math a bhith nan cuideachd. Thug m' athair ionnsaigh air 'Keep right on to the end of the road' agus, ann an dòigh, bha cuspair an òrain sin iomchaidh. Bha Alasdair Beag agus mise air coiseachd nan caorach air an latha a b'acraich agus a bu shàraichte bha sinn nar beatha. Sheinn na fir òrain agus dh'innis iad sgeulachdan èibhinn mu dheidhinn fir agus mnathan a bha beò anns an t-sean aimsir. Sheachain iad iomradh air cuspairean cogaidh. Bha sinn uile mothachail gun robh sinn air a thighinn tron chogadh bu chosgail a bha riamh air an t-saoghal. Chaill 63,200, 000 duine am beatha. – 6,000, 000 dhiubh sin à Breatainn.

Mus robh am feasgar seachad bha an taigh againn làn dhaoine. Thàinig clann à Brocair a dh'iarraidh Narro agus dh' fhalbh Alasdair Beag le Braighdean dachaigh dhan Port. Bha sinn uile air saoghal ùr.

Pinguin' sank twenty eight British merchant-ships
Spad 'Pinguin' ochd thar fhichead soitheach Bhreatannach

Model 'Pansy', now in Museum an Rubha
Am 'Pansy', cruinneag a rinn m'Athair, 1934

Immigrants compete on a Prairie slough (slew)
Gàidheil le cruinneagan air lochan an Canada

Dad and brother Murdo, 1943
M'athar agus Murchadh, mo bhràthair, 1943

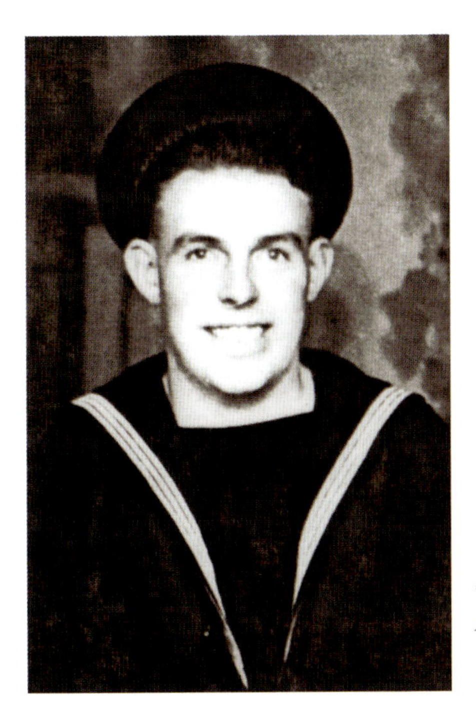

Cousin Dan (Skookan's son) lost October, 1940

Dan Sguthcan a chailleadh aig àm a' Chogaidh

POW George Campbell (Shoudan) lost on the 'Pinguin'

Seòras Iain Sheòrais a chailleadh air a'Phinguin

Chapter 4
Caibidil 4

Out of the Slough (1946–1950)
Direadh As A' Ghleann (1946–1950)

Catriona's Half Cockerel and Far Away

Donald MacAnndra lived at No 3 with his wife and family. Their croft house was only 100 yards from ours. Starting at four o' clock in the morning, their cockerel used to crow what sounded to us like, 'I am Donald's bugle". The creature was on duty seven days a week crowing the same boring message every five minutes or so. He wouldn't stop crowing until six o' clock when he thought the whole village was astir. We could hear Nommy's cockerel far away answering Donald's cockerel but his call was different. He used to crow, 'Ivor's well water is PURE' and he would repeat that message every few minutes, 'Ivor's well water is PURE'.

Apart from Catriona MacLeod's cockerel, every other one in the vicinity had something sensible to crow about. My Seanair decided that Catriona's bird wasn't all there, that, in fact, her bird was somehow deficient and he defined it as a half-cock. Although the half-cock used to try to crow like the rest of his kind, he just failed to do so. But it was amusing to hear him make the attempt and it was a kind of pastime for us to try and interpret what he was calling. He would flap his wings stretch his neck and call, 'Bits and bobs, goc-goc-goc!'. At other times he might say, 'Odds and ends, goc-goc-goc!' It was such a shame for the innocent creature to make himself into a laughing-stock. According to my friend Skeddy, the half-cock on Saturdays crowed, 'Sunday blues, coming up!' Although he appeared quite a dandy as he walked among the hens, you could see that there was something missing. He had the cocky walk right enough, but nothing else to commend him, poor fellow. When the Naughty Boys from the Sràid were on their way for a walk out to Tiumpanhead Lighthouse, they used to come in to the end of Catriona's blackhouse and pretend that they were teaching her half-cock how to crow. Four of them would approach to within sight of the spinster's poultry, flap their arms cock-style and, in unison, crow, 'Ivor's well-water is utter POISON!'.

They would repeat their performance until Catriona, exasperated by their carry-on, would explode out of the house waving a spurtle and shouting, 'Clear off, or I'll send my rabid dog among you.'

Her sudden appearance and sharp tongue were enough to scatter them though they were well aware that Catriona's threat was an empty one. Send her dog? That was a laugh – she didn't have a dog. What she did have was a obese old tomcat – an animal so dozy that I doubt if it would move even

Leth-choileach Catriona agus Far-Away

Bho cheithir uairean sa mhadainn, bhiodh coileach air cùl an taigh againn a' gairm, ''S mise dùdan DHOMHNAILL!' Bhiodh e a' gairm sin a h-uile còig mionaidean ach bhiodh e sgur air sia uairean nuair a dh'fhidreadh e gun robh e air am baile a dhùsgadh. Chluinneadh sinn coileach ruadh Nomaidh, fad às, a' gairm, 'Tha bùrn an tobair IOMHAIR!' Agus, gun fhios nach robh sinn fhathast nar cadal, ghairmeadh e an aon rann a-rithist, 'Tha bùrn an tobair IOMHAIR!!

Seach coileach Catrion' Uilleim, bha rudeigin glic aig a h-uile coileach anns na bailtean ri a ràdh rinn. B' e mo sheanair a cho-dhùin nach b' e coileach coileanta a bh' aig Catriona – nach robh ann ach leth-choileach. Ged a bhiodh e a' feuchainn ri gairm mar na coilich eile cha b' aithne dha. Bha e èibhinn bhith ga chluinntinn, 's bhiodh sinne le dibhearsain a' toirt ar breithneachadh fhìn air na luinneagan a bhiodh e a' gairm. Phlacadh e a sgiathan agus ghairmeadh e, 'Fuigheagan-gog-gog!' Uaireannan eile, aig àird a chinn, ghairmeadh e, 'Piullagan-gog-gog!' no 'Luideagan-gog-gog !' A rèir Sgeadaidh, bhiodh e, glè thrice air Disathairn, ag èigheach, 'Màireach dìomhainn-gog-gog!'

Leis cho caol, spaideil 's a bha e a' spaidsearachd am measg nan cearcan, shaoileadh tu gun robh e mòr-chùiseach agus làn dheth fhèin! Och, bha e na chùis-bhùirt, agus, nuair a bhiodh clann a' dol a-mach airson cuairt dhan t-Siùmpan, bhiodh 'Balaich Chrosta na Sràide' a' dol a-steach gu màs taigh Chatriona, agus, nam beachd fhèin, ag oideachadh an leth-choilich air an dòigh cheart air am bu chòir dha a bhith a' gairm. Thòisich ceathrar aca a' placadh an gàirdeanan còmhla agus, ag atharrais air coileach Nomaidh, ghairmeadh iad , 'Saplaisgean an tobair IOMHAIR! Saplaisgean an tobair IOMHAIR!'

Thigeadh Catriona a-mach às an taigh le slacan aice na làimh agus chuireadh i smùid asta.

'Mach à seo sibh, no stuigidh mi an cù annaibh.'

Cù? Cha robh cù aice! Cha robh aice ach seann culach-cait, beathach a bha air fàs cho chruinn leis an leisg, 's nach gluaiseadh e ged a thigeadh luch a chuireadh car-a-mhuiltean mu a bhus!

Ach dè a bh' aig an leth-choileach ri a ràdh? Cha robh smid. Airson ceithir uairean fichead, cha do dh'fhosgail e a ghob airson aona ghog a dhèanamh.

Nuair a fhuair e beagan misneachd, rinn e oidhirp air innse dhan bhaile gun robh e fhathast beò. Phlac e a sgiathan agus ghairm e, 'Gucagan-uighe-gog-gog!'

'Chan eil iongnadh ann gu bheil barrachd aige ri a ràdh,' arsa mo sheanmhair.

if a mouse had come to perform a somersault in front of him. But how did the infamous half-cock respond when he heard the crowing of the rabble from the Sràid? Well, he was reduced to total silence. Indeed, for twenty-four hours after the visit of the rascals, he had nothing to say. When, at last, he recovered his self-confidence, he resumed his old ways He would flap his wings and crow, 'Bits and bobs, goc-goc-goc!'

My Seanair would say, 'Bits and bobs yourself, you poor *truaghan*! I'm surprised that you don't have more than that to say for yourself, considering the fact that the Naughty Boys from the Sràid have been teaching you.'

All the old men in the village loved to watch cock-fights. They didn't arrange to have special cockerels brought together to fight as they do in some tropical countries. They were all religious, you see, and didn't wish to appear brutal or self-indulgent. But like all sin, there was a primeval urge that caused them to enjoy any kind of fighting between animals: dog-fights, for example, and battles between rams at rutting-time were regarded as harmless entertainment but, best of all, were the fights between neighbours' cockerels.

One day about high noon, Seanair went to the door and saw a sight that almost made him speechless. He cried in a half-strangled sort of way, 'Mairi dear, come on out here quick so that you can witness what is happening in front of Donald MacAnndra's house. Leave the porridge simmering now and hurry! Come here Màiri! Come at once!'

Granny responded in her usual unruffled manner. 'I am just about to lift the pot off the hook, Calum,' she shouted. 'I'm certainly not going out to where you are because I know that I would see something that I would not enjoy.'

'Och, come on Mairi, a ghràidh. Come and watch an amazing cock-fight. Only it isn't two cocks. It is a fight between one and a half cocks.'

He laughed so heartily that Granny left the porridge-pot simmering and went outside to see the spectacle. And what an amazing sight she saw. Donald MacAnndra's big handsome pin-up dandy had lost much of his plumage. His feathers were strewn all over the grass and he looked so bedraggled that you could believe that he had been rescued from Loch an t-Siùmpan.

What beast was able to reduce the dandy of No. 3 to that state? Who else but the scrawny white half-cock belonging to Catriona Uilleim, the lonesome spinster. The battle had lasted ten minutes or more but, in the end, No.3's champion quit the field and took quivering shelter in his master's barn. It was sad really to see the former loud-mouthed dandy, admired by all the hens at Ceanna-loch, reduced to such a sorry state. As Granny led

Nach eil eadhon Balaich Chrosta na Sràid air a bhith ga oideachadh!

Bha bodaich a' bhaile dèidheil air a bhith coimhead coilich a' sabaid. Chan eil fhios ciamar a thachair e ach, aon mhadainn, fhad 's a bha mo sheanmhair a' dèasachadh an lit, thàinig mo sheanair a-steach le anail na uchd.

'A Mhàiri,' ars esan, 'trobhad a-mach gus am faic thu an sealladh a tha air beulaibh taigh Dhòmhnaill Anndra. Fàg an lit agus dèan cabhaig. Trobhad!'

Gun a ceann a thogail bhon phrais, fhreagair i, 'Cha tig, mo chas! Chan eil ach aon rud a chosnadh dhut a bhith leis an seòrsa eireapais a th' ort.'

'Tha na coilich a' sabaid, a Mhàiri. Trobhad còmhla rium gus am faic thu seo!'

Chaidh an dithis a-mach agus chunnaic iad sealladh a bha da-rìribh annasach. Bha coileach eireachdail Dhòmhnaill Anndra cho claoidhte 's gun saoileadh tu gun deach a ludradh anns an loch. Bha e gu toirt suas leis an luaths-analach agus bha an cìrean aige a' sileadh a chuid fala. Cò a' bhrùid a bha comasach air siud a dhèanamh air? Cò eile ach leth-choileach caol geal Catriona Uilleim a bha às a chiall le dubh-nàimhdeas, agus fhathast an sàs ann le a spuirean agus le a ghob. Lean an leth-choileach air ga spìonadh 's ga sgròbadh gus an do chuir e an ruaig buileach air coileach àrd-ghuthach Dhòmhnaill Anndra – am pin-up a bh' aig a h-uile cearc a bh' ann am Port Mholair.

'Cha b'aithne dhan leth-choileach gairm a Mhàiri ach, mo chreach, nach ann ann a bha an nimhe.'

Fhreagair mo sheanmhair, ' 'S nach ann feidhir mar sin a tha sinn fhìn a' bhodaich. Agus ged a tha thu fhèin gu nàdarrach sèimh, coibhneil, diadhaidh, chan eil teagamh agam nach èireadh d' àrdan ort nam biodh agad ri èisteachd ri bodaich a' bhaile a' fanaid ort bho mhoch gu dubh.'

Ron Dàrna Chogadh, bha na bailtean againn gu math beòthail le sluagh a' cosnadh am beòshlaint le iomadach seòrsa iasgach. Bha MacIù (Iain Uilleim, bràthair Catriona aig an robh an coileach buaireant nach b' aithne gairm) ainmeil airson na seilbh a bh' air mar iasgair leis a' mhaighear a bha e air a dhèanamh air bòrd long-chogaidh aig Blàr Jutland.

Bha caraid aig MacIù air an robh am far-ainm 'Far away'. Gus o chionn ghoirid, cha robh fhios agam carson a chaidh an t-ainm neònach sin a thoirt air. Ma 's fhiach mo charaid, Bìodan Narro, a chreidsinn b' ann mar seo a fhuair a sheanair, Aonghas Greum à Brocair, am far-ainm 'Far-away'. Bha fhios aig a h-uile duine a bha ag èirigh anns an linn ud gun robh Aonghas Greum solta na dhòigh agus cho diùid, liugach 's gum biodh luchd na Beurla a' faighneachd, 'Carson a tha an gille eireachdail ud cho fad às na dhòigh?'

her husband indoors to serve him his porridge, Seanair said, 'My dearest, I would never have believed that Catriona's white half-cock was packed with such aggression'.

Granny answered, 'Isn't that exactly how you yourself might have behaved in the circumstances? Religious and gentle as you are, you would surely feel aggrieved if you were being insulted by your neighbour from four o' clock until six o' clock every morning? Wouldn't you become so enraged that you would strip the bully of his dignity?'

While eating his porridge, Seanair pondered his wife's question. In the end, he decided that Holy Scripture would not have allowed him to act as valiantly as the half-cock had done. He said, 'Obviously, he hasn't the gumption to understand the Gospel but he's a plucky little devil and I'm proud of him'.

It is worthwhile mentioning that, before WW2, stories about Catrìona's half-cock were often told at weddings and at Hogmanay ceilidhs. Equally entertaining were stories about Catrìona's brother, MacCue, the well-known fisherman.

Before the Second World War the majority of people in the rural communities of Lewis earned their living by crofting and fishing. There were so many men called Iain that each acquired a nickname. Catrìona Uilleim's brother Iain who, as you know, became known by the nickname 'MacCue'

MacCue had a pal nicknamed 'Faraway 'and I recently learnt how he acquired that very strange nickname. According to my friend Murdo MacLeod, son of Narro, whose nick-name is 'Bìodan', the man called Faraway owed his nickname to a misunderstanding of the Gaelic phrase '*fad as*' meaning 'distant' or 'shy'.

But McCue? He was a MacLeod and I have no idea how he got that name. but I remember an amusing incident that occurred round about 1920 when McCue and Faraway happened to be on the crew of a drifter which went all the way to Yarmouth. They had a good season fishing off the South-East of England, and when they were on the way home following the East coast of England and of Scotland, they ran into heavy weather off the coast of Aberdeenshire.

The name of the drifter was The Golden-Eye and they estimated that they would reach Stornoway on a Wednesday but because of the adverse weather conditions, the skipper told his crew that they would have to put into Wick for coal. McCue accompanied by Faraway went to the Post Office in Wick. McCue who had a fair command of the English language prepared to send

Bha fear anns a' chuideachd a thuirt, 'He's always been distant by nature. His head is in the clouds and his mind is faraway!'

Ach a-nis MacIù, cha robh esan idir diùid a' dol a bhruidhinn na Beurla. Duine socair, modhail a bh' ann agus cha robh bòst no mòr-chuis idir na nàdar. B' ann a bha e dualtach air a theanga a chumail na tàmh nuair a dh'fhaighnicheadh iasgair eile dha càite an robh e air a bhith glacadh liùghannan air a' chreagach, agus dè an seòrsa uidheam a bha e a' cleachdadh.Coltach ri a cho-aoisean air feadh na rìoghachd bha e air a bhith anns na blàir-mara bu teotha anns a' Chogadh Mhòir. Mar eisimpleir, bha e air Dreadnought (seòrsa de long-chogaidh) aig Blàr Jutland. Dh'ionnsaich e tòrr Beurla fhad 's a bha e air an t-soithich sin. An dèidh a' Chogaidh, chaidh e air ais gu bhith na iasgair.

Bha tòrr sgeulachdan mu dheidhinn MacIù agus is fhiach an tè seo a h-innse. Chuala mi uair is uair i ga h-aithris aig bainnsean agus anns na taighean-cèilidh.

Aon bhliadhna, bha MacIù agus Aonghas Greum à Brocair nan iasgairean air an drioftar an 'Golden Eye'. Chaidh iad cho fada deas ri Yarmouth agus rinn iad deagh chosnadh an sin. Nuair a bha an 'Golden Eye' a' tilleadh dhachaigh a Steòrnabhagh, thàinig droch aimsir oirre agus, air eagal 's gum biodh iad gann de ghual a' siubhal tron Chaolas Arcach, chaidh an drioftair a-steach ri fasgadh do dh'Inbhir Uige ann an Gallaibh. Fhad 's a bha i an sin, cheannaich an sgiobair de ghual na bheireadh an drioftair sàbhailt gu Steòrnabhagh. Choisinn an dàil dhaibh gun robh iad gu bhith latha na b' fhaide na bha dùil aca a' ruighinn dhachaigh. Chaidh MacIù agus Far-away chun a' phost-oifis airson teileagram a chur chun nan teaghlaichean anns an Rubha a dh'innse gum biodh iad latha na b'fhaide na bha dùil.

Anns a' phost-oifis, sgrìobh MacIù an teachdaireachd a bha e airson a chur gu Màiri a bhean air Ceanna-loch ach nuair a shìn e am pàipear leis an teachdaireachd chun na mnatha a bha a' frithealadh a' phuist cha b' e an taing a b' fheàrr a fhuair e!

Ars ise, 'Chan eil mise mìr a' dol a chur seo air falbh dhut oir chan eil ciall aige.'

'Seall, a bhoireannaich!' arsa MacIù, 'Tha an teachdaireachd a sgrìobh mi a' dèanamh ciall dhomhsa – agus, mar an ceudna, nuair a ruigeas i, nì e ciall do Mhàiri, a bhean agam.'

Och, dh'fhàs am boireannach uabhasach cas ri MacIù agus dhiùlt i an teileagram a chur air falbh dha air chor 'sam bith. Ars ise, 'Nise, a bhodaich, èist thusa riumsa. Eist thusa ris an teachdaireachd gun chiall a sgrìobh thu.'

Rinn i gàire beag leatha fhèin mus do leugh i, 'Me and far away home

a telegram to his wife. He wrote the telegram on the appropriate form and handed it to the attendant in the post office. His intention was that his wife Mairi would pass the message on to Faraway's wife.

When the Post Office attendant read it, she said, 'I cannot possibly send this telegram because it is nonsensical.'

'The meaning of that telegram is clear,' insisted MacCue. 'What is important is that it will make sense to my wife, Mairi.'

The Post Office woman was very self-important and regarded herself as teacher and official censor. She became quite sniffy when MacCue contradicted her.

'Even if a world authority on the King's English were here, he would be unable to make sense of your message! Just listen to what you have written here: "Me and Faraway home tomorrow – John". Me and Faraway...! How is that sensible? For starters, the word "faraway" means "some distance from where you are!"'

McCue smiled patiently and said, 'Not at all, madam. Faraway is not some distance from here. There's Faraway over by the Post-Office door.'

'Over there by the Post-Office door? Did you never hear the word 'nearby'. The word we use to indicate 'a short distance away is 'nearby'. I'm afraid, you'll have to go back to school, my mannie!'

'Well,' said McCue, 'I assume that you have never met 'Nearby! A right lazy lummock and if you were to meet him, you'd wish that he was far-away!'

Blotto Poultry

I believe that Iain Mòr from the village of Back, who was the skipper of the 'Windfall', had retired or through illness given up his position temporarily. Anyway, the 'Windfall' was the biggest iron drifter in Stornoway – SY 345, which belonged to Duncan MacIver Brothers. It was extremely successful in fishing for herring which had come into the Minch in the form of huge shoals. My father received a phone call from the MacIver Brothers asking if it would be possible for him to take over the skippering of the 'Windfall' for a year. Though he was not fully fit from his kidney problem, he decided that because he was definitely on the mend he would accept the offer.

Off he went with the Windfall, and the crew of course, and very soon came across a huge shoal off Tolsta. At that time there was no family in Port Mholair which had a private car, accepting the owners of buses, Johnny

tomorrow'. Leugh i a-rithist e, 'Me and far away home tomorrow. Carson, 'ars ise, 'a tha na facail. 'far away' agad ann am meadhan na teachdaireachd?'

Thuirt MacIù rithe, 'Airson gu bheil 'Far-Away' thall an sin aig an doras'.

'Thall aig an doras?' ars ise le uspag. 'Cha bu mhist thusa, a Bhodaich, beagan Beurla ionnsachadh mus tig thu a-rithist a-steach do phost-oifis! Thall aig an doras, tha thu ag ràdh? Thall aig an doras? Tha an doras faisg oirnn agus seach gu bheil, tha e 'nearby'.'

Arsa MacIù rithe, 'Ma tha thusa a, a bhean, a' smaoineachadh gu bheil 'Nearby' an sin aig doras a' phost-oifis tha thu air do mhealladh. Cha robh Nearby ann an Inbhir-Uige an saoghal Dhia! Chan eil anns an duine sin ach grìochaire leisg nach deach e riamh na b' fhaide bho mhàthair na doras na cùlaist!'

Na cearcan gun bhliam

Tha mi smaoineachadh gun robh Iain Mòr bhon a' Bhac a bha na sgiobair air an 'Windfall' air a dhreuchd a leigeil dheth. An 'Windfall', b'e sin an driftear iarainn bu mhotha a bh' ann an Steòrnabhagh – SY345. Cosnaiche math dha rìreabh a bh' innte. B' ann le balaich Dhonnchaidh a bha i agus bha baile-puirt Steòrnabhaigh gu math treathalach oir bha an sgadan air a thighinn dhan Chuan Sgìth na cheap. Fhuair m' athair fòn bho fhear de Bhalaich Dhonnchaidh a' faighneachd dha an gabhadh e uallach an 'Windfall' mar sgiobair airson bliadhna. Ged nach robh e fhathast buileach cho frogail 's a bha e mus tàinig an tinneas-dhubhagan air bha e, gu ìre, air fàs slàn, sunndach agus leum e chon na h-obrach. Mach leis agus, air a' chiad turas a chaidh e leatha gu muir, bhuail e ceap mòr sgadain faisg air Clach an Rubha ann an Tolastadh.

Anns an latha ud cha robh càr aig teaghlach a bha am Port Mholair ach aig muinntir nam busaichean. B' iad sin Seonaidh Aonghais Uilleim agus John Murdo Mhurchaidh Bhig. Seach iadsan, bha aig a h-uile duine aig an robh ri dhol a Steòrnabhagh ri dhol ann air a' bhus. Bha 'coiseachd air gige-Chaluim' air a dhol à fasan mar gum biodh an sluagh air lùths nan casan a chall.

Cha robh duine deònach air coiseachd aon mile deug dhan bhaile-mhòr agus, an dèidh sin, coiseachd dhachaigh leis na treallaich a bha iad air a cheannach. Cha robh duine a' dèanamh sin bho sguir mo sheanair ga dhèanamh – mo sheanair air an tug iad am far-ainm Gige-Chaluim (Shank's pony).

Aona latha, bha aig mo mhàthair ri a dhol suas a Steòrnabhagh le Iain

MacLeod the merchant, and John Murdo Campbell, another merchant. The rest of the people of the village, and indeed the villages at our end of the Rubha, travelled to Stornoway on a bus – either that or they had to walk – but in fact the population had begun to get used to the bus as a mode of transport and had lost the ability to walk long distances.

Nobody wanted to travel the twelve miles to the town and back by foot. I believe that my Seanair was the last person to do so, hence the term that was coined by people going by 'gige Chaluim', by Calum's gig, or shank's pony. One day my mother had to go to town and she did so on a bus. The purpose of her shopping trip was buy school clothes and shoes for John Hector. Before setting off with her school-boy son, she gave Murdo, Nan and myself a list of chores which had to be done before her return at two o'clock. As usual it was to be my duty to barrow the manure from the byre to the midden. Nan had to wash the breakfast dishes and Murdo to make mash and, at midday, feed it to the hens. Before leaving the house with John Hector, Murdo asked, 'Mum, how do you make mash?'

'Nan knows how to do that'. Mum replied, 'Even a five year old child could make mash! Don't worry. Nan will teach you. But remember not to forget the hens. They are laying eggs very well at this time of the year. Nan, your duty is to wash the breakfast dishes and dry them. Don't leave them on the table until I come home. I've been up since six o' clock in the morning building the peat stack.' With that list of instructions, Mum left us.

She handed her straw message bag to John Hector, and the two of them departed in a brisk happy fashion. Murdo, Nan and I watched them as they walked a half mile to Johnny MacLeod's shop where the two of them boarded a bus. We had a sense of relief. Murdo took out a pack of playing cards and began to teach us how to play Pelmanism, a simple game which he had learnt from boys in his Glasgow lodgings. With Mum being carried some ten miles away from Ceanna-loch, we didn't expect her back before 2 pm. Her absence gave us a wonderful sense of freedom. So long as there was work to be done, she couldn't bear to see any member of her family idle. On the other hand, no-one could have worked more diligently than herself.

At midday, Nan's conscience began to bother her. She went off and cleaned the fireplace and took the peat-ash down to the midden. After that, she set a new fire, ready to light as soon as Mum arrived from town. I went out with the barrow and cleared the manure from the byre as instructed. When I returned I found my sister Nan teaching Murdo how to make mash. Mum had left a panful of small potatoes which she had boiled. Murdo was

Eachainn airson brògan agus aodach-sgoile a cheannach dha. Chuir i uallaichean air a' chòrr dhen teaghlach mus do dh'fhalbh i.

'A Chaluim, cuiridh tusa a' bhò a-mach gu Tom nan Corra-Ghritheach agus glanaidh tu a' bhàthach. Tha fiach trì oidhche de thodhar ri chur sios dhan òcraich leis a' bhara. A Mhurchaidh, thoir thusa a steach trì baraichean mònach bho na torran a tha air gualainn Foitealar agus dòirt a' mhòine ann an doras na cruaich. Cuideachd dèan taois dha na cearcan agus thoir sin dhaibh aig meadhan-latha'.

'A mhàthair,' arsa Murchadh, 'Ciamar a tha sibh a' dèanamh taois?'

'Seallaidh Nan dhut. Cuimhnich a-nis, na leig na cearcan a dhìth! Agus a Nan, nigh thusa soithichean na bracaist agus cuir a-mach an luath. Tha mise air a bhith a' stèidheadh na cruaich bho dh'èirich mi aig sia uairean.'

Dh' fhalbh i gu beadarach le Iain Eachainn agus chum sinn sùil oirre a' coiseachd an leth mhìle gus an deach i air a' bhus aig Tòin na Bùtha feidhir aig deich uairean. Faochadh! Thug Murchadh a-mach na cairtean agus thòisich sinn a' cluiche Pelmanism, gèam sìmplidh a bha e air ionnsachadh ann an Glaschu. Bha dùil nach tigeadh ar màthair dhachaigh gu dà uair feasgar. Cha b' e a-mhàin faochadh a fhuair sinn ach saorsa! Cha robh i aig àm 'sam bith air a dòigh mura robh i-fhèin agus càch ag obair mar thràillean! Saoilidh mi gu bheil mi ga cluinntinn fhathast a' glaodh, 'Siuthadaibh, siuthadaibh, siuthadaibh, a leisgeadairean!'

Aig meadhan-latha, thòisich cogais Nan ga buaireadh agus dh'fhalbh i a chur a-mach na luatha agus a thoirt a-steach na dh'fheumadh i de mhòine airson teine a chur air anns an stòbha. Dh'fhalbh mise leis a' bhara a ghlanadh na bàthcha.

Nuair a thill mi, bha Nan a' teagasg Mhurchaidh air an dòigh a bh' aig mo mhàthair air an taois a dhèanamh. Bha sìolagan bhuntàta a bha mo Mhàthair air a bhruich air am fàgail fuar ann am mias. Bha aige ri sin a phronnadh agus a mheasgachadh le dòrlach de shìol coirc agus dòrlach eile de shìol eòrna. Nuairsin, bha aige ris an lòpar sin a thaiseachadh le làn a' mhuga-seipein de mheug. Rinn Murchadh am measgachadh fhad 's a bha Nan a' dòirteadh na meug dhan taois.

Ars esan, ''S mi tha toilichte nach e cearc a th'annam a' dol a dh'ithe an sgudal-sa!'

Fhreagair ise, 'Is cinnteach gu bheil dòigh air a dhèanamh càilear.'

Mach leatha suas dhan chùlaist agus cha robh fada gus an tàinig i air ais le botal mòr le 'Navy Rum' sgrìobhte air a' chliathaich aige. Thill mise air ais às a' bhàthaich agus chunnaic mi Nan a' feuchainn ris an àirc a thoirt às a' bhotal

shown how to mash them with an appropriate instrument and once that was done, handfuls of oat seeds and barley grain were thrown into the basin and a jug of whey mixed into it. Murdo mixed the mash vigorously, and as Nan poured the whey into the basin, he said, 'I'm very happy to be a human rather than a hen because I don't think I could stomach this dinner'.

Nan looked doubtfully at their creation, then looked as if she had had a brainwave. She smiled and confided that she believed that she knew how to make the mash look more palatable. She left quickly and went into our parents' bedroom and returned with a bottle, a large brown bottle, on which were written the words 'Navy Rum'.

'I found this in my father's sea chest' she told us, ' It's been there since he returned from the war. I'm pretty certain that he doesn't need it now.'

Murdo removed the cork from the bottle and smelled the contents. 'It's rum, right enough, ' he announced. 'There's no more than a couple of inches in the bottle.'

Nan said, 'Let's put a splash of it into the dough.'

Murdo protested, 'Don't be silly now! It would give their eggs a funny taste.'

'Come on, big brother!' Nan said. 'Let me put a splash in and see what the mix looks like.'

She took the bottle and poured a good half cup into the basin. Murdo fell about laughing. He said, 'You have almost certainly spoilt the mash. The hens cannot possibly eat that slurry. It may even kill them?'

'Don't be daft! It might make them lay more eggs,' Nan replied confidently, and then emptied the remaining contents of the bottle into the basin. She stirred the mash thoroughly, then went out with the basin.

'Joog, joog, joog!' we heard her cry '. Come and get it, you darling joogies!'

Hens came hurriedly from distant parts of the croft as she scattered the mash they began to eat it greedily. The two of us now joined her and watched the hens consume their Mickey Finn lunch. After a while, we abandoned our chicken watch. Nan assumed the role of mother. She reminded us of our duties: Murdo to bring home three barrow-loads of peats from the shoulder of Foitealar and me to barrow the manure from the byre to the midden.

Mum entered the living-room breezily asking, 'What's the matter with the hens?'

We followed her out and saw the cockerel lying in a ditch like a car that had gone off the road, one leg free as if waving to us. John Hector, much amused, said, 'A mhàthair! The cockerel is waving to us.'

agus dh'fhailnich oirre. 'Och,' ars ise, 'bha sin anns a' chiste a thug m' athair dhachaigh às a' Chogadh. Tha mi cinnteach nach eil feum ann.'

Thug Murchadh an àirc às a' bhotal agus chuir e a shròin ris.

'Ruma ceart gu leòr ach 's e glè bheag a th'ann!' ars esan.

Arsa Nan, ''S nach cuir thu steall dheth dhan taois.'

'Ist, oinnsich!' ars esan. 'Chuireadh sin fùdar dha na h-uighean aca'.

'Cuiridh mise steall dheth dhan taois gus am faic sinn dè a thachras.'

Thug i am botal bho Mhurchadh agus dhòirt i mu leth cupan dhan mhias. Bha Murchadh na èiginn a' gàireachdainn. 'Tha thu air an taois a mhilleadh. Chan urrainn dhuinn a-nis a thoirt dha na cearcan. 'S mathaid gum marbh e iad.'

''S e nach marbh!' ars ise agus dhòirt i an uireas a bha air fhàgail anns a' bhotal dhan mhias.

Dh' fhalbh i mach agus chuala sinn i ag èigheach ris na cearcan, 'Diug-diug-diug!' Thàinig iad sin nan cabhaig às a h-uile ceàrnaidh anns an robh iad air a bhith cosnadh chriomagan. Sheas an ceathrar againn cruinn gan coimhead ag ithe na Mickey Finn a bha Nan air ullachadh dhaibh! Dh' ith iad gus na sgog iad agus cha robh comharr gun robh taois-an-nèibhidh a' toirt buaidh sam bith orra! Dh'fhalbh Murchadh a mach leis a' bhara a dh'iarraidh na mònach a bha air gualainn Foitealar agus dhiochuimhnich sinn na cearcan.

Bha an obair a bha mo mhàthair air a chur romhainn aig an triùir againn air a chrìochnachadh nuair a chunnaic mise i-fhèin agus Iain Eachainn a' tighinn a-nall an rathad. Chaidh sinne a-steach nar cabhaig a sgioblachadh na dachaigh. Shuidh an triùir againn aig a' bhòrd a' cluich Pelmanism a-rithist. Cha robh fada gus an cuala sinn an dà cheannaiche-siubhail a' tighinn a-steach dhan sguilearaidh.

'A Chruitheir!' arsa mo mhàthair. 'Tha rudeigin ceàrr air na cearcan. 'S ann a shaoileas tu gu bheil a h-uile tè aca gun bhlìam!

Chaidh sinn a mach còmhla rithe agus chunna sinn gun robh an coileach air a chliathaich anns an dìg ri taobh an starain, le aona spuir an-àird mar gum biodh e a' smèideadh rinn. Bha ma dhusan cearc a' coimhead tuathal, feadhainn aca ag èaladh suas is sios an lot mar gum biodh iad len làmhan nam pòcaidean is iad a' feadalaich. Nuair a chaidh mo mhàthair a-steach dhan bhothag-chearc, fhuair i còrr air dusan an sin air na spirisean nan srann.

Gus an tàing m' athair cha do dh'aidich sinn do ar màthair an t-adhbhar a bh'aig na cearcan a bhith cho tuathal air an latha a bh' aice an Steòrnabhagh. Rinn m' athair lasgan gàire ach cha do mhol e an rud a bha sinn air a dhèanamh.

Thuirt e, 'Cha bu chòir dhuibh a bhith air brath a ghabhail air beathaichean

Mum hurried to the hen-shed and found the remainder of the hens perched on the roosts – fast asleep and snoring. Our confession was not forth-coming!

A few days later, Dad came home and Nan insisted that we tell him the reason for the hens' spree during Mum's shopping expedition to Stornoway. His memory of the war was still raw and his reaction was not the one we expected.

'I'm glad you enjoyed the hen-party!' he told us. 'But you should never take advantage of anyone weaker than yourselves. That goes for animals as much as for humans. Always remember the old Gaelic saying, 'Theid neart thar ceart'- 'Might overcomes right'. Germany's might and aggression towards her weaker neighbours caused the Second World War. Nobody would ever want us to have another war.' Nan became upset and burst into tears.

The Sheiling

My father had been unwell since returning from the war. His condition worsened and Mum decided to send for Dr Matheson whose practice was in Stornoway. The doctor quickly diagnosed the problem.

'You have stones in your right kidney, and you will not get any relief from the pain until these stones are removed in the hospital.'

Two days after the operation, we received news that we could visit the patient. We took the opportunity, of course. Mum, John Hector and Nan and I took the midday bus and at two o' clock in the afternoon entered the Lewis Hospital at Goathill.

It was very difficult to see our champion, lying there, pale and weak. On seeing us coming into the ward, he sobbed. We had never seen Dad in such a state. He always seemed to have a cheeky grin on his face. It took him a long time to get over the pain he was suffering and when he came home, at last, he showed us a bottle of little granules, like gravel, which had been removed from his kidney. These granules were contained in a little bottle which he later threw into the sea.

Most families could boast a little money in their pockets, money which came from the Gratuity, the war bounty. During the war years, the wireless had made everybody much more familiar with the ways of the world. We met many hundreds of men and women who were serving in the Army, Navy and Airforce. Some were billeted on the island and others were just

bochd nach eil cho tuigseach ribh fhèin. Tha sean-fhacal ag radh, 'Thèid neart thar ceart'. 'S e facal fìrinneach a tha sin! 'S e neart agus ain-iochdmhorachd nan Gearmailteach bho chionn seachd bliadhna, a choisinn an Dàrna Cogadh a bhith againn. Chan eil duine a bh'anns a Chogadh a dh'iarradh sin tachart a chaoidh tuilleadh.'

Thòisich Nan a' bùrail.

Airigh na Slàinte

Bha m' athair air a bhith gearan bho thill e às a' Chogadh. Dh'fhàs e cho tinn 's gun robh e buileach na èiginn, agus chuir mo mhàthair a dh'iarraidh an Dotair MacMhathain. Cha robh e sin fada gus an do bhreithnich e adhbhar na trioblaid.

'Clachan air an dubhaig aige,' ars an dotair. 'Cha bhi faochadh aige gus am faigh e cuidhteas iad anns an ospadal.'

Dà latha an dèidh dhan lannsair m' athair a ghearradh, fhuair mo mhàthair fios gum faodadh i fhèin agus an teaghlach a dhol a shealltainn air. Cha b' e ruith ach leum! Dh'fhalbh i leis an triùir againn air bus meadhan-latha agus, aig dà uair feasgar, bha i leinn aig an ospadal an Cnoc nan Gobhar an Steòrnabhagh.

Tha cuimhne agam air cho duilich 's a bha e dhomh culaidh an teaghlaich fhaicinn na euslainteach na laighe fann air an leabaidh. Cho luath 's a chunnaic e sinn, bhris e air a ghuil. Cha robh sinn a-riamh air fhaicinn tinn agus gun fiamh a' ghàire air aodann. Thug e ùine mus d' fhuair e seachad air a' chràidh a bh' air. Thàinig e dhachaigh às an ospadal leis a' mhorghan a bha iad air a thoirt às an dubhaig aige ann am botal. Cho luath 's a fhuair e air a chasan 's a bha e comasach air cuairt ghuanach a ghabhail a-muigh, dh'fhalbh e leis a' bhotal morghain agus thilg e e a-mach air a' mhuir ann an Geodha Dealbh a' Chait.

Bha Murchadh, mo bhràthair, air cur roimhe fhèin, ma bha e an dàin dha a thighinn dhachaigh às a' bhaile-mhòr, gun cuireadh e seachad trì mìosan aig an taigh, dìomhain gun uallach 's gun chùram, a' falbh nan cnoc 's nan geodhaichean a' ruagail saor anns na badan a b' ionmhainn leis. Cho luath 's a b'urrainn dha, choilean e sin. Thàinig e dhachaigh agus bha sinn mar theaghlach air ais anns an nid mar bha sinn mus do chuir Hitler an saoghal bun os cionn. Lìon an dachaigh againn le aoibhneas agus le ceòl agus bha Port Mholair a' tighinn beò le teaghlaichean a' cuideachadh càch a-chèile agus

passing through on their way to theatres of war. By 1946, young people were beginning to look towards trades and professions by which they could earn their livelihood. Murdo was already a qualified draughtsman but what did the future hold for Nan, John Hector and me. We had no idea where we might end up.

During the wearying, wasteful six years of the war, my brother Murdo swore that as soon as peace was restored, he would come home and, for a couple of months, resume the pursuits which he had enjoyed as a teenager. When he did come home, it was a wonderful feeling to be together again. Our home was filled with joy and with music and it seemed that Port Mholair had suddenly become alive with all the families returning to their roots. Alas, after spending a few weeks enjoying the freedom of Port Mholair, Murdo and many of his friends were forced to return to the cities of the south to earn their living.

One day, Dr Matheson came to check on how Dad was faring. He found him weak and dispirited.

'Iain, if you take my advice, you'll do two things to improve your health. You'll have to spend a month away from Port Mholair and you'll also have to take care to drink a pint of beer every day to clean out your kidneys.'

'A pint of beer?' enquired my father, 'I would give anything for a single screwtop. Surely, Doctor, you're joking that I have to have a pint of beer a day?'

'Not at all,' replied the doctor. 'Surely the surgeon gave you that advice before you left the hospital?'

Mum came in looking anxious and asked, 'Is John going to be all right, Doctor?'

'Nothing wrong that cannot be solved quite simply. Your husband will tell you exactly what he needs to do to get his strength back.'

'That is wonderful news,' said Mum. 'Obviously, we shall do whatever the doctor recommends.'

Already looking as if he were well on the road to recovery, Dad imparted the good news. 'Margaret dear, I have to drink a pint of beer every day.'

She smiled sympathetically and said, 'That, Doctor, is not the first untruth my husband has spoken.'

The doctor closed his medical bag and prepared to leave.

'But Mrs Ferguson, your husband is not telling a lie. Your husband needs lots of fluid to clean out his kidney. Apart from the beer, John, remember what I said. It is important that you take a break away from home. I suggest

an dachaighean fosgailte le fàilte Ghàidhlig ron h-uile duine leis am bu diù tadhal orra.

Bha an Cogadh air caochlaidhean a thoirt a-steach nar measg. Bha sinn uile seachd bliadhna na bu shine. Bha beagan airgid aig daoine nam pòcaidean – 'Airgead a' Chogaidh' (An Gratuity) agus bha an òigridh a' coimhead ris na bliadhnaichean ri teachd anns am biodh aca ri dreuchd no ceàird a thoirt a-mach. Bha dòchas gum biodh Murchadh comasach air leantainn na dreuchd a bh' aige tron Chogadh. Ach an triùir eile? Cha robh fhios dè a bha an Dàin dhaibhsan.

An dèidh dha thighinn dhachaigh às an ospadal, thug m' athair sia mìosan mus d' fhuair e an lùths air ais na chorp. Thàinig an Dotair MacMhathain a-steach a shealltainn air agus, nuair a chunnaic e cho lag, airsneulach 's a bha e, thuirt e ris, 'Iain, tha feum agad air dà rud. Tha thu feumach air mìos a chur seachad air falbh à Port Mholair. Thuilleadh air sin, tha mi an dòchas gu bheil thu ag òl pinnt leanna a h-uile latha airson do dhubhagan a chairteadh.'

'Pinnt leanna? Bheirinn rud sam bith air 'screw-top'. Is cinnteach a dhotair gur ann le dibhearsain a tha sibh a' moladh dhomh a bhith ag òl leanna.'

'Chan ann idir,' arsa an Dotair. ''S cinnteach gun tug an lannsair a' chomhairle sin ort mus do dh'fhàg thu an ospadal?'

Bha mo mhàthair air a dhol sios dhan sguilearaidh a fhrithealadh air Iain Eachainn a bha air a thighinn dhachaigh às an sgoil.'

Dh'èigh m' athair oirre, 'A Mhàiread, trobhad suas an seo anns an spot!'

Thàinig i nuas na treathal, 'Dè tha ceàrr, a Dhotair?'

'Chan eil càil ceàrr nach eil furasta a chur ceart. Innsidh Iain dhut an dà rud a dh'fheumas sibh a dhèanamh ma tha e a' dol a dh'fhaighinn a shlàinte air ais ann am beagan sheachdainean.'

Shaoileadh duine gun robh piseach air a thighinn air m' athair bho thàinig an Dotair a-steach! Thuirt e gu sòlamaite, 'A Mhàiread, tha agad ri pinnt leanna thoirt thugamsa a h-uile latha.'

Rinn ise lasgan gàire. Thuirt i, 'A Dhotair, cha b' e siud a' chiad bhreug a dh'innis Iain againne!'

Thog an Dotair a mhàileid agus rinn e deiseil airson fàgail. Ars esan, 'Chan e breug a bh' aige idir. 'S ann tha iongnadh orm nach eil e air a bhith 'g òl leanna a h-uile latha airson a dhubhagan a chairteadh. Cuideachd, Iain, cuimhnich gu bheil agaibh, a thuilleadh air an leann, ri mìos a chur seachad air an àirigh a' ruagail a-muigh air Mòinteach Leòdhais.'

Chuir m' athair Murchadh suas a Steòrnabhagh a dh'òrdachadh fiodha agus chlàran sinc bho Stòr a' Bhànaich. Cheart cho cudthromach ri sin, sia

you spend a few weeks in a sheiling on the Lewis Moor enjoying the clean fresh air and fishing?'

We didn't have a family sheiling so Dad got pencil and paper and began to plan how he should construct one. At long last, he had something to occupy his mind. A few days later, Dad sent Murdo up to Stornoway to order wood and sheets of corrugated iron from the famous Bain Emporium at Keith Street: wood for furniture and a door; glass for a window; sheets of galvanised iron, nails, bolts, and hinges. Added to the list was an important note that Murdo had to call at MacCallum's public-house to order six screwtops of beer.

Tomsh's lorry brought the building supplies to Ceanna-loch and for a month or more, the barn behind the Zinc House resounded to the sounds of sawing, planing and chiselling, and the rat-tat-tat of nails being driven through wood.

With Murdo helping him in the barn, my father began to show signs of recovery. At the end of the fifth week, our parents began to prepare for the removal of our goods and chattels to Tom Bhat an Dìob, a hillock overlooking Loch a' Chòcair, about four miles north-west of Stornoway. On a memorable morning, Murdo and I set off with the cattle – a brown cow and two brown heifers. At ten o' clock in the evening, we started our journey of fourteen miles. I shall remember that journey in detail for as long as I live.

Summer nights in Lewis are never dark. At about 11 pm, daylight gives way to a twilight which lasts four or five hours. Thus, it is a perfect time for the young to go fishing, hunting or courting.

My brother and I drove the cattle though the villages of the Rubha and by 9 am were feeling both tired and peckish. It was a long slog through the night and into the morning. At Oliver's Brae on the outskirts of Stornoway, Tomsh's lorry pulled up beside us. It was carrying our parents, Nan and John Hector and the sections of the sheiling which our father intended to bolt together by the time we reached Bhat an Diob. The lorry also carried essentials: a stove, bags of peats, pans, plates and a crate containing around twenty hens. At last, we saw Bhat an Diob sheilings on the skyline and we wondered if, in the two or three hours, since the lorry passed us, our father could have managed to nail and bolt the sheiling together.

We trekked along Matheson Road and through Marybank and, at last, a couple of miles further on saw the outline of the hill of Tom Bhat an Dìob on the skyline. When we arrived at our destination, Murdo and I flopped on to the grass beside the half-built sheiling. The cattle immediately began to

'screw-tops' bhon taigh-òsta ainmeil, Taigh MhicChaluim.

Fhuair Murchadh an treallaich a dh'earb m' athair ris fhaighinn anns a' bhaile agus airson ceala-deug an dèidh sin, bha an sabhal againn a' toirt sgaladh-nan-creag air Foitealar le slacadaich, sàbhaigeadh agus locraigeadh. Le cuideachadh làimhe bho Mhurchadh, bha m' athair air a thighinn beò! Mu dheireadh thall, bha e deiseil airson na h-àirigh amaladh ri chèile le boltaichean agus tarraigean cho luath 's a ruigeadh an imrich Tom Bhat an Dìob.

Aig deireadh a' chòigeamh seachdain, dh'ullaich sinn airson togail oirnn. Bha ar ceann-uidhe mun cuairt air ceithir mìle an iar-thuath air crìochan Steòrnabhaigh – sin ceithir mìle deug bho Phort Mholair.

Thòisich mi fhìn agus Murchadh a' coiseachd aig deich uairean feasgar air fhionnaraigh àlainn samhraidh. Cha tug an crodh dhuinn dùbhlan a' coiseachd ach bho ràinig sinn Siadar bha an ceum guanach airsnealach agus cha robh dòigh againn air cabhaig a chur orra.

Ann an Leathad Oilbheir, air crìochan baile Steòrnabhaigh, chaidh làraidh Tomsh seachad oirnn 's i a' giùlain nan rudan a dh'feumadh m'athair airson an àirigh a thogail: cliathaichean agus mullach na h-àirigh air an dèanamh de shinc agus, de dh'fhiodh, doras, leapannan, bòrd agus stùil. Thuilleadh air sin, bha an còrr den teaghlach air an làraidh – ar pàrantan, Nan agus Iain Eachainn agus mun cuairt air fichead cearc, stòbha bheag, pocaichean mònach, panaichean, agus rudan eile a dh'fheumte airson nan còig seachdainean a bha sinn gu bhith air an àirigh.

Bha còrr air còig mìle againn fhathast ri choiseachd. Bha Murchadh agus mi fhìn gu math sàraichte mus do ràinig sinn ar ceann-uidhe leis a' chrodh. Cha robh m' athair buileach air crìochnachadh togalach na h-àirigh.

Bha an crodh sgìth agus acrach a' ruighinn Tom Bhat an Dìob. Cho luath 's a ràinig sinn, thòisich iad ag ionaltradh air na cluaintean dhen fhianach a bha a' fàs mun cuairt. Bha dosan de dh'fhianach na bliadhn' an-uiridh rim faotainn air feadh na mòintich agus, anns an t-sean aimsir, b'e sin a bhiodh aig ar sinnsearan anns na bobhstairean air am biodh iad a' cadal fhad 's a bhiodh iad air an àirigh. Is e fianach an t-samhraidh an seorsa feur as fheàrr leis a' chrodh na feur sam bith eile.

Chuidich Murchadh agus mise a' cur mullach na h-àirigh na àite agus, an uair sin, leig sinn nar sìneadh air plaide a bha mo mhàthair air a sgaoileadh dhuinn air an fhraoch. Fhad 's a bha sinn nar sìneadh, bha meall uisge a' bagart a thighinn a-nuas bho Bheinn a' Bhuinne 's gu deas oirnn, 's ged a bhiodh e air dòirteadh oirnn bha sinn cho trom nar cadal 's nach robh sinn air snaoidheadh. Bha sinn caran crèicealach an uair a dh'èirich sinn ach thug m' athair oirnn,

feast on the crop of bottle-green deer-grass which grew in profusion all over the moor. Nan and John Hector were helping Mum to carry loads from the roadside to what was to become our temporary home. Hoping to cheer us all up, Dad was making strange yodelling noises while bolting the roof on to the carcase of the sheiling.

John Hector seemed to become taller every day. He was in his element on the Lewis Moor and grew more garrulous, more opinionated and as untruthful as Lord Haw-Haw! As a fisherman on Loch a' Chòcair, he brought back to the sheiling more trout than anybody else. Murdo and I always suspected that, whenever he and Dad returned from their morning fishing, the number of trout in his pail was always greater than the number in Dad's. One morning, Mum called us to breakfast to be told that our Dad had gone for a walk at 8 am. When he failed to come back by lunch-time, we began to worry that he had wandered into one of the treacherous bogs in which sheep and, occasionally cattle, had been lost. In the late afternoon, he returned exhausted but bursting to tell us where he had been and the amazing things he had seen.

'About a mile to the north of Loch a' Chòcair, I very nearly stood on a hare. It suddenly bounded out of the grass and sped away to make a safer scrape. After that, I saw loads of moor hens and snipe which had clutches of young ones. It was fascinating to see these young birds scurrying off into the tall heather. On the shoulder of Beinn Mholach, I saw three hinds and a stag but that was nothing compared to what I saw when I reached the top of Beinn Bharabhais. That was really spectacular and I wish you could have been with me.'

Nan asked if he would take us to Beinn Bharabhais on the following day.

'Once was enough for me but you have three sturdy brothers to take you. But let me tell you what I was able to see. As you know, I've been round the world several times but, strangely enough, I had never seen the West Side of our own island. For the first time ever, I saw rows of villages along the coast and, beyond that, I saw the Atlantic Ocean. It was a wonderful sight. Now that I am well enough, I'd love to go on board a City boat again and go on a deep sea voyage.'

Mum stepped in sharply. 'Not on your life!' she said.

an triùir bhalaich, ruith chun na Drochaid Ghuirm air Abhainn Ghrìod mu leth-mhìle bhon àirigh. Gheall e gum biodh ar diathad deiseil aig 'Bean an Taighe' nuair a thilleadh sinn. Rinn sinn mar a dh'iarradh oirnn agus bha Iain Eachainn fada na bu luaithe na mise agus Murchadh. Cha robh sin na iongnadh oir bha an dithis againne air a bhith spaidsearachd fad na h-oidhche. Fhuair e uiread de mholadh bho ar Màthair 's gun saoileadh tu gun robh e air euchd mhòr a dhèanamh.

Bha e follaiseach gun robh ar làithean saora air feum a dhèanamh dhuinn uile – ach gu h-àraidh dham athair. Bha e air fàs na bu treasa agus na bu bheòthail na chonaltradh. Aona mhadainn, nuair a dhùisg mo mhàthair sinn, thòisich i a dèanamh fealla-dhà oirnn. Bha an ciorramach air a bhith air chois bho èirigh-grèine. Cha do thill e aig tràth-diathad agus thòisich sinn a' gabhail imnidh gun robh e air a dhol ann am bot anns a' mhòintich. Cha do thill e gu àrd fheasgar, ach nuair a chunnaic sinn e a' dìreadh an leathaid bho Loch a' Chòcair, bha e soilleir gun robh e sgìth agus seang leis an acras. Ach cha b' e biadh a bh' air aire ach innse dhuinn mu na rudan annasach a bha e air fhaicinn – rudan nach robh e air fhaicinn a-riamh roimhe.

'Mu mhìle gu tuath air seo, cha mhòr nach do sheas mi air geàrr. Chunna mi cuideachd pailteas chearcan-fraoich le an àil a' snàigeadh romham anns an fhraoch agus, ged a bha iad fad às, trì eildean agus damh ruadh air gualainn Beinn Mholach. Ach an rud a chunna mi bho mhullach Beinn Bharabhais, b' e sin an sealladh bu mhìorbhailich idir.....!'

'Dè a chunna sibh?' aig guth thall agus a-bhos.

'Tha mi air a bhith ceithir thimcheall an t-saoghail iomadach uair ach cha robh mi riamh air Taobh Siar an eilein againn fhìn. Sin an rud a chunna mi! Chunna mi bailtean an Taobh Siar agus air cùlaibh sin, an Cuan Siar. Sealladh a bh' ann a chuir spionnadh na mo chnàmhan agus a dhearbh dhomh gu bheil mi nise slàn agus làidir gu leòr airson tilleadh chun na mara.'

Thuirt mo mhàthair ris, 'Iain! Cha tèid do chas!'

The Glasgow School of Art

There was a strong bond between the families of the district and every teenager about to leave the island to begin a new career on the Mainland was expected to visit his or her neighbours and receive their blessing. I suppose that it was a custom established a generation earlier when islanders emigrated to distant lands from which they would almost certainly never return. Of course, for many centuries, men also went off to war to an uncertain future.

Before I left Port Mholair to go to Glasgow School of Art, I did my duty as tradition demanded and visited every house in our neighbourhood. To tell the truth, I was a little bit reluctant to do so because I have always been afflicted by homesickness and sentimentality. Each family I visited gave me a little present or memento. From Nancy Iomhair I received half a dozen eggs; a large, white handkerchief from Nommy's family; from my great-aunts Catriona and Kirsty Bell – a tie-pin; a florin from Skookan's family and so on. Our immediate neighbours at Ceanna-loch were similarly kind to me. At No. 3, I received a blue scarf from Calum Uilleam's daughters and from Donald MacAnndra, an old Gaelic poetry book. I was particularly fond of the cottar family of Murdo Campbell, who was a grandson of my great-grandfather's sister Eilidh. In the First World War, Murdo Campbell had served in the Lovat Scouts at Gallipoli. He was a big, authoritative gentleman and everyone respected him. His wife gave me a cup of buttermilk to drink and, with it, a wafer thin piece of barley bread on top of which was a mixture of crowdie and cream. As we parted, Murdo said to me, 'This is your first trip away, so remember that the cities have some bad people living there. Rely on your brother Murdo to teach you what is right and rely on him also to be your support. Remember also the promise of Jesus and you must always have the teaching of the Gospel as your compass to guide you.'

At Catriona Uilleim's tiny thatched cottage, I received a warm welcome. Still dozing by the fire was her obese tomcat. Her cockerel which had never learnt how to crow had long since disappeared. Catriona put a peat on the fire and she came to sit beside me on a stool. She adjusted her head-scarf and took hold of my hand. 'I have absolutely nothing that I could give you as a keepsake. But never mind, I can give you some good advice. You should do what we used to do when we were girls going to the fishing. You are going to cross the Minch so you might become seasick. All the girls who went away with me to the herring, always took a turnip and a pocket knife. If you feel

Sgoil nan Ealan

Nam òige, bha an ceangal a bha eadar na teaghlaichean cho teann, 's gun robh e mar dhleastanas air a h-uile òganach aig an robh dùil am baile fhàgail, tadhal anns a h-uile dachaigh.

Mus do dh'fhàg mi airson a dhol do Sgoil nan Ealan ann an Glaschu, rinn mi mo dhleastanas ris a h-uile dachaigh a bh' anns a' cheann againn dhan bhaile. Leis an fhìrinn innse bha mi caran aindeoineach a' dèanamh sin oir bha an cianalas orm.

Cha robh teaghlach nach tug dhomh tiodhlac bheag air choreigin mar choibhneas no mar chuimhneachan. Fhuair mi leth-dusan ugh bho Nansaidh Iomhair, neapaigean-pòcaid bho Mhuinntir Nomaidh, prìne-taidh bho Chlann-nighean Iseabail, dà thastan an taigh Sguthcan, agus mar sin air adhart. Air Ceanna-loch, fhuair mi stoca ghorm bho Clann-nighean Chaluim Uilleim agus seann leabhar bàrdachd bho Dhòmhnall Anndra.

Bha ceangal air leth agam ri teaghlach Mhurchaidh Aonghais, ogha do phiuthar mo shinn-seanar. Anns a' Chogadh Mhòr, bha Murchadh Aonghais air a bhith anns na Lovat Scouts aig Gallipoli – duine mòr tapaidh agus bha athamas aig a h-uile duine dha. Thug a bhean dhomh cupan blàthach agus mìr eòrna le bàrr is gruth. Anns an dealachadh, thuirt Murchadh rium, 'Is e seo a' chiad turas agad air falbh bhon dachaigh. Cuimhnich fhad 's a tha thu anns na bailtean mòra gu bheil droch dhaoine a' còmhnaidh annta. Treòirichidh do bhràthair Murchadh thu anns an rathad as fheàrr dhut a ghabhail agus biodh e agad na bhata-làidir. Ach a thuilleadh air sin, cuimhnich gum bi gealladh an t-Soisgeil agad mar iùil agus cha tachair beud dhut.'

An taigh Chatrion' Uilleim, fhuair mi an aoigheachd cheudna agus comhairle na chois. Bha an culach-cait aice fhathast na leisgeadair ris a' chagailt ach cha robh sgeul air a' choileach do nach b' aithne gairm.

Chuir Catriona fàd air an teine agus shuidh i ri mo thaobh air an stòl. Chuir i a beannag còmhnard air a ceann agus ghabh i grèim air mo làimh ag ràdh, 'Chan eil dad agam am broinn an taigh is fhiach dhomh a thoirt dhut. Ach coma-leat, is urrainn dhomh comhairle a thoirt ort. Dèan thusa an rud a bhiodh sinne a' dèanamh nuair a bhiodh sinn a' dol chun an sgadain. Bhiodh tòrr dhen a' chlann-nighean le cur-na-mara. Nise, gun fhios nach tig sin ortsa, thoir thusa leat snèip agus sgian-lùthaidh. Ma dh'fhairicheas tu do stamag a' fàs luaisgeanach, thoir a-mach do sgian-lùthaidh agus geàrr sgealp às an t-snèip. Ith sin agus lean ort ag ithe an t-snèip agus cumaidh sin saor thu bho chur-na-mara'.

your stomach becoming queasy because of the motion of the ship. All you had to do was take out your pocketknife and cut a slice of the turnip and chew it. That will prevent you from becoming seasick. Do that until you reach the mainland and you will be right as rain.'

Handing me the old pocket-knife she used as a teenager, Catriona confided, 'I have treasured it all those years ago. Now it's yours.'

Eventually, I entered the beautiful building which is world-famous as the Glasgow School of Art. Before entering the school I was quite self-conscious but although my fellow students were all friendly and talented young men and women, I began to realise that I was a fish out of water. Aged seventeen, I was shy and lacked self-confidence. Having served in the Armed Forces, a number of my class-mates were mature students who were adept at chatting up girls and thought nothing of making suggestive comments. In the winter of 1947, I attended a twice-weekly evening class taken by the famous sculptor Beno Schlutz. My best friend at the school was the late John Gardner who was to become one of Scotland's best-known marine artists. At that time, the School was unable to afford the services of professional models for life drawing and, since I was in excellent physical condition, John and others student pressed me to doff my clothes and pose as model for the class. Even though they claimed that they were all prepared to take turns as models, I resisted their pleas. As it happened, when the lecturer asked for somebody else to volunteer, they all reneged. Now that I am somewhat older, I don't think I would feel any sense of shame in sitting naked in front of a score of art students. Of course, in the sixty-five years since I attended the Glasgow School of Art, my physique has altered considerably. I have become four inches shorter, four stones heavier and my girth also has been somewhat enhanced!

For three months I was tutored in drawing, painting and sculpture. In that short period, it became apparent to me that, in going to the School of Art without any worthwhile educational certificate, I had taken a step in the wrong direction. This was confirmed by an academic adviser who told me that, without a school leaving certificate, I could not progress to a teachers' training college – even if I were to graduate with an Art School diploma. In other words, my prospects for employment of any kind in five years' time were virtually nil.

Whenever I went to bed, my mind often travelled to Creagan Foitealair, the rocky overhang in the hill close to our home where the youth of our

Thug Catriona dhomh an seann sgian-luthaidh a bhiodh aice a' dol 'chun an sgadain' agus ged nach do chuir mi feum oirre a-riamh, ghlèidh mi i gu cùramach mar chuimhneachan air a' chaillich chòir a thug dhomh i.

Cha robh mo thuras a-mach do Sgoil nan Ealan an Glaschu ach geàrr. Thug mi trì mìosan gam theagaisg anns an aitreabh mhòr àlainn sin agus, anns an ùine sin fhèin, dhearbhadh dhomh gun robh mi air ceum a thoirt dhan àite cheàrr. Ma bha mi a' saoilsinn rud, dhearbh mo cho-oileanaich dhomh, gasta 's ged a bha iad, gun robh mi cus ro dhiùid agus neo-chinnteach asam fhin airson a bhith nan cuideachd. Bha cuid dhiubh cleachdte ri leannanachd agus suirighe – rud nach robh mise! Bufalair a bh' annam air mo nàrachadh – gu h-àraidh an uair a thiginn air càraid ann an dorchadas nan staidhrichean! Bha mi nàir agus, aig an aon àm, farmadach!

Ged bha mi lag-chuiseach, diùid, bha mo chorp fallain, dèante agus bha na bliadhnaichean a bha mi air a chur seachad a' tràillearachd le deòin le spaid, tairsgear, bara agus poca-feamad, air a h-uile sgir saill a dh'fhaodadh bhith air mo cholainn a losgadh dhìom. B' e an rud a chuir gràin buileach orm 's e gun robhas gam fhorachadh airson a dhol luirmeachd air beulaibh chàich mar 'mhodail'. Bha dithis no triùir eile anns a' chuideachd a bha deònach sin a dhèanamh ach cha robh croitear beag an Rubha! Ann an seagh, b' e sin a choisinn dhomh a bhith a' fiughar ris an t-saorsa a bhiodh dhomh air taobh a-muigh an dorais mhòir. Rud sam bith airson faighinn a-mach chun na sitig. An-diugh, ged nach eil mo chorp buileach cho seang 's a bha e, cha bhiodh eagal sam bith orm a dhol luirmeachd air beulaibh an t-saoghail. Ach nam biodh sin a' dol a thachairt, cha b' e 'modail' a chitheadh iad air am beulaibh ach maodal – agus cùis-bhùirt!

An-dràsta 's a-rithist, chosnadh m' obair le peant agus peansail moladh ach b' ann mar sin a bha an seòladh aig na h-oileanaich uile. Bha e soilleir dhomh nach robh mi na b' fheàrr air ealain no na bu mhiosa na a' mhòr-cuid a bh' anns a' bhliadhna. Dh'fhaodainn a ràdh gun do chòrd m' obair-crèadha ri Beno Shultz, seann Iudhach aig an robh deagh chliù mar dheilbhear anns an Roinn Eòrpa mus tug mì-rùn nan Gearmailteach air teiche gu Breatainn.

Seach a' chagailt a bha mi air a chàradh do dh'Anna Dhall leis a' chrèadha ghorm a bha mi air a dhùsgadh ann an grunnd Loch an t-Siùmpain, cha robh mi riamh air deilbhearachd a dhèanamh. Mar bu mhotha a rinn mi leis a' chrèadh b' ann bu mhotha a bha an obair a còrdadh rium. Dh'fhàs mi cho cleachdte ri bhith, a deilbhearachd cluasan no sùilean dhaoine agus gun do thòisich mi a' tilleadh air dà fheasgar san t-seachdain gu clasaichean anns an Sgoil.

village used to sit and ceilidh. How important was that little sheltered, sunny place in my mind.

In 1948, I was one of the players in Oidhche Challainn (Hogmanay Night) and in the following year, in Oidhche an Taigh Mo Sheanair. (A Evening in my Grandfather's House). George Morrison, (The Breve), was there, Kenneth MacDonald (Bhegan), Angus and Arthur MacIver and half a dozen other players, old and young, male and female from Lewis and from Harris. Considering the fact that they were amateurs, they gave astonishing performances. In those days, our plays were in the Woodlands Halls in Glasgow. My brother Murdo made the furniture for the stage set – a bench, a dresser, a chest and a long stool – all made of cardboard and carefully painted. The furniture was so realistic that before we went on to the stage, all the players were warned not to forget that the furniture was fragile.

Everything went very well, until it was decided that four volunteers should enter to perform the Hogmanay Rant (Duan na Callainn). Three of the four young men were reasonably sober and one was not. Half way through the Rant, disaster struck. The drunken gentleman forgot where he was, staggered to the cardboard bench and sat on it. Before landing in a heap on the floor, he grabbed hold of the side of the dresser which along with all the genuine Delft plates sitting on the shelves collapsed. Unrehearsed and unintended, it was perfectly timed slap-stick. There was a howl of laughter and applause which almost drowned the wrecker's panic-stricken yell. His head had gone through the black curtain at the back of the stage so that he was in darkness. His cries of despair added to the desperation of his calamity

He shouted, 'Where am I? I must have fainted. Where is everybody?'

Murdo, my brother, who had spent so much time designing the dresser, cutting the cardboard and glueing and stapling all the pieces together had a tantrum.

'You've wrecked my dresser, you moron! You've undone weeks of my work!'

Murdo's outburst brought more applause and, after the show was over, many in the audience claimed that the collapse of the cardboard furniture and the reaction of the players was so cleverly executed that it was a perfect ending to the entertainment. It was comforting to hear members of the audience claim that it was the best 'Lewis and Harris' ever. On our side of the curtain, we knew that it was not.

Nuair a dheidhinn dhan leabaidh, bhithinn a' siubhal gu glaic Chreagan Foitealair far am biodh òigridh a' bhaile gu tric nan suidhe a' cèilidh. Cho cudromach 's a bha a' ghlaic beag ghrianach sin leam! Cha robh àmhran Mhurchaidh a' Cheisteir a-riamh cho tìamhaidh leam agus, ged bha mi socharach a' dol ga dhèanamh, sheinn mi an t-amhran sin uair is uair aig cèilidhean-taighe ann am Baile Ghobhainn agus ann am Partaig.

Ann an 1948, chaidh mi nam chleasaiche ann an Oidhche Challainn agus air an ath bhliadhna ann an Oidhche an Taigh mo Sheanar. Abair gun robh sgioba foghlaimaichte air an àrd-ùrlar – Am Brieve, Bhìogan, Aonghas agus Artair MacIomhair – iad sin agus leth-dusan cleasaiche eile, sean agus òg, fireann agus boireann, Leòdhasach agus Hearach a tha fhathast geur air mo chuimhne! Anns an latha sin, bha na deilbh-chluich anns na Woodlands Halls. Rinn mo bhràthair an àirneis airson Oidhche Challainn – being agus dreasair, ciste agus stòl – a h-uile càil air an dèanamh de chàrd-bòrd. Ged nach robh mìr dhuibh air a dhèanamh de dh' fhiodh, abair gu robh an t-àirneis a' coimhead làidir, seasmhach. Chaidh rabhadh a thoirt dha na cleasaichean air fad nach fhaodadh iad suidhe air a' bheing no air an stòl agus ghabh a h-uile duine comhairle gu faisg air deireadh na h-oidhche nuair a thàinig ceathrar Shiaraich a-steach a ghairm 'Duan na Callainn'. Bha triùir ann a bha sòbar agus aon fhear nach robh!

Letheach slighe tron 'Duan', bhuaileadh sinn le truaighe! Shuidh am fear air an robh an smùid air a' bheing agus chaidh e-fhèin agus a' bheing chàrdbòrd nan caglachan chun an làir. Mus deach e buileach air a dhruim, rug e air cliathaich an dreasair agus chaidh sin agus a h-uile soitheach pisteal a bha a' sgeadachadh nan sgeilpichean càrdbord, nan sgàrd mu a thimcheall. Abair lachanaich! Bha ceann an fhir a bha air tuiteam air a dhol tron chùrtair dhubh a bha air cùl na stèids'. Anns an dorchadas far an robh e, thòisich e ag èigheach, 'A chàirdean fhearaibh, thoiribh às an seo mi. Tha mi air fanntaigeadh! Càit an deach a h-uile duine?'

Le corraich, fhreagair Murchadh a bha air iomadach feasgar a chur seachad a' geàrradh agus a' glaodhadh nam pìosan càrdbord ri a chèile, 'Amadain na croich!' ars esan. 'An dèidh mo shaothair, seall an rud a tha thu air a dhèanamh'. Bha am poball den bheachd gum b' e an tubaist pàirt dhen dealbh-chluich agus, as dèidh làimh, bha iad ag ràdh, gum b' i an Oidhdhe Callainn a b' fheàrr a bh' aca a-riamh.

The Little Folk – Live!

Every weekend, there were ceilidh-dances held in halls such as the Overnewton Burgh Hall and Partick Burgh Hall. Different groups of musicians performed but, at Overnewton, the accordion players were usually Andy McCall, Jimmy Blair or Tom MacLarty. Young people came from all over the Lowlands – some from as far away as Edinburgh and Greenock. To this day I meet married couples, who first met at ceilidh-dances in Glasgow. As a teenager I became attached to some very attractive girls, the most attractive of whom I met at Overnewton. Her name was Lexie Cramond, whose mother came from Carinish in North Uist.

An excellent Highland dancer, Lexie was determined to teach me how to dance the quick-step and the modern waltz. Though I was strongly attracted to her, I was so shy and tongue-tied that I never found enough courage to volunteer to walk her home to White Street, less than a mile from the dance-hall. In spite of my fear of rejection, I was determined to impress her and, though I was only beginning to learn how to read and write in my native language, I decided to do the best I could to commit the story of our 'Foitealar Little-Folk' to paper.

I had been going for Gaelic lessons to a teacher at No. 10 Cecil Street in Hillhead. Her name was Catriona and she was a well-known member of An Comunn Gaidhealach where she was known as Kate Chrùbach. Kate proved to be an excellent teacher. She taught me the rules of spelling and of grammar and gave me the confidence to begin writing short stories in my native language.

I sent one of my the stories to Hugh MacPhee, Head of Gaelic at the BBC. It was called 'Sìthichean a' Chreagan' (Little Folk of the Creagan). To my astonishment and delight, Mr MacPhee replied very quickly, inviting me to report to Broadcasting House on Thursday in 1949 to read my story live on radio. I was so excited that I found it difficult to sleep at night.

On the appointed day, I walked across Kelvingrove Park to Broadcasting House on Queen Margaret Drive. I was dreading the experience which I had brought on myself. The building was large and was regarded by most people in those days as a kind of temple, which only a select few were allowed to enter. Inside the temple, I was taken through various corridors until I reached the office of Hugh MacPhee, Head of Gaelic. When a secretary introduced Mr MacPhee, I thought he would go into shock. He appeared to

Sìthichean a' Chreagain

A h-uile deireadh-seachdaineach, chleachd cèilidhean agus dannsan a bhith aig na Gàidheil ann an tallaichean mar Talla Baile Overnewton agus Talla Baile Phartaig. Bhiodh diofar chòmhlain-ciùil ann an Overnewton, mar bu tric le Andy MacCall, Jim Blair no Tom MacLarty. Bha òigridh a' tighinn thuca à badan air feadh na-machrach Ghallda – feadhainn à bailtean cho fad às ri Dùn Eideann agus Grianaig. Chun an latha-an-diugh, tha càraidean pòsta a chuir a' chiad eòlas air a chèile anns na tallaichean dannsa sin.

Dhomhsa, cha robh nighean a' tighinn gu Overnewton cho àlainn ri Lexie Cramond, a màthair à Cairinis ann an Uibhst a Tuath. Bha i fìor mhath air dannsa agus ghabh i os uallach mise oideachadh a' dannsa am modern waltz. Ged bha mo shùil innte, bha mi cho diùid, leibideach 's nach do thairg mi riamh coiseachd dhachaigh leatha ged nach robh sin ach mu leth a mhìle bho Overnewton. Leis an fhìrinn innse, bha mi cinnteach gun diùltadh i mi agus bhithinn air mo nàrachadh nam biodh i air sin a dhèanamh.

Ann an seagh, b' ann air sgàth a' cheangal a bh' agam ri Lexie a thug mi ceum a bha dol a thoirt buaidh air a' chòrr dem bheatha. Thòisich mi a' dol gu clasan Gàidhlig gu sàr bhana-Ghaidheal. Catriona an t-ainm a bh' oirre ach b' e Ceit Chrùbach a bh' aca oirre anns a' Chomunn Ghaidhealaich. Cho fad 's is cuimhne leam, cha robh mi air uair a thìde de dh'oideachadh nam chànan fhìn fhaighinn fhad 's a bha mi anns an sgoil. Tidsear air leth math a bh' ann an Ceit agus, tron mhisneachadh agus an treòireachadh a fhuair mi bhuaipse le litreachadh 's le gràmar, thòisich mi a' faireachdainn gun robh mi comasach air sgeulachdan a sgrìobhadh. Chuir mi aon de na sgeulachdan gu Eòghainn Mac a' Phì aig a' BhBC agus cha robh fada gus an d' fhuair mi cuireadh a thighinn ga h-aithris 'beò' air feasgar Dimairt 18 Ogmhios 1948. Thug an naidheachd bhuam cadal na h-oidhche!

Mi a' faireachdainn gu math frionasach, chaidh mi gu Taigh a' Chraobh-Sgaoilidh air Slighe na Ban-righ Màiread – àite a bha coisgrichte ann an sùilean dhaoine. Am broinn na h-aitreibh sin, chaidh mo threòireachadh tro clabhsaichean gus na ràinig mi Eòghainn Mac a' Phì, morair na Gàidhlig – cò-dhiù ann an craobh-sgaoileadh. Nuair a chunnaic esan an giodraman beag Leòdhasach a thàinig air a bheulaibh a dh'aithris na sgeulachd, 'Sìthichean a' Chreagan,' 'beò' air an rèidio, cha mòr nach do rinn e car-a-mhuiltein!

'Ille,' ars esan, ''S cinnteach nach b' e tusa a sgrìobh 'Sìthichean Chreagan Foitealair' an sgeulachd a chuir thu thugam?'

have been expecting to see, before him, a mature, articulate stalwart from Argyle or Skye or some other district where they spoke the 'King's Gaelic'. Instead of that, he was introduced to a small, pale-faced youth whose accent was well beyond the BBC's Gaelic pale. How could this youth be the author of Sithichean a' Chreagain? Before parting with me, Mr MacPhee asked me three questions to which I replied in well-enunciated Rubhach Gaelic, thereby proving to the BBC's Gaelic nabob that he had made a big mistake. He sent for a young man, newly recruited to the Gaelic Department. His name was Finlay John MacDonald who, although he was born on the wrong side of the Clisham, was compassionate and managed to put me at my ease!

In those days, the Gaels were very much divided and regarded 'other people's accents' as being *Gàidhlig nan ceàrdan* (Tinkers' Gaelic). It was quite apparent that Hugh MacPhee regarded my accent and responses to his questions as below an acceptable standard. However, with only an hour to go before the broadcast, it was too late for him to find a replacement. Finlay J led me downstairs to a closet which, he told me, was called a studio. I felt like a lamb being led to the slaughter!

There were three lights in the studio, one of them an ordinary standard-light overhead, and two others on the wall, one of which was red. Recognising that I was verging on a state of panic, Finlay was considerate of my feelings and tried his best to calm me. He said, 'Now Calum, in two minutes from now, two minutes, you will see that red light on the wall disappear and a green light will appear in its stead. That green light will tell you that you are live on radio. You will take a deep breath and you'll begin to tell your story. Remember that you are talking to your mother in Port Mholair. Now you'll see me across the table from you and I shall be there listening so remember that I am here representing your Mum. Of course, all the neighbours will be with your Mum listening to what you're saying.'

Next moment, the light turned green and I began to mutter and mumble and stumble. I spoke as quickly as I possibly could. I forgot about my mother and I forgot about Finlay J. and I just wanted to get to the end of the story and escape.

I was distracted momentarily by Finlay J. who was giving me hand signals intended to show me that I should slow down. But slowing down was not really what I wanted to do, I wanted to speed up as fast as possible and get out of there! Hugh MacPhee had calculated that my story well-told would last quarter of an hour. Unfortunately, I ended the story some four minutes before I should have.

Thòisich e gam cheasnachadh anns a' Ghàidhlig agus leis na freagairtean a bha mi a' toirt dha ann an Gàidhlig bhlasta an Rubha, cho-dhùin mi gun robh e dhen bheachd gun robh e air mearachd uabhasach a dhèanamh. Agus mar a chaidh a dhearbhadh dha, cha robh e fada ceàrr. Och, cha robh Mgr Mac a Phì idir air a dhòigh. Chithinn air ìomhaigh an t-uallach a bh' air gun robh e air cead a thoirt do dh' eucoireach a thighinn air taobh a-staigh dhorsan coisgrichte a' BhBC gun aige ach 'Gàidhlig chearbach nan ceàirdean'! Anns an latha ud, bha na Gaidheil a' meas gur e 'Gàidhlig nan ceàirdean" a bh' aig a h-uile duine nach buineadh dhan sgìre aca fhèin!

Ged a bha e follaiseach nach do chòrd mi fhìn no blas mo theanga ris an duin'-uasal ud, cha do sheot e chun na sitig mi. Chuir e dh'iarraidh 'Finlay J' a bha feidhir air a thighinn chun a' BhBC a dh'obair làn-thide. Thug Fionnlagh mi sios dhan stiùidio – rùm beag nach robh mòran na bu mhotha na clòsaid-nan-òisgean a bh' anns an t-sabhal againn ann am Port Mholair. Bha dà sholas anns an stiùidio: solas os cionn a' bhùird air an robh mo sgriobt agus fear eile air a' bhalla – fear mòr dearg. Bha Fionnlagh cho caomh agus cho socair, Gàidhealach rium agus gun do thòisich mi a' fàs caran sèimh annam fhìn.

'Seall a-nis, a Chaluim. Ann an dà mhionaid eile – dà mhionaid bhon dràsta, thèid an solas dearg gu uaine. Tha sin a' ciallachadh gu bheil facal 'sam bith a chanas tu an seo, ga chluinntinn aig do mhàthair ann am Port Mholair. Nise, cuimhnich air sin. Tha do mhàthair na suidhe gad èisteachd. Gabh do thìde agus innis do sgeulachd mar gum biodh do mhàthair na suidhe far eil mise mu do choinneimh.'

An ath shùil dhan tug mi, bha an solas air a dhol uaine agus thòisich mi a' mabadaich 's a' glugadaich cho luath 's a b'urrainn dhomh! Chunna mi Fionnlagh le a làmhan ag iarrraidh orm gabhail air mo shocair. An àite dhomh feart a thoirt air, lean mi orm a' mabadaich mar gum bithinn air a dhol às mo chiall. Cha robh càil air m' aire ach faighinn saor, saoirsinneil leam fhìn chun na sitig! Dh'innis mi mo sgeulachd cho luath 's a chaidh am maor tro Gharrabost – agus a rèir mo sheanar bha sin is e le anail na uchd le fras chlachan mu chluasan!

Bha dùil aig Eòghann Mac a' Phì gum biodh mo sgeulachd cairteal na h-uarach de dh'fhaid ach chaidh mi tro na duilleagan a bh' agam cho cabhagach 's gun do ràinig mi crìoch na h-uirsgeul ceithir mionaidean mus robh dùil. Airson na beàrna a dh'fhàg mo sgeulachd a lìonadh, chluich am BBC còig mionaidean de cheòl thùrsach air an robh ainm coltach ri 'Cumha nam Marbh'. Air an fhionnaraidh, dh'fhòn mi dhachaigh gu mo mhàthair a

To fill the gap that I had left, the BBC played martial music that sounded like a coronach normally played as a tribute to a 'dear departed'. I escaped into the sunlight feeling thankful that I had survived. At Great Western Road, I jumped on to a tram bound for the city centre. I dismounted at the Central Station and went to a telephone-box. After dithering for a few seconds, the operator connected me to Garrabost 13. It was comforting to hear my Mum's voice.

Her words were as comforting as ever. 'Of course, I listened to your voice on the wireless, a ghràidh! What a thrill and I'm so proud of you. Of course, half the village was in to listen. But you know, there was something wrong with the radio because we couldn't understand half of what was coming out of the box. And then, they spoiled the thing by playing some stupid kind of music. It was the kind that they normally use to announce the death of somebody important.'

On the following Friday, I went to the Finnieston Baths and washed myself more thoroughly than I had ever washed myself before. I washed my hair, my torso, my face and I came out of there sparkling clean. Looking forward to preparing for the dance at Overnewton, I walked quickly to our lodgings at 1240 Argyle Street.

In those days, I had a large mop of curly, black hair and to control it, I rubbed in a couple of palmfuls of Brylcreem. Standing in front of the mirror, I combed my hair in the style of the famous Benny Lynch, Glasgow's world flyweight champion. With a centre shed stretching from the back of the head to my brow, I combed my hair neatly to the side. When I got into my cream shirt, my light blue tie and grey suit, I could hardly believe the stylishness of my reflection in the mirror. What an absolute toff! I wondered if Lexie would approve.

When I reached the Overnewton Burgh Hall, I saw that my brother Murdo was within, dressed as usual in his immaculate Highland garb. In spite of his looking so sparklingly handsome, I felt that I had performed a feat which my elder brother had not. I had told a story on the wireless live. Although most of the young folk at the dance were Gaelic speaking Highlanders, not one came to congratulate me. I danced twice with Lexie Cramond. We danced a quick-step and exchanged small-talk but didn't make mention of my broadcast. After a couple of rounds of the modern waltz, she congratulated me on my progress with the dance. Towards the end of the dance, I mentioned to her that I had had my Gaelic story broadcast live.

dh'fhaighneachd dhi an robh i air an sgeulachd a chluinntinn. 'Eist a ghràidh, bha an taigh làn de na càirdean. Ach bha rudeigin ceàrr air an *wireless* agus chuir am BBC air an ceòl nam mallachd ud a bhios aca às dèidh dhaibh droch naidheachd innse.'

Air an ath latha chaidh mi chun na Finneston Baths agus sgùr mi mo cholainn bho mullach mo chinn gu mo bhonnan-dubha. Cha robh gille an Glaschu no am bad 'sam bith eile a bha cho glan rium. Chaidh mi air ais chun an taigh-loidsig air Sràid Earra-Ghaidheal agus dh ullaich mi airson an danns ann an Talla Overnewton. Anns an latha ud, bha cràic fuilt orm. Lanaig mi e ann am BrylCreem agus, air beulaibh an sgàthain, rinn mi sgoiltean na theis-meadhan bho 'shùil-an-fhuilt' ann an cùl mo chinn a-nuas gu mo mhaoil. Abair tof! Mise nam lèine gheal, mo dheise-ghlas agus mo thaidh ghorm, dè a chanadh Lexie nuair a chitheadh i mi?

Nuair a ràinig mi an talla, chunnaic mi gun robh Murchadh a-staigh romham. B' e gu dearbha a bha eireachdail 's e còmhdaichte anns an fhèileadh. Dh'aindeoin 's cho eireachdail 's a bha e, bha mise a' faireachdainn caran mòr asam fhìn oir bha mi air rud a dhèanamh nach robh esan no duine a bhuineadh dhomh air a dhèanamh a-riamh – agus b' e sin sgeulachd innse air an *wireless*! Mothachail 's mar a bha mi air an euchd iongantach a bha mi air a dhèanamh, bha dùil agam gun tigeadh cuideigin a chuireadh meal-an-naidheachd orm. Cha tàinig duine. Dhanns mi le Lexie Cramond uair no dhà ach cha tug i iomradh air mo sgeulachd! A' dlùthadh air deireadh na h-oidhche, thuirt mi rithe, 'Dh'innis mi sgeulachd Ghàidhlig air an rèidio a-raoir.'

'Tha fhiosam!' ars ise. 'Chuala mo mhàthair an sgeulachd agad ach thuirt i nach b' i a' Ghàidhlig an cànan a bh' agad ach Gibberish!'

Obh-obh! Aig an aois ud, bha e duilich dhomh gabhail ris an fhìrinn. Ach eireachdail 's mar a bha i, cha robh mi air a dhol dhachaigh le Lexie Cramond bhon danns ged a bhiodh i air a dhol air a glùinean rium.

Is mise a bha sin!

Oidhirp gu Oilthigh

Ach a-nis, cùis a bha mòran na bu chudromaiche na mo bhriseadh-dùil ann an Sgoil nan Ealan. Bha m' athair agus Murchadh air na cosgaisean a phàigeadh airson gun deighinn nam oileanach do Cholaiste Skerry. Bha mi glè eòlach air Iain Caimbeul (Iain Feàrn) a bha air bhith na thidsear-ealain

Her response was off-hand. 'I know that. My mother heard you but she said that what you were speaking was not so much Gaelic as Gibberish'.

Ouch! My ambition to seek Lexie's permission to walk her home disappeared like snow off a dyke.

University Experience

After my disappointment at the Glasgow School of Art, I decided to move on. My father and my brother Murdo were determined that I should continue in some field of education. Between them, they arranged for me to become a student at Skerry's College in Bath Street, Glasgow and paid my fees and my board and lodgings. One of my great friends Iain Campbell, known as Iain Fearn, who was art master in the Nicolson Institute came to see me. He gave me valuable advice. So far as I can remember, he was the only teacher in the Nicolson Institute who showed any interest in me. He said, 'Forget about your disappointment in Glasgow. You have a talent in art and you will discover that that will be of use to you throughout your life.'

That advice was of invaluable encouragement and came at a time in my life when my self-confidence was at its lowest ebb. I received similar encouragement from a friend who lived at the Sràid at the far end of our village. Her name was Christina MacLeod (Cairstiona Uilleim 'ain Chaluim). She was a fine lady who had studied at Aberdeen University, but had to give up her career because of ill health. She sent for me and when I went up to see her, I brought her one of my oil paintings of a scene from Ceanna-loch.

At Skerry's College, I worked harder than at any stage in my life. I studied five subjects, which was the minimum required to enter a University. These were at higher level; English, Gaelic and Mathematics, and at a lower level; Latin and Geography. I sat the examinations along with many other students in the Boyd Hall of Glasgow University and a week later, I set off for home. I had high hopes that I had passed in the five subjects. On the other hand I sometimes felt that I couldn't possibly have passed.

My Dad had bought a loom shortly after coming home from the war. As a man who had spent most of his life at sea, he found it difficult to accept that he would have to spend the rest of his life earning his livelihood ashore. He'd stand at the window with the binoculars, studying ships which were sailing up and down the Minch past Port Mholair. He had a notebook in which he used to enter the identity of cargo-ships, herring-drifters, trawlers

agam ann an Ardsgoil Mhic Neacail. Thàinig e chun an taigh againn, a dh'aona ghnothach, airson comhairle a thoirt orm. B' e an aon thidsear anns an Ard Sgoil aig an robh ùidh annam mar oileanach. Thuirt e rium, 'Cuir an lionn-dubh a thàinig ort ann an Glaschu a-mach às d' inntinn. Tha ealantas nad ghnè a bhios feumail dhut fad do bheatha'. Chum mi cuimhne air a' mhisneachadh sin. Fhuair mi misneachadh cuideachd bho bhana-charaid a bha a' còmhnaidh air an t-Sràid am Port Mholair: Cairstìona Uilleam 'Ain Chaluim, fìor bhoireannach gasta a bha i fhèin air dhol tron fhoghlaim ach a bha air a beòshlaint a chall tro ana-cothrom. Chuir i fios orm agus thug mi thuice mar thiodhlac dealbh-peantaidh a bha mi air a dhèanamh.

'A ghràidh,' ars ise, 'bidh an dealbh-sa de Cheanna Loch agam air a' bhalla cho fad 's is beò mi'.

Rinn am misneachadh a rinn Iain Feàrn agus Cairstìona Uilleim 'Ain Chaluim feum mhòr dhomh agus thog mi orm a Ghlaschu gu Colaiste Skerry air cur romham fhìn gun robh mi dol a dhèanamh feum innte. Bha mi anns a' Cholaiste sin airson sia mìosan deug agus, anns an ùine sin, dh'obraich mi na bu dìon na dh'obraich mi riamh nam bheatha. Thug mi ionnsaigh air còig cuspairean – aig àrd ìre, Beurla, Gàidhlig, Matamataig, agus aig an ìre iosal, Laidinn agus Cruinn-eòlas. Ann an cuideachd ghreigh mhòr oileanach, shuidh mi na deuchainnean ann an Talla Bhòid ann an Oilthigh Ghlaschu agus seachdain an dèidh sin, dh'fhalbh mi dhachaigh. Bha dòchas agam gun robh mi air soirbheachadh leis na còig cuspairean ach bha an Sàtan a' cur teagamh nam chridhe. Bha m' athair air beart a cheannach goirid an dèidh dha a thighinn dhachaigh às a' Chogadh agus, leis an fhìrinn innse, bha i air a bheatha a dhèanamh gu math searbh dha. Chuireadh e an latha seachad leis a' phrosbaig le sùil fharmadach chun na mara a' coimhead nam bàtaiche-an-iasgaich agus na soithichean-caragò a bha seòladh suas is sios mun bhaile. Chaitheadh e leth na h-oidhche a' slacadaich air a' bheart, a' feuchainn ris a' chlò fhaighinn deiseil airson na maidne. Cha b' e beatha a bh' ann a bha a' còrdadh ri m' athair no idir-idir ri mo mhàthair! Thòisich mi nam inntinn ag ullachadh airson mo bheatha a chur seachad aig an taigh am Port Mholair, a' cosnadh mo bheòshlàint aig an iasgaich no le beart m' athar.

Air madainn bhrèagha ghrianach, bha mi air a' bhò a chur a-mach chun na h-innis air taobh thall Loch an t-Siùmpain. Bha mi a' tilleadh gu guanach chun na dachaigh, steafag agam nam làimh a' bualadh nan ceann-froise far na cuiseagan a bha a' fàs an taobh an rathaid. Nuair a ràinig mi, bha mo mhàthair na seasamh air taobh staigh a' gheata agus i a' còmhradh ri Bean Sheonaidh Aonghais Uilleim. Cha do bhuadhaich e orm gun robh sin annasach oir bha e

and the occasional warship which he happened to see going about their business. Having spent the day studying shipping, he would suddenly panic at nightfall, go to the loom and hammer away sometimes throughout the night in an effort to have a tweed ready to be uplifted in the morning. It was not a lifestyle which my father, nor indeed my mother, enjoyed.

I began to prepare myself for a similar lifestyle, spent at home in Portvoller earning a living either by fishing or by the Hattersley loom. It was probably a morning in June 1949, I had gone out to the common grazing, driving the cattle before me. As I was returning along the Lighthouse Road, I was swinging a switch with which I was decapitating the poisonous ragworts and nettles growing along the roadside. When I reached the gate leading to our house, I saw that my mother and Mary, wife of Johnny MacLeod the shopkeeper, were standing on the path at more or less the same spot from which I had launched the stone that nearly killed my Granny Ceanna-loch's cockerel.

I can see them still engaged in a discussion which petered out as I approached. It didn't occur to me that it was unusual for Mrs. MacLeod to halt her progress back to the shop where she was normally on duty serving customers. She was standing holding a newspaper, and my mother shouted, 'Calum, come here. Mrs MacLeod has news for you.' Mrs MacLeod opened the paper, the Glasgow Herald, and said, 'See what I have discovered in the paper this morning. You are among the students who succeeded in all five examinations which you sat at Glasgow.'

She ran her finger along the lists in the paper. The sunshine was so strong that I could hardly read, but then focused, and there was my name. It was a wonderful moment. I thanked Mrs. MacLeod, went to the barn, took hold of my fishing rod and set off down the croft towards the sea. As soon as I was out of their sight, I was overcome with emotion and wept. I returned in about an hour carrying my catch – a small lithe. It was so small that I gave it to the cat as a present.

My parents were ecstatic and so was I.

As one would expect, there was a special bond between students from the Gàidhealtachd who came together at the University of Aberdeen. Half a dozen lads from Lewis and Harris were my constant companions. Donald John MacLeod from the village of Carloway, was one of the students who shared my digs at 23 Affleck Street, the home of the Cormack family.

The Cormack household consisted of four members. The landlady herself, Mrs Cormack, was in charge of the cooking. Her husband, whom we referred

mar fhasan aig Bean Sheonaidh a bhith tilleadh dhachaigh cho luath 's a bha i air an crodh a chur gu Tom nan Corra Ghritheach. Thuirt mo mhàthair is mi a dlùthadh air an dithis, 'Trobhad a Chaluim. Tha naidheachd aig Bean Sheonaidh dhut'.

Dh'fhosgail Bean Sheonaidh am pàipear-naidheachd – an 'Glasgow Herald'. Ars ise, 'Tha mi a' faicinn gu bheil thu air soirbheachadh anns na deuchainnean a bh' agad ann an Glaschu.'

Ruith i a meur sios anns na liostaichean a bh' anns a' phàipear le clò cho mìn 's gun robh e duilich a leughadh ann an solas dheàlrach na grèine. Ach mu dheireadh dhearc mi air m' ainm. Bha e ann an siud anns a' phàipear-naidheachd ann an dubh 's an geal. Thug mi taing dhan teachdaire. Chaidh mi dhan t-sabhal agus dh'fhalbh mi chun a' chreagaich leis an t-slait. Mach à sealladh nam mnathan, bhris mi air mo ghuil leis an aoibhneas a bh' orm. Ann an uair de thìde, thill mi dhachaigh le sgleòtag cho beag 's gun tug mi i dhan chat! Ma bha mòd annasach a-riamh air bhith aig Mac an Tòisich, b' e siud am mòd a b' aoibhnich a bha air bhith agamsa anns na naoi bliadhna deug bho rugadh mi! Bha mi togte ri tuilleadh mòid mhòr a thighinn nam rathad!

Bha e nàdarrach gun do mhair an càirdeas a bh' agam ris na ficheadan Ghàidheil a bha còmhla rium an Oilthigh Obar Dheathain, a' mhòr-chuid dhiubh à eileanan na Gàidhealtachd.

Cha robh latha nach bithinn ann an cuideachd feadhainn dhiubh: m.e. Calum (a' Mhai' sgoile) MacLeòid, 'Màro' (Donnchadh Mac a' Mhaoilein), 'Crow' (Ailig Rothach), Alasdair MacIomhair, Dòmhnall Iain MacAoidh, Dòmhnall MacAmhlaigh, Dòmhnall Angaidh MacLeòid, Màiri Mhoireasdain, Moira NicAoidh, Niona NicAoidh, Donella Ghrannd agus Ailis Nic Leòid.

B' ann leis an teaghlach Cormac a bha an taigh-loidsig aig 23 Sràid Affleck agus bha sianar oileanach a' còmhnaidh ann. Bha ceathrar ann an teaghlaich na Caillich a bhiodh a' dèanamh na còcaireachd, a' nighe nan soithichean agus a' glanadh nan seòmraichean-cadail. Cha bhiodh Bodach Chormaig a' tighinn faisg oirnn ach ainneamh. Bha Màiri, an nighean aige air an dreuchd a bh'aice air a' Phoilis a leigeil dhith agus b' ann oirre-se a bha uallach a bhith a' dèiligeadh ris na h-oileanaich. Nise, Sonya, ogha na Caillich, a bha air dealachadh bhon Lochlannach aig an robh i pòsta, bha ise ann an seòmar-cadail a bha an an àite mì-iomchaidh. Bha sin an ath-dhoras ris an taigh-bheag, rud a bha aindeiseil dhuinn uile ach, gu h-àraidh, dha na brogaich aig an robh rumannan ann am mullach an taighe.

Dh'fhuirich mi anns an taigh-loidsig sin airson tri bliadhna agus bha a' mhòr-chuid a bh' ann còmhla rium à eileanan na Gàidhealtachd. Airson gun

to as 'Am Bodach', was seldom seen but seemed to be the power behind the throne. Daughter Mary had given up her position in the police to be the waitress who attended table and interfaced with their student lodgers. Sonya, the granddaughter of Mrs Cormack, was an attractive young woman in her late twenties who had separated from her Norwegian husband and was living in the basement, next door to the dwelling's only toilet and bathroom.

The house above the basement had three floors. Apart from a large dining-room in which the lodgers ate breakfast and dinner, the Cormack family occupied the whole of the ground floor. On the first floor, above the Cormack's family quarters, were two rooms in which four students lived. On a third floor was accommodation for a further two students.

Now the bathroom which included the only toilet was in the basement and beside two diminutive bedrooms in which slept Sonya and Mary respectively. Anybody needing to visit the loo in the middle of the night had to traipse down all these stairs and tiptoe past the bedrooms occupied by those two women It was no accident that Mary, ex-policewoman had her bedroom next to Sonya's and something that was of tremendous interest to us all was that Mary could detect anybody passing her door en route to the bathroom and could name each of us who had done so. Whenever we asked her how she was able to tell us apart, she always answered with a smile. 'I ken ye by yir fitsteps!'

Murdo MacSween of Scalpay was a mature student who had seen Active Service during the Second World War. His bedroom was an eyrie on the third floor. The Cormacks ensured that he never had to traipse to the one-and-only toilet during the night. When the gong was sounded to summon us to breakfast, Murdo MacSween was usually first to descend the stairs which he did always carrying a large white chamber-pot. He had seen too much fighting during the war to be in any way embarrassed. We all envied him his convenience!

In our last year at University Donald John MacLeod from Carloway, was my constant companion. He was a tall good-looking lad and, in spite of his having a large mop of fair hair was known as 'Baldy'. I looked on him as my third brother. He was a couple of years younger than I and was a year behind me in studying Advanced English. I still remember the evening when he returned from a walk on Union Street. He was in a lather of excitement. And his expressive blue eyes show that something unusual had happened to him. I asked him,

cumadh iad sùil air Sonya, bha Màiri Mhòr a' cadal ann an clòsaid ri a taobh. An rud bu mhotha a bha cur iongnadh oirnne 's e gun robh fhios aig Màiri air a h-uile mac màthar a bha air a bhith anns an taigh-bheag air feadh na h-oidhche.

'A ken by yer fit-steps!' chanadh i. Ach tha amharas agam gun robh dòigh dìamhar eile aice air aithneachadh cò a bha falbh 's a' tighinn agus cò às.

Bha aon oileanach air an treas làr nach biodh idir a' cromadh agus a' direadh na staidhre tron oidhche. B' esan Murchadh MacSuain à Scalpaidh a bha beagan bhliadhnaichean na bu shine na càch. Bha e air a bhith anns a' Chogadh agus, air sgàth sin, bha pàis air leth aig a' Chaillich ris. Nuair a bhuaileadh i an gong leth-uair a thìd ro àm na bracaist, cò a' chiad oileanach a bhiodh a' cromadh chun an thaigh-bhig? Bhiodh Murchadh Scalpaigh, is e le poit mhòr gheal aige ga giùlain gu cùramach gu a cheann-uidhe!

Bha oileanaich Gàidhealach lìonmhor anns a' bhaile, feadhainn aca anns an Oilthigh ach cuideachd ann an colaistean mar Colaiste Robert Gordon agus Colaiste nan Tidsearan. Mar bu tric, bhiodh sinn a' coinneachadh aig a' Chomann Cheilteach a h-uile feasgar Dihaoine airson eòlas fhaighinn air Gàidheil a bh' anns an oilthigh à badan air feadh na Gaidhealtachd. Chaidh an comann a stèidheachadh ann an 1853 agus airson sin a chomharrachadh bha dìnnear mhòr spaideil againn. Bha Ruairidh MacThòmais, a bha na òraidiche ann an Oilthigh Ghlaschu aig an àm, againn anns a' chathair aig an dìnnear agus bha oidhche againn le òraidean, ceòl, seinn agus annlan a bha ion-mhiannaichte.

Bha Bàildi (Dòmhnall Iain MacLeòid) à Càrlabhagh agam mar charaid cho dlùth dhomh ri fear dhe mo bhràithrean. Tha deagh chuimhne agam air an fheasgar a thill e bho chuairt air Union Street agus bha e mar gum biodh sgèan na shùilean.

'Bheil càil ceàrr, a Dhòmhnaill Iain?' arsa mise. 'Tha d' anail nad uchd'.

'Tha mi air coinneachadh ris an nighean as àlainn a chunna mi a-riamh. Beitidh an t-ainm a th'oirre. Thug mi dhachaigh i agus chan eil fhios agam ciamar a thachair e ach ghabh sinn grèim air làmh a-chèile. Cò a thàinig oirnn 's mi a' toirt dhi giosag, ach a h-athair. Thàinig e a-steach dhan dràibh le solais a' chàr gar lasadh is sinne nar seasamh paisgte ri chèile anns an rathad air. Cha robh mi a-riamh cho nàir. Bha mi a' teabachdainn riuth ach thuirt Beitidh rium, 'Tha e OK! Chan eil ann ach m' athair!'

'Ma ghabh thusa ort pòg a thoirt dhan nighean agamsa, na bi a' smaoineachadh gu bheil thu dol a dh'fhalbh à seo gus an toir mise sùil ort am broinn an taighe!'

'Is there something wrong?' I enquired. 'You look as if you've run a mile.'

He replied, 'I met a beautiful girl. Her name is Betty Law. I don't know how I plucked up the courage to ask her if I might walk her home. When we had walked half way along Union Street, we held hands and she took me to her home in the west end. When we arrived at her home, we stood in the driveway and I kissed her. I can hardly believe it! All of a sudden, we were lit by the bright light of an approaching car. I panicked and made to run but she held my hand and said, 'Don't go. It's only my father'.

From behind the bright light, a man's voice said, 'If you are brave enough, son, to kiss my daughter, I want to see who you are inside the house. On you go, Betty'. I had no alternative but to go in with Betty and as I stood there stupidly waiting for a dressing-down, the man came in. He looked at me and shook my hand. He couldn't have been kinder. Her mother also made me welcome. Betty and I are going to meet again tomorrow and I hope, the day after that.'

Most of the students I befriended at university were from different parts of the British Isles. While my circle of friends included about twenty boys and girls from our own Western Isles, one of my closest friends was Colin Bundy from Leigh in Lancashire. Whenever we had Celtic Society ceilidh, Colin mingled with the Gaels and loved singing popular songs such as Murdo MacFarlane's 'Faili, Faili, Faili Oro' and Donald Ross's 'Cailinn Mo Rùin-sa'.

When University vacations approached – at Christmas, Easter and summer, Colin Bundy expressed a wish to come home to Lewis with me. I always found it difficult to explain to Colin the reason for my not allowing him to come. The reason was simply that, because our home lacked basic facilities, my parents would be unhappy to have a stranger living with us. We didn't have running water, nor did we have a bathroom or electric light. Today, I regret that I didn't invite Colin to come to experience the way we lived. In spite of our lack of what we regard as essential facilities, I believe that he would have settled in quite happily.

My parents were with me on the proud day in 1953 when I graduated, as did hundreds of students. In photographs I have of the occasion, I see individuals who, sixty years ago, were my friends. Unfortunately I have forgotten most of their names. We were as ships that pass in the night but what a privilege it was for me to have been one of them.

Thug a h-athair orm a dhol a-steach dhan taigh còmhla riutha. Fìor dhuine gasta. Tha mi dol ga coinneachadh a-màireach agus, tha mi 'n dòchas, a h-uile màireach eile.'

Bha deagh chàirdeas agam ri co-oileanaich à iomadach ceàrnaidh. Chuir bean-an-taighe coigreach còmhla rium dhan rùm. Bha an dithis againn an-shocair airson dhà no trì làithean ach nuair a fhuair sinn eòlas air a chèile, bha sinn cho dàna ri chèile ri dà cheann eich. B' e an coigreach sin Cailean Bundy à Leigh, Lancashire, agus b' e an t-aona Shasannach air an d' fhuair mi eòlas fhad's a bha mi an Obar Dheathain. Balach annasach a bh'ann – Gàidheal gun Ghàidhlig a sheinneadh, 'Cailinn mo rùn-sa' agus 'Faili-faili-faili oro' cho math 's sheinneadh duine Ghaidheal a bh'anns a' Chomann Cheilteach.

Gach uair a thigeadh saor-làithean na Bliadhn' Uire. neo na Càisg, dh' iarradh Cailean orm cead airson a thighinn dhachaigh còmhla rium a Leòdhas. Cha do leig mi dha a thighinn oir bha eagal orm nach biodh mo phàrantan dòigheil le coigreach a thighinn a dh'fhaicinn na dachaigh bhochd anns an robh sinn a' còmhnaidh. Bha an taigh-sinc gun bhùrn-phìoban, gun sholas an dealain agus, na bu mhiosa buileach, gun thaigh-beag. A' sealltainn air ais, tha mi air co-dhùnadh gun do rinn mi mearachd mhòr a dhol a dhiùltadh dha mo charaid a thighinn còmhla rium. Deireannach 's mar bha an dachaigh, bha aoigheachd innte agus cridhealas agus deagh rùn. Tha mi cinnteach gum biodh Cailean còir air a bhith cheart cho dachaigheil air Ceanna-loch 's a bha sinn fhin.

Bha mo phàrantan còmhla rium an latha mhòr air na cheumnaich mi anns an Iuchar, 1953. Air an aon latha, cheumnaich iomadach fear agus tè air an robh mi eòlach. Gu mi-shealbhach, ged a tha an ìomhaighean fhathast air mo chuimhne, tha mi air diochuimhneachadh cuid de na h-ainmean aca. Ach a' coimhead ris na dealbhan sin, is iad uile a' coimhead cho lùthmhor, beòthail, eireachdail, bidh mi a' smaoineachadh leam-fhìn cho sealbhach 's a bha mi, eòlas a bhith agam orra agus mi a bhith nam measg.

An Gead

Fhad 's a bha mi a' feitheamh ri a dhol dhan TC (Colaiste nan Tidsearan), chaidh mi dhachaigh airson suirighe air Sandra. Aig an aon àm, bhithinn cuideachd a' dol a chèilidh air mo dheagh charaid, Suileabhan. Bhithinn a' caitheamh mòran den latha còmhla ri Sandra shuas an Steòrnabhagh, glè thric air chuairtean anns a' Ghearraidh Chruaidh. Bhithinn a' tilleadh

The Gedd

I graduated in June 1953, and made a beeline for Port Mholair to await entry to the Teachers Training College in the following September. My two brothers and sister were also at home and, in no time at all, we got through the croft work. The summer was unusually warm and the peats which had been cut on the village common in April were baked to a crisp by the end of June. Mother hired a tractor to transport the precious fuel from the peat banks to the traditional site for our peat stack at the end of the ruins of Blind Annie's blackhouse.

I took Sandra to a dance in the town hall and thereafter dated her twice a week. I discovered that it is difficult to conduct serious courting of a girl when you haven't got any money of your own. I approached Murdo Tully, a Stornoway contractor who was taking on labourers to clear the site of a new build at Tiumpanhead Lighthouse. He gave me four weeks' work, wielding a shovel with a gang of navvies. In spite of the frequent downpours and spells of hard work, I thoroughly enjoyed the experience. Our gang consisted of four local men who, by the time I joined them, were already labouring on the site. They were Donald MacIver (alias Doolean), John MacLeod (The Gedd); Norman Campbell, (Farts) and William MacDonald (Uilleam Horkill) Of the four, Farts was the eldest and the wittiest. Stooped and arthritic though he was, he was charged with the onerous duty of making tea for our fifteen-minutes tea-breaks.

Among the four, you couldn't have found more contrasting personalities. The Gedd was a sarcastic, disagreeable kind of man who continuously disagreed with the others. One day, he arrived on the site in a foul mood. At the tea-break, he addressed Farts imperiously, 'Why did you never marry, Mr Farts Campbell? With a nose as long as yours, I would have expected you to have a queue of spinsters wanting to carry you off to bed.'

Farts smiled patiently. 'The girl I was to marry was from Ness,' he said. 'She died of consumption but I will love her for as long as I live. As for my nose, it has been long since I was born but, fortunately, my mouth is civil and my nature sweet. Now, you were made different. Your nose is short but your mouth is as bitter as a severe pain in the arse!'

At the end of my first week, we were joined by a new recruit. He was Calum Campbell, better known by his nickname. 'Lawday'. He was a tall, quiet, unassuming man who, considering his age, was physically fit and

dhachaigh air bus-deich uairean. Thiginn far a' bhus aig taigh Shuileabhain agus chaitheamaid uair a thìd an sin còmhla ag ullachadh airson leabhar a bha Gairm deònach air fhoillseachadh, a' sealltainn an iomadh rud ceannasach agus faoin a bha Suileabhan air a dhèanamh na latha.

Fhad 's a bha mi a' feitheamh ri dhol do Cholaiste nan Tidsearan, fhuair mi obair bho Mhurchadh Tully à Steòrnabhagh ag ullachadh an làraich airson togalach ùr aig taigh- solais an t-Siùmpain, leth-mhìle bho taigh m' athar. B' e mìos a bh' ann a bha na oideachadh dhomh ann an iomadach seagh. Bharrachd ormsa, bha còignear anns an sgioba – An Gead, Uilleam Thorcaill, Duilian, agus Farts.

Bha Farts air gabhail os uallach a bhith dèanamh a' chupan teatha aig aon uair deug agus aig trì uairean feasgar agus bha a h-uile duine rìaraichte gu leòr le sin. Bha cruaidh fheum againn air a' chairteal uarach a bh' againn airson na teatha oir b' e maighistir gu math cruaidh a bh' ann am Murchadh Tully. Ach bha an duine modhail gu leòr airson ar fàgail leinn fhìn fhad 's a bha sinn anns a' bhothaig a' gabhail anail. Duine beag, croiteach, dibhearsaineach a bh' ann am Farts agus bha e geur air a theanga. Bha sròn mhòr air agus ged a bha e trì fichead bliadhna a dh'aois, bha e comasach air an obair a dh'fheumadh e a dhèanamh. Aon latha, dh'fhaighnich An Gead dha, 'Carson nach do phòs thu, is tu le sròn cho eireachdail?'

'Bha sròn mhòr orm bho rugadh mi, ach bha mo bheul a-riamh milis. Chan ionnan sin is mar tha thusa. Tha beul ort cho searbh ri sùgh lus nan laogh!'

Rinn sinne gàire – a h-uile duine ach An Gead. Sheall esan ri Farts le uabhas. Cha robh e na chleachdadh aig duine a bhith toirt dùbhlan dha. Cha robh dùnadh a' dol air a bheul ach a' tilgeil thàthagan. Trì latha an dèidh dhuinn tòiseachadh, thàinig làmh-obrach ùr dhan sgioba. B' e sin Leòdaidh Caimbeul, fireannach mòr tapaidh a bha air cliù a dhèanamh anns a' Chogadh Mhòr a' sabaid ris na Gearmailtich. Nise, bha Leòdaidh na dhuine mòr treun agus ged a bha e fichead bliadhna na bu shine na An Gead, bha e gu math èasgaidh agus sgafanta chun na h-obrach – mòran na bu dìcheallaich na bha mise no An Gead a' lìonadh làraidhean leis an riasg a bha sinn air a ghearradh.

Thàinig trì uairean feasgar agus dh'fhiathaich Farts sinn a-steach chun na teatha. Cho luath 's a shuidh sinn le ar cupanan nar làmhan, thuirt An Gead, 'Seadh a Chaimbeulaich, thatar ag innse dhomhsa gun do bhuannaich thu am Military Medal anns a' Chogadh Mhòr. Nach innis thu dhuinn dè an euchd a bha thu air a dhèanamh airson an duais sin a chosnadh.'

Thug Leòdaidh balgam às a' chupan agus glaim às a' bhriosgaid Niseach. Chunna mi e a' priobadh air Farts. 'Uill a Ghaidheil', ars esan, 'nì mise sin agus

revelled in manual labour. One day, while we were having our tea in the shelter-hut, The Gedd addressed Lawday, 'So, we have two bloody Campbells in the camp, a right unhealthy state of affairs. It was bad enough to have Farts Campbell. Now we have a Malcolm Campbell who doesn't even care to join our conversation. I am told, Lawday, that you won a Military Medal in the Great War. Would you care to describe for us precisely how it was that you, a Campbell, was awarded such a distinguished warrior's medal?'

Laying aside his news-paper Lawday said, 'It's a simple story, my friend.'

He sipped from his tea-cup, took a bite from his biscuit; winked at Farts and said, 'I'm a bit older than you and cannot recall having heard tell of your own career in the Second World War. So, I don't know anything about how you behaved when a bunch of crazy foreigners came charging at you with the intention of killing you. That's what happened every other day, when our lads were in the trenches in France. But since you ask me to describe why I was given the medal, I hope that you will forgive me for confessing my unworthiness of such an award.'

'You're sweating a bit, Private Campbell,' scoffed The Gedd. 'You must be the first member of your clan to have won anything for bravery in the heat of battle.'

'Bravery? I wasn't brave, Gedd. I spent four years scuttling about in a field-kitchen three miles behind the lines while men were slaughtering each other in the trenches. My job was to make coffee for our boys who were fighting with the Bosch. When peace was declared, an officer came with a trayful of medals. He noticed me standing with my kitchen apron on and asked me for my name.

'"Malcolm Campbell, sir," says I.'

'He handed a medal to his batman and said, "Pin that on to Private Campbell".'

'There you are!' whooped The Gedd. 'You'll never find a Campbell in the thick of the fighting. There can't be many men who got an award for making coffee'.

On the following morning there was an atmosphere in the camp. I knew that Lawday was seething but he remained silent. However, when Farts called us in to our elevenses. The Gedd returned to his favourite subject – Lawday's medal.

'So there we are Lawday,' he pontificated, 'in my judgement you are to be congratulated for your honesty in telling us how you won the Military Medal.'

chan eil nàire orm a dhol ga innse. Chuir mise ceithir bliadhna a' Chogaidh seachad nam shuidhe air mo thòin, a' deanamh cofaidh dha na gillean a bha a' sabaid dà mhìle air falbh bhuam anns na trainnsichean. Nuair a chaidh an t-Sìth èigheach, thàinig oifigear agus ultach mheadailean aige air treadha. Thug e na meadailean seachad do dhuine sam bith a thurchair a bhith faisg air. Shìn mise mo làmh thuige agus thug e dhomh fear.'

'Chan eil an eachdraidh sin a' cur ìongnadh sam bith orm, a Chaimbeulaich. Bha an treubh agaibh ainmeil a-riamh airson na gealtaireachd a bhith nar dualchas.'

Cha tuirt Leòdaidh smid. Anns a' mhadainn, fhad 's a bha sinn nar suidhe mun chupan teatha, thòisich An Gead air an aon teud. 'Seadh a Leòdaidh! Ged bha an treubh agaibh ainmeil mar ghealtairean, tha thusa ri do mholadh airson a bhith cho onarach ag innse mar choisinn thu am Military Medal'.

Sheas Leòdaidh agus chan fhaca mi a-riamh duine a' coimhead cho fiadhaich ris. Bha e sia troighean a dh'àird ach ann am broinn na bothaig, ach shaoileadh tu gun robh e seachd!

'A Ghead na croich,' ars esan, 'bha thu riamh ainmeil airson cho bìdeach, tàireil, mòr-chuiseach 's a tha thu. Ach, a leibidich na mallachd, mura b' e trì bheagan dhomh, bheirinn dhut cùl nan còig mun pheirceall. Ma chluinneas mise aon tàthag eile bhuat gam agaladh-sa neo a' dèanamh tàire air neach sam bith eile tha 'n làthair, bheir mise mach thu chun na sitig agus dearbhaidh mi dhut carson a bha mi airidh air Military Medal.'

Cha do dh'fhosgail Fear nan Tàthagan a bheul tuilleadh. Seachdain an dèidh do Leòdaidh an rabhadh a thoirt dhan Ghead, chuir mi cùl ris an obair-latha agus chaidh mi air mo cheann dìreach dhan TC (Colaiste nan Tidsearan) an Obar Dheathain. Chur mi seachad naoi miosan an sin, bho latha gu latha ag èisteachd ri òraidichean agus gliocas a bha gar n-ullachadh airson a dhol a-mach dha na sgoiltean nar tidsearan. An-diugh, chan eil cuimhne agam air ainm no air facal a thuirt fear no tè de na h-òraidichean.

Chan urrainn dhomh sin a radh mu na fir a bha còmhla rium leis na sluasaidean aig taigh-sholais an t-Siùmpain! Tha cuimhne mhath agam orra-san agus air an oideachadh a fhuair mi bhuaipe fhad 's a bha mi nan cuideachd air samhradh, 1953.

Everybody held his breath. Lawday stood and placed his cup on the box beside him. He looked mad and took a few seconds to dissuade himself from striking his tormentor. Instead, he said quietly, 'You are a typical bully, Gedd! Hoping to find someone whom you can bend to your will. You probe, you smirk, and you insult. Now you've met a Campbell who is prepared to teach you manners! The time has come to teach you a wee lesson in front of those five witnesses. But instead of give you the blootering you deserve, I'm going to give you due warning that if I hear one more insult directed at me, or at Farts, or at Uilleam or at Doolean or at the youngster over there, I'll carry you out to the lawn and there I'll demonstrate why I was given a Military Medal. But I promise you, boy, you won't live to tell the tale!'

There was total silence from The Gedd. During my remaining few days at the site, he looked deflated and reluctant to join in general conversation. Not once did he express an opinion or refute anything said by any of his workmates.

My navvying days in Lewis ended and, a few weeks later, I began training at the Teachers' Training College in Aberdeen. That was more than sixty years ago and, today, I find it difficult to remember the names of the troupe of lecturers who were my tutors. By contrast, I can remember clearly all that took place during my four weeks working as a labourer at Tiumpanhead. I remember especially how cleverly Lawday ambushed The Gedd and reduced his inflated ego to quivering jelly.

Nan, my sister, and John Hector, little brother
Sgoil na h-Airde, Nan agus Iain Eachainn

Donald John MacLeod (Baldy), my room-mate
Dòmhnall Iain à Càrlabhagh, mo dheagh charaid

Donald John and Betty Law, his fiance
Dòmhnall Iain agus Betty Law, a leannan

Glasgow School of Art facade
Clàr-aodainn Sgoil Eadhlain Ghlaschu

Tiumpanhead lighthouse near my birth-place
Rugadh mi leth-mìle bhon tigh-sholais

Chapter 5
Caibidil 5

Life in the Lowlands (1954-62)
Am Machair Gallda (1954-62)

Sandra and Sugar Ray

While ex-service men and women doing 'war degrees' seemed to have a little cash to spare, the majority of students were struggling to make ends meet. After paying for my digs and lunches and coffees at Kings College or Marischal College, I had little pocket-money to spend on theatre, cinemas or pubs. My laundry bill particularly was a continuous drain on my sporran. Mother suggested that I parcel my underwear and shirts and post them home. As ever, I accepted her advice and, for two years thereafter, parcels of underwear and shirts went back and fore between Aberdeen and Lewis every fortnight. According to my sister Nan, Kenny (Phudair) MacDonald, the postman, used to deliver my home-coming parcels on the claws of a garden fork! Typical exaggeration!

During the summer vacation of 1951, I was upset to find my father in ill health owing to an injury to his right kidney sustained during a storm at sea. Though I was not experienced as an inshore fisherman, I was invited to replace him on my Uncle Donald's boat which was fishing by small-lines. Thankfully, we didn't fish at the weekend so that I was free to do my 'own thing' from tea-time on Friday until early morning on the following Monday.

In September, 1951, I went with two of my University pals, to the Playhouse cinema in Stornoway to see the filmed coverage of the return fight between the renowned boxers Sugar Ray Robinson and Randolph Turpin. It was a wonderful fight which we enjoyed even though our hero, Randolph Turpin, was knocked out. It was a lively evening's entertainment – an evening which, for me, was memorable though not because of seeing the encounter between two of the world's greatest boxers.

After the film show, I caught the 10.30 pm bus home. At Ceanna-loch, I discovered that Nan had invited two girls to visit. As usual, Mother had prepared my supper which I ate in the kitchen. During the meal, I could hear the cackle of female conversation in the living-room. Nan duly appeared and invited me to join the company.

'Now remember what I told you,' she said finally. 'Don't show off and don't get up to any of your usual antics. I don't want to be embarrassed in front of my friends.'

Embarrass her? How could I possibly do that? 'For goodness sake,' I protested, 'Surely you know that I wouldn't do anything to offend strangers.'

She looked at me doubtfully and entered the living-room with me hard

Sandra agus Sugar Ray

Dh'fhàs mi fèin-earbsach agus na b' fhileanta anns a' Bheurla agus anns an treas bhliadhna bha m' adhartas air dhòigh 's gun robh e ceadaichte dhomh leantainn orm le Cruinn-eòlas airson dà bhliadhna eile. Air a' cheann-thall ròghnaich mi dreuchd a leantainn ann an teagaisg chlann-sgoile. Iomadach uair bho lean mi an roghainn sin, ghabh mi an t-aithreachas. Ach bha cruaidh fheum aig mo phàrantan air faochadh agus cha b' ann a-mhàin bhom iarrtas air airgead. A h-uile ceala-deug, bhithinn a' cur dhachaigh gu mo mhàthair ultach dhem aodach neoghlan airson a nighe. A rèir Nan, bhiodh Ceanaidh Phudair, am post, a' tighinn chun an taighe leis a' phasgan aige ga shìneadh gu mo mhàthair air gràp! Na breugan!

Air saor-làithean an t-samhraidh, chaidh mi dhachaigh gun dàil agus seach nach robh m' athair fhathast comasach air a dhol air eathar Dhòmhnaill, bhràthair mo mhàthar, leis an lìon-bheag, chaidh iarraidh ormsa a dhol innte na àite. Cha robh mi idir cho èasgaidh no idir cho ealanta 's a bha na fir eile a bh' anns an eathar. Dh'aindeoin sin, bha iad còir agus foighidneach rium agus rinn mi mo dhìcheall. Aig an àm ud nam bheatha, bha mi uabhasach dèidheil air a bhith a' leughadh mu na bogsairean ainmeil a bha a' sabaid mar phroifeiseantaich air feadh an t-saoghail. Bha aon fhear a bha air leth ainmeil agus b' e sin Sugar Ray Robinson. Thàinig e a-nall a Bhreatainn a shabaid ri Randolph Turpin, Sasannach, agus chaill e. Ach cha b' e sin deireadh na sgeòil. Thàinig iad an aghaidh a-chèile a-rithist agus bha an t-sabaid sin cho ainmeil 's gun deach a shealltainn air fiolm air feadh an t-saoghail. Nuair a chaidh a shealltainn ann an Steòrnabhagh bha mise agus dithis dhe mo charaidean an làthair airson fhaicinn. Chòrd am feasgar rinn fìor mhath ged bha a' bhuaidh aig Sugar Ray.

Nuair a ràinig mise dhachaigh, bha strainnsearan romham air Ceanna-loch. Bha Nan air innse dhomh gun robh dithis nighean a bha ag obair còmhla rithe anns an oifis ann an Steòrnabhagh a' tighinn a chèilidh oirre agus bha i air bhiod air eagal 's gun robh mi a' dol a dhèanamh, no a ràdh, rudeigin a nàraicheadh i.

Mar bu nòs, bha mo mhàthair air suipear ullachadh dhomh agus dh'ith mi sin nam aonar anns an sguilearaidh, le solas na lampa bhig. Nuair a bha mi gu bhith deiseil, thàinig Nan a-nuas far an robh mi agus chluinninn an dithis choigrich a' seanchas ri mo mhàthair shuas aig an teine. Thuirt Nan, 'Nise, cuimhnich nach robh tè seach tè aca a-riamh shios an seo agus tha mi ag

on her heels. Mother and the two visitors were seated by a glowing peat fire. I was introduced to the visitors. Dolina MacArthur, was a tall, slim, attractive girl with a mischievous gleam in her dark-brown eyes. Sandra MacLeod was a fair-haired, good-looking girl and I remembered her from my two years at the Nicolson Institute.

Dolina started off by saying that my sister told them a lot about me and that she was very proud of my being at university. She added mischievously, 'I suppose that you will soon know everything!'

What I replied was from my heart. 'The only thing I learned so far is that I am ignorant of almost everything.'

The visitors were intrigued by my interest in boxing and seemed to suggest to them that I had an underlying aggressive streak. The discussion was light-hearted until I said, 'Far from being aggressive, I got the scare of my life when I saw you, Sandra, sitting here at my parents' fireside'.

'You're joking surely!' she replied dismissively. 'Why should you be spooked by my being here?'

'Well, it's a long story,' I told them. 'I remember you from our school days when you were one of the toffs in the academic stream of Second Year while I languished in Class 2D learning metal-work, joinery, art and little else'.

'Very useful skills!' they chimed.

They weren't interested in my inferiority complex but sat up when I recalled seeing Sandra being struck in the face by a snowball thrown by a schoolboy.

'I remember the incident very well,' Sandra declared with a spark of anger. 'The snowball hit my right eye. I was blinded and very upset. If my father had caught the stupid urchin responsible, he would have given him a good hiding.'

When Mother asked, 'Who was the idiot who did such a thing?'

Sandra replied, 'My parents were told that he was an undisciplined rascal from Ness – a boy beyond parental control.'

It was time for me to confess. I said, 'Actually he wasn't from Ness. I was there when the snowball was thrown and I have to tell you that I was the criminal'. Instead of squalling at me for my stupidity, all four in the room concluded that what I did could not be regarded as malicious. They reassured me that it was a sort of accident! I was very surprised that all four, including Nan, let me off the hook.

I graduated at Aberdeen University in 1953 and she from the Open University in 1973. She is an intelligent woman, gentle and articulate but

iarraidh ort – ag àithne riut - a bhith modhail riutha!'

'O, a Fudar Odhar!' arsa mise, 'Chan eil e nam nàdar a bhith mi-mhodhail ri strainnsearan.'

Nuair a chaidh mi suas chun an teine, bha an dithis nighean nan suidhe còmhla ri mo mhàthair ris a' chagailt: tè chaol àrd dhubh-cheannach le speuclairean oirre, a craiceann lachdainn agus a gàire cridheil. B' ise Doileag Nic Artair air an d' fhuair mi eòlas anns na bliadhnaichean ri teachd, oir phòs i mo bhràthair, Murchadh. Ach an dàrna nighean chonadail – bha i sin na b'òige – nighean bhrèagha, bhàn agus geur air a teanga. Thuirt i rium anns a' bhad, 'Tha Nan uabhasach moiteil gu bheil thu anns an oilthigh. Tha mi creidsinn nach eil fada gus am bi fios agad air a h-uile càil!'

Ged bha mi mothachail air cho cearbach 's a bha m' fhoghlam, fhreagair mi cho modhail 's b' urrainn dhomh, 'Leis an fhìrinn innse, tha an aon bhliadhna anns an oilthigh air sealltainn dhomh cho farsaing 's a tha m' aineolas!'

'Dh'aindeoin sin, tha do phiuthar gu math uailleil asad.'

''S fheàirrde mi sin a chluinntinn ach 's beag tha dh'fhios aig mo phiuthar air an eagal a chuir thusa orm gad fhaicinn-sa nad shuidhe an sin ris a' chagailt an taigh m' athar.'

Sheall an nighean rium le uabhas. 'Carson,' ars ise, 'a bhiodh eagal agad romhamsa?'

'Bheil cuimhne agad air a' bhlàr sneachd a bh' aig Sgoil MhicNeacail anns a' gheamhradh, 1942?'

'Cuimhne mhath,' ars ise is i gam gheur choimhead. 'Bhuail troc mi ann an clàr an aodainn le ball sneachd agus cha mhòr nach do chaill mi mo fhradharc. Chaidh innse dhuinn gur e grioban beag do-cheannsaichte à Nis a thilg e.

'Cha do thilg e,' arsa mise, 'ach fear de chàirdean Nan!'

Saoilidh mi gu bheil mi ga cluinntinn fhathast leis an sparradh a rinn i. 'Duilich dhomh a chreidsinn gum buineadh e do Nan ach, eadar 's gu bheil no nach eil, nam biodh m' athair air grèim fhaighinn air bhiodh esan air creanadh air!

Deireadh m' eachdraidh air mo choinneachadh ri Sandra an àigh air an fheasgar ud an 1951, 's e nach do bhuail mi i ach an aon uair a-riamh nam bheatha ged tha ise agus mise air bhith pòsta aig a-chèile airson còrr air dà fhichead bliadhna 's a ceithir deug.

Cheumnaich mise an Oilthigh Obar Dheathain an 1953. Cheumnaich Sandra anns an Oilthigh Fhosgailte an 1964. Boireannach glic a th' innte, socair na dòigh ach deas air a teanga. 'S ann agam a tha an èiginn leatha!

sharp with her tongue when she has to. She's wee but, boy, do I have to watch my step! I try not to admit to myself that I am hen-pecked.

Glenburn Primary School

After trying unsuccessfully to get a teaching post in the Highlands or in the Western Isles, I was offered a post in Prestwick in Ayrshire, a place with which I was not at all familiar. The post was in a primary school called Glenburn Public School which was little more than half a mile from Prestwick Airport. As soon as I met Alex Adams, the headteacher, and my pupils, I knew that I could not have found myself in a happier situation. My primary six class consisted of about forty pupils, many of them from miners' families. They were well-behaved and obedient and seemed to enjoy my company. Never before had they met someone who spoke English with what they regarded as 'a foreign accent' and I spent many hours teaching them stories from Scottish history and the geography of the world.

Most of the pupils had experience of performing at Burns Federation competitions and knew reams of Robert Burns' poetry by heart. At the drop of a hat, two or three were able to recite the whole of 'Tam O' Shanter'. As that brilliant narrative poem was included in the year's syllabus, I didn't have any alternative but to read it in class. As I stumbled across passages such as 'she tauld thee weel thou wast a skellum, a blethering, blustering, drunken blellum', hoots of laughter from my forty junior adjudicators greeted my attempt.

Each morning as I set off for Glenburn, I felt happy to be going to meet with my children. I looked upon them all as friends. Post-war austerity measures affected all public services, including the size of school budgets. There were shortages of books and other teaching-materials. For example, history and geography books issued to the pupils had been published in the mid-1930s, contained information which, understandably, was factually wrong. To give a more up to date impression of recent history, I was able to make full use of my ability to draw maps of Europe, North America and the Far East . Whenever I had quarter of an hour to spare, perhaps at lunchtime or during the forenoon and afternoon 'intervals', I would ask one of the children to sit in front of me while I made a portrait of her or him. In the first year that I was at the school, I managed to produce more than twenty such portraits.

Bun-sgoil Glenburn

Rinn mi mo dhìcheall air àite fhaighinn ann an sgoil air a' Ghàidhealtachd ach bu dìomhainn dhomh. Fad nan ochd bliadhna a chuir mi seachad a' teagasg anns na sgoiltean, cha robh sealbh orm le gin de na tagraidhean a chuir mi gu Siorrachdan Rois, Inbhir Nis agus Chataibh. Cha robh beàrnan anns na sgoiltean a bhiodh freagarrach dhomh. Thurchair gun d' fhuair mi tairgsinn air dà sgoil ann an Siorrachd Air agus, ged nach robh eòlas 'sam bith agam anns na ceàrnaidhean sin, roghnaich mi a dhol gu bun-sgoil ann am Prestwick: Glenburn Public School. Cha b'urrainn dhomh a bhith air a dhol do sgoil na b' fheàrr. Bha a' chlann modhail, dùrachdail, umhail agus chuir mi seachad faisg air trì bhliadhna leotha gun chùram agus le misneachadh bho Ailig Adams, an ceannard-sgoile, bhon sgioba thidsearan air fad agus cuideachd bho na pàrantan. A h-uile latha, bha mi air mo dhòigh a' dol chun na sgoile agus bha mi cheart cho dòigheil a h-uile uair a thìd' a bh' agam còmhla ris a' chloinn – deugachadh air fhichead dhiubh. Anns an latha ud, b' e am bòrd-dubh agus a' chailc an acfhainn a b' fheumail a bha aig an tidsear airson rudan a stèinneadh dhan chloinn. Bhithinn gu tric a' cuimhneachadh air a' chomhairle a bha Iain Caimbeul air a thoirt orm nuair a thill mi, mar gum biodh fon choill, à Sgoil nan Ealan. B' e sin, 'Fhuair thu tàlant agus dèan cinnteach nach trèig thu i'.

Ann an Glenburn, fhuair mi cothrom air feum a dhèanamh leis an tàlant sin ann an diofar dhòighean. Bho m' òige, bha mi ealanta air dealbhan-ìomhaigh a dhèanamh. Nuair a gheibhinn cairteal-uarach - mar eisimpleir, fhad 's a bha a' chlann a' dèanamh chuisteanan - bhithinn ag iarraidh air pàiste às dèidh pàiste a thighinn a shuidhe air mo bheulaibh fhad 's a bha mi a' tarraing dealbh-ìomhaigh dheth no dhith. Rinn mi còrr air fichead dealbh. Thàinig Fear-Sgrùdaidh nan Sgoiltean gu Glenburn agus, anns an rùm agamsa, nuair a chunnaic e an t-sreath ìomhaighean a bh' air a' bhalla, mhol e gum bu chòir na dealbhan a reic ris na pàrantan aig prìs leth-chrùn am fear agus an t-airgead a chur a-steach ri ionmhas na sgoile. Bha Mgr Adams agus mise ro thoilichte sin a dhèanamh.

Aig àm na Nollaige 2008, dh'fhàs mi cho tinn 's gun deach mo thoirt don Ospadal. Bha mi an sin airson cealla-deug agus nuair a thòisich feabhas a' tighinn orm aig an dachaigh fo chùram Sandra, cha robh cur-seachad na b' fheàrr agam na dhol tro na ceudan de dhealbhan a bha ise agus mise air a thiomsachadh anns na bliadhnachan bho chìan. Thàinig mi air aon a bha a' clàradh an sgaorr chloinne a bha fom chùram an 1957 agus mi-fhìn

When the Inspector of Schools came to Glenburn and visited my classroom unannounced, I happened to have half a dozen portraits pinned to the wall.

The inspector suggested that, on Parents' Day, the portraits be sold to the parents for a half crown each: the money was to go to the school fund. Both Mr Adams, the headmaster, and I were happy to accept that suggestion.

A few years ago, I came across mementos from my teaching career. Among them was a photo of me with my first class at Glenburn. As I studied the photo, I was able to recall almost all their names and began to wonder if any of them continued to live in the neighbourhood of Prestwick. I went to my computer and looked up the telephone number of the Ayrshire Post. I phoned and was answered by a woman who said that she was the secretary to the editor of the paper. I told her that I wished to get permission from the editor to publish a letter in the readers' column in the hope that I could meet any of my pupils of more than half a century ago.

The woman asked for my name and when I told her she asked, 'Can you remember a little girl called Jean Hodson?'

'I remember Jean Hodson very well,' I replied. In fact, I've got a photograph of her class in front of me and I can identify her from the picture."

The woman said, 'This is surreal! I am Jean Hodson and I still have the pencil portrait you drew of me when you were our teacher at Glenburn.'

Bungalow Celebrations

A year or two after the Second World War, the Board of Agriculture offered crofters money to build new houses. Part of the money was to be in the form of a grant and the rest, a long-term loan. My parents were one of the thousands of crofters who took advantage of that offer. For twenty years we had been living in a house made of poured concrete and zinc sheets – a house which had been designed and built by my father. It was a home in which the family lived happily but compared to the homes we see around us in Lewis nowadays, it was comparatively very basic accommodation. We had neither bathroom nor toilet; neither electric lights nor electric cooker, neither carpets nor oil heating. We didn't have running water and although we lived no more than a hundred yards from Loch an t-Siumpain, we could not use the loch water for drinking or for cooking. We used it only for cleaning floors and washing clothes.

còmhla riutha. Thug mi ùine a' sealltainn ris na h-aodannan aca cho dreachail, èasgaidh, neo-chiontach - an deugachadh thar fhichead a bh' agam nuair a bha mi-fhìn seang, lùthmhor le cràic fuilt orm agus leagte ri Sandra a phòsadh cho luath 's a gheibheadh sinn air beagan airgid a chosnadh. Arsa mise leam-fhìn, ''N dùil a bheil duine dhan sgaorr a bh' agam anns an dealbh sin fhathast beò ann am Prestwick?'

Chaidh mi chun an eadar-lìon agus fhuair mi aireamh-fòn an Ayrshire Post. Cha robh fada gus an d' fhuair mi troimhe air am fòn gu boireannach ann an oifis fear-deasachaidh a' phàipeir sin. Dh'innis mi dhi gun robh mi airson litir a chur dhan phàipear- naidheachd an dòchas gum faighinn lorg air pàiste sam bith a bh' agam anns an àl oileanach a bh' agam ann an Glenburn.

'Dè an t-ainm a th'ort?' ars ise.

Dh' innis mi sin dhi agus dh'fhaighnich i, 'A bheil cuimhne agad air nighean bheag bhàn air an robh an t-ainm, Sìne Hodson?'

'Cuimhne mhath,' arsa mise.

''S mise Sìne. Agus tha an dealbh-ìomhaigh a rinn thu dhiom ann am P6 fhathast agam.'

'Mil air do bheul, a Shìne chòir!'

Ann an latha no dhà, chuir Sìne thugam air a' phost-dhealain, leth-bhreac dhan dealbh-ìomhaigh a bha mi air a dhèanamh dhi o chionn còrr air leth cheud bliadhna . Tha mi a' sgriobhadh seo, 's mi dìreach air tilleadh bhon t-Sròn (Troon) ann an Siorrachd Air far an d' fhuair mi fàilte chridheil bho Shìne agus a companach, Iain Griogair. Coinnichidh na daoine far nach coinnich na cnuic!

Fèist An Taigh Ghil

Bliadhna no dhà an dèidh a' Chogaidh, thairg Bòrd an Aiteachaidh dha na croitearan airgead airson taighean ùra a thogail - pàirt mar ghean math agus pàirt mar iasad. Leum mo phàrantan thuige. Airson fichead bliadhna, bha sinn air a bhith a' fuireach ann an taigh-sinc a thog m' athar - dachaigh anns an d'fhuair an teaghlach deagh àrach ach, an coimeas ri dachaighean an latha-n-diugh, dachaigh a bha deireannach ann an iomadach dòigh. Anns a' chiad àite, cha robh taigh-beag againn. Ged nach robh sinn ach ceud slat bho Loch an t-Siùmpain, cha robh feum anns a' bhùrn sin ach airson deoch dhan chrodh agus airson làr agus aodach a'sgùireadh. Bha a h-uile boinne bùirn a bha sinn ag òl ri thighinn às na tobraichean – an tè a b' fhaisg oirnn, leth-mhìle

All the water used for human consumption came from four or five wells which had been dug throughout the village. The nearest to us of these wells was about half a mile away. When winter came with storms, or with snow, somebody from each home had to go to the well with two pails and bring what was called a làdach, two full pails. When the drought of summer came, the wells very often ran very nearly dry and whichever representative of the family had been delegated to fetch the làdach had to sit there at the well, in a queue, patiently waiting for the well to provide us with enough cupfuls to fill the pails. Often, one had to sit for at least an hour, just about enough time to tell stories and entertain the company.

When I was in the University, at the beginning of the 1950s, wonderful developments took place in our parish. Deep trenches were dug throughout the Rubha to allow pipes to be installed so that water could be carried from the reservoirs in the hills beyond Stornoway. Other trenches were built to allow septic tanks to be built, intended to purify the water flowing from newly installed bathrooms and toilets. When we became accustomed to those developments it was as if we were living in a new world. Electric light, running water, toilets – what a boon! This encouraged us to imagine that, at some time in the future, we would have one or two of the latest household appliances: electric blankets, kettles, razors, irons or food mixers.

Mum had purchased a dozen chickens from a farm at Conan Bridge in Ross-shire. They were all Rhode Island reds, but in addition to those she had also purchased three week old turkeys. Those birds were brought to her on a BEA passenger plane which operated the new service between Inverness and Stornoway. It was remarkable that it took only four hours for the chickens and turkeys to travel from Conan Bridge to Ceanna-loch in Port Mholair. The chickens prospered but unfortunately she had less success with the turkeys which were not able to withstand our weather. The cold showers of sleety rain sweeping Lewis caused one of three to become ill and although mother tried her very best to rescue it, he died within two days. She lost the second of the three when it tried to get through wire netting. Instead of reversing when it found its neck in the mesh, it continued to push forward, turn its head round and got it snared in the second mesh. It choked to death. That left one turkey which became more prized than all the rest of our poultry put together.

Dad came home on leave in 1953, and when he saw this strange bird wandering around the flock of half grown chickens he said to my mother, 'There's something wrong with a cockerel in your new flock. It's

air falbh. Le garbhsaichean a' gheamhraidh bha aig cuideigin às gach dachaigh ri dhol dhan tobair a h-uile latha le dà pheile sinc a dh'iarraidh 'làdach bùirn'. Nuair a thigeadh tiormachd an t-samhraidh, bhiodh na tobraichean a' cleith a' bhùirn agus bha aig luchd-nan-làdach ri suidhe aig tobair gu foighidinneach a' feitheamh, aig àmannan airson uairean de thìd, airson am beagan a dhìabhadh gu mall gu ùrlar na tobrach a ghlacadh.

Fhad 's a bha mise anns an Oilthigh, bha rudan mìorbhaileach a' tachairt anns an sgìre againn. Bha cladhanan domhainn gan dùsgadh anns a' ghoireal agus pìoban gan tiodhlachadh annta airson bùrn fìor-ghlan a thoirt chun nam bailtean bho lochan air cùl Steòrnabhaigh. Ach nuair a fhuair sinn cumhachd an dealain bha na teaghlaichean mar gum biodh iad air saoghal ùr. Cha b' e a-mhàin gun robh e a' lasadh nan dachaighean agus nan sràidean. Bha e comasach air an dachaigh a theasachadh, deasachadh agus còcaireachd a bhidhe agus cumhachd a chur ann an iomadach magaid eile - an rèidio agus an telebhisean agus inneal iarnaigidh, biota-measraidh agus plangaidean-leapa.

Bha mo mhàthair air àl de dh'iseanan a cheannach bho thuath aig Drochaid Sguideil ann an Siorrachd Rois - fichead isean dha na cearcan ruadha agus trì iseanan dha na cearcan Frangach: iad uile trì latha a dh'aois. Chaidh an cur thuice air plèana a' BhEA bho Inbhir Nis agus cha tug iad ach ceithir uairean a thìd bho dh'fhàg iad Drochaid Sguideil gus an robh iad air Ceanna-loch.

Ag àrach an eunlaith sin, cha robh duilgheadas sam bith aice le iseanan nan cearcan ruadha. Cha b' ann mar sin a chaidh dhi leis na cearcan-Frangach. Cha robh iad fulangach air droch aimsir. Meall de dh'uisge fuar Leòdhais agus chaidh aon dhen triùir chun na leapa anns a' bhothaig-chearc agus bhàsaich e ann an dà latha. Chaill i an dàrna fear a chuir a cheann tro mhogal anns an lion-ueir. Lean e air a' bruthadh, a' feuchainn ri e fhèin a shaoradh gus an deach a thachdadh. Dh'fhàg sin aon chearc Fhrangach aice - beathach mòr eireachdail agus cha tigeadh eadhon an coileach ruadh suas gu àird a ghuailnean. Thàinig m' athair dhachaigh airson a làithean-saora an 1953, agus nuair a chunnaic e an t-eun conadail a bha mo mhàthair air a thoirt dhachaigh, sheas e le uabhas ga choimhead agus ga èisteachd a' glugadaich.

'Cearc Fhrangach?' ars esan. 'Cha chearc e agus cha Fhrangach e! Chan eil ann ach glugaire. Sin agad ainm nas coltaiche na 'cearc Fhrangach' Nach bochd nach tug thu dhachaigh peathraichean agus bràithrean dha gus an sguireadh e a' ghearan.'

Bha an taigh-geal deiseil airson a dhol a dh'fhuireach ann ann an 1955. Thurchair gun robh an teaghlach againn cruinn air an t-samhradh sin, an samhradh àghmhor air an robh e comasach dhuinn a dhol dhan taigh ùr. Aig

deformed – exactly what happened to some of the chickens which survived near Hiroshima.'

John MacKenzie, a Stornoway contractor, built our new home – a bungalow designed by my Dad and approved by the Board of Agriculture. Our parents and my siblings and I came home to celebrate its completion in 1955. It was a very joyous occasion in our lives. To be young and healthy and together was everything we could possibly ask for. Each of us was in employment and we were at home to celebrate our moving into the new house, lock stock and barrel!

The stammerer, as my father called the turkey, was enormous and weighed nearly two stones. He was sacrificed to the celebration of the new bungalow and my father went round the whole of the village inviting people to 'Banais a'Bhungalow' (the bungalow wedding). My Dad's cousin, Murdina, was a gentle, old fashioned spinster living at the foot of the Shop Brae. She dismissed my father's invitation, saying, 'I would happily go to the party, but I'm afraid of that goose that you have guarding the house. Every time I hear his bugle, I feel like running away.'

'It's not a goose,' Dad told her. 'He's a turkey and never in his life has he been as docile as he is today. He is going to be sitting at the head of the table celebrating with the rest of the village, the change that has come over our community.'

At the Banais, everybody who was able to come came and enjoyed the occasion. Murdo MacFarlane, the famous bard of Melbost, came and, shy though he was, made a speech which is remembered by all who heard it. It was an exhortation for us to speak our language and support our folklore and to remember the history of our people. There was also plenty of music. There was John MacFadden with the bagpipes, Alasdair Beag with the melodeon, and Hoddan MacDonald and Murdo, my brother, two of the finest singers in Gaeldom.

Few people in the village had ever tasted turkey meat. On the night of the Bungalow Banais, everybody did. Some, though uninvited, had come from as far away as Stornoway and Bayble and they were all made welcome. Turkey meat wasn't the only food on the table. As was the custom at island weddings, all the locals came with presents of food: scones, puddings, chunks of cod roe, a joint of lamb-meat, and so on. That was the first night on which we all slept as a family in the new house and what a night it was! It was an evening on which our parents with their children, could celebrate the fact that we were all under the one roof in a beautiful safe haven.

an ìre sin, bha a h-uile duine dhan teaghlach an ceann ar cosnaidh agus rinn sinn ullachadh airson seòrsa de bhanais a bha gu bhith againn air Ceanna-loch. Bha an glugaire cho mòr ri agh agus e air a dheagh bhiadhadh airson a bhith na ìobart aig Banais an Taigh Uir!

Chaidh m' athair timcheall nan taighean a' fìathachadh a h-uile duine chun na bainnse. Thuirt Murdag, ogha phiuth'r a sheanmhar, ris, 'Dheighinn-sa chun na bainnse agaibh, ach tha eagal agam ron a' ghèadh nam mallachd a th' agaibh a' dìon nan cearcan. Bidh sinne ga chluinntinn an seo nuair a bhios e a' feuchainn ri gairm.'

"Chan e gèadh a th' ann ach glugaire a tha trì bliadhna a dh'aois. Tha e air fàs cho mòr 's gu bheil mi a' dol a chur cairt ris airson a bhith toirt dhachaigh na mònach!'

'Ist a bhreitheanais!' arsa Murdag. 'Bidh a h-uile duine th' anns an sgìre a' bruidhinn ort!'

'Och, fìor beathach solt a th'ann agus cha robh e riamh cho solt 's a tha e air bhith bho mhadainn an-diugh! Cò dhiù, tha e gu bhith na shuidhe aig ceann a' bhùird aig a' bhanais.'

Thàinig a h-uile duine am Port Mholair a b' urrainn a thighinn. Thàinig Murchadh MacPharlain, bard Mhealbost. Socharach 's mar a bha e, rinn e òraid a b' fhiach a h-èisteachd ag earalachadh nan càirdean gu bhith a' bruidhinn na Gàidhlig agus a' seinn nan òran a bha, gu ìre, a' toirt dealbh dhuinn air eachdraidh ar n-athraichean, agus a' guidhe sealbh dhan teaghlach anns an dachaigh ùr. Bha ceòl againn cuideachd: bha Iain Mac a' Phaidein ann leis a' phìob, Alasdair Beag leis a' mhelòidian agus Hoddan agus Murchadh againn fhìn a'seinn.

Cha robh mòran anns a' bhaile a bha a-riamh air blasad air sitheann glugaire ach air an oidhche ud fhuair a h-uile duine sgealb dheth. Cha b' e sin uireas bidhe a fhuair iad. Coltach ris a h-uile banais, cha tàinig duine gun tiodhlac de dh'annlan: mar eisimpleir, breacag de dh'aran eòrna, cnogan de bhàrr is gruth, dusan de dh'uighean geòidh no maragan throsg. Thàinig ceithir chàraichean à Steòrnabhagh le òigridh, mòran dhiubh nach aithnicheadh sinn ach bha a h-uile duine di-beathte.

Thug sitheann a' ghlugaire dùbhlan dhan acras air oidhche anns an robh aoigheachd agus àbhachdas co-ionnan ri a-chèile. B' i siud a' chiad oidhche againn mar theaghlach anns an taigh ùr – oidhche nach tèid às ar cuimhne cho fad 's is maireann sinn.

Good and Evil at Uddingston

A few short years after graduating, my university pal, Donald John MacLeod, (Baldy) from the West Side village of Carloway died at Fort William. I don't mind telling you that I wept. He was an exceptionally fine person: kind, intelligent, knowledgeable and with the heartiest laugh I have ever heard. Our Celtic Society meetings in the Union were always lively. We flew on the wings of youth. I was twenty-five years old. When I heard of my pal's demise, I felt lonelier than ever for I was out of touch with everybody with whom I could share my grief. At that stage of my life, my immediate family and circle of friends had not been touched by death. Donald John's passing, an important pier to my life had been removed and I felt vulnerable and very lonely.

I should not have felt like that for my colleagues and my pupils were my dear friends and when I finally decided to resign from my post at Glenburn, I found it difficult to part with them. I had become so attached to 'my children' that I sometimes felt that I was making a big mistake in giving up my job. When it finally came to departing, the headmaster and teachers arranged for me to receive a 'wee presentation' in my classroom. Emotional and regretful, I promised to come back and see them all again soon but being more realistic than I, Alex Adams, the headmaster, made a short speech in which he wished me well but told my pupils that, in my new post, I would not have the time to return to Glenburn.

'We thank him for his hard work with his classes,' he said, 'but he is now going to leap in to the deep end of the pool. May he have an enjoyable time in his new post amongst the wild teenagers of Uddingston.'

Although it was daunting to go to teach in a secondary school where there was a high population of city-dwellers and a high rate of crime, I was looking forward to being close to my brothers Murdo and John Hector and my sister Nan, who were all based in Glasgow. But I also had the other incentive of preparing for marriage. I got lodgings in a semi-detached house in a suburb of Glasgow called Birkenshaw, about half a mile from Uddingston Grammar School. The environment was completely different from the environment in which I was so happy at Glenburn. A lot of people dwelt on the Birkenshaw housing estate. In fact, it was overcrowded. As a stranger in their midst, it was soon made clear to me that my neighbours weren't particularly happy with my presence. Perhaps I was singled out because of my foreign accent and my not attending mass. It was in Birkenshaw that I learnt that there

Math agus Olc an Uddingston

Shil mi mo dheòir nuair a chuala mi gun do chaochail mo charaid Baildi anns a' Ghearastan an 1957. Fìor dhuine gasta, dàimheil, geur-chuiseach agus leis a' ghàire bu chridheil a chuala mi riamh. Saoilidh mi gu bheil mi fhathast a' chluinntinn an lasgan a bh' aige nuair a bhiodh Comann Ceilteach nan oileanach cruinn anns an Union 's a h-uile fear is tè air iteig le cridhealas na h-òige.

Trì bliadhna an dèidh dhomh ceumnachadh bha mi a' fiughar ri pòsadh agus ri ceum a thoirt a-mach às a' bhun-sgoil anns an robh mi. Ann an seagh, bha cas a' dol 's a' tighinn agam nuair a dh'ullaich mi airson beannachd a leigeil leis a' chloinn. Bhruidhinn mi fhìn riutha an toiseach agus dh'innis mi dhaibh mun cheangal a bh' agam riutha – ceangal nach do dhìobair chun an latha-an-diugh. Anns an dealachadh, rinn Ailig Adams, an ceannard-sgoile, òraid bheag le facal a lean rium. Thuirt e, 'Tha Mgr MacFhearghuis gar fàgail agus a'dol a leum dhan bhùirn ann an ceann-domhainn an amar-snàimh. Slàn leis am measg nan deugairean fiadhaich a tha thall ann an Uddingston!'

Ged bha mi togte ri dhol a dh'fhuireach faisg air mo bhràithrean 's mo phiuthar ann an Glaschu agus, mu dheireadh thall, a' dol a phòsadh Sandra, lean na facail aig Mgr Adams rium. Fhuair mi àite-fuirich ann am Birkenshaw, 'housing estate' air crìoch an ear Ghlaschu agus mu leth-mhìle bho Ardsgoil Uddingston. Bha an àrainneachd an sin tur eadar-dhealaichte ris an àrainneachd anns an robh mi air a bhith cho dòigheil ann am Prestwick. Bha àireamh mhòr sluaigh ann, ann an dachaighean a bha air an togail oir ri oir no teann air muin a-chèile. Mar choigreach nam measg, cha robh fada gus an do rinneadh soilleir dhomh nach robh muinntir Bhirkenshaw a' gabhail rium. B' ann an siud a thuig mi gun robh na dathan uaine agus gorm a' ciallachadh rud. Cha robh ùidh 'sam bith agam anns na suaicheantasan cunnartach sin a bha a' cosnadh gamhlas agus sgaradh eadar teaghlaichean.

Bha a' bhealach eadar Birkenshaw agus Uddingston cho neo-thorach ri fàsach an Sahàra. Bha dùin mhòra ann dhen mhòirlich ghlas agus smùr guail a bha mèinnearan tro na linntean air a dhùsgadh às a' ghoireal ìosal fon talamh. Air mo shlighe chun na h-àrdsgoil agus air ais gu Birkenshaw, bhithinn a' leantainn frith-ròidean a bha aig sàil nam beinnean agus a' seachnadh na frith-ròidean eile a bha, ann am badan, a' dìreadh suas air an guailnean. Bha adhbhar air mi bhith frionasach a thaobh an fheadhainn a bha a' dìreadh orra, oir bha fhios gun robh tasgadh theine domhainn ann an gluthadh feadhainn

was a great difference between the colours green and blue. I had no interest whatever in those symbols and tokens which were causing so much aggro between the Catholic and Protestant families in the Lowlands. The industrial wasteland between Birkenshaw and Uddingston was as unproductive as the Sahara Desert. It contained a series of bings, which were tall cones of coal dust, stones and slurry dug out of the coal-mines, the major industry of the area. On my way to the grammar school, I used to follow footpaths skirting the edges of the bings. There was a good reason why one should be careful in choosing the footpaths. It was well-known that some of the bings contained fires which were constantly burning at their core. I was told that a schoolboy who was sometimes more adventurous than the rest, used to climb to the top of a particular bing. The crust gave way and he had fallen to his death in the terrible furnace below.

Shortly after I started at the school Dr Walker, the principal, visited me while I was teaching class 1B. He sat listening to me while I was expounding on some subject in history. At the end of the lesson, he said that my lesson had been interesting and entertaining. Unfortunately, Dr Walker assumed that, since I was fluent in Gaelic, I should be given responsibility for teaching German. After discussing the matter with Harry Scobie, head of the English department, I said that if I were forced to teach German, I would be forced to leave. In the end, Dr Walker decided to withdraw his 'offer'.

I moved from Birkenshaw to digs in Bothwell, just over a mile from Uddingston and began to enjoy my new job. Unfortunately, the whole of the Lowlands was shocked to hear of a murder which had taken place within a few hundred yards of the school. The murderer had gained access to the home of Peter and Doris Smart and had murdered them as they slept. He then murdered Michael, their eleven year old son, who was about to become one of my pupils. After intensive enquiries by the police, Peter Manuel who was living in the street next to where I had been living in Birkenshaw, was arrested. In addition to the Smart family, Manuel had murdered another six victims. Found guilty at the Glasgow High Court, he was hanged on the 11th July 1958 at Barlinnie Prison, the last person to be hanged in Scotland.

After my seven years of postal courtship, Sandra and I finally decided on a day to get married. On the 8th August 1958 the ceremony was duly performed in the Church of Scotland High Church in Stornoway, with a wedding following at the Town Hall. In those days, the 'Frixes' family were regarded as the best in the business for catering at weddings. The menu and prices were agreed and all was ready to go ahead. Now, I should have mentioned that my

dha na beinnean. A rèir aithris, bha balachan-sgoile, a bha uaireigin air spàrdanaich gu mullach tè, air briseadh tro chruadhain na beinne agus air tuiteam gu a bhàs dhan chraos theine gu h-ìosal. Naidheachd dhuilich a chuir goirseachadh orm.

Fhuair mi air adhart gu math leis na tidsearan agus cuideachd leis a' chloinn, feadhainn dhiubh a bha seachd bliadhna deug de dh'aois. Bha mi a' teagasg Beurla, Eachdraidh no Cruinn-eòlas do chlasan 1B, 2G agus 3E. Goirid an dèidh dhomh tòiseachadh, thadhail an Dr Walker, am Prionnsapal, orm ann an Clas 1B agus shuidh e gam èisteachd fhad 's a bha mi a' teagasg cuspair ann an Eachdraidh. Thuirt e rium gun do chòrd mo leasan ris. Seach gun robh mi fileanta anns a' Ghàidhlig, shaoil e gum bu chòir dhomh a bhith comasach air Gearmailtis a theagasg cuideachd. Dh'aindeoin dhomh stèinneadh dha nach robh agam ach leth-dusan facal anns a' chànan sin, dh'fhoraich e orm uallach Gearmailtis a theagasg. Cha robh mi idir air mo dhòigh. Ghabh mi eagal gun robhas gam bhàthadh ann an 'ceann domhainn an amair', mar a bha Ailig Adams air a ràdh ann an Glenburn. Air an ath latha, chaidh Harry Scobie, ceannard roinn na Beurla, às mo leth chun a' Phrionnsapal agus, ann an ceann sreath, chaidh mo shaoradh bho Ghearmailtis. Abair faochadh.

Mus d'fhuair mi air mo chasan ceart, chaidh triùir a mhort air an aon oidhche ann an taigh air cùl na sgoile – truaighe a chuir eagal air teaghlaichean thall agus a-bhos. Bha am mortair air faighinn a-steach dhan dachaigh agus air an càraid phòsta - Pàdraig agus Doris Smart – a mhort le gunna fhad 's a bha iad nan cadal. Nuair sin, mhort e am mac, Mìcheil, a bha aon bhliadhna deug a dh'aois agus an impis a thighinn thugainn mar oileanach. Cha robh fada gus an deach am mortair, Peadar Manuel, a chur an grèim. A thuilleadh air muinntir Smart, bha e air sianar eile a chur gu bàs. Anns a' chùirt-lagha an Glaschu, fhuaireadh Peadar Manuel ciontach. Air an 11^{mh} Iuchar, 1958, chuireadh e gu bàs ann am Prìosan Bhàr-linne - an duine mu dheireadh a chaidh a chrochadh an Alba.

An dèidh seachd bliadhna de shuirighe tron phost, cho-dhùin mi fhìn agus Sandra gum bu chòir dhuinn pòsadh. Bha deagh eòlas agam air athair Sandra, Murchadh Chaluim Dhòmhnaill Bhàin à Lacasdal, ach gu mì-shealbhach, chaochail e dà bhliadhna mus do rinn sinn an t-ullachadh airson pòsadh. Rinn Màiread, a bhantrach, di-beathte mi gach uair a thadhail mi san dachagh aca agus thug i dhuinn a làn-aonta nuair a dh'innis sinn dhi an rud a bh' anns an amharc againn.

Mu dheireadh thall, dh'ullaich sinn airson sin a dhèanamh air an 8^{mh} Lunastal, 1958. Anns an latha ud, bha deagh chliù aig Muinntir Friogs airson

wee brother, John Hector, was an apprentice in Glasgow at the time. He had told us on the phone that he intended coming home by means of a motorbike which he was going to purchase from a friend. Although he had never ridden a motorbike he was confident that he could ride it home without accident or harm to anyone else. It was a frightening prospect. I wrote to him at once, appealing to him to put the motorbike on board the 'Loch Dunvegan', the ship which traded regularly between Glasgow and Stornoway. He arrived home without a helmet and without skin on his right knee.

My brother Murdo, who himself had newly married, was to be Master of Ceremonies in charge of all the arrangements for the wedding. As he had been through the hoops earlier, he knew all the pitfalls that surrounded couples in that situation. He checked on the menu, the cars and buses, the flowers for the church, the band to play the music, the posh clothes, the wedding cake, the whisky, the wine, the glasses and so on. He also agreed to precent the psalms at the church.

I sometimes wonder, looking back, if my state of excitement and anticipation of being married had interfered with my common sense. John Hector, who was to be best man, was such a scatter-brained, mischievous devil, that he should not have been given responsibility for anything. He should have been put under a creel in a locked barn. He was agreeable and enthusiastic and as long as he was allowed to drive his motor-bike, willing enough to make numerous trips to Stornoway to buy all the sorts of things that big brother Murdo had ordered.

Occasionally, Murdo was dissatisfied with 'the rubbish' which John Hector had brought home from the town. 'Why did you buy three bottles of Eldorado rubbish instead of sherry?'

In the end, Mum suggested that the solution to the problem was that Murdo should accompany John Hector to Stornoway on the motor-bike. My two brothers agreed and all was peaceful again. Always conscious of his sartorial elegance, my young brother wore his smart new rain-coat and goggles. The strength of the rain-soaked south wind suggested to Murdo that he should wear his leather coat back to front, buttoned up at the back. He also wore his cap back to front and away they went. Our Aunt Mary, who lived by the loch-side came out and angrily cursed the noise of the motorbike which was disturbing her poultry. Though her nephew couldn't hear her, she shouted at him, 'Your stupid machine-gun is sending my hens running for shelter in the bothy. Even my broody-hen leaves her nest and goes wandering about outside!'

a bhith ag ullachadh agus a' seirbhiseachadh a' bhidhe aig bainnsean. Thàinig sinn gu còrdadh riuthasan airson na h-uallaichean sin a ghabhail agus is fhiach dhomh innse dhuibh nach do ghabh sinn aithreachas airson sin a dhèanamh.

Nise, bha Iain Eachainn na phreantas ann an Glaschu. Thuirt e rinn air am fòn gun robh dùil aige thighinn dhachaigh le motair-baic. Bha e a' dol ga cheannach bho charaid dha agus ged nach robh e air a bhith riamh air motor-baic, gun ionnsaicheadh e draibheadh leis air an t-slighe dhachaigh. Chuir an naidheachd sin gaoir nam fheòil. Sgrìobh mi thuige anns a' bhad a' toirt comhairle air am motair-baic a chur dhachaigh air an 'Loch Dunvegan', an t-soitheach air an robh Eòghainn, bràthair ar màthar na sheòladair. Ach bha Iain Eachainn gu math doicheall agus cha robh e dualtach air comhairle a ghabhail bho dhuine.

Bha e air an litir a leughadh mus do dh'fhàg e Glaschu airson a thighinn dhachaigh ach, mo ghràdh air, cha robh aige ach gòraich na h-òige. Cha do ghabh e mo chomhairle. Cha b' e naidheachd a bha sin a bha na chùis iongnaidh dhuinn. Ach bha e na chùis eagail dhuinn nuair a chuala sinn gun robh e air a bhith ann an tubaist air an t-slighe. Thug e à gualainn Bheinn Dòrain leis a' mhotair-baic ach cha chaith mi tide ag innse dhuibh na h-uirsgeul sin. Ràinig e dhachaigh gun chlogaid agus gun chraiceann air failbhean na glùine deis.

Mar tha fhios agaibh, bha mo mhuinntir-sa a' fuireach ann an ceann a-muigh an Rubha. Bha cuideachd Sandra sgapte timcheall Steòrnabhaigh agus b' ann an sin, anns an Eaglais Ard a bha sinn gu bhith air ar pòsadh. Bha a' bhanais gu bhith ann an Talla a' Bhaile. Mar a thuirt mi, dh'eàrlais sinn Muinntir Friogs ann an Steòrnabhagh airson am biadh a dheasachadh agus na bùird a riaghladh. Thairg Murchadh, mo Bhràthair Mòr, a bha e fhèin air ùr phòsadh, a bhith againn na uachdaran air a' bhanais. Cha b'urrainn na b' fheàrr. Bha e fiosrach air an iomadach sloc dham faodainn tuiteam: eadar biadh agus carbaidean dha na h-aoighean, flùraichean airson na h-eaglaise, còmhlan-ciùil, aodaichean-eireachdais, cèic-na-bainnse, uisge-beatha, fìon, gloinnichean dibhe, 's mar sin a-mach. Dh' aontaich Murchadh cuideachd a bhith air ceann an t-seinn aig seirbheis a' phòsaidh. Seach gum b' esan a bha gabhail nan uallaichean sin, dh'iarr mi air Iain Eachainn, mo Bhràthair Beag, seasamh rim ghualainn leis an fhàinne aig a' phòsadh. A' sealltainn air ais ris na thachair, saoilidh mi gun robh an gaol air beantainn ri mo chiall!

Bha Iain Eachainn cho làn luaisgein agus sgeòtail 's gum bu chòir dhomh a bhith air a ghlasadh fo chliabh anns an t-sabhal. Ach cha b' e sin an rud a b'urrainn dhomh a dhèanamh a' dol chun an latha mhòir. Och, aig an àm ud dhem bheatha, bha mi cho neo-chiontach, faoin, neo-amharasach ach,

Before setting off, Murdo riding pillion, took a firm hold of the driver's waist. The motor-bike took off, roaring fast through the villages of the Rubha. Every living thing scattered as the racketing machine approached: hens, sheep, cattle and people. Through Port Mholair, through Aird, Siadar and then Lower Garrabost. When they arrived in the middle of that village, a quarter of a mile past the churches, they ascended the eminence known as Cnoc 'Ic Iain and as they began to descend the other side, they met with the full force of the wind and rain. At first, John Hector didn't see that their way was blocked by a furniture-van which was reversing in their direction with its rear doors wide open. In the rain and wind, three or four people were struggling with furniture which was being delivered from Murdo Maclean's shop in Stornoway. They scattered just in the nick of time. When John Hector applied the brakes, the motorbike wobbled, fell on its side, and rotated clockwise as it slid downhill. There was a screeching of metal and an ominous thud as the motorbike slammed into the back of the van. Ten yards back, where the motorbike fist wobbled, the pillion-rider had been thrown on to the road, face down.

It was a miracle that John Hector escaped unscathed. He hurried back to his brother who was lying prostrate on the road. By the time he reached the casualty, there was a woman leaning over him. She was perplexed by the fact that the coat buttons suggested that his head was looking in the wrong direction. She wondered whether the stranger's head should be turned round so as to align with the coat buttons.

"Dogs chase it; hens flee for their lives"
"Chuir e na cearcan 's na coin às an ciall!"

mar a bha an sean-fhacal ag ràdh, 'Am fear nach seall roimhe, seallaidh e às a dhèidh'. Cha b' e nach robh Iain Eachainn èasgaidh, deònach agus modhail gu leòr. Rinn e iomadach turas suas agus sios a Steòrnabhagh a' ceannach nan rudan a bha ar Bràthair Mòr air òrdachadh. Uaireannan bhiodh Murchadh do-rìaraichte leis na rudan a bha e a' toirt dhachaigh thuige.

'Carson, am mì-thalamh, a leig thu dhan bhoireannach na tha sin de dhuilleag uaine a chur am measg nam flùraichean? Agus carson a cheannaich thu trì botail de dh'fhìon Eldorado an àite trì botail Sherry? Chan òladh duine na saplaisgean sin.'

Air a cheann thall, b' fheudar dha mo mhàthair a dhol eatorra. ''S cinnteach, a Mhurchaidh, gum bu chòir dhut-fhèin a dhol suas còmhla ri do bhràthair. Chitheadh tu fhèin an uairsin na rudan a tha dhìth oirnn'.

Uill, ghabh an dithis a comhairle. Bha an latha fuar le mill throm bho 'Màiri an t-Sruthain'. Bha a h-uile coltas gum biodh an dithis ridirean fliuch chun a' chraicinn mura biodh aodach seasmhach orra. Chuir Murchadh air a chòta-leathar, le a chùlaibh gu a bheulaibh. Agus, mar an ceudna, bil a bhoneid chun a' chùil.

Thuirt Iain Eachainn ris 's e a' truiseachadh uime oillsgin agus clogaid, 'Leis an trusgan ort mar a tha e, a Mhurchaidh, cha bhi duine ann an Steòrnabhagh cinnteach a bheil thu a' falbh no a' tighinn!'

Fhreagair mo mhàthair, 'Chan eil sin gu diofar, a ghràidh. Cho fad 's a bhios sibh tioram, seasgair a' dol an aghaidh na gaoithe!'

Shuidh Murchadh air cùlaibh Iain Eachainn air a' mhotair-baic agus, mus do tharraing e anail, dh'fhalbh an t-inneal leotha le fuaim agus bragadaich a chuir sgaladh-nan-creag à Creagan Foitealair. Mhaoidh Màiri piuthar m' athar orra fhad 's a bha iad a' dol seachad oirre. Ars ise às a guth-thàmh, 'Chuir fuaim Iain Eachainn na cearcan agam nan ruith a bhroinn na bothaig! Cha bheir iad ugh dhomh gus am falbh e leis a' ghleadhraich nam mallachd ud bho Cheanna-loch.'

Bha grèim teann aig Murchadh air a bhràthair òg a' siubhal tro bhailtean an Rubha. Cha robh duine no cearc no bò nach do rinn sgoinn far an rathad nuair a chuala iad a' ghleadhraich a' dlùthadh orra - tro Phort Mholair, tron Aird, tro Shiadar agus tro Gharrabost Iarach. Nise, nuair a ràinig iad meadhan Gharraboist, cairteal a mhìle seachad air na h-eaglaisean, choinnich rud riutha nach robh dùil aca. Ann am meadhan an rathaid, bha uile-bheist de bhan a' tighinn nan coinneamh an comhair a cùil le a dorsan-cùil fosgailte. Bha triùir no ceathrar de dhaoine nan seasamh timcheall mar gum biodh iad a' treòireachadh an draibhear is iad a' dèanamh cinnteach gun cumadh e a' bhan

"Hold on tight, Big Brother!"
"Cum grèim teann, a Mhurchaidh!"

His face should be upwards looking!
Ach càit a bheil an t-aodann aige?

air an rathad. 'S beag a bha dhùil aca ris an tathaich a bha tighinn orra le fo-ruis bhon àirde tuath!

Nuair a chunnaic Iain Eachainn an cnap-starra a bha roimhe air an rathad, chuir e air na breics cho teann 's gun do stad na cuibhlichean a ruith. Thilgeadh Murchadh chun an rathaid air a bheul fodha. Chaidh am motair-baic air a chliathaich le gliong agus sgreadail agus chuir e caran na chearcall-tuathal gus an do ràinig e cùl na bhan le brag. Mìorbhail nam mìorbhailean, theàrn Iain Eachainn gun leòn agus cho luath 's a thàinig e thuige fhèin, chaidh e na chabhaig a shealltainn airson a bhràthar. Nuair a ràinig e far an robh Murchadh, chunnaic e gun robh boireannach na seasamh os a chionn is i ann am bruaillean leis an eagal gun robh an duine a bha na throst air an rathad marbh. Ged nach eil mise a' creidsinn facal dhen chunntais a thug Iain Eachainn dhuinn nuair a thill iad gu Ceanna-loch, 's fhiach innse. A rèir na h-uirsgeul, bha an truaghag boireannaich air uiread de dh'eagal a ghabhail 's gun robh i smaoineachadh gun robh Murchadh air a dhol far na h-amhach.

'Seall,' ars ise. 'Bu chòir putannan a' chòta agus am boineid a bhith air beulaibh a chuirp. Nach fheàrr dhuibh a dhol a dh'iarraidh na fir airson ar a cheann a thoirt timcheall gu far am bu chòir dha a bhith?'

Chaidh Murchadh chun a' phòsaidh na chrioplach is e air a' bhat'. Bha talla a' bhaile loma làn dhaoine leis an acras agus leis a' phathadh agus, ged a bha mi air bhiod leis an eireapais, faodaidh mi aidicheadh gum b' i a' bhanais a b'fheàrr aig an robh mi a-riamh. Rinn Iain Eachainn òraid a bha eirmseach agus sgaiteach agus thuirt mo mhàthair agus dithis a bha leis an daoraich gum bi an òraid-bainnse a b'fheàrr a bha iad air a chluinntinn. Gun teagamh, chum e an coitheanal air bhoil le gàireachdainn. Dh'fhàg Sandra agus mise mun cuairt air deich uairean feasgar airson a dhol air an 'Loch Seaforth'. Bha am fear-millidh air ar sàil a h-uile ceum ri dibhearsain agus mi-thlachd. Thàinig e còmhla rinn air bòrd an t-soithich agus chan fhàgadh e.

''S e mo dhleastanas-sa,' ars esan, 'a bhith còmhla ri mo bhràthair 's mo phiuthar-chèile gus an cuir mi dhan leabaidh sibh. B' e sin a' chomhairle a thug mo mhàthair ormsa.'

Deamhan! Dà mhionaid mus do sheòl an t-soitheach, choisich e dhith. Bha greigh de mhuinntir na bainnse air a' chidhe agus abair ceala-ghlòir nuair a chaidh e nam measg.

Bha ar sporan ro aotrom airson gun deigheadh sinn air pleana gu Hawaii! An àite sin, chaidh sinn à Malaig air an trèana agus chaith sinn seachdain-nam-pòg ann an carabhan beag ann an Gleann Nibheis. Ann an sin, fhuair sinn ceithir latha agus ceithir oidhche de thàirneanaich agus de

Fortunately for all concerned, Murdo survived with his two knees skinned and his legs badly bruised. He arrived at the marriage service, a cripple on walking sticks. In church, he led the singing with his voice as uplifting as ever. The marriage service conducted by the Rev MacCuish was in Gaelic. Sandra understood sufficient to promise to be a dutiful and obedient wife. During our fifty-four years of dutiful companionship, the question of obedience never arose.

By all accounts, the wedding in the Town Hall was a great success. Half way through the horo-gheallaidh, Sandra and I bade farewell to the company and boarded the 'Loch Seaforth' which took us to Mallaig. In the morning, we caught a train to Fort William and spent our week's honeymoon in a caravan in Glen Nevis. It rained incessantly for three days and nights. On the fourth morning, we awoke to a beautiful sunlit Glen Nevis.

We walked the mile into Fort William and ate breakfast in a restaurant. Our waitress, from South Uist, advised us that if, at any time, we intended to climb Ben Nevis, we should wear winter clothing. It was good advice. We returned to the caravan, changed into our woollies and since the weather was favourable, we decided to join a flock of people setting off for the summit. Did I say 'flock'? Actually, there were hundreds of hill-walkers on the ben. When we were half-way up, we heard faint, plaintive cries coming from above. Leaving Sandra on the well-trodden path, I climbed some ten feet above her and there, saw a young man from Birmingham, shivering with cold and fright. Dressed in a lightweight tracksuit and sandshoes, he had parted with his pals 'hoping to beat them to the summit'. As my Uddingston boys might have said, 'He wis awfy feart!' As soon as we got him on to the path, he thanked us and began his journey homewards.

Lochgoilhead

Back in Glasgow, Sandra and I rented a large room in Garthland Drive in Denniston. I continued to teach in Uddingston Grammar School and Sandra got a job working at a tobacco factory on Alexandra Parade. The furniture and cooking equipment we had in the rented room was basic - sufficient for us to cook nothing more ambitious than tea, toast and bacon and eggs. We used to go out to a local restaurant for our dinner and occasionally bought fish and chips which we ate in the room. We were happy enough with that

thuiltean trom a' dòirteadh. Air a' chòigeamh madainn, nuair a dh'fhosgail sinn 'doras a' phrìosain', chuir grian mhòr ghasta fàilte oirnn. Cha robh sgòth anns an adhar. Aig meadhan-latha, chaidh sinn sios dhan bhaile agus ghabh sinn bracaist ann an taigh-bidhe. Bha searbhant dhàimhail ann à Uibhist a Deas a thug comhairle oirnn gun sinn Beinn Nibheis a dhìreadh gun aodach agus caisbheart iomchaigh a bhith oirnn. Chaidh sinn air ais dhan charabhan agus rinn sinn mar a mhol am boireannach.

An dèidh sin, chunnaic sinn gu robh greigh de luchd-turais a' gabhail an fhrith-rathaid chun na beinne. Lean sinn treud dhiubh agus nuair a bha sinn letheach-slighe chun a' mhullaich, chuala sinn guth fireannaich shuas os ar cionn ag eigheach gun robh e ann an èiginn. Shreap mi beagan slait os cionn far an robh sinn agus chunnaic mi gille air a chòmhdach ann an trusgan samhraidh agus e air a ragadh leis an fhuachd agus an eagal. Threòraich mi sios e gu far an robh Sandra na seasamh. Bha an gille a Birmingham. Dh'innis e dhuinn gu robh e air geall a chur ri a charaidean gun ruigeadh e mullach na beinne rompasan. Thug e taing chridheil dhuinn agus cha b' ann suas a ghabh e am frith-rathad ach sios!

Cha do ràinig sinn buileach chun an fhìor mhullaich oir dhùmhlaich an iarmailt le ceò agus ciutharanaich. Ach bho ghualainn na beinne bha e comasach dhuinn sgealb mhòr dhen Ghàidhealtachd fhaicinn. Bha mi uailleil a' coimhead ri bòidhchead ar dùthcha agus bha moit orm gun robh cànan nan Gaidheal agam ann an smior nan chnàmhan. Bha an Gearastan agus an Linne Dubh fodhainn; air fàire, an t-Eilean Sgìtheanach, Muile, Ruma, Eige, agus Am Monadh Ruadh. Mar thuirt mi bha moit orm gun robh mi–fhìn agus mo bhean-nuadh-phòsta còmhla far an robh sinn, agus gun fhaireachdainn dhomh thòisich mi a' seinn òrain a dh' ionnsaich mi uaireiginn airson mòd ionadail a' Chomunn Ghàidhealaich ann an Steòrnabhagh: Is e sin òran a rinn Iain Caimbeul (Bàrd na Leideig) agus, chun an latha'n-diugh nuair a bhios mi air mo dhòigh, bidh mi ga sheinn fo m' anail

Is toigh leam a' Ghàidhealtachd, 's toigh leam gach gleann,
Gach eas agus coire an dùthaich nam beann.
Is toigh leam na gillean nan èideadh glan, ùr;
Is bonaid Ghlinn Garaidh mun camagan dlùth.

arrangement for a short time until, in fact, when winter set in with smog and frost, our situation became unbearable. Throughout the district, the water pipes froze and the atmosphere within the room was as cold as an igloo. Without a supply of water - and this applied to the whole street - I used to travel by bus to the south side of the city to fill a couple of lemonade bottles in my sister's rented room. Back in Denniston I would find Sandra, wearing heavy cardigans and a coat, while snuggling close to the two-bar electric fire. Smog was everywhere, including the inside of the house. It didn't take long to decide that that was not the kind of environment in which we wished to spend our lives.

Someone brought to our attention an advert in the Glasgow Herald which stated that the Education Committee of Argyll County Council was looking for a headmaster to fill a vacancy at Lochgoilhead Public School, a two-teacher school serving a small community in a remote glen, some miles west of the town of Arrochar. I applied for the post and was delighted to receive an invitation to attend for interview at Dunoon. On the appointed morning, I took the train to Gourock and from there crossed the Clyde by ferry to Dunoon. I should mention that we were still without running water in the flat and on the fateful morning of the interview, I was forced to wash my face and shave in a soup-plate of lemonade. It was a liquid which refused to produce foam from soap so that I attended the interview in Dunoon with my face ill-shaven and ill-washed. A week or two later, I received from the Director of Education of Argyll County Council a letter of appointment to the post of head teacher of Lochgoilhead Public School.

We were still without a car of our own. Nor did either of us have a driving licence. It was quite a long journey from Dennistoun to Lochgoilhead and my brother Murdo volunteered to take us on the following Sunday afternoon. We went by the dual carriageway which took us to Dumbarton and along the winding Loch Lomondside road which brought us to the town of Tarbert. A sharp turn to the left took us across the narrow neck that separates Loch Lomond from Loch Long. We passed through Arrochar at the head of Loch Long, then skirted the head of Loch Long and followed the steep road that climbs the side of Beinn Artair and then Beinn Luibhein. The broad glaciated valley of Glen Croe was on our left and, after some twenty minutes driving in a low gear, the car arrived at the top of the brae and the road levelled out. What a relief! We had reached the famous landmark known as the Rest and Be Thankful.

Looking down the glaciated valley of Glen Croe the scenery was

Ceann Loch a' Ghobhail

Air ais ann an Glaschu, ghabh sinn aon rùm mòr air màl air Slighe Gharthland ann an Denniston. Lean mi orm a' teagasg ann an Ardsgoil Uddingston. Bha uidheam còcaireachd ann an oisean an rùim ach chan fhòghnadh e airson tràth-bidhe cheart a dhèasachadh. Bhiodh sinn a' dol a-mach gu taigh-bidhe airson diathad no a' ceannach 'fish & chips' airson ithe anns an rùm. Chòrd sin rinn airson beagan mhìosan gus an tàinig meadhan a' gheamhraidh. Reòdh pìoban a' bhùirn agus bha an rùm againn cho fuar ri igliu! A h-uile feasgar, bha agam ri siubhal air bus gu taobh thall a' bhaile airson botail a lìonadh le bùrn ann an rùm mo pheathar agus an gìulain air ais gu Denniston far an robh Sandra bhochd na crùban ri teine-dealain.

Cha b' e a-mhàin gun do reòdh pìoban a' bhùirn. Dh'fhàs an iarmailt cho fuar, dùmhlaidh le deatach agus pronnasg a' bhaile mhòir 's gun robh an 'smog' shalach sin, eadhon am broinn an taighe, cho leanmhainneach 's gum faiceadh tu e na sgleò eadar thu agus oiseanan mullaich an rùim. Dh'aontaich an dithis againn nach b' e siud an seòrsa àrainneachd anns an robh sinn airson ar beatha chur seachad. Bha mi air sanas fhaicinn ann am pàipear-naidheachd gun robhas a' sireadh ceannard airson sgoil Cheann Loch a' Ghobhail – baile beag, iomallach am badeigin ann an Earra-Ghaidheal. Chuir mi iarrtas air a shon agus cha robh fada gus an d' fhuair mi cuireadh a dhol gu Dùn Omhain airson agallamh. Air a' mhadainn a chaidh mi air an trèana gu Grìanaig airson aiseag a dhèanamh gu Dùn Omhain, bha sinn fhathast gun bhùrn. Nigh mi m'aodann agus lom mi m' fheusag ann an mìas taosgach le lemonade – dòigh suathaid air sin a dhèanamh oir, mar a dhearbhadh dhomh air a' mhadainn ud, cha tig cop air siabann ann an lemonade!

Mo thogar! Chaidh gu math dhomh anns an agallamh agus ann an seachdain no dha an dèidh sin, fhuair mi fios gun robhas gam iarraidh aig deireadh na mìos gu bhith nam cheannard-sgoile ann an Ceann Loch a' Ghobhail. Cha robh airgead againn airson champagne. Chuir sinn air slàinte a-chèile le Irn Bru.

Tha cuimhne mhath agam air a' chiad latha a thadhail mi an Ceann Loch a' Ghobhail. Thug mo bhràthair Murchadh ann sinn leis a' chàr aige fhèin. Bha sinne fhathast gun chàr agus gun airgead airson fear a cheannachd. Bha sin seachdain no dhà mus robh còir agam uallach na sgoile a ghabhail. Bha an turas na b' fhaide na bha dùil againn. Thug an t-slighe sinn gu Dhùn Breatainn agus sios taobh Loch Laomainn cho fada ris an Tairbeairt; nuair

awe-inspiring. We consulted the map and found that we were within three miles of our destination. Living in that part of Argyll, promised to be much healthier than that which we had left in the smog-ridden, frozen tenements of Glasgow. We were now in the mountains. We took a narrow winding road, down the next glen and found ourselves at the head of Loch Goil, in a pretty little village in which I had accepted the post of head-teacher, or 'Dominie'.

It was raining when Murdo stopped the car in what we assumed was the village square. After a few minutes sitting in the car, we donned our rain-coats and ventured out. Beside us was Lochgoilhead Public School. Next to the school was the school-house – the head teacher's residence which, for obvious reasons, was unoccupied. We entered the property through a heavy wrought-iron gate and, found the main door of the house locked. All we could do was inspect a large garden at the back, one half of which was given over to vegetables: swedes, cabbages and carrots ready for the pot. The other half of the garden was under apple and pear trees again carrying a heavy crop. The rain stopped, the atmosphere cleared and, as if to welcome us, a plague of midges appeared from nowhere. Later on, we heard that incomers regarded Lochgoilhead midges as the bull-terriers of the insect world!

Once installed in the school-house, we quickly got to know the people who lived in the village but also in the clusters of houses in the glens above the village and those that spread right down the loch-side, from Drimsynie to Carrick. Fortunately, Lochgoilhead was a close-knit community, in many respects similar to the one in which I was born and brought up. After three years at Lochgoilhead, we had saved enough money to buy a low-mileage second-hand Ford Anglia. It was certainly a great advantage to be able to move about the villages of Argyll.

As ever, the teachers had good reason to be dissatisfied with their salaries and there was a nationwide poll to determine whether or not we should strike. This fizzled out and I became quite disenchanted with the fact that of the ten rooms in the school-house, we were able to furnish only the living-room and one bedroom. The level of teachers' salary was highlighted when my brother John Hector visited us and showed us his month's pay cheque in his first job. He had just completed three months sailing as an electrician on the motor vessel MV Morar, a cargo-ship transporting iron-ore from Norway to Scotland. As a bachelor six years younger than I, he was drawing a salary superior to mine. I decided that I must find an occupation which would provide us with a more worthwhile income.

Without consulting Sandra, who was born in Hamilton, Ontario,

sin, thionndaidh sinn chun na làimh chlì airson ruighinn Arrochar aig ceann Loch Long. Mìle no dhà seachad air sin, dhìrich an rathad leinn suas gualainn beinne – rathad fada, cas, còmhnard agus thàinig e steach oirnn gun robh sinn a' teiche fada cian bho na h-eòlaich a bh' againn ann an Glaschu! Mu dheireadh, ràinig sinn talamh rèidh agus bhàsaich an ràn a bha air bhith aig einnsean a' chàr a' dìreadh. Bha sinn air ruighinn an 'Rest and Be Thankful' agus taing do shealbh. Bha an t-ainm ud air a bhith air mullach an leothaid bho shean. Saoilidh mi gur e na cairtearan leis na h-eich aig an robh eallaich ri a ghiùlain suas an leathaid ud a bha air an ainm a thoirt air an àite anns am b'urrainn dhaibh anail a ghabhail. 'S cinnteach gun robh ainm Gàidhlig air uaireigin – ainm na bu sgiobalta na 'Gabh Anail 's Bi Taingeil'.

Bhon àite-tàimh sin, bha am prìomh rathad a' leantainn air gu bailtean fada gu an iar, mar Inbhir Aora agus an t-Oban. Aig an 'Rest and Be Thankful', thionndaidh sinne gu ar làimh chlì air falbh bhon phrìomh-rathad. Cha robh fad againn ri a shiubhal gus an do ràinig sinn ar ceann-uidhe. Lean sinn rathad cumhang, cam a bha a' snàigeadh sios an gleann le lùbadh air muin lùbaidh nar suidhe ann an càr Mhurchaidh. B' ann a bha e coltach ri bhith air dreallaig-chloinne a bha, a dh'aon ghnothaich, airson ar cinn a chur ann an luairean! Aig màs a' ghlinne, bha leth a mhìle de shiubhal rèidh againn gu Ceann Loch a' Ghobhail. Aite iomallach a th' ann - baile beag brèagha aig ceann loch caol mara a tha ceithir mìle a dh'fhaid a' ruith gu deas gus an ceangail e ri Loch Long a tha e fhèin ga lìonadh le sàl na mara agus uisge bho Abhainn Cluaidh.

Bha tuil uisge ann nuair a ràinig sinn an taigh-sgoile. Thàinig sinn a-mach às a' chàr agus thuig sinn cho domhainn 's a bha an gleann anns an robh am baile suidhichte. Gun ear agus gun ear-thuath bha cliathaichean cas nam beanntan ag èirigh agus shaoilinn gun robh iad mar gum bitheadh iad a' bruthadh a' bhaile sios dhan loch. Bha sinn aig sàil na Stiopal agus, cuideachd, glè fhaisg air sàil Beinn Artair. Gu an iar oirnn bha Beinn Bheula agus sreath de bheanntan eile a bha ag èirigh eadar sinn agus Loch Fìnn. Thàinig turadh agus cha robh fada an dèidh sin gus an tàinig plàigh mheanbh-chuileagan. B' iad sin dà mhallachd a lean rinn fad nan trì bliadhna a bha sinn ann an Ceann Loch a' Ghobhail – uisge nach fhòghnadh agus meanbh-chuileagan nach gabhadh an sàsachadh!

Bha an sgoil agus taigh a' mhai' sgoile taobh ri taobh agus deas-orach air a' bhaile, mu leth-cheud slat bho crìoch làn na reothairt. Do dhuine mar mise a rugadh agus a bha cleachdte ri bhith faicinn sgaoilteach mhòr mara a h-uile latha, agus beanntan liath-ghorm na Gàidhealtachd a' sìneadh air fàire bhon Eilean Sgìtheanach tro Shiorrachdan Inbhir Nis, Rois agus Chataibh a-mach

I applied for a job as a teacher in Nova Scotia. The Canadians responded quickly and, without interview, offered me a job as the head of the English department at Halifax Grammar School, with a starting salary considerably in excess of what I was earning at Lochgoilhead. When I told Sandra the news, she didn't rejoice. In spite of the fact that I was going to return with her to her native land, I could see that she was in a quandary I wrote to thank the Canadians and stated that, after discussing the implications of emigration with my wife, I hoped to write within a few days to accept the post. We discussed the matter ad nauseum and, in the end, Sandra said that she needed a few more days to consider all the implications.

A week later, I handed my letter of acceptance to Sandra who happened to be going across the road to the local post-office. I handed her my letter of acceptance saying, 'Let's go to Nova Scotia. Pop this in the post-box.'

Two days later, I was dismayed to see my letter on the dresser I asked her why she hadn't posted it. 'Because,' she beamed, 'we're not going to Nova Scotia. We have to prepare for the arrival of our first child. He or she should be with us next April, seven months from now.'

The Third Margaret

My wife, Sandra, was born in Ontario at the time of the Great Depression. Her parents who had emigrated from Lewis, were forced to sell all their belongings and return to their homeland. The result was that two-year old Sandra was brought home to Stornoway. In those days, many of the people of the town were bilingual. They could speak Gaelic but preferred to speak English as they didn't wish to be associated with the language and poverty-stricken way of life of the crofters.

Sandra was passionately interested in history and not least in the history of her own ancestors who were crofter-fisher folk from Uig, Bernera and Sutherland. She was similarly keen to become fluent in Gaelic and attended my further education classes in the language. In the process, she learnt stacks of new vocabulary including unusual expressions and used those in conversation whenever an opportunity arose. It now came to the question of the name we were to choose for our baby daughter. We couldn't avoid calling her 'Mairead' in Gaelic and 'Margaret' in English as both grandmothers were known by that name.

chun a' Chairbh, tha e duilich a bhith sona ann am bad a tha air a mhùchadh far nach fhaic e tonnan luaisgeanach Cuan nan Orc.

Cha dìochuimhnich mi gu bràth àile làithean meadhan samhraidh ann an Leòdhas nuair a bhios a' ghrian a' dol fodha, mar gum biodh i aindeoineach aig deich uairean feasgar agus ann an gormadh an latha ag èirigh le ceòlraidh eun ro cheithir uairean sa mhadainn. Do dhuine sam bith a chaidh àrach ann an àrainneachd nan eilean, tha e do-dheante dha a bhith sona ann an àite far a bheil e glaiste air chùl bheanntan mòra gruamach leis a' ghrian ann am meadhan an t-samhraidh a' nochdadh aig naoi uairean sa mhadainn agus a' dol air cùl chnoc aig ceithir uairean feasgar. Uill, mar a dh'innis mi dhuibh, cha robh sinn air a bhith a' fuireach ach airson beagan mhìosan ann an rùmanan màil ann an Denniston gus an tug an smog oirnn teiche. Bha mi nise a' faireachdainn ain-fhoiseil air mo chuingealachadh air chùl nam beanntan. 's mathaid gu bheil sibh ag ràdh ribh fhèin, nach e Calum Bhob a tha air fàs gearaineach, nach eil e sona ann an àite sam bith anns am faigh e còmhnaidh!'

Ach fhearaibh, cha robh an siud ach cianalas nach robh a' driùdhadh orm ach ainneamh agus sin nuair a bheirinn mun aire an t-uallach a bha mi air a chur mu m' amhach. Cha do sheas a' chulm sin ach gus an robh a' chiad mìos againn seachad ann an Ceann Loch a' Ghobhail. Nuair a thàinig meadhan an fhoghair, thòisich rudan a' gluasad gu ar miann. Fhuair sinn eòlas air a' mhòr-chuid dhen t-sluagh a bha a' còmhnaidh anns a' bhaile agus cuideachd anns na cròileaganan thaighean air gach taobh dhen loch, agus cuideachd shuas anns a' ghleann. Thòisich cèilidhean anns a' bhaile le còmhlanan a' tighinn à badan thall agus a-bhos. Aon uair 's a bhliadhna, bhiodh mo dheagh bhana-charaid, Ainidh Nic Dhiarmaid, a' tighinn thugainn le Còisir Ghàidhlig Ghrianaig. Bhiodh am baile gu lèir a' dèanamh gàirdeachas riutha agus abair toileachas am measg na cloinne nuair a chitheadh iad am pufair a' tighinn leotha a-nuas an loch agus, an uair sin, ga ceangal ris a' chidhe air cùl Garaids MhicChaluim, ceòl na pìoba a' toirt sgaladh-nan-creag air carraichean na Stiopail. Nuair sin, mus tigeadh iad tron bhaile, sheinneadh an còisir, 'Togaibh i, togaibh i, cànan ar dùthcha'. Mo ghaol air Ainidh nach maireann agus air gach fear agus tè a bhiodh a' tighinn thugainn, saor agus an-asgaidh, airson ionmhas na sgoile a neartachadh.

Cha robh ach dithis againn a' teagasg anns an sgoil - mise agus a' bhean-uasal Anna Nic Gilleathain – boireannach gasta, glic aig an robh mòran a bharrachd eòlais air teagaisg na cloinne bige na bha agamsa. Bha i ciùin, dìleas dha h-obair agus deiseil airson seasamh ri mo thaobh anns gach duilgheadas a thigeadh

Life in the Lowlands (1954–62)

When we arrived home in Lewis, my father happened to be on leave. He was the captain of a ship called the 'Topaz' which sailed between some of the ports of Scotland, England, Ireland and Holland; for example, Glasgow, Belfast, Cork, Falmouth, Blyth and Rotterdam. He looked very fit and healthy and, as usual, full of fun. We stayed for most of the time at my parents' house in Port Mholair where the baby was a special attraction. Understandably, Maggie in Stornoway was equally attached to baby Margaret, her only grandchild and it now weighs on my conscience that, because I was addicted to be near to the rock fishing and sea-angling, I insisted that we spend most of our time at Ceanna-loch rather than in the town. Looking back, I regret doing so as I prevented my mother-in-law from having enough time with our precious Mairead, her only grandchild.

One morning, Sandra came down from the bedroom with the baby and she said to Mum, 'Would you hold her please. She's sleeping peacefully and I will go down and start tidying up the kitchen.'

Sandra disappeared into the kitchen and I could hear the clatter of dishes. A few minutes later, she came back to where my father and mother were, sitting by the fire having a cup of tea. She addressed them in Gaelic. 'Excuse me for interrupting your cuppa,' she said always tending to be somewhat formal in the presence of my father.

'Where are the brush and the *sluasaid*?' she asked.

Mum, who knew the word *sluasaid*, responded immediately.

'You'll find them, dear, down in the kitchen in the fuel box along with the peats'.

When Sandra retreated to the kitchen, my Dad said, 'What in God's name is or are a brush and *sluasaid*?'

'Och John,' said Mum, 'surely you know what a brush and a *sluasaid* are?'

'In the whole of Creation, I have never come across the word *sluasaid*.'

'Well, you will know from now on that to the young folk of today "a brush and a sluasaid" means "a brush and a shuffle".'

That made sense to my father who, like many other Gaels of their generation was inclined to refer to a 'shovel' as a 'shuffle'!

Back in Lochgoilhead, the good people of the village and in the scatter of hamlets in the district bought a television-set for the school – the first to be installed in any school in Argyll. Anne MacLean, the Infants' Teacher, made very good use of educational series for children in her care. I taught the older classes, Primaries 6 and 7 as well as so-called Correspondence Tuition pupils, aged fourteen and fifteen who, for one reason or another, were unable to go

oirnn anns an sgoil. Seach am buidsear a bh' anns a' bhaile, bha na pàrantan gu lèir taiceil agus còir leis a h-uile oidhirp a bha sinn a' cur air chois anns an sgoil. Gu mi-shealbhach, bha am buidsear do-riaraichte, droch-nàdarrach agus di-mholtach air a h-uile duine a bh' ann an ùghdarras anns a' bhaile – am ministear, am poileasman agus am mai'-sgoile. Air a' cheann thall, dh'fhàs e cho ceannairceach, 's gun do dhiùlt e feòil a reic rinne agus ri leth-dusan teaghlach eile a bh' anns a' choimhnearsnachd. Bhiodh buidsear a' tighinn à Arrochar le bhan a h-uile Dihaoine a reic feòla ris na teaghlaichean a bha am bodach greannach ud air a chur air an allaban. Dh'aindeoin a' ghòraich a bha sin, rinn ar greiseag an Earra-Ghaidheal atharrachadh mòr nar beatha mar chàraid pòsta.

Dh'aontaich sinn nar dithis gun robh e deatamach dhuinn càr fhaighinn agus, nuair a fhuair sinn sin, Ford Anglia beag geal, thug e dhuinn comas air siubhal gu badan air feadh na siorrachd: Dùn Omhain, Inbhir Aora, Aird an Teine agus Taigh an Uillt. Bha ochd rumannan anns an taigh ach cha ruigeadh sinn air àirneis a cheannach dhaibh uile agus, cò dhiù, cha robh sinn a' cur feum orra.

Tron gheamhradh bha Sandra agus mise gar cumail fhìn dripeil còig feasgair san t-seachdain – Sandra le compàirt ann an dealbh-chluichean agus agus le bhith teagaisg *shorthand-typing* do chlann-nighean a bha air an sgoil fhàgail. A-rithist a' toirt foghlaim do dh'inbhich, bha mise a' teagasg na Gàidhlig. Seach gu robh mi cho agharnail 's gum bithinn a' seinn 'Ae fond kiss' (le blas na Gàidhlig) aig cèilidhean na sgoile, chuir fir a' bhaile mi nam chathraiche air a' Bhurns Club!

Bha iomadach rud ùidheil leam a bha mi a' tiomsachadh fhad 's a bha mi ann an Ceann Loch a' Ghobhail ach, a dh'aindheoin sin, bha mi gam fhaicinn fhìn mar gum bithinn ann an cul-de-sac. Bha do-riarachd am measg nan tidsearan a thaobh am pàighidh a' leantainn bho mìos gu mìos agus ged a bha an Riaghaltas ag aontachadh gun robh feum air na tuarastail a leasachadh, cha ghluaiseadh iad gu an àrdachadh. Bha a h-uile tidsear a dh'aithnichinn a' fàs ain-fhoiseil nach robh feabhas a' tighinn air ar pàigheadh. Bha mi a' fàs luaisgeanach agus dh'fhàs mi buileach mar sin nuair a thàinig Iain Eachainn, mo 'bhràthair beag', a thadhal oirnn. Bha e sin air obair fhaighinn na dhealainear air an M.V.Morar – soitheach a bha a' tarraing iarann-mèinn à Nirribhidh gu Alba. Ged bha e sia bliadhna na b' òige na mise agus aig toiseach a bheatha mar chosnaiche, bha a thuarastal na bu mhotha na m' fhear-sa.

'Uill, daingid!' arsa mise leam fhìn, 'Chan eil seo a' dol a dhèanamh a' chùis!'

to Dunoon Grammar School. I chose to view 'People of many Lands', a series featuring contrasting lifestyles in different parts of the world . Although half a century has passed since the series was broadcast (in black and white of course), I still remember the names of some the programmes. One was called 'Tuareg', which featured the lifestyle of a nomadic tribe in the deserts in North Africa. Another was called 'Provence Farm', about a family living in the South of France.

Those programmes were aimed at children in top Primary classes but were excellent material for educating teachers who, in those days, could not afford to go for holidays in the sun. Of course, it took Europe many years after the war before it was possible to develop holidays abroad as an industry.

It so happened that, in the late 1950s, I was one of a small number of teachers in different parts of Scotland who reported to the BBC on the effectiveness of their series provided for Primary Schools. Sinclair Aitken was the BBC's Education Officer who visited schools in the West of Scotland to report on how well the programmes were used in class. On one occasion, he visited Lochgoilhead and sat through a programme with Ann Maclean, our Infants' Mistress. Later, he came to my classroom and saw how effectively I used a programme entitled, 'Kelp'. As a Gaelic-speaker with a fair knowledge of the subject, I felt that the visitor was suitably impressed with the pupils' appreciation of the programme content and with my teaching. About a year later Sandra noticed, in the Glasgow Herald, that the BBC were inviting suitable candidates for a Producer vacancy in the Schools Department of BBC radio. I applied and attended for interview at BBC, 5 Queen Street, Edinburgh. The interview went well and, at the end of the spring term 1962, I resigned from my post at Lochgoilhead.

We left the community there, but not without misgivings. Apart from the cranky butcher, we got on well with everybody. The community invited us to attend a farewell party at which we were presented with an impressive canteen of cutlery and a bound copy of the Shorter Oxford Dictionary. Among our closest friends were Anne MacLean (teacher) and husband George (forester), Peter and Jean MacPhail (farmers), Mary Simpson (retired university lecturer) and husband Jack (formerly a senior administrator, India), Uisdean Urquhart (retired seaman), John Tyre (botanist), and Calum MacDonald (office manager).

Messrs Bennett and MacKinnon, HM Inspectors of Schools happened to visit the school during the month I was required to serve before quitting my post. Mr Bennett was curious to know why we had to leave such an attractive

Gun fhaighneachd do Sandra, chuir mi a-steach airson obair nam thidsear ann an Alba Nuadh. Cha robh muinntir Canada fada gam fhreagairt. Thairg iad dhomh obair nam cheannard air Roinn na Beurla ann an Sgoil Ghràmar Halifax le tuarastal mòran na bu choltaiche na am fear a bh' agam. Nuair a dh'innis mi do Sandra an annas-naidheachd, cha b' ann le aoibhneas a fhreagair i. Dh'aindeoin 's gun robh mi a'dol a dh'fhaighinn àite anns an dùthaich anns na rugadh i, bha mi a' coimhead nach robh i buileach cho àrd-mhisneachail 's a bha dùil agam. Cò dhiù, sgrìobh mi thuca anns an spot a ràdh gun robh mi, le aoibhneas, a' gabhail na h-obrach. Dh'iarr mi air Sandra an litir a phostadh. Latha no dhà an dèidh sin, chunna mi gun robh an litir fhathast aice air a' bhòrd. Arsa mise rithe le uabhas, 'Carson nach do post thu an litir a sgrìobh mi a Chanada?'

Arsa ise, le fìamh a' ghàire, 'Airson nach eil sinn a' dol ann. Tha sinn, a sheòid, air turas chloinne.'

Triùir Mhaireadan

Rugadh Sandra ann an Hamilton, Ontario. Mu 1930, bha a pàrantan air Leòdhas fhàgail airson am beòshlaint a chosnadh an Canada. Gu mi-shealbhach, ann am beagan bhliadhnachan, thàinig an lionn-dubh air malairt an t-saoghail. Chuir an *Great Depression* a h-uile dùthaich gu dubhachas agus bochdainn. Anns na bailtean mòra, dhùnadh na gnìomhachasan a bha a' cumail beòshlaint ris an t-sluagh. Ri linn sin, sguir soithichean-caragò a sheòladh leis a bhathar a bha na gnìomhachasan air a dhèanamh. Cha robh airgead ann airson an luchd-obrach a phàigheadh. Bha an saoghal air a dhol bun-os-cionn.

Ann an 1935, nuair a thàinig an lionn-dubh buileach air eaconomaidh nan Stàitean Aonaichte agus Chanada, b'fheudar do dh'iomadach càraid òg a bha air cùl a chur ri Alba an uireas crannchur a bh' aca a reic agus tilleadh dhachaigh. B' ann mar sin a thachair do Mhurchadh MacLeòid agus a bhean Mairead, mo chuideachd chèile. B' fheudar dhaibh cùl a chur ris an Talamh Fhuar agus tilleadh air ais a Leòdhas leis an leanabh, Sandra, a bha an uair sin dà bhliadhna a dh'aois.

Mar sin, chaidh Sandra a h-àrach agus a h-oideachadh ann an Steòrnabhagh, baile anns nach robh diù aig daoine dhan Ghàidhlig. Ged a bha a pàrantan fileanta anns a' chànan, 's i a' Bheurla bu tric a bha an leanabh a' cluinntinn, gu h-àraidh bho chaidh i do Bhun-sgoil Mhic Neacail. Nuair a dh'fhàg i an

Highland environment and such an appreciative community. I told him the truth: that, in spite of having made so many friends in Lochgoilhead, I felt that living on the floor of a deep glen in which the hours of direct sunlight were limited had caused me to develop 'cabin fever'. Apart from that, my moving to Edinburgh would result in a substantial boost to my salary.

I prepared the Ford Anglia and, with Sandra and baby Margaret secure in blankets in the front passenger-seat (without seat-belts), we set off for the Rest and Be Thankful. As ever on hand to help us, my brother Murdo arranged for a furniture van to collect our goods and chattels and transport them to our new home. It took us half a day to reach our destination in Edinburgh. We were about to embark on a new lifestyle – one which was better paid and more interesting and challenging. After a few months, we bought a semi-detached in Silverknowes, two miles from the city centre. The location was perfect. Our street was a broad avenue lined with flowering cherry-trees. We were within a few hundred yards of the sea and within a couple of miles of Holyrood Park, Arthur's Seat, Edinburgh Castle, theatres, cinemas, shops and my BBC work-place at 5 Queen Street. Best of all, many of our neighbours had young families. They made us welcome and instantly became our friends.

Ardsgoil, bha barrachd Frangais agus Gearmailtis aice na bh' aice de chànan a sinnsirean. Ach nise, bha sinn air pòsadh agus bha naoidhean àlainn againn a bha sinn airson a bhaisteadh ann an Leòdhas le ainm snog Gàidhealach.

Bha deagh adhbhar air 'Màiread' a bhith air an leanabh mar ainm. B' e sin an t-ainm a bha air a dà sheanmhair – dithis a bha snàimte ris a' Ghàidhlig. Mar a thurchair, bha m' athair aig an taigh nuair a ràinig sinn. Bha e na chaiptean air an 'Topaz', soitheach a bha a' seòladh eadar bailtean-puirt am Breatainn, Eireann agus an Olaind. Bha e a' coimhead slàn fallain agus làn dibhearsain mar bu nòs. Dh'fhuirich sinn leis an leanabh am Port Mholair agus chaidh Màiread a bhaisteadh an sin. Bha an dà sheanmhair còmhla rinn aig a' bhaisteadh am Port Mholair agus bha an latha gun mar-a-bhiodh.

Aon mhadainn, thàinig Sandra a-nuas às an rùm anns an robh sinn a' cadal leis an leanabh, agus thuirt i ri mo mhàthair seach gun robh an leanabh na cadal, gun cuidicheadh i a' sgioblachadh an taighe. Chaidh i sios dhan chidsin a' nighe soithichean na bracaist agus nuair a bha sin seachad aice, thill i nuas chun an teine far an robh m' athair 's mo mhàthair nan suidhe ag òl cupan teatha.

'Gabhaibh mo leisgeul,' ars Sandra, 's i cho umhail air beulaibh a' Bhodaich, 'Càite bheil an sguab agus an t-sluasaid?'

Fhreagair mo mhàthair anns an spot.

'Tha iad, a ghràidh, shios anns a' chidsin ann am bucas na mònach.'

Nuair a dh'fhalbh Sandra air ais sios, chuala mi m' athair ag ràdh, 'A Mhairead, dè fo Dhia a th' ann an 'sguab agus sluasaid'?

''S cinnteach gu bheil fios agad fhèin dè a th' ann sguab agaus sluasaid.'

'Ann an saoghal Dhia, cha chuala mise am facal 'sluasaid.'

'Tà Iain, bidh fios agad air tuilleadh. Do dh'àl an lath 'n-diugh, tha 'sguab agus sluaisaid' a' ciallachadh, 'bruis agus shufail!'

Air ais ann an Ceann Loch a' Ghobhail, cheannaich muinntir a' bhaile telebhisean dhan sgoil - a' chiad telebhisean a chaidh a stèidheachadh ann an sgoil an Earra Ghaidheal. Rinn Anna, tidsear na cloinne bige, deagh fheum dhe na prògraman a bha freagarrach do dh'aoisean sia gu naoi. Chum mise ri aon sreath, 'People of Many Lands' – prògraman a bha a' foillseachadh saoghal mòr farsaing a bha gu math eadar-dhealaichte ris a chùil bheag dhùinte anns an robh na h-oileanaich a bh' agam gan àrach. Tha cuimhne agam fhathast air dà program aig an robh buaidh mhòr air inntinnean na cloinne. B' iad sin 'Tuareg' – a bha mu dheidhinn treubh anns an fhàsach an ceann-a-tuath Afraga agus 'Provence Farm' mu dheidhinn teaghlaich ann an ceann-a-deas na Fraing. Bha mi air aon dha na tidsearan air feadh Alba a chaidh fhiathachadh

My paternal aunt Mary, well-known racconteur
Màiri piuthar m'athar, boireannach geur-chuiseach

gu aithisgean a sgrìobhadh a h-uile seachdain a' toirt mo beachd air feumalachd nam prògraman. Bhiodh Sinclair Aitken, oifigear-foghlaim bhon BhBC, a' tighinn a-nuas chun na sgoile a dh'fhaicinn mar a bha Anna agus mise a' cur nam prògraman gu feum.

Ann an ceann bliadhna an dèidh sin, dh'fhosgail àite ann an Roinn an Fhoghlaim ann am BBC Rèidio an Dùn Eideann. Chaidh mi gu agallamh agus shoirbhich leam.

Ann an dòigh, bha cianalas oirnn a' cur cùl ri Ceann Loch a' Ghobhail. Fhuair sinn cuireadh a dhol gu cèilidh ann an Ionad a' Bhaile a bha muinntir a' bhaile air ullachadh dhuinn. Bha an t-àite làn chloinne agus phàrantan agus chaidh an oidhche seachad le òraidean, òrain agus pìobaireachd. A' dol gu deireadh na h-oidhche, chaidh tiodhlacan a toirt dhuinn agus tha iad sin fhathast prìseil againn.

Cò dhiù, aig deireadh ràith an Earraich 1962, rinn sinn deiseil airson an turais fhada a bh'againn ri a dhèanamh gu Dùn Eideann. Thug sinn leth an latha mus do ràinig sinn ar ceann-uidhe ann an Newington an Dùn Eideann far an deacha sinn a dh'fhuireach ann an rùm air mhàl airson beagan sheachdainean.

Bha sinn a-nis air a' Ghalltachd agus an ìmpis a dhol an sàs ann an dreuchd a bha tur eadar-dhealaichte ris an dreuchd agus an caithe-beatha air an robh sinn eòlach. Ann am beagan mhiosan, cheannaich sinn leth-thaigh ann an Silverknowes, ann an sràid leathann le craobhan-sirist ris a' chabhsair air gach taobh den rathad. Cha robh sinn ach cairteal a mhìle bhon mhuir agus beagan is mìle bho Phairc Holyrood, Cathair Artair, Caisteal Dhùn Eideann, tèataran, taighean-dealbh, mòr-bhùithtean, agus taigh-craolaidh a' BhBC.

Bha Silverknowes àlainn. Bharrachd air eireachdas an àite, bha mòran chàraidean òga le teaghlaichean anns an astar: Goill, Gàidheil, Eireannaich agus Sasannaich agus cha robh aon dhiubh ann nach do rinn sinn di-beathte. Cha robh sinn ann fada gus an robh eòlas againn air mòran theaghlaichean agus, ged a tha còrr air leth-cheud bliadhna bhon àm sin, tha cuid dhiubh nan caraidean againn chun an latha'n-diugh.

Historical pageant by P.6 Glenburn
Taisbeanadh le Bun-sgoil Ghlenburn

Jean Hodson Gregory my pupil of sixty years ago
Ghlèidh Sìne, m'oileanach, an dealbh a rinn mi

Class-room portrait of a pupil: Jean Hodson
Dealbh peansail a rinn mi de dh'oileanach

Summer-holidays in the mid-1950s
Samhradh na h-òige còmhla ri Sandra

Injured by a snowball from a delinquent pupil'
Aois còig deug nuair a phronn droch bhalach i

Our new bungalow at the photo centre
Ceann a Loch bho mullach Foitealar

Nan at the annual Lewis & Harris dinner
Ullachadh airson dinneir ann an Glaschu

John Hector with motor-bike and passenger
Iain Eachainn leis 'an rothair' agus pàiste

Lochgoilhead School House and school adjacent
Taigh-Sgoile agus an sgoil Ceann Loch a' Ghobhail

Chapter 6
Caibidil 6

BBC (Edinburgh)
Am BBC an Dùn Eideann

The BBC

During my first month, I did very little except meet various officials of the BBC in Edinburgh and shadowing different producers of educational programmes. Tom Allan was the head of the Education Department. Radio programmes were produced in Edinburgh where there were two or three studios. Most television programmes were produced at Broadcasting House in Queen Margaret Drive, Glasgow. For my introduction to this strange world, I was asked to trail 'Mrs Margaret LP', an English woman in her late fifties. She was an experienced radio producer who greatly enjoyed her work. In spite of her being authoritarian and opinionated, Mrs LP was likeable and I learned a great deal from her.

As far as I know, I was the first Gaelic-speaker she had met personally. Yet, I wasn't in her company for long before I realised that she had a low opinion of people living north of the Highland Line. According to her, there were two kinds of Gael. One was uncultured, stupid and 'mostly Irish'. The second were the 'Rare Exceptions' whose characteristics she didn't care to define. Naturally, her analysis of our people was totally offensive and unacceptable to me but, in those days, racism was rampant and the term 'politically incorrect' had not been invented. Mrs LP mentioned the 'Catholic Gaels' of Ireland as 'Bog Irish' and she was not afraid to state that she was thoroughly against Roman Catholics. Her husband was an Anglican vicar: a tall, lean man who spoke in monotone and, in company at least, agreed with everything his wife said. But was she teasing me? I wondered. In the end, I realised that she was not. I was pleased one day when she told me that I should address her by her Christian name, Margaret. Mrs LP was like the commander of a battleship, issuing directions to her crew, her team of actors and studio-managers and suggesting methods of improving their contributions. The first time I sat behind Mrs LP, she was attacking an actress whose name was Mavis, an experienced radio actress who, in my judgement, was giving a convincing performance.

'Darling,' Mrs LP would say, 'I have told you this three times. Listen to what I am asking you to do. At the top of page six, stand closer to the mike and try to articulate exactly what the script says. Mavis, you must accept that the words have been written for you by a professional script-writer. Say them convincingly and if you cannot do that, you have no business being in the studio. On you go!' While she as giving those directions, Mrs LP was

Am BBC

Airson mìos, cha do rinn mi mòran ach coinneachadh ceannardan a' BhBC ann an Dùn Eideann agus suidhe ag amharc riochdairean a' cur phrògraman-sgoile ri chèile. Bha Tom Allan na cheannard air Roinn an Fhoghlaim – rèidio ann an Dùn Eideann agus telebhisean ann an Glaschu.

Chaidh mo chur gu Margaret L. P., bana-Shasannach a bha na meadhan aois agus gu math ealanta air a gnothach. Ged bu mhise a' chiad Ghaidheal air an d' fhuair i eòlas, bha i a' meas gun robh dà sheòrsa de Ghaidheal ann: 'leibidean salach' agus 'càch!' Na beachd-sa, bhuineadh a' mhòr-chuid dhe na 'leibidean shalach' do Ghàidhealtachd na h-Eirinn. Bha càch, mar gum biodh, air an leasachadh le bhith a' strucadh ri sìobhaltachd ionmholta nan Sasannach. An ann a' tarraing asam a bha i? Cha b' ann idir. Thogadh i a' creidsinn gum b' e siud an seòrsa treubh a bh' annainn a' còmhnaidh gu tuath air crioch na Gàidhealtachd agus cha robh dòigh air dearbhadh dhi a chaochladh no a dh'atharraicheadh a beachd.

Ged a bha a sealladh air na Gaidheil agus air a h-uile coigreach eile a bha air taobh a-muigh Shasainn, caran cumhang agus dùbhlanach, cha chanainn gum b' e droch bhoireannach a bh' innte – aineolach na sealladh air coigrich, ach fìor mhath mar riochdaire air prògraman chloinne. Airson mo chiad mhìos anns an dreuchd, cha robh agam ri dad a dhèanamh ach suidhe sùmhail air cùl riochdaire agus èisteachd ris an treòrachadh a bha i no e a' toirt dha na cleasaichean. Bha Mairead mar chomanndair air soitheach-cogaidh, a' stiùireadh, a' moladh, a' càineadh agus a' ceartachadh. A' chiad uair a shuidh mi air a cùlaibh, bha i a' toirt ionnsaigh air Mavis M., cleasaiche-rèidio a bha nam bheachd-sa gu math sgileil. 'M'eudail! Tha mi air seo a radh riut trì tursan. Eist ris an rud a tha mi ag iarraidh ort a dhèanamh. Aig mullach taobh duilleig sia, seas nas fhaisg air a' mheic agus feuch an can thu na facail a tha agad ri ràdh, còir, dùrachdail, gasta. Mura h-aithne dhut sin a dhèanamh chan eil gnothach agad a bhith an seo! Lean ort!'

Fhad 's a bha i a' toirt seachad na comhairle sin agus, uaireannan, tàthagan na cois , bha i na suidhe anns an rùm-stiùiridh ag èisteachd ris a h-uile lideadh, ach aig an aon àm a' fighe geansaidh mòr gorm dhan duine aice – ministear anns an Eaglais Shasannaich ann am baile beag deas air Dùn Eideann. Bha na cleasaichean cleachdte ris an dòigh obrach aice agus cha robh fear no tè a' gabhail anmainn rithe. Ach b' e a' cheist a bh' ormsa, am bithinn comasach air bruidhinn cho amh, ùghdarrasail ri cleasaichean a bha air bliadhnaichean

sitting in the room called the gallery, listening and watching and, at the same time, knitting an enormous blue jersey for her husband. In spite of her prejudice, conceit and eccentricity, she was one of the most successful producers of children's programmes I met during my seven years in the Schools Department.

Four weeks' trailing experienced producers was both enjoyable and enlightening. After that, came the challenge: how I would behave and perform when I were in the hot-seat. Tom Allan, the Head of Department, gave me a pep talk and told me that, in a few weeks I was to be responsible for producing 'Stories from Scottish History', a schools series with which I was already familiar. I soon found myself in charge of commissioning scripts, booking actors, and, best of all, directing actors in studio. Working with professional actors was a wonderful experience and I enjoyed every minute I was in their company. My favourite actors were experienced professionals: Bryden Murdoch, Tom Fleming, John Shedden, Dougie Murchie, Arthur Boland, Michael Elder, Roddy MacMillan, Effie Morrison, Helena Gloag, Sheila Donald, Gwyneth Guthrie and Mary Riggins. I loved them all.

After a year's experience as a producer, I was asked to take over production of a series called 'Religious Service from Primary Schools'. This was not a very onerous assignment as responsibility for the central core of the programmes (the homily) was recorded in England and copied to the so-called Regions, including Scotland.

To my dismay I discovered at BBC Edinburgh that Mrs LP was not my only colleague who took a dim view of the Gael. In spite of her outrageous sense of personal superiority and importance, I admired Margaret LP's forthrightness and honesty. Coffee-time was often spent listening to W. Gordon Smith deriding the Gael for his 'mournful style of singing' and his 'wallowing in lost causes'. It took me some time to realise that he was one of these irksome people who delight in stirring things up. Long before, I joined the BBC, I knew W. Gordon Smith as the producer of excellent radio documentaries and, later of successful television light-entertainment series such as 'Hootenanny'. Shortly after Alasdair Milne became the Controller of BBC Scotland, Gordon's jaundiced view of the Gael became less strident. A Gaelic speaker, the new Controller encouraged BBC staff throughout Scotland to learn our ancient language.

I was asked to hold lunch-hour classes for Edinburgh BBC staff and that I did with relish. Several colleagues who had been critical of the existence of the existence of the small Gaelic department based at Broadcasting House,

a chur seachad mar phroifeiseantaich a' cur brìgh agus beothas anns na dealbh-chluichean airson rèidio.

Nuair a thòisich mi a' riochdachadh phrògraman 'Stories from Scottish History' a fhuair deagh mholadh bho na tidsearan, theireadh Màiread, 'Dìreach mar a thuirt mi riut bho thùs. Lean thusa ris an eisimpleir a tha mise mar Shasannach, a' toirt dhut, agus cha tèid thu fada ceàrr.'

Anns na mìosan a bha mi na cuideachd, dh'ionnsaich mi mòran bho Mhàiread ach cha b' e modh aon dhiubh.

Cha robh mi fada nam dhreuchd gus an d'fhuair mi dheagh eòlas air còrr air dusan actair agus bana-actair a bha a' cosnadh am beòshlaint ann an rèidio agus telebhisean. Bha iad comasach air an guthan a dhèanamh na b'òige no na bu shine a rèir 's mar a bha an riochdaire gan stiùireadh. Cha b' e sin a mhàin, ach bha iad cuideachd comasach air blas na Beurla a chur air an còmhradh, biodh an caractar na ghille-bùthadh à Glaschu, na chroiteir às na Hearadh no na dhuin' uasal à Lunnainn. Fìor phroifeiseantaich a bh' annta agus bha e na chùis-aoibhneis dhomh agus na thlachd a h-uile latha a bha iad còmhla rium anns an stiudio.

Dh' fhàs mi eòlach air dusan dhiubh agus b' iad am bata-làidir a bh' agam fad bhliadhnaichean a bha mi ag obair ann an rèidio. B' iad sin: Effie Morrison, Sheila Donald, Mary Riggans, Gywneth Guthrie, Michael Elder, Brydon Murdoch, John Shedden, Roddy MacMillan, Dougie Murchie, Arthur Boland agus Tom Fleming.

Dh'fhàs cuid dhe na h-actairean eòlach air Sandra agus a' chloinn. Bha an triùir chloinne againn, Mairead, Iain Anndra agus Murchadh Eoghainn fìor mhath air ealan anns an sgoil. Ghabh Tom Fleming ùidh nan obair agus thug Màiread dha pasgan dhiubh. An ath uair a bha e ann am prògram leam, thug e a steach dà dhealbh a bha i air a thoirt dha. Bha iad aige air an gleidheadh ann am frìoman fiodha agus gloinne. Thuirt e nach creideadh e nach biodh Màiread ainmeil nuair a thigeadh i gu inbhe. Cha robh e ceàrr oir tha i air iomadach duais fhaighinn airson a cuid obrach airson a dealbhan-ìomhaigh bho thàinig i a Leodhas na dotair.

Aig deireadh latha dripeil anns an stiudio, thàinig Tom Allan far an robh mi a dh'innse dhomh gum b' ann orm a bha uallach 'Religious Service for Primary Schools' gu bhith bho cheann na ràith. Bha sin gu bhith thuilleadh air ' Stories from Scottish History'. Cha robh mi air mo ghurt fhìn ach airson beagan sheachdainean gus an robh agam ri sgriobtaichean a choimiseanadh agus luchd cleasachd fhastadh. Dh' fheumadh riochdaire phrògraman a bhith

Glasgow came to these classes. To my astonishment, W. Gordon Smith was one of the first to join my class and, after a few weeks, became an enthusiastic student.

Predictably, Margaret LP whose production skills I admired so much, chose not to attend.

Sails Too Full

My father had put to sea again – just as he had done twice before. His Hogmanay holiday was thus postponed for a full month and Mum who had come to Glasgow to wait for him became so discouraged that she left Murdo's house and crossed over to us in Edinburgh. She was with us for three weeks fretting and waiting. Dad arrived at Silverknowes on the evening of 3rd February. It was the very day on which I was told that, henceforth, I was to produce the Schools radio series 'Exploring Scotland'. After dinner, I broke the good news to my parents. Both were pleased for me and I could see that the news made Dad quite emotional. He said, 'Your news pleases me more than I can tell you, Balach! Our family is moving forward and that makes me very proud.'

He stood up and went to his jacket which he had draped over the back of a chair. From the pocket, he withdrew an envelope containing his pay cheque and a letter of commendation from his employers. He handed the letter to me. I remember reading phrases such as 'devotion to duty', 'loyalty to the company' and was struck particularly by the phrase 'extraordinary seamanship.'

I asked him to explain what had earned him a tribute to his seamanship. The look on his face alarmed me. It was clear to me that he had done something extra-ordinary that had pleased his employers but possibly endangered his own life and that of his crew.

'Surely,' I said, 'you must have done something unusual.'

For a moment I saw tears in my Dad's eyes. He sat down and, though he had misgivings about what had earned him the commendation, he told us what he had done. He had left Glasgow with the ship in a dense smog and had sailed down the Clyde with the windows of the bridge open and followed the navigation channel by observing where the marker-buoys on either side of the channel were. He did the run without the use of radar and

faiceallach gu h-àraidh ag obair air cuspairean mar 'Na Fuadaichean' agus 'Bliadhna Thearlaich'.

Ann am Blàr Chùl Lodair, dh'fhast mi an t-actair Arthur Boland, Sasannach, airson caractar an Diùc Cumberland a ghabhail. Ars' Arthur, 'Dè an seòrsa duine a bh' anns an Diùc agus dè am blas a tha thu ag iarraidh a bhith air a' chòmhradh?'

'Cuimhnich,' arsa mise, 'gu bheil an Diùc ('Am Buidsear') air a' bhuaidh fhaighinn air na feachdan Gàidhealach aig Cùil Lodair. Cuimhnich cuideachd gum b' e Gearmailteach a bha na athair – Rìgh Deòrsa a Dhà agus a sheanair roimhe sin. Bha e borb, reamhar, droch-nàdarrach agus mi-fhoighidneach. Faic e mar oifigear anns a' Ghestapo – reachdmhor, reamhar agus gun thruas ri duine nach robh dìleas dha threubh fhèin.'

Thug Arthur dhomh 'Buidsear' a bh'agam anns an amharc agus fhuair sinn moladh bho gach sgoil a bha air am prògram èisteachd air feadh Alba. Gu mi-shealbhach, cha robh a h-uile duine a dh'èist ris rìaraichte. Bha Arthur Woodburn air a dhreuchd a leigeil dheth mar bhall-Parliamaid le oifig 'Riochdaire airson Alba'. Bha esan air am prògram a chluinntinn agus chuir e a steach gearain gu robh am program air a riochdachadh an aghaidh Shasainn. Dh'iarradh orm mo bheachd a thoirt air a' bharail sin. Thuirt mi nach robh droch rùn an aghaidh Shasainn ach gu robh deagh chuimhne aig na Gaidheil fhathast air mì-rùn mhòr nan Gall, agus gu sònraichte an Diùc, mac an rìgh, aig an robh a' bhuaidh an dèidh Blàr Chuil Lodair.

Cha b' e Bean-uasal LP an aon neach ris na choinnich mi ag a' BhBC an Dùn Eideann aig an robh am beachd ud air na Gaidheil. Ach, thàinig ath-leasachadh air a' bheagan sin cho luath 's a ghabh Alastair Milne uachdaranas air BBC na h-Alba. Bha esan fileanta anns a' Ghàidhlig agus mhisnich e a h-uile duine a bha fodha, an sàs ann an craoladh an Alba, tòiseachadh ag ionnsachadh seann chànain na dùthcha. Chaidh iarraidh ormsa clas a stèidheachadh saor agus an-asgaidh, aig 5 Sràid na Ban-righ, Dùn Eideann. Rinn mi sin le deòin; agus cò a' chiad duine a nochd airson oideachadh ach Gordon Mac a' Ghobhainn aig an robh dubh-ghràin air Gàidheil agus an cànan!

Cha tàinig Màiread L. P. idir!

Siùil Ro Làn

Cha robh m' athair air saor-laithean na Bliadh' Uire fhaighinn mar bu nòs agus bha mo mhàthair neo-thoileach, na h-aonar, ann am Port Mholair a'

with the bridge open to the elements.

His coughing became persistent during the night. In spite of his condition, he insisted that they would both be fit enough to accompany me in the morning on my run to Berwick-on-Tweed with Colin Martin, the scriptwriter. In the morning I wanted to leave at 9 am sharp. I went to my parents' bedroom just before breakfast and found that my father was willing to go but my mother was not.

My father said with the usual good humour, 'It wasn't the tobacco smoke that caused me to have this chest condition. Smoking Erinmore tobacco would, at least have been more enjoyable than inhaling the smog of the Clyde.'

In the end, Dad yielded. Mum told him that he was 'confined to barracks' for the day and telephoned for the doctor. We said our good-byes and reluctantly, I left Silverknowes and drove to Queen Street where Colin Martin was waiting for me, as ever brimming with enthusiasm.

We reached our destination at quarter to midday and I, immediately, phoned home to find out what the doctor had said. Mum answered the phone, saying, 'Who is it?' Then after a long pause she said, 'Calum, can you come home at once?'

After a while I said, 'Mum, is there something wrong?'

She replied, 'My dear son! Our ship was sailing with the sails too full. Our world, as we know it, has come to an end. Your Dad died before the doctor reached back to his surgery.'

My Dad was interred in our family lair at the Aoigh Cemetery at the Bràigh where, for centuries, generations of my family have been laid to rest. When I returned to my duties at the BBC in Edinburgh, I found it very difficult to concentrate. At that time, I was responsible, not only for the production of 'Exploring Scotland' but also for the production of two other series: 'Stories from Scottish History' and 'Religious Services for Primary Schools'. It was hard going and found it difficult to recover from the shock of losing my Dad. Tom Allan, a fine gentleman, head of the department, sent for me one day and said, 'I can't understand why you continue to be so upset. You lost your father some months ago and you still continue to grieve.'

'Perhaps the sudden death of a member of the family may affect the Gael more than it does other people,' I suggested.

Considering the fact that Tom had lost his own wife less than a year previously, my response may have sounded insensitive. He shook his head and appeared to be upset by my response. If I had said what was really in my

feitheamh ris. Ann am meadhon an Fhaoillich, ghabh i am plèana à Leòdhas gu ruige Glaschu airson gun deigheadh m' athair agus i fhèin nan dithis air saor-làithean a cheann a deas Shasainn. B'e sin a bh' anns an amharc aig an dithis aca. Chaith i ceala-deug an taigh Mhurchaidh ann an Uddingston ga fheitheamh.

Ràinig e Doc Kingston ann an Glaschu leis an 'Topaz' ach cho luath 's a dhèanadh e deiseil airson am muir fhàgail airson trì seachdainean de làithean-saora, dh'iarradh ceannard a' chompanaidh ann an West Nile Street air a dhol air ais le caragò gu Beal Feairt no Carraig Fhearghais An Ceann a Tuath na h-Eirinn. Thilleadh m'athair gu muir leis an t-soithich airson 'aon trup eile'! Thachair sin trì tursan agus dh'fhàs mo mhàthair cho searbh dhan dol-a-mach aig a' chompanaidh 's gun tàinig i a-nall thugainne ann an Dùn Eideann. Airson còrr is trì seachdainean, bha i còmhla rinn a' feitheamh agus a' fiughar.

Mu dheireadh, thàinig e. Thàinig e air an dearbh latha a rinneadh mi nam riochdaire air 'Exploring Scotland' – sreath phrògraman air rèidio a bha air a bhith ga chraobh-sgaoileadh airson iomadach bliadhna. Nuair a dh'innis mi dham athair an naidheachd, chuir e meal-an-naidheachd orm gu cridheil.

'Tha sin a' cur moit orm, Balach! Is e seo seachdain anns an do rinn an teaghlach againn cliù.'

Chaidh e gu pòcaid a sheacaid agus thug e aiste litir bhon a' chompanaidh dha robh e ag obair. Bha i a' toirt taing dha airson cho dìleas 's a bha e dhaibh mar obraiche agus ga mholadh airson a chuid ealantais mar mharaiche.

''S cinnteach gu bheil rudeigin air cùl sin,' arsa mise. 'Dè a tha iad a' ciallachadh le 'ealantas mar mharaiche'?'

Chunnaic mi rud ann an sùilean m'athar nach do chòrd rium. Airson tiotadh, lìon a shùilean le deòir agus dh'aidich e gun robh e air rud a dhèanamh a chuir an t-soitheach agus a shlàinte fhèin ann an cunnart. Bha e air Glaschu fhàgail leis an t-soithich ann an smog dhùmhail mì-fhallain agus air seòladh sios Abhainn Chluaidh, a' leantainn nam putan a bha a' comharrachadh slighe nan soithichean. Rinn e sin gun radar ach le uinneig an taigh-chuibhle fosgailte airson an t-slighe fhaicinn. Cha b' fheàirrde e sin a dhèanamh oir choisinn e dha sìoch na bhroilleach agus casadaich a bha cur dragh air – gu h-àraidh air an oidhche. Dh'aindeoin sin, thuirt e gun robh e frogail gu leòr airson a dhol còmhla rium – e-fhèin agus mo mhàthair a dh'àite sam bith gun robh mi a' dol air an àth latha. Thairg mi dhan dithis aca iad a dhol còmhla rium-fhìn agus Cailean Màrtainn, an sgrìobhaiche, gu Berwick-on-Tweed

heart, I would have told Tom that there was no father in the world who was so prized by his family as was my Dad. My grief was such that it was making me foolish.

I composed a song, a lament, which, fifty years later, it is difficult for me to sing and I have never done so in public. It is difficult for me to translate my final verse which, in my native language, so powerfully carries the depth of my love for him.

Were I able to reach to death's walls, I would burst through to you
And with sword or hammer in my hand, I'd break off the shackles confining you
I'd lift your life, my love, and with all my strength defend you as I carry you home
On the voyage of joy to your beloved ones and the place in which you wish to be.

Faux Pas in Shetland

'Exploring Scotland' was a series of programmes aimed at telling children, aged nine to twelve about our country's industries and history. It gave me a wonderful opportunity to visit places all over the country and to become familiar with our industries and history. My exploration took me to places as far apart as Shetland and Hawick in the Borders; Islay in the Inner Hebrides and Dunbar in East Lothian. I had heard many stories from my mother who, in her youth was 'at the herring' in Shetland. She told me how the scenery of Shetland was like that of Lewis and that, although they spoke in English with a strong Norwegian accent, Shetlanders looked like our own island people and were equally hospitable and friendly. My visit to Shetland took place before the beginning of the North Sea oil-boom. Most of the people in rural communities lived by crofting and fishing. Like ourselves in the Western Isles, they cut peat for fuel, were adept at rock-fishing and, again, like ourselves they suffered winters of rain, wind and darkness. When I arrived in Shetland, I sometimes thought that in the villages, the islanders spoke with a strong Nordic accent. Of course, as far as I know, the Shetlanders never were Gaelic-speaking. Yet the people looked quite like some of my own relations, particularly those who were dressed as fisher-folk and crofters.

ann an ceann-a- tuath Shasainn. Bha m'athair deònach gu leòr ach bha mo mhàthair teagmhach.

Thuirt esan le fàite gàire, 'Nis, a Mhàiread, cha b' e ceò na pìoba idir a rinn cron orm. Ach 's mathaid nach b'fheàirrde mi ceò na h-aibhne!'

Anns a' mhadainn, thuirt mo mhàthair nach deigheadh duine seach duine aca a Shasainn, 'Tha d' athair air bhith treothail fad na h-oidhche. Tha mi air iarraidh air Sandra cur a dh'iarradh an dotair.'

Cha b' ann dha dheòin a strìochd m' athair agus bha mi gu math tàmailteach nach robh an dithis aca còmhla rium a' fàgail Dhùn Eideann.

Cho luath 's a ràinig sinn ar ceann-uidhe, dh'fhòn mi dhachaigh a dh'fhaighneachd an robh an dotair air a thighinn. Fhreagair mo mhàthair, 'A Chaluim, an urrainn dhut a thighinn dhachaigh anns an spot?'

Cha duirt i an còrr. 'A mhàthair, a bheil càil ceàrr?'

'A ghràidh, bha na siùil againn ro làn. Chaidh ar saoghal àlainn thairis!'

'Thàinig an dotair agus thuirt e gum feumadh d' athair fuireach am broinn an taighe airson ceala deug – gun robh pleurisy air. Dh'fhàg e agus deich mionaidean an dèidh sin, dh'èirich e chun na h-uinneig airson anail a tharraing. Bha d' athair marbh mus do ràinig an dotair air ais chun na suirgeiridh.'

Aig an àm cha robh leth de na bha i ag ràdh rium a' dèanamh ciall dhomh. Chaidh mi air ais gu Cailean Màrtainn agus dh'innis mi dha naidheachd na truaighe. Ged nach robh cead draibhidh aige airson càr a' BhBC, ghabh e an iuchair gun dàil agus ghabh sinn an rathad air ais gu Dùn Eideann. Air an t-slighe dhachaigh cha robh facal eadarainn. Bha e duilich dhomh toirt fa-near gum biodh mo bheatha tuilleadh às aonais mo chulaidh gasta, gràdhach; as aonais m' aincheard aotrom, innleachdach, amaideach a rinn ar dachaigh cho beòthail, toileach fad làithean ar n-òige. Bha m' inntinn a' ruith air an iomadach latha sona a bh' againn mar theaghlach ann am Port Mholair. Shil mo dheòir ach cha tuirt Cailean facal oir thuig e gun robh m' inntinn fada air falbh ann an astar agus ann an tìm – bho far an robh mi gu corporra còmhla ris air a' Ghalltachd.

Seach Iain Eachainn a bha air soitheach anns a' Mhuir Mheadhan-Thìreach, chaidh an teaghlach againn dhachaigh a Phort Mholair leis a' cheann-crìoch. Tha gach rud a thachair anns na trì latha a chaith sinn còmhla ann am Port Mholair air an gearradh domhainn air mo chuimhne.

Lìon an dachaigh againn loma-làn chàirdean agus eòlaich, gach fear agus tè, mar a bha sinn fhìn, a' caoidh an fhir a dh'fhalbh. Cruinn mun teine, teaghlach m' athar, fhathast a' feuchainn ri faighinn thairis air an àmhghair a

I flew from Edinburgh Airport to Sumburgh Airport at the very tip of the long peninsula that marks the southern part of the main island. To reach my destination I had to travel by bus twenty five miles northwards to Lerwick, the capital of Shetland. As I anticipated, the landscape was rather like landscapes in our own Western Isles. I saw Mousa Broch on a little island off the east coast, and then seven miles north of Sumburgh I saw the great radar saucers which the British military had built on Mossy Hill. It had been built just a few years before my visit. Of course, I knew that it was part of a huge NATO early warning system of communications which stretched 8000 miles from Norway to Eastern Turkey and was intended to protect Europe and North America from Russian rockets during the Cold War which commenced shortly after the end of the Second World War (1939-45) and lasted some fifty years.

As the bus travelled northwards to Lerwick, it occurred to me that Mousa Broch, like our own Carloway Broch, was built to protect the local people from missiles launched at them in prehistoric times. What a good idea, I thought to myself, if I were to make this a central theme of my programme.

Modern technology and machinery capable of moving heavy loads is something that we take for granted, but I've often wondered how on earth our forebears who constructed the brochs that are built along the coast from Shetland right down the West of Scotland to Galloway managed to lift the huge stones that are part of the these brochs. I wondered who they were and how they accomplish those feats of strength? I booked into a hotel in Lerwick and was shown to my room. Before going to bed, I wrote an account of two features which I considered worth inclusion in my programme: the radar installation on Mossy Hill and the even more amazing prehistoric fort on the islet of Mousa.

In the morning when I came down to breakfast I found a table set for me close to a blazing coal fire but when the waitress came to ask me what I wished to have for breakfast, she said, 'I think you're terribly lonely sitting here. Would you not like to sit at the main table along with those other gentlemen?'

I looked over and saw that there was a grey-haired man sitting at the head of the table and six young men sitting round the table. They were conducting a conversation, some of which I overheard, and suggested to me that they were probably scientists. I accepted the invitation to cross to the big table and I was given a seat next to the grey-haired gentleman, whom I shall call Dr Hodge, and who asked me my name and to which part of the country I belonged.

bha air ar bualadh. A' coimhead air ais ris an t-saoghal a bh' againn aig an àm sin, bithidh mi a' cuimhneachadh air a' chùl-cinn a bha ris an teaghlach againn nuair a thàinig an èiginn; mar a bha sinn air ar cuairteachadh le carthannas agus co-fhaireachdainn aig coimhnearsnachd a bha mar aon theaghlach a' gabhail cùram a chèile.

Air ais aig m' obair, bha m' inntinn ann an ceò agus, le bhith onarach, saoilidh mi nach d' fhuair mi seachad air a chulm a bh' orm airson còrr air bliadhna. Aon latha, chuir Tom Allan fios orm a thighinn chun na h-oifis aige. Duine gasta a bha e fhèin air a bhean a chall bliadhna no dhà ron sin. Arsa esan, 'Tha e duilich dhomh a thuigsinn carson a tha an deuchainn ort cho trom 's a tha e. Carson a tha thu cho tùrsach? Tha e nàdarrach do phàrant bàsachadh nuair a ruigeas e an aois a ràinig d' athair'.

'Tha mi cinnteach gun aontaicheadh m' athair ri sin,' arsa mise. 'Ach 's mathaid gu bheil am bàs a' buadhachadh air a' Ghàidheal nas truime na tha e air daoine eile'.

Chrath e a cheann agus sheall e rium mar gum bithinn air tàire a dhèanamh air.

'Smathaid nach tuirt mi ris an duine an rud a bha nam chridhe agus b' e sin nach robh athair anns an t-saoghal cho prìseil le a chuid chloinne 's a bha m' athair-sa! Bha an deuchainn air mo chlaoidh agus air mo dhèanamh gòrach. Rinn mi rannan cho tìamhaidh 's gun robh iad agam dìamhair gu seo.

Nam faighinn gu tallain a' bhàis, 's mi a bhriseadh 's a spealgadh iad sios.
Le òrd no claidheamh nam làimh gum brisinn do bhraighdean dhiot;
'S mi a sheasadh do bheatha a ghràidh; lem uile neart dhèanainn do dhìon
Gad ghiùlainn air aiseag an àigh gud dhàimh am baile do mhìann.

Stàing ann an Sealtainn

Bha 'Exploring Scotland', an t-sreath phrògraman a bha air m' uallach, a' toirt a steach àitichean an Alba bho Shealtainn fad an t-siubhail suas chun nan Criochan. Bha an t-sreath stèidhte air a bhith ag innse mu bheòshlaint agus eachdraidh nan dhaoine anns na badan a bha sinn a' tadhal.

Cha robh mi riamh air a bhith ann an Sealtainn agus, mar sin, cha robh fios agam dè an seòrsa daoine ris an robh mi dol a choinneachadh ann ach bha mi togte ri dhol ann oir bhiodh mo mhàthair agus a peathraichean ag innse dhuinn cho measail 's a bha iad air an àite agus cuideachd air na Sealtainnich. Bha iad eòlach air an dà chuid oir bhiodh iad a' dol ann chun an sgadain nuair

I answered his questions light-heartedly and very shortly the conversation between members of the group continued in a similar light-hearted vein. The young men gave me the impression that they were one of a team but all deferred to Dr Hodge, whom I regarded as their superior. After I had had my plate of porridge, Dr Hodge said to me, 'And what exactly brings you in this direction in January, at a time when most people are sheltering against this raw climate that we have in the North?' I told him that this was my first visit to Shetland and was fascinated by what I had seen thus far, especially the Mousa Broch and the installation on Mossy Hill.

'As a matter of fact,' I said, 'I suspect that, in the absence of other industries in Shetland, you are the team from the military who are here to operate the radar installation.'

It was as if I had exploded a grenade. Silence broke over the company; It seemed I had said something that was completely shocking. Dr Hodge said, 'Let's start at the beginning, sir. What is your name? By whom are you employed?'

'BBC Schools' Department, Edinburgh. Head of Department is Tom Allan.'

'You have an Irish accent. Are you Irish?' I told him I was from the Western Isles of Scotland. I tried to be light-hearted but the young men sitting round the table looked at me disbelievingly and were silent. I have never sat more uneasily at a meal. At last, I found my voice and recited my credentials chapter and verse.

In the morning, I boarded the bus to go back to Sumburgh in good time for the plane. I found my seat and as I was watching other passengers board, who did I see coming along the passage but Dr Hodge. He made straight for me, shook my hand warmly and said, 'May I sit beside you, Mr Ferguson?

'I'm sorry,' he said, 'that you were embarrassed by my cross-examining you at breakfast yesterday but there was a good reason for my doing so. Just a few hundred yards from the hotel, there was a Polish ship berthed at the quayside, ostensibly taking on water. Some members of her crew had come ashore and had other interests. Two of them, fluent in English, wandered the streets conversing with local people. Needless to say, they wanted information about the installation on Mossy Hill. Now, as we fly close to Fair Isle, I want you to see something that should be of interest to you.'

The plane took off and in, about ten minutes, Dr Hodge tapped my arm and asked me to look out of the window. Less than quarter of a mile from us was a large ship, which he told me was a Russian factory ship. Within a mile

a bha iad òg. Bha gnìomhachais an iasgaich fhathast a' soirbheachadh ach, anns an latha ud, cha robh iomradh air gnìomhachas na h-ola.

Ann an 1965, fhuair mi an cothrom a dhol ann. Ghabh mi am plèana à Dùn Eideann gu port-adhair Sumburgh ann am fìor ceann a deas tìr-mòr Shealtainn. Airson mo cheann-uidhe, bha agam ri siubhal còig mile fichead sios meur fearainn gu Lerwick – an aon bhaile mòr a th' ann an Sealtainn. Air an turas, chunnaic mi dà rud a bha mi smaoineachadh a bhiodh iomchaidh agus ùidheil don chloinn nam biodh iad agam anns a' phrògram. B'e a' chiad dhiubh sin Dùn Mhousa, tèarmann a chaidh a thogail bho chionn fhada – dh' fhaoidte bho chionn dà mhìle bliadhna.

Tha an dùn sin air eilean beag mun cuairt air mile bho chladach tìr-mòr Shealtainn agus air a thogail leis na clachairean a rinn dùintean fad an t-siubhail bho Shealtainn gu Gallaibh ann an ceann a deas Alba. Mar tha fhios againn, thog iad Dùn Chàrlabhaigh air Taobh Siar Eilean Leòdhais. Cò a bh' anns na clachairean sin agus carson a chaidh iad chun na saothair na dùintean a thogail? B' iad sin feadhainn de na ceistean a bha mi airson fhaighneachd anns a' phrogram.

An dàrna rud a bha smaoineachail leam, 's e na Lannan-Radar a bha an Riaghaltas air a thogail air Cnoc na Còinnich, beagan bhliadhnachan mus do thadhail mi ann. Bha an cnoc sin ochd mìle tuath air Sumburgh agus, anns an dol seachad air a' bhus, bha e os cionn an rathaid. Shaoil mi gun robh na Lannan-Radar a' coimhead gu math iargalta, coimheach air fearann a bha cho sìtheil, neo-bhuaireanta. Ach mar a bha an sean-fhacal ag radh, far eil aineolas na sholas 's e nì gòrach a bhith glic'. Ann an latha no dhà, chaidh a dhearbhadh dhomh gun robh An Roinn Eòrpa air a roinn na dhà leth. Aig an àm ud, bha mì-rùn eadar Breatainn agus an Ruis (USSR) agus bha an droch amharas sin air a dhol cho searbh 's gun robh eagal air daoine air feadh na Roinn Eòrpa agus Aimearaga gun robh cogadh an ìmpis tòiseachadh le rocaidean sgriosail a' tuiteam às na speuran air na bailtean. Aimsir an-shocair, an-amharasach a bh' ann do dhaoine air feadh an t-saoghail – aimsir air an tugadh an t-ainm 'An Cogadh Fuar'.

Thuit an oidhche gu h-obann timcheall air ceithir uairean feasgar. Ghabh mi dìnnear aig ochd uairean agus chaidh mi dhan leabaidh aig deich. Bha fìor dhroch oidhche ann agus uinneagan an rùim-cadail agam cho flagach nan cèisean 's gun robh iad a' glagadaich leis a h-uile uspag a bhuaileadh orra. Cha d' fhuair mi mòran cadail ach nuair a chaidh mi sios gu mo bhracaist bha fàilte romham – bòrd air ullachadh dhomh ri taobh teine mòr mònach. Bha aona bhòrd eile air ullachadh ann an ceann thall an t-seòmar – fear airson

of it were half a dozen small fishing vessels which he explained were catching fish by trawl or by great-line.

Dr Hodge explained how the Russians operated. 'Each of the little boats brings its catch to the factory ship where the fish is cleaned and put into cold storage for shipment to Russia. But now, have a close look at the bridge of the factory-ship. It is bristling with antennae. They try to read all the incoming signals to Mossy Hill and relay the information to somewhere beyond the Iron Curtain.'

The plane called briefly at Wick Airport and Dr Hodge disembarked. At Edinburgh, I made my way to Broadcasting House on Queen Street. At Reception, Sergeant Henderson told me that Tom Allan was anxious to see me.

Although I had always found him easy-going and contemplative, it was rumoured that, at the end of the Second World War, Tom was involved in the interrogation of German officers. He received me with his usual good humoured welcome. He asked me how I had fared in Shetland and, feeling rather guilt-ridden, I explained how my inquisitiveness at Lerwick had raised suspicion that I was a foreign agent. Tom smiled mischievously. 'You certainly got Dr Hodge into a tizzy and I was tempted to deny all knowledge of you! But why were you so interested in the radar installation on Mossy Hill?'

I told him how I was intrigued by the ingenuity of islanders of some 2000 years ago who took steps to defend themselves from missiles such as stones, spears and arrows and had built brochs in which to shelter; and how, because of our fear of missiles fired from the USSR, our scientists and engineers had built the radar installations like the one on Mossy Hill, in an attempt to forewarn us of incoming missiles. Tom could see that my idea had potential but advised caution. 'That is a nice idea but I don't think you should carry it too far forward, just in case we trample on the toes of the military.'

I was disappointed with his advice for I suspected that the Russians were already well aware of the existence and purpose of NATO's early warning system. He winked at me and added, 'One last thing, Calum. You should know that the Russians don't have a monopoly on Intelligence.'

As soon as he said that I knew that he that he was aware of my involvement with the pressure group working towards our having Gaelic radio broadcasts for schools. I had had meetings with John A Smith, Vice Principal of Jordanhill College of Education.

Shortly after my return from Shetland, Tom Allan sent for me and told me that the Broadcasting Council had reluctantly agreed that schools

seachdnar aoighean agus bha an t-seachdnar nan suidhe mun bhòrd-sin ag ithe. Ghabh mi eala riutha: fireannach a' bha a' dìreadh ri trì fichead agus sianar ghillean eadar fichead agus deich thar fhichead. Gan èisteachd a' deasbad, bha e follaiseach gum b'e Sasannaich a bh' annta agus athamas aig an òigridh don fhear na bu shine a bha aig ceann a' bhùird.

Thàinig an t-searbhant le menu agus thuirt i rium, 'Saoil nach biodh tu nas fheàrr aig a' bhòrd còmhla ris na fir eile? Tha àite ann dhut nam biodh tu airson conaltradh a dhèanamh riutha.'

'Och,' arsa mise, 'nach eil mi comfhurtail gu leòr an seo nam shuidhe ris an teine.'

'Tugainn! Tha iad gu math gasta. Tha iad air bhith seo airson sia seachdainean. Bhiodh iad airson coinneachadh ri strainnsear.'

Thòisich i a' coiseachd air falbh agus, nam amadan, lean mi i. 'Is e seo Dr. Hodge. Innsidh càch dhut cò iad!' (Chan eil cuimhne agam dè an t-ainm a bha air, ach nì Hodge a' chùis an-dràsta.)

Rug Dr Hodge air mo làimh agus shuidh mi sios ri a thaobh. Thuirt Hodge rium, 'Agus dè a chuir an taobh-sa thu aig an àm-sa dhen bhliadhna? Chan e blìanadh anns a' ghrèin a tha fa-near dhut, cò dhiù!'

Dh'innis mi dhan duine fàth mo thurais agus thuirt e, 'Tha an obair a th' agad gu math annasach. Gheibh thu pailteas de chuspairean ùidheil air tìr-mòr Shealtainn ach cuideachd anns na h-eileanan beaga mu chuairt oirnn.'

Lean a' bhuidheann orra a' seanchas air cuspairean nach b' urrainn dhomh a mhìneachadh. Ged a bha iad a' seanchas bha iad a' farchlais orm gach uair a dh'fhosgail mi mo bheul ach nuair a dh'fhaighnich mi dhan Dr. Hodge, am b' ann air fhèin agus an sgioba a bha còmhla ris a bha uallach nan lannan-radar a bha air Cnoc na Còinnich chaidh a h-uile duine nan tost. Sheall a h-uile fear rium mar gum bithinn air rudeigin uabhasach mì-mhodhail fhaighneachd.

Arsa mise, ''S ann a bha mi a' smaoineachadh gum biodh e annasach dhan chloinn-sgoile cluinntinn mar a bha ar sinnsirean gan dìon fhèin bho mhill chlachan agus saighdean a bhiodh nàimhdean a' sadadh orra, agus mar tha sinne, anns an fhicheadamh linn a' feuchainn ri sinn fhèin a dhìon bho rocaidean na Ruis.'

Sheall na gillean ri chèile agus dh'èist iad ris a' cheasnachadh aig Dr Hodge.

'Cò thu? Carson a tha blas Beurla na h-Eireann air a' chainnt agad? Dè an t-ainm a th' ort? Cò dha a tha thu ag obair?'

Fhreagair mi na ceistean cho modhail, stolda 's a b' urrainn dhomh agus, an dèidh dhomh sin a dhèanamh, cha deach mòran a ràdh timcheall a' bhùird. Bha e follaiseach nach robh iad air mo làn chreidsinn.

programmes in Gaelic should be produced. However, the BBC did not have money to pay for a producer of Gaelic programmes. Tom was not pleased with the situation and, by the time he had finished his spiel, nor was I.

'It is clear to me that you have been partly responsible for bringing this situation about. But since the BBC haven't got the money to fund another Gaelic-speaking producer, I have no alternative but to give you responsibility for over-seeing the quality of the Gaelic programmes which, I understand, somebody in Stornoway will now have to produce. In short, you will add that to your responsibility for 'Exploring Scotland' and the 'Religious Service for Primary Schools'. Your added responsibility for Gaelic Schools Programmes should keep you out of mischief.'

A few days later, I was pleased to be given a month with my wife and family in Stornoway, training a producer. Unfortunately, my 'trainee' attended production meetings grudgingly and, when he did attend, resisted much of my advice. Back in Edinburgh, I spent week after week, trying to 'rescue' his programmes which were supposed to fit into the twenty minutes slots allocated by the BBC planners. The programmes were of poor quality and, worse, they continued to arrive at my office either five minutes too short or ten too long. With the added responsibility of trying to ensuring the quality of the Gaelic schools programmes, I felt over-burdened and began to look for a post in television. Unfortunately, I was approaching forty years of age. It was at a time when only the young were deemed to be 'television tough'. It took ages before I was given an opportunity to prove that youth is not necessarily the most important criterion.

Two Brothers for Margaret

When I was young I had very good eyesight. Kay Brown, the daughter of my great uncle Andrew, who was born and brought up in Saskatchewan, used to say that she suspected that I was of the Cree Indians, a tribe of natives whose eyesight enabled them to see objects which were miles away from them. Of course, she was joking but I could not deny that, until I was in my fifties, I had excellent eye-sight.

Our son Iain Andrew was born on the 27th of January 1966; 'Iain' after my father and 'Andrew', a name recurring in my mother's MacKenzie clan. A good-looking baby, he had fine features, a mop of black hair and a voice that became particularly raucous in the middle of the night!

Air an ath latha, shiubhail mi air a' bhus gu Sumburgh. Dhìrich mi dhan phlèana agus nuair a shocraich mi nam shuidheachan, cò a thàinig a shuidhe ri mo thaobh ach Dr Hodge. Rug e air mo làimh agus bhruidhinn e rium gu dùrachdail.

'Tha mi duilich,' ars esan, 'cho anshocair 's a bha sinn riut aig bòrd na bracaist an-dè– ach bha adhbhar air sin. Bha soitheach às a' Phòlainn a-staigh ris a' chidhe a' toirt bùrn air bòrd agus bha dithis dhen chriutha a' cuachail nan sràidean a' togail dhealbh. Cha robh càil an sin a bha dìamhair ach cum ort. Nuair a bhios am plèana a' dlùthadh air Fair Isle, seallaidh mi dhut rud a chuireas iongnadh ort.'

Dh'fhàg sinn Sealtainn agus shiubhail am plèana gu deas a-mach dhan chuan. Timcheall air deich mionaidean an dèidh sin, phut Dr Hodge mo ghàirdean agus dh'iarr e orm sealltainn a-mach air an uinneig. Shios fodhainn bha soitheach mhòr thapaidh le cròileagan de bhàtaichean-iasgaich anns an astar aice. 'Sin agad cabhlach a thàinig às an Ruis. Tha na bàtaichean beaga ag iasgach le lìn agus tràlaichean agus a' dèanamh deagh chosnadh. An dèidh a h-uile sgrìob, thig iad, tè an dèidh tè, chun na soithich mòire leis na h-eallaich a tha iad air a ghlacadh agus tha sgioba de luchd-cutaidh a' glanadh agus a' reothadh an èisg an sin.'

'Ach chan e an t-iasgach an aon saothair a tha air an aire. Ma sheallas tu geur, tha croinn air feadh na soithich mòire – croinn radar a tha aca a dh'aona-ghnothaich airson farchlais air na sanasan a tha a' falbh 's a' tighinn bhuainne air Cnoc na Còinnich.'

Cho luath 's a ràinig mi Taigh-Craolaidh a' BhBC an Dùn Eideann fhuair mi teachdaireachd gun robh Tom Allan airson m' fhaicinn gu deatamach. Rinn mi mar a dh'iarradh orm agus dh'fhàiltich Tom a-steach mi dhan oifis aige. Ars esan le fìamh-ghàire, 'Nach tu a rinn an ùpraid air do thuras! Suidh sios agus gabh d' anail. Bha agamsa ri cunntas mhionaideach a thoirt ort fhèin agus do cheann-ghothaich ann an Sealtainn. Ach carson a bha Dr. Hodge cho an-amharasach?'

Dh'innis mi do Tom mar a bha mi airson innse anns a' phrogram aon dhe na caochlaidhean a tha air a thighinn air beatha dhaoine ann an dà mhìle bliadhna: mar bhiodh an sluagh a' gabhail fasgadh bho chionn dà mhìle bliadhna ann am broinn dhùintean cloiche agus mar a bha sinne, anns an ficheadamh linn, a' feuchainn ri ar dìon fhìn bho urchairean ar nàimhdean.

Leig Tom ann fhèin. 'Is deagh chaomh leam sin,' ars esan. 'Fasgadh bho chlachan agus saighdean anns an Aois Oig agus fasgadh bho urchairean ar naimhdean ann an saoghal an latha an-diugh. Ach tha cùisean cho cugallach

In July when we reached Stornoway, we were greeted by our relations, both Sandra's and my own. They fussed over our new baby and gave him gifts of badan beaga – knitted jackets, bootees and hats. According to my aunts, he was the spitting image of my Dad, their brother. As my father was exceptionally good-looking, we accepted the compliment without demur.

It is astonishing that, although this all happened half a century ago, I still feel a sense of pride that our relations in Port Mholair and Manor Park in Stornoway responded to us and our offspring as they did. All of those relations are gone now and their homes are now occupied by strangers. The communities have outgrown their language, community-spirit and their customs. Unlike myself who am still set in the old Gaelic mould, they are modern, sophisticated people who communicate with each other through gadgets. Anathema to an old fogey such as myself!

From his youth, Iain Andrew had exceptionally good eyesight. He could see animals in the wood and birds far off that I could not see. One day, when he was on his way home from school, he had an accident. One of his co-ages shoved him off the road in Davidson's Mains. He went tumbling down a slope into a ditch which was full of rubbish. Unfortunately, a rusty spike from a roll of barbed wire struck him just under his right eye. A neighbour who had arranged to escort him and two other children brought him home to us. Sandra and I did what we could to staunch the bleeding and immediately set off for the hospital.

The spike had penetrated the hollow of the eye, but did not interfere with his actual eye or his vision. He was a feisty little boy who, I assume, had inherited from some medieval ancestor a streak of chivalry. At school, he became a defender of the weak and, from time to time, joined battle with any boy who was bullying younger children. Goodness only knows where that heroism came from. We worried that if he continued to defend the weak, he would be mauled by some vicious bully, of whom there were reputed to be two or three in the neighbourhood.

At Davidson's Mains Primary School, there was a cherubic little boy, a year or two older than Iain Andrew, who developed a reputation as a bully of younger children. Iain Andrew came to regard Elaine, the little girl living next door to us, as an extension of our own family. Certainly, she often visited our home and enjoyed the company of our children. At school, the villainous cherub took an interest in little Elaine. One day, as the school-children were trooping down the road, on their way home from school, Iain Andrew heard a commotion up ahead of him and recognised Elaine's crying. He ran to the

anns a' Chogadh Fhuar agus gum b' fheàrr dhuinn fìaradh air falbh bho iomradh air innealan Cnoc na Còinnich.'

Bha tàmailt orm airson gum b' e siud a' bhreith a bha Tom air a thoirt ach bha fios agam gun robh mòran a bharrachd de ghnàth-eòlas aigesan air armailteachd na rìoghachd na bh' agamsa. Anns an dealachadh, phriob Tom orm agus thuirt e le fàite gàire, 'Mus fhalbh thu, a Chaluim, biodh fios agad nach ann aig na Ruiseanaich a-mhàin a tha aithne air rudan a tha gabhail àite fa rùn.'

Cho luath 's a thuirt e siud, dh' aithnich mi gun robh e air fidreachadh gun robh compàirt agam anns a' bhuidhinn a bha a' feuchainn ri prògraman Gàidhlig fhaighinn do sgoiltean na Gàidhealtachd. Bha coinneamhan air bhith agam ri Iain A. Mac a'Ghobhainn, Iar-Phrionnsapal Colaiste Chnoc Iòrdain. Beagan ùine a dèidh dhomh tilleadh à Sealtainn chuir Tom fios orm.

Ars esan, 'Tha naidheachd agam dhut agus tha mi cinnteach gun dèan thu gàirdeachas rithe. Bha coinneamh aig Comhairle a' Chraolaidh bho chionn dà latha agus dh'aontaich iad an sin gum bu chòir prògraman Gàidhlig a bhith air an riochdachadh do chloinn eadar deich agus dusan bliadhna a dh' aois. Gu mì-shealbhach tha iad gann de dh'airgead agus tha iad air co-dùnadh gum bu chòir dhutsa, an t-aon riochdaire a th' agam anns an Roinn-sa aig a bheil a' Ghàidhlig, an t-uallach a ghabhail airson sùil a chumail air obair an fhir a tha gu bhith a' riochdachadh nam prògraman ann an Steòrnabhagh'. Nam biodh a' Ghàidhlig air bhith aige bha e air a radh rium, 'Am fear nach seall roimhe, seallaidh e as a dhèidh!'

Thug mi Sandra agus an teaghlach leam nam chois agus chaidh Màiread Bheag a chur gu B3 agus Iain Anndra gu B1 ann am Bunsgoil Mhic Neacail. Gu mì-shealbhach, cha robh am fear air an robh uallach nam prògraman a riochdachadh idir dòigheil oir chaidh an obair a chuir air dha aindheoin, agus cha b'ann dha dheoin a fhritheileadh e coinneamhan. Thill mi a Dhùn Eideann a' faireachdainn caran tàmailteach.

Bha na bu mhiosa ri thighinn. Chaith mi uairean de thìd a h-uile seachdain a' feuchainn ris a h-uile prògram a thigeadh thugam a sgeadachadh. Dh'innis mi dham charaid, uair agus uair, nach fhaodadh prògram a bhith nas giorra na naoi mionaidean deug agus nas fhaide na fichead. Cha toireadh mo lìaghan an aire air an riaghailt sin. Uaireannan thigeadh fear thugam a bha còig mionaidean ro ghoirid no seachd mionaidean ro fhada. Mar a bha na seachdainean a' trìall, bha mi a' fàs searbh dhen ghnothach. Thuilleadh air a' Ghàidhlig, bha 'Exploring Scotland' agus 'Religious Service for Primary

girl's assistance and attacked the bully and after a brief exchange of punches, sent him on his way. Thereafter, Elaine's parents considered Iain Andrew to be a hero, somebody on whom they could rely to defend their daughter in the playground. Alas, the friendship between those two eight year olds came to an abrupt halt when we moved from Edinburgh to Glasgow.

Although Iain Andrew had girlfriends during his years in his Secondary School and later in his student days, he didn't seem to be interested in putting down roots. We began to wonder if he was destined to become one of the rare specimens in our family – a bachelor.

I often said to him, 'Can you not find a girl whom you could marry?'

His answer was always the same, 'If I ever marry, both she and I will be certain that it won't become a temporary arrangement'. When he was aged thirty-five, the would-be bachelor came home with good news.

'I have met a beautiful girl from Inverness and she and I wish to marry. Whether you like her or not, she is going to be my wife.'

As if we would disapprove of the girl of his choice! We were overjoyed by the news. Iain Andrew and Vivienne Mein were married in 2004 and have given us three beautiful grand-daughters. Suzanne, aged six, is the youngest and is our tenth grandchild. Her sisters are Catrìona aged ten and Mairi aged eight.

The scar above Iain's right cheek reminds us of the accident which almost deprived him of his right eye. It was an accident which did not greatly affect him. In fact he has made a career in optometry. We visit him and Vivienne and their family in the West End of Glasgow as often as health and weather permit.

There were exactly two years between the birth of Mairead's first brother Iain Andrew and her second brother Murdo Ewan who was born on the 27th of January 1968. He was born at our home in Silverknowes in Edinburgh and, as soon as he was born, it became clear that he was having trouble in breathing. The midwife summoned an ambulance which appeared at our door within quarter of an hour. Along with the others in the emergency team was a young doctor who took charge of the situation. On its way to the Royal Infirmary, the child struggled for breath and he was rescued from certain death by the skill of that doctor.

Sandra and I agreed that his name should be Murdo Ewan, Murdo to celebrate Sandra's father – a fine man, who had great respect in the community. Murdo, son of Calum Bàn of Laxdale was one of a number of islanders who had distinguished themselves in the First World War. At the

Schools' fhathast agam ri a riochdachadh. Thòisich mi a' coimhead airson obair ann an telebhisean.

Bha mi dà fhichead bliadhna a dh'aois, ach bha coltach gum feumadh duine a bha dol an sàs ann an telebhisean a bhith òg, fèin-earbsach, àrd-bhriathrach agus *television tough*. Tha amharas agam gum b' e Tom Allan a choisinn dhomh fosgladh fhaighinn airson sia seachdainnean ann an Telebhisean na Cloinne.

Dà Bhràthair do Mairead

Rugadh ar mac, Iain Anndra, air an 27mh Faoilleach, 1966: 'Iain' ainm m'athar agus 'Anndra' – ainm a bha cumanta ann an sìnnsearachd mo mhàthar. Anns an Iuchair, nuair a chaidh sinn dhachaigh a Leòdhas, rinn na càirdean gàirdeachas rinn mar bu dual ach gu h-àraidh ri Iain Anndra oir bha e gu math coltach ri 'Bob' agus cha bu mhiste e sin!

Bho òige, bha am fradharc aig Iain cho geur 's gun robh mi, aig àmannan, ag ana-chreideas gun robh e a' coimhead ainmhidhean agus eòin cho fad às agus nach bu lèir dhomh fhìn no do Sandra dearcadh air na rudan air an robh e a-mach. Aon latha nuair a bha e tighinn dhachaigh às an sgoil còmhla ri balaich bheaga eile mu aois fhèin bhrùth fear aca Iain Anndra far an rathaid agus chaidh e turach-air-shearrach sios a' bhruthaich dhan dìg anns an robh cuideigin air pìosan iarainn agus truilleis eile a shadadh. Chaidh spìc mheirgeach na aodann, feidhir ann an lag na sùla. Cho luath 's a fhuair sinn dhachaigh e, dh'fhalbh sinn leis dhan ospadal. Gu sealbhach, cha robh an spìc air beantainn ri a fhradharc ach dh'fhàg an lot eàrr liath-ghorm a bhios a-chaoidh na chuimhneachan air an t-saidhle a chaidh air aig sia bliadhna a dh'aois.

Bho òige, bhiodh e deònach air a dhol a shabaid ri balach sam bith a bha gabhail brath air feadhainn na bu laige na iad fhèin. Chan eil mi idir cinnteach co às a thàinig a' ghaisgeachd sin ach, co dhiù, bha siud gu deimhinne na ghnè.

Bha Aonghas a' fuireach aig ceann na sraid againn – peasan nach robh a phàrantan comasach air a cheannsachadh: bha am meigire beag sin bliadhna na bu shine na Iain Anndra agus bha othaig aige a bhith a' brath air clann na b' òige na e fhèin. Nuair a bha e deich bliadhna a dh'aois, thòisich e a' brath air Elaine, nighean bheag bhrèagha a bha a' fuireach an ath dhoras rinn. Aon latha nuair a bha iad a' tighinn dhachaigh às an sgoil, thurchair gun robh Iain Anndra anns an astar nuair a chaidh Aonghas air a' chaoch am measg na cloinne bige. Cho luath 's a chuala e Elaine a' rànail, ruith Iain Anndra thuice

age of seventeen he survived an injury to his leg caused by a German shell which shattered his knee and killed the rest of the soldiers in the machine gun nest. Unfortunately, Sandra's father died before Iain was born and that was certainly a great loss to us.

We also gave our son a second name, Ewan, which was common in my mother's ancestry. After a fortnight in the Royal Infirmary, Murdo Ewen was released to our care. Dr Schultz, the paediatrician in charge imparted to us the dreadful news that the child would be short-lived. He predicted that his maximum lifespan would be no more than five years. He advised us that, meantime, Murdo Ewen was not to be allowed to cry because the strain might exacerbate his heart condition. I'm sure that for the following three years, Sandra had scarcely an hour of undisturbed sleep. The prospect of losing our son within such a short period hung over us for many years causing us constant fear and tension.

At that time, I was fully stretched producing two series of Schools radio programmes plus an illustrated ancillary pamphlet and leaflet which was supervised by BBC Publications staff at 35 Marylebone High Street, London. Fortunately, Murdo Ewan was a very contented and happy child. As he grew he was just happy to sit in the pram, bouncing it up and down and chattering away to anybody who happened to be passing by.

It is no exaggeration to say that Murdo laughed even when there was no one near him. Aged four, he became friendly with Ronald who lived at Cramond, a village a couple of miles west of Silverknowes. He duly received by post an invitation to Ronald's fourth birthday party.

Sandra dressed Murdo as a fully fledged Gael – with a kilt of Ferguson tartan, a white shirt with cuff links, a leather sporran and light blue stockings and shoes so glazed and polished that you could see your face reflected in them. And so we took Murdo to the home of Ronald MacGregor at Crammond, a toff among toffs. We delivered him, grinning from ear to ear, to the care of Mrs MacGregor. Murdo Ewan waved goodbye to us wearing his usual dimpled grin. We drove home and waited nervously for the three hours to pass. With Margaret and Iain Andrew we drove to Cramond and to the home of the MacGregors, where there were several cars already. Mrs MacGregor shepherded Murdo Ewan in our direction and said, 'I don't think I shall ever forget this little boy of yours.'

Aghast, we asked 'Did he do something outrageous?'

'Not at all,' Mrs MacGregor replied, 'but we have been impressed by his love of food and by his immaculate table manners. In the middle of the main

agus chuir e an ruaig air a' phulaidh! Iomadach uair a dh'fhalbh e dhan sgoil agus uallach oirnn gum faigheadh e droch bhuille fhad 's a bha e a' feuchainn ri cuideigin a dhìon.

Seach gum biodh Elaine a-mach 's a-steach às an taigh againn, an robh Iain a' meas gum b' ann leis-san a bha i? Eadar gum b' ann no nach b' ann, bha pàrantan Elaine uailleil às a' ghaisgeach againn.

Tro na bliadhnachan, choinnich sinn ri clann-nighean leis an robh e a' falbh ach nuair a ràinig e deich bliadhna fichead, chaill mise agus a mhàthair ar dòchas. Bha a h-uile coltas gum biodh Iain Anndra againne na sheana-ghille mar a bha Coinneach Anndra, bràth'r mo shìn-seanair a bha beò anns an naoidheamh linn deug. Bhithinn ag radh ris, ''S cinnteach gu bheil nighean air choreigin ann an Glaschu a ghabhadh tu mar bhean-phòsta?'

Fhreagradh e, 'No ise mise mar chompanach. Ma phòsas mi a-chaoidh, feumaidh ise agus mise a bhith gu math cinnteach gum mair am pòsadh againn'.

Aig aois còig bliadhna deug thar fhichead, thàinig e thugam agus thuirt e rium, 'Tha gaol mo chridhe agam air nighean àlainn à Inbhir Nis agus tha mi airson a pòsadh.'

Rinn a phàrantan gàirdeachas ris an naidheachd sin agus, mar an ceudna, a h-uile duine a bhuineas dha. Phòs e fhèin agus Vivienne ann an 2004 agus thug iad dhuinn an triùir oghaichean as òige dhan an deichnear a th' againn, Catrìona, Màiri agus Suzanne!

Dh'aindeoin an t-saidhle a chaidh air na leanabh, cha do chaill e riamh geòiread a fhradharc agus b' ann an neartachadh fradharc dhaoine a rinn e a dhreuchd. Tha e le a mhnaoi agus a theaghlach a' fuireach air Taobh Siar Glaschu le bùth-fhradharc aca ann an Scotstoun, Glaschu.

Rugadh an dàrna mac dhuinn feidhir dà bhliadhna an dèidh Iain Anndra. Nise, bu choir dhomh beagan innse dhuibh mu dheidhinn a bhrogaich a bha air ar nàireachadh ann an Cramond. Rugadh Murchadh anns an dachaigh againn ann an Silverknowes. Cho luath 's a rugadh e, bha e follaiseach gun robh e ann an èiginn. Chuir a' bhean-ghlùine fios air carbad-eiridinn a thighinn gun dàil agus, ann an cairteal na h-uarach, thàinig an cobhair sin chun an dorais. Bha dotair òg anns an sgioba a bha leis a' charbad. Air an t-slighe chun an Ospadal Rioghail, bha duilgheadas aig an naoidhean a' tarraing analach agus, a rèir aithris, mura biodh an dotair òg air a bhith cho sgileil 's a bha e, bha sinn air an naoidhean a chall. Chaidh ceala-deug seachad mus d' fhuair sinn fios gum faodamaid an naoidhean a thoirt dhachaigh. Balach beag acrach, sona agus mar bu shine a dh'fhàs e, b'ann bu phrìseil a bha e leinn.

course, he suddenly stood up from the table and said that he was going to the bathroom. I said to him "Murdo, what should you say when you leave the table?" He replied, "Please don't let anyone come near my plate. I want the food to be here when I come back".'

But that wasn't the end of the story. 'He really is a most unusual child,' she continued. 'After the meal, we had led the children away from the dining room and into the lounge, where we were organising them to play musical chairs. Unfortunately, Murdo Ewan was missing. My husband and I, with two of the other mums involved went looking for him. We were becoming quite concerned but, in the end, we found him under the dining-room table. There he was, contentedly seated while eating chipolata sausages which he had stored in his sporran.'

When he reached the age of twelve, both he and his elder brother were strong and healthy and as the months passed, and then the years, we prayed that Dr Schultz's prediction would not be realised. Murdo Ewan reached thirteen then fourteen and gradually the great pall which had overhung us disappeared. Aged seventeen, he was playing rugby for Lenzie Grammar School and making a reputation for himself as a prop forward. He was no less able as a scholar. He graduated from Glasgow University in 1988 with an MB ChB (Bachelor of Medicine and Bachelor of Surgery). Shortly after graduating, he married a Canadian whom he had been courting throughout his final two years at University. Her name is Linda Peddle and, after due consideration, they decided to emigrate to Canada. In other words, Murdo married a foreigner, something which I had also done, for Sandra had been born in Hamilton, Ontario.

The newly-weds prospered there and produced two girls and two boys, all of whom have a close affinity with Lewis. Bethany, now aged twenty, is in her third year of medicine at Trinity College in Dublin and Mairead is in her first year as an arts student at the University of British Columbia. Calum, aged sixteen and Sean Alasdair, fourteen, are six feet tall, a tad taller than their Seanair!

London: Play School

After working at the BBC for some nine years producing mainly educational programmes for radio, I eventually got an opportunity of going

Thuirt an lighiche, Dr Schultz, rinn nach robh beatha fhada gu bhith aig an leanabh. A rèir an dochainn a bha air a chridhe, cha ruigeadh e dà bhliadhna dheug a dh'aois agus b' fheàrr dhuinn gabhail ri sin. Dh'fhàg sinn Dr Schultz mar gum biodh ann an ceò agus dhrùidh an suidheachadh anns an robh sinn air an dithis againn – ach gu h-àraidh air a mhàthair.

Cha robh e ceadaichte dhuinn leigeil dha rànail. Airson a bhith cinnteach nach dèanadh e sin, bhiodh Sandra na leth-dhùisg fad na h-oidhche. Cha b' e gun robh an leanabh crosta no cànranach. Plùm mòr sona a bh' ann na shuidhe a' dubadaich anns a' phram, agus a' glambar ri duine 'sam bith a bheannaicheadh an latha dha! Nuair a dhèanadh e gàire, bha an t-aodann aige cho deàlrach ri èirigh na grèine, deud bhrèagha gheal ann agus tibhre anns a' phluic cheàrr aige. Bhiodh e a' gàireachdainn eadhon ged nach biodh duine faisg air!

Dh' aontaich sinn gur e Murchadh Eoghann an t-ainm a bhiodh air – 'Murchadh' airson a sheanair, athair Sandra, agus Eòghann mar chuimhneachan air fir ann an cuideachd mo mhàthar air an robh an t-ainm sin. Gu mi-shealbhach, dh'eug athair Sandra mus d' fhuair sinn duine teaghlaich. Seach gu robh mi air bhith tadhal anns an dachaigh aca fada mus do phòs sinn, bha deagh eòlas agam air m' athair-cèile – duine mòr eireachdail a chaidh a leòn anns a' Chogadh Mhòr agus aig an robh mion-chunntasan air a' chruaidh chàs tron deach saighdearan nan Sìophortach ann am blàir na Frainge.

Nuair a bha e ceithir bliadhna a dh'aois, fhuair Murchadh cuireadh bho Raghnall, fear dha cho-aoisean airson a dhol gu pàrtaidh ann an Cramond, baile a bha mu chuairt air dà mhìle bho Silverknowes. Chòmhdaich a mhàthair e ann an trusgan a' Ghàidheil: fèileadh air breacan Chlann Fhearghais, sporan leathair, lèine agus stocainean liath-ghorm agus brògan gleansach dubh. Bha faoilt air aodann bho dh'fhàg sinn an dachaigh anns a' chàr gus na lìbhrig sinn e aig taigh Muinntir Mhic Ghriogair ann an Cramond. Abair uaisleachd agus eireachdas! Abair tof am measg nan tofaichean!

Chuirinn geall nach robh brogach aig a' phàrtaidh a bha cho spaideil agus sona ris a' bhrogach againne – seadh, spaideil agus acrach! Bha sinn beagan iomaganach gun robh Murchadh a' dol ga nàrachadh fhèin aig a' chiad phàrtaidh aig an robh e riamh gun a mhàthair no athair na chois airson a chumail modhail, rianail, uasal aig bòrd a' bhidhe.

Nuair a chaidh sinn a Chramond ga iarraidh, bha leth-dusan càr ann romhainn aig taigh MhicGhriogair airson na h-aoighean òga a thoirt dhachaigh. Am measg na conthart a bh' ann, rinn Bean MhicGhriogair oirnn

for two months to London to learn the skills of television production and direction. Of course, I jumped at the opportunity and enjoyed working with producers, directors and writers who were among in the best in the world. In 1972, I spent three months in London attached to 'Play School', a children's television series. I could not have wished for a better posting. I was welcomed to the Children's Television department by four senior members of staff: Monica Sims (Head of Department), Cynthia Felgate and Anne Reay.

My work-station was in the unit designed to produce the series called Play School with Cynthia Felgate as the producer. In the end, I was invited to produce two weeks' worth of programmes. Not only to produce them but also direct them to my own scripts. I worked with three directors who were permanent staff: Michael Cole, John Lane and Ann Goby. They were true professionals whose work was admired, not only in this country but also overseas. Presenting our programmes were Johnny Ball, Brian Kant, Chloe Ashcroft, Julie Stevens and Carol Chell.

Having spent my first night in a B&B, I was concerned that I would have to continue in that kind of accommodation. Staff in the Children's department smoothed things out for me. I was introduced to Doreen Kalina, a Welsh woman who was working at Television Centre, and gladly accepted her offer of a rented a room in her home at Brook Green within walking-distance of Television Centre. Doreen's husband Jan, originally from Czechoslovacia, had been employed by the BBC to broadcast anti-Fascist propaganda aimed at German-occupied Europe. He was Britain's equivalent of Lord Haw-Haw whose anti-British broadcasts we had listened to throughout the Second World War. I felt privileged to spend hours in his company listening to his experiences.

Everybody was helpful and friendly and, within a day or two, I settled into contributing ideas for Play School programmes. After a fortnight, I was given an opportunity of directing my own programmes. While supposedly spending a long-weekend on the Continent, one of the young directors went Absent Without Leave. As a result, I was invited to write a week's worth of programmes. Cynthia Felgate accepted my efforts, added appropriate rhymes and songs to my scripts and I was then thrown in at the deep end to direct them.

I learnt a lot from working with Cynthia Felgate.

'Remember,' she said, 'that you are no longer working with the Education Department. You now have to develop more challenging programmes

's i a' buachailleachd Mhurchaidh thugainn. Ars ise, 'Bidh cuimhne againn air a' bhalach bheagsa airson ùine!'

'Och, 's cinnteach nach do rinn e rudeigin uabhasach?'

'Cha do rinn idir,idir. Ach 's deagh chaomh leis a bhiadh! Nuair a bha sinn ann an meadhan na diathad, dh'èirich e bhon bhòrd gu h-obann airson a dhol dhan thaigh-bhig. Thuirt mi ris, 'A Mhurchaidh, dè bu chòir dhut a ràdh nuair a tha thu a' fàgail a' bhùird?' Fhreagair e, 'Bhithinn nar comain,' ars esan, 'nan cumadh sibh bhur sùil air mo thruinnsear gun fhios nach fhalbh duine le càil a th' air.'

Cha b' e siud deireadh na sgeòile.

Ars ise, is i a crathadh a cinn, 'Leanabh àraidh a th' agaibh ann am Murchadh. Bha sinn a' traoghadh na cloinne a-mach às an rùm-bidhe agus a-steach dhan t-seòmar far an robh iad a' dol a chluiche 'Musical chairs' ach cha robh sgeul air 'balach an fhèilidh'! Chaidh mi fhìn agus an dithis a bha gam chuideachadh air feadh an taighe ga lorg, Fhuaireadh e fon bhòrd anns an rùm-bidhe. Bha e na shuidhe an sin cho sona ri 'Crodh an Taobh Siar' ag ithe nan *chipolata sausages* a bha e air a stòradh na sporan.'

Ràinig e aois dà bhliadhna dheug agus bha e cho slàn ri bradan na h-aibhne. Chaidh na mìosan seachad, mìos air mhìos, agus sinn ag ùrnaigh nar cridhe nach buaileadh an truaighe a bha an dotair air fhaisneachd do Mhurchadh – agus dhuinne. Ràinig e trì deug agus ceithir deug agus, mean air mhean, dh'èirich a' chulm dhinn. Aig aois seachd deug, bha e a' cluiche rugbaidh do dh'Ardsgoil an Lèanaidh agus a' dèanamh cliù mar chluicheadair ach cuideachd, mar sgoilear. Cheumnaich e à Oilthigh Ghlaschu an 1988 na dhotair.

Goirid an dèidh dha ceumnachadh phòs e bana-Chanèidianach (mar a bha mi fhin air a dhèanamh). B' ise Linda Peddle agus cha robh fada gus na thàlaidh i e air falbh gu taobh thall a' Chuain Shiair. Shoirbhich leotha an sin agus rinn iad teaghlach: dà nighean agus dà bhalach thapaidh.

Tha Beathag, an nighean as sine, fichead bliadhna a dh'aois ann an Oilthigh Baile Atha Cliath agus Màiread, dà bhliadhna nas òige, ann an Oilthigh Bhritish Columbia. Tha Calum aois sia deug, agus Sean Alasdair ceithir deug; an dithis còrr air naoi òirlich nas àirde na an seanair! Big Deal! Chan ann as an adhar a tha duine a toirt a chuid! Tha Murchadh agus a dhachaigh ann an Truro, Alba Nuadh ach tha leth an cridhe am Port Mholair far a bheil iad a' cur seachad saor-làithean an t-samhraidh ag iasgach le slait agus le clèibh agus le lìn a h-uile bliadhna bho thàinig a' chlann gu ìre.

– programmes that will appeal to pre-school children. They have to be light-hearted, attractive, musical and lively with lots of fun and games. If I like what you write, you will then take go into the studio with the performers. There, you will find over twenty people able to transfer what your imagination has conjured up and make it ready for broadcasting.

It was a scary time but an exciting one. I had intense pleasure from directing programmes in what was the most advanced television centre in the world. Cynthia gave me permission to invite Margaret MacLeod of Na h-Oganaich to travel from Glasgow to sing traditional *puirt-a-beul* (mouth music). As she sang, two male dancers performed a scotch reel.

That was at a time when BBC television went from black & white to colour and it was thrilling to play a small part in a production team at a time when broadcast television was taking such an important step forward. But after my day's work, I always felt lonely. I missed the family, of course, but we did not wish to disrupt their lives by a brief transfer to London.

The BBC allowed me to return to Edinburgh every fortnight for a long weekend. It was wonderful to come back to Silverknowes and to see the family and, not least, to read some of their accounts of what life was like in my absence. At that time, Margaret was in Primary Four and I still have an essay which she wrote and which greatly amused the teacher.

Last Friday, my father returned from London and he does not have to go back to work there until Monday. He brought us presents. He brought to me a little doll which is beautiful and which was made in Italy. He brought Iain a red tractor and a trailer which Iain can attach to the tractor. He brought Murdo a drum and a stick with which to beat the drum. Mummy did not like the noise. Iain and I also did not like it. Daddy brought to Mummy a new frying pan and also a new pan.

Today, it is not unusual to see television performances by Gaels. But in those monochrome days, such an event was exciting – particularly for Gaels whose television appearances were rare. Indeed, I was chuffed to hear that a senior member of staff had received news from Buckingham Palace that the Royal children had enjoyed the programme. You might say, 'Big deal!' But yes, I was fair chuffed!

At Television Centre, I had an opportunity of befriending individuals from England, Ireland, Italy, France and Austria. English colleagues were so used to hearing Glaswegian voices in London or on radio and television that they found it difficult to believe that my accent was Scottish. I was forty years of age at that time – a tad old to make progress in my career in London –

Lunnainn: Play School

Mu dheireadh thall, an dèidh dhomh naoi bliadhna a chur seachad ann an Rèidio nan Sgoiltean ann an Dùn Eideann, fhuair mi cothrom a dhol airson dà mhìos a Lunnainn a dh' ionnsachadh nan sgilean a dh'fheumar airson prògraman chloinne a' riochdachadh agus a' stiùireadh. B' iad siud na mìosan bu shoirbheachail a chuir mi seachad aig a' BhBC. Bha mi stèidhte aig Aitreabh an Telebhisean – togalach a bha air a dhealbh a dh'aona ghnothach airson telebhisean ullachadh, a chlàradh agus a chraoladh. Fhad 's a bha mi ag obair aig Aitreabh an Telebhisein, choinnich mi ri fir agus mnathan à iomadach dùthaich thall thairis. Seach nach robh blas Beurla Ghlaschu air mo chòmhradh, bha na Sasannaich den bheachd gun robh mi à badeigin eilthireach 's an Roinn Eòrpa – an Eilbheis, an Ungar no an Ostair. Cha chreideadh duine dhiubh gun do rugadh mi an Alba. Chaidh mo rèis ann seachad ann am priobadh na sùla agus dh'ionnsaich mi mòran a bha gu feum dhomh airson nam bliadhnachan ri teachd.

Chuireadh mise fo stiùireadh Cynthia Felgate a bha na riochdaire air *Play School,* sreath de phrògraman cloinne agus bha mi ann an Lunnainn airson dà mhìos air mhuinntireas aig a' phrògram sin. Fhuair mi rùm air màl ann an Brook Green bho Doreen Kalina a bha ag obair air sreath phrògraman eile ann an Aitreabh an Telebhisein. Bha Doreen às a' Chuimrigh agus pòsta aig Jan Kalina à Seacoslobhaicia, fìor dhuin' uasal.

Bha a h-uile duine a bh' ann an Aonad Telebhisean na Cloinne còir rium agus bha mi sona nam measg bhon chiad latha a nochd mi còmhla riutha. Airson prògraman *Play School* a sgrìobhadh agus an stiùiridh anns an stiuidio, bha an obair an urra ri ceathrar òganach – triuir ghillean agus aona chaileag. Bha iad sin ag obair làn thìde, duine ma seach a h-uile ceathramh seachdain. Cha robh mi fada nan cuideachd gus an do thuig mi gun robh iad air leth tàlantach, ealanta agus èasgaidh. Gu mi-shealbhach, chaidh Crìsdean, aon dhe na gillean, air seacharan fhad 's a bha e air saor-làithean anns an Roinn-Eòrpa. Mar a bha an sean-fhacal a ràdh, 'Cha tàinig bàs fir gun ghràs fir!' Thug Cynthia Felgate cuireadh dhomh seasamh a-steach na àite airson dà mhìos.

Fhad 's a bha mi an àite Chrìsdein, sgrìobh agus stiùir mi ochd prògraman – fiach dà sheachdain de 'Play School'. Bho chionn dà fhichead bliadhna, nuair a bha telibhisean cho annasach dhuinn 's gun robh actairean agus cleasaichean nan iodhalan aig a' mhòr-shluagh, bha e na ùrachadh dhomhsa greiseag a chur seachad ag obrachadh còmhla ri cuid dhiubh agus eòlas fhaighinn orra.

much though I enjoyed the experience of working among bright young men and women, most of whom were little more than half my age. They were all university graduates: clever, creative and diligent and, because of my great age, respectful of my opinion! I felt privileged to work with them and learned a great deal during my time in their company.

Sea Skate

Every summer we came back on holiday to Lewis. I had a very good bamboo pole which I used for rock-fishing. However fishing from the rocks didn't compare with the freedom and joy of travelling hither and thither in the bay hunting for shoals of fish. I was envious of everyone who had a boat which allowed them to go fishing for haddock, codling, lithe, ling, gurnet and flounder species which were all in the bay in abundance.

A man whom I knew well, nicknamed Bigg, lived in the village of Aird. He was an old bachelor who had reached a time in his life when he rarely ventured far from his home. He owned a beautifully shaped boat built in Orkney. Its shape was reminiscent of that of the long-ships for which the Norse were once famous.

I walked up from Port Mholair and asked Bigg if I could borrow his boat to enable me to have an evening fishing in Port Mholair Bay. Bigg was happy to grant my request and generously praised me for the Gaelic stories I had been telling on radio. I was chuffed!

'Take the boat by all means, he said while handing me the rowlocks. 'The oars are in Johnny MacLeod's old stable. You are welcome to go fishing on condition that you give me a fry from what you catch. Mind you, no more than four fishes as I live on my own.'

I was delighted and went down the road to Ceanna-loch carrying the row-locks and the oars. When I went down to the shore to have a look at the condition of Bigg's boat, I saw that sea was flat calm and all I needed to go to enjoy my favourite pastime was to find an experienced crew. As I said, the sea was flat calm. There was no wind and William Torquil informed me that the high Spring tide was due at seven o' clock in the evening.

Conditions for fishing were perfect. I invited my friend Iain Murray, who happened to be home from the sailing, to come for a spot of sea-angling and he accepted at once; as indeed did Jimmy Nicol, who was married to

Bha mi air cead fhaighinn a bhith a' siubhal air a phlèan aig meadhon-latha a h-uile dàrna Dihaoine agus tilleadh a Lunnainn air àrd fheasgar an ath Dhiluain. Bha e na adhbhar greadhnachais dhomh a bhith tilleadh dhachaigh. Chleachd mi bhith a' toirt beag no mòr de thiodhlacan chun na cloinne agus corra uair gu Sandra.

Bha Màiread aig ìre a bhith a' sgrìobhadh aistean dhan tidsear ag innse naidheachdan na dachaigh. Gu sealbhach mhair an aiste-se a leanas:

> Air Dihaoine a chaidh, thàinig m' athair dhachaigh agus chan fhalbh e gu oidhche Luain. Thug e thugainn tiodhlacan. Fhuair mise liùdhag bheag àlainn a chaidh a dhèanamh anns an Eadailt. Thug e tractair dearg gu Iain. Thug e cuideachd gu Iain, cairt is urrainn dhan tractair a shlaodadh. Thug e druma gu Murchadh agus maide airson a bhith ga bualadh, ach cha do chòrd an druma ri mo Mhamadh idir. Bha sinn uile air ar dòigh oir thug m' athair gu mo mhàthair pràipan ùr agus sgeileid ùr cuideachd.

Fhads a bha mi gam oideachadh le Cynthia Felgate, dh'ionnsaich mi mòran.

'Cuimhnich, ' ars ise, 'gu bheil thu air cùl a chur ri Roinn an Fhoghlaim. Tha agad a-nise ri prògraman a dhèanamh a tha mòran nas dorra – feadhainn a chòrdas ri cloinn fo aois sgoile. Feumaidh iad a bhith spòrsail, brèagha, ceòlmhor, aotrom le dibhearsain agus fealla-dhà. Ma chòrdas do chuid sgrìobhaidh riumsa, feumaidh tu, an uairsin, a dhol leotha dhan stiudio leis na cleasaichean. An sin, bidh còrr air fichead neach deiseil airson na seallaidh a bh' agad nad mhac-meanmna ullachadh airson an clàradh.'

Seachdain an dèidh seachdain fo stiùireadh Cynthia, dh'fhàs mi mòran na bu mhisneachail agus na b' earbsaich annam fhìn. Airson aona phrògram, fhuair mi cead airson Màiread NicLeòid (seinneadair a bh' anns Na h-Oganaich) fhastadh airson puirt-a-beul a sheinn. Thàinig i thugainn à Glaschu agus, mu choinneamh dithis dhannsairean a bha còmhdaichte ann an trusgan a' Ghàidheil, sheinn i cho rasanta, binn 's gun robh moit orm ga h-èisteachd. 'S mathaid nach biodh e idir annasach dhuinn a-diugh, an lethid sin de thachartas fhaicinn ann am prògram a chaidh a riochdachadh ann an Lunnainn; ach bha siud an 1971 nuair nach robh mòran ga chraoladh ann an Lunnainn ach Beurla chruaidh Shasannach. Cò a chreideadh an uair ud, gum biodh BBC Alba an-diugh againn dhuinn fhìn.

my Aunt Maryanne. Jimmy was a keen fisherman, a Dundonian, who had a small smattering of Gaelic and weighed roughly twice as much as myself. In other words, he weighed nigh on twenty stones.

Now three in Bigg's boat would have been sufficient for when I looked at the boards down by the keel I noticed that I could almost push my finger through. However, with a flat calm sea, with no wind and with just three in the boat, I felt that we would be safe enough.

At about half past five in the afternoon. I went outside in high spirits, whistled to my neighbours Jimmy Nicol and Iain Murray, took hold of my fishing gear and rod and made for the shore. While I was waiting for my two mates, I prepared the boat as best I could. Likewise in high spirits, they arrived and the three of us easily managed to carry the boat down to the water's edge. We placed the rowlocks in the gunwale and made sure that the plug was firmly in its place in the bottom. We were about to push the boat out when William Torquil and Kellan arrived, both carrying rods and fishing gear.

Without so much as, 'By your leave,' the two prepared to board the boat with us.

It was ungentlemanly conduct so I said, 'Gentlemen, it would not be safe for the five of us to go to sea in this boat.'

I should explain that Kellan was a brother of Soolivan, my friend who, it was said, could charm the birds out of the trees. Looking at me as if I had insulted him, Kellan said, 'Surely, if you are a son of Bob, born and brought up at Ceanna-loch, you would not prevent me and William Torquil from going into the Bay to catch a few fish. Remember, young man, that we've been out in Bigg's boat many a time with five in the crew. Who are you planning to leave on the shore?"

'Och,' said I, overcome with guilt, 'the evening is calm right enough. Surely nothing will happen to us. Okay, let's go then.'

Iain Murray said, 'Well, I can tell you one thing. I won't go to sea in a boat where there's not a bailer.

William Torquil agreed. 'For years, this boat has been taking on water and I think that we should definitely have a bailer on board. We should anticipate that there will be a few inches of water coming in, right enough.'

Every one of my ship-mates confessed that they were unable to swim. 'We have plenty of time before it is full tide,' I said. 'If you be patient, I'll go and get a bailer.'

Sgait Mhara

Chaidh sinn airson saor-laithean an t-samhraidh dhachaigh a Leòdhas. Cha robh an t-airgead pailt againn agus, mar thoradh air sin, cha robh càr no eathar agam. Bha deagh shlat-iasgaich agam ach bha mi farmadach ris an fheadhainn aig an robh eathraichean 's a bha comasach air a dhol a-mach chun na h-iolla airson adagan, bodaich-ruadha, liùghannan, langaichean, cnòdain agus leòbagan. Anns an latha ud, bha an cuan air ghoil le iasg. Bha Bàgh Phort Mholair làn èisg gu ìre 's gun robh lìth an èisg air uachdair na mara bhon Rubha Deas fad an t-siubhail a-mach gu Sròin 'Ain Riabhaich.

Bha sgoth bheag dhealbhach aig Big, seana-ghille a bha a' fuireach anns an Aird. Eathar a bh' innte a chaidh a thogail ann an Arcaibh le cumadh rudeigin coltach ris a chumadh a bha air na dràgairean Lochlannaich bho chionn còrr air mile bliadhna.

Chaidh mi gu Big a dh'iarraidh iasad dhen eathar aige airson aon fheasgar. Thuirt mi ris gu robh cìocras orm airson a dhol a-mach chun na h-iola. Fhreagair an duine rium gu math aoigheil.

''S e làn dìth do bheatha, a charaid,' arsa Big, 'ach cuimhnich gu bheil feadhainn dhe na bùird a th' innte caran bog 's iad air breothadh. Cha do rinn mi leasachadh sam bith rithe bho thàinig mi dhachaigh às a' Chogadh.'

'Och, tha i a' coimhead fallainn gu leòr,' arsa mise. 'Tha am feasgar cho ciùin agus am muir cho sèimh, agus 's cinnteach nach tachair beud dhuinn.'

Thug Big dhomh na roileagan agus choisich mi dhachaigh cho aotrom, aighearach ri uan earraich. Cha robh deò air a' ghaoith agus a rèir Uilleam Thorcaill bha làn reothart gu bhith ann aig seachd uairean feasgar. Chuir mi fios gu mo charaid, Iain Moireach, a dh'innse dha gun robh mi air an eathar fhaighinn. Fios cuideachd gu Jimmy Neacail a bha pòsta aig piuthar m'athar – duine mòr anns an robh còrr air seachd clachan deug de chuideam. Nise, bha triùir pailteas airson eathar anns an robh bùird air breothadh! Dh'ith mi grèim bidhe agus rinn mi às chun a' chladaich le mo dhriamlach air a rèileadh air clàrag m' athair, na cuileagan air an robh na h-itean geala, na roileagan agus cha smaoinichinn air càil sam bith eile a bha deatamach.

Mach leam chun a' chladaich. Dh' ullaich mi an t-eathar mar a b'fheàrr a b'urrainn dhomh. Chuir mi an tùc na àite agus na roileagan. Sheas mi a' feitheamh ri Iain Moireach agus Jimmy Neacail.

Nuair a thàinig an dithis, bha Uilleam Thorcaill agus Ceathlan (bràthair

I ran up to my Granny Port's house which was only about 150 yards away and when I returned to the boat, I found that the crew were laughing heartily. William Torquil said, 'Right, now we have the rowlocks; we have the oars, we have a bailer and we have everything but a cook.'

William and Kellan took the oars and the rest of us sat preparing our fishing gear. The banter continued as we gently rowed the boat away from the cladach. We passed the reef of Bogha Bhilidh and as soon as we arrived at the deep water beyond that, we found ourselves in the midst of a shoal of saithe – each of them about three to four pounds in weight. Within seconds, every rod was bent over as the saithe attacked our feathered hooks. Within five minutes we had at least twenty of these beautiful fish splashing about in the brine which had seeped in through the bottom of the boat.

'Plenty of *ceann-gropaig* tomorrow,' laughed Kellan and he immediately broke into the song 'Horo Bhodachain, Horo'.

The shoal of saithe left us just as quickly as it had arrived. Kellan's song stopped and he suddenly cried as if he had wakened from his sleep, 'Come on boys! We want more than this!'

Then he continued to sing the ditty, 'Horo Bhodachain, Horo'.

Sitting amidships, Jimmy Nicol suddenly stopped the merriment with the question, 'Has aebody seen the bailer?'

William Torquil stopped rowing and the conversation petered out. In the end, the bailer was found under the fish, Jimmy noting that there was about a foot of sea-water already in the boat and feverishly began to bail out the sea-water. Then Iain Murray noticed about 300 yards to the east of us, a total-eun – a flock of gannets, and cormorants in a feeding-frenzy.

Kellan shouted, 'Boys, see all those gannets and cormorants. They have definitely found a shoal of herring. Let's make for it! We could each do with a basket of the silver darlings.'

Apart from William Torquil who was on the oars, we brought in our fishing gear and made for what we expected to be a bumper harvest of herring. We were not only travelling to the east towards the total-eun but at the same time drifting swiftly to the north on the flowing tide. We could see behind Foitealar and behind Goitealar right out to the rocks of Ceann an t-Siumpan. Suddenly, the keel of the boat scraped across something hard, just as if it had hit a sunken reef.

I said, 'Let's hope we've not scraped the barnacles on a war-time mine.'

Beside me at the stern, Iain was looking deep into the depths and shouted

Shuileabhain) còmhla riutha, an ceathrar le slatan agus uidheaman-iasgaich aca nan làimh.

'A bhalachaibh,' arsa mise, 'cha bhiodh e sàbhailt a dhol gu muir leis a' chòignear againn.'

Thuirt Ceathlan is e gam gheur choimhead, ''S cinnteach a mhic Bhob, nach dèanadh tu sin oirnn cò dhiù. Bha sinne ann an eathar Big uair agus uair le còignear innte. Cò a tha thu airson a chumail àiste?'

'Och,' arsa mise 's mi le plùm dhan aineolas, 'tha am feasgar cho ciùin, 's cinnteach nach tachair beud dhuinn. Tugnaibh ma tha! '

'Chan eil mise airson a dhol a-mach mur eil taoman agaibh!' arsa Iain Moireach.

'Bha an t-eathar-sa a-riamh aodionach,' arsa Uilleim Thorcaill. 'Bha i riamh a' leigeil a-steach beagan sàil.'

Thuirt duine bho dhuine nach b' urrainn dhaibh snàmh.

'Fuirichibh an seo,' arsa mise, 'gus am faigh mi taoman.'

Ruith mi suas gu taigh mo sheanmhar a dh'iarraidh mias agus nuair a thill mi bha an criutha a' gàireachdainn. Thuirt Uilleam Thorcaill, ''Se criutha na 'Sgeilid' a tha innte a-nochd agus fiosaiche gun thaoman na sgiobair oirre!'

Abhachdas gu leòr a' cur na sgoth air bhog san t-sàl ach bha ceist orm nuair a chunna mi Jimmy Neacail a' spàrdanaich innte le uachdair na mara cus ro fhaisg air a beul. Dh' iomair Uilleam Thorcaill agus Ceathlan an t-eathar a-mach seachad air Bogha Bhilidh agus cho luath 's a ràinig sinn am muir domhainn, bhuail sinn an saoithean-mòr – bìastan mòra le dromannan gorm-uaine. Ann an deich mionaidean, tha mi cinnteach gun robh còrr air fichead againn a' slacadaich ann an tùim an eathair.

'Ceann-gropaig gu leòr a-màireach!' arsa Ceathlan agus, le sin, thòisich e a' dranndain fo anail le 'Horo bhodachan, ho-ro'. Chaill sinn a' chliath agus cha robh duine againn a' tarraing air an driamlaich. Mar gum biodh e air dùsgadh às a shuain, dh'èigh Ceathlan, 'Siuthaidibh illean, thoiribh tuilleadh a-steach. Dè tha ceàrr oirbh? Siuthaidibh, tha adha anns a h-uile fear a fhuair sibh cho mòr ri adha mairt! Lean e air a' seinn, 'Nuair a thig mo bhodach dhachaigh, hiriri, horo bhodachain, horo ...'.

Chuir Jimmy Neacail clost air an àbhachdas leis a' cheist, 'Has aebody seen the bailer?'

Stad an t-iomradh agus stad an còmhradh.

Fhuaireadh an taoman fo na saoitheanan agus cho luath 's a thòisich Jimmy a' cur an t-sàil aiste, mhothaich Iain Moireach gun robh total eun dhà no trì cheudan slat gun ear oirnn.

in alarm 'O my God, there's a large beast coming up at us! It's a huge skate as big as Soolivan's bull. He's coming at us full tilt.'

The creature hit the bottom of the boat directly under where I was seated and continued to rub itself against the keel as it travelled forward. Jimmy Nicol laughed loudly and said nervously, 'For guidsakes, cut the cackle and make for the Cladach'. I leapt from my seat and took one of the oars from William Torquil and we both rowed as hard as we possibly could towards the shore. With our backs to the Cladach and our eyes to the stern we saw a large skate break the surface once or twice. It seemed like a race which we were managing to win. We didn't ease off with our rowing until we were on the shore side of Bogha Bhilidh. Once there we drew breath and thanked our lucky stars that we were all now within two hundred yards of the shore.

On the following day, Braijan and Torachan dismissed our story as a figment of our imagination. But what bothered me most was that somebody on board Bigg's boat on that voyage, in spite of our promises to each other, had reported the incident in the community. Within twenty four hours, the news of the cowardice of the Port Mholair fishermen had spread all over Lewis. Indeed, on the following weekend I was thoroughly ashamed to read in the Stornoway Gazette of our flight from danger.

But the best advice that I can give all the young people who happen to read this, is to keep well clear of what remains of Bigg's leaking dragon ship.

Shortly after the incident in Port Mholair Bay was reported in the Stornoway Gazette, I received a long poem from an anonymous donor. I'm certain that the poetry was written by that witty schoolmaster in Ness called Tormod Contar who was also known as the Bàrd Bochd. In the Gaelic section of the book I have included five of the verses which celebrate the aphrodisiac properties of skate. As they are no longer with us to enjoy the bard's teasing, we have excluded some of the verses which suggest matrimonial pairings and fishy dishes reputed to excite the aged.

Dh'èigh Ceathlan, 'A bhalachaibh, tha an sgadan romhainn na cheap!'

Chitheadh sinn am muir a' goil leis an iasg agus ceudan de shùlairean, de sgairbh, de dh' eòin-dhubh-an-sgadain agus de fhaoileagan a' tadhadh anns a' bhrochan-bidhe! Seach Uilleam Thorcaill a bh' air na ràimh, thug a h-uile fear a-steach a dhriamlach agus thòisich sinn ag ullachadh nan dubhanan lom. Ma bha Ceathlan ceart na bheachd bha sinn airson a bhith deiseil airson na fèist!

Bha sinn air fosgladh Camus Creag Mhurchaidh Mhòir agus bha am muir fhathast cho ciùin ri miosair fhala. Gun dhùil ris, bhuail druim an eathair rudeigin cruaidh – dìreach mar gum biodh sinn air bualadh air bogha creige. Ruith fuaim an sgròbaidh bho cheann gu ceann dhan sgoth.

Dh'èigh Ceathlan, 'Uilleim, cum fodha! Tha sinn air Bogha Bhilidh!'

'Ist, a ghlaoic!' ars Uilleam Thorcaill. 'Tha sinn cairteal a mhìle an ear air Bogha Bhilidh agus, le làn an reothairt, tha sinn aig doimhne!'

'Tha mi' n dòchas nach e sgrìobadh diùireadan far mèinn cogaidh a bhuail sinn,' arsa mise.

Dh'èigh Iain Mòreach 's e gu a leth a-mach air deireadh an eathair a' coimhead sios fodhainn, 'A thighearna mhòir, seo biast mhòr de dh'iasg a' feuchainn oirnn a-rithist.'

'Dè a th' ann?' aig fear thall 's a-bhos.

Dh'èigh Iain, 'A Dhia glèidh mi! Sgait cho mòr ri tarbh Shuileabhain. Tha i a' dèanamh oirnn le foruis!'

Bhuail an sgait an sgoth dìreach fo far an robh mi nam shuidhe agus, an uair sin, lean i oirre fon eathar. Sgròb i a druim ris na bùird mar gum biodh i a' sgrìobadh mhaoraich far a closaich. Rinn Jimmy lachan mòr gàire. Dh'èigh e, 'For guidsakes cut the cackle and mak for the Cladach!'

Leum mi fhìn agus Uilleam Thorcaill chun na ràimh agus dh'iomair sinn an sgoth na bu luaithe na shiubhail i bho thogadh i. Le ar dromannan chun a' Chladaich agus ar sùilean a' coimhead chun an deiridh, chunna sinn pliac na h-uilebheist a' briseadh uachdair na mara dà uair mus do leig i roimhe.

Cha do sguir sinn a dh'iomradh gus an robh sinn air taobh a-staigh Bogha Bhilidh. Ann an sin ghabh sinn anail. Nise, ged a bha Braighdean agus Torachan air làrna mhàireach, gar bùirt às , cha do dh' innis an còignear a bh' anns an eathar ach an fhìrinn. Ach mo nàire, mo nàire! Chuir cuideigin an naidheachd air feadh na fìdhle. Mus do sheall mi rium fhìn, bha 'gealtaireachd balaich Phort Mholair" na chulaidh-mhagaidh ann an Gasaet Steòrnabhaigh. Cò dhiù, a chàirdean, bheirinn a' chomhairle-sa oirbh: cumaibh air falbh bho sgoth aodionach Big!

Morning with lobster-pots and a 'special net'
Mach le sgùilean ghiomach agus lion bhradan

Bàrdachd na Sgait

Chaidh a' bhàrdachd-sa a chur thugam goirid an dèidh dhan sgeulachd nochdadh anns a' Ghasaet. Bha i gun ainm ùghdar rithe ach tha mi cinnteach gur e Tormod Contair (Am Bàrd Bochd) nach maireann a rinn agus a chuir i thugam. Tha ceithir rannan eile rithe nach eil sinn a' foillseachadh. Tha iad gu math eirmseach ach, gu mi-shealbhach, chan eil fear no tè a dh'ainmich am bàrd an-diugh maireann.

Na Bainnsean a Chuir thu air Seachran Oirnn.

1) *A Chaluim, bu tu an t-amadan an oidhch' chaidh thu dh'iasgach*
Nuair thug thu sùil air rionnach fhad 's bha sgaitean ann nan cliathan;
Gu dearbh chan ogha 'n t-seanair thu no mac an athair chiatach,
Nuair ghabh thu fiamh is feagal bhon a' bheathach air robh mìann ac'.

2) *A Charaid, tha thu aineolach mur cual' thu bho na càirdean*
A' bhuaidh a bh'aig na sgaitean gu bhith brosnachadh an gràidh dhaibh;
'S an cumhachd tha na saoitheanan gus an gaol a thoirt gu àirde,
Gun nì air tìr an coimeas ris ach cuileagan na Spàinne.

3) *Ach 'ille, rinn thu ana-ceart nach tug thu tè air tìr dhiubh,*
Gu roinn a-mach nan earrainnean air sean-chlann-nighean na sgìre;
Gu dearbh, bhiodh fàilt is furan dhut is làmhan blàth gad dhìogadh
Airson toirt thuc' a' bheannachadh bheir gean a' ghaoil gu ìre.

4) *Nach saoil mi fhìn gum faic mi iad nan suidhe mun Chlach Thholltaich*
'S an smuaintean ruith gu dòchasach air sòlasan bean-bainnse.
Ag amharc ort 's tu feannadh dhaibh gu cothromach an cuibhreann
'S cha rachainn mìr an urras nach biodh caithris riut nan inntinn.

5) *A Chaluim, chaoidh cha mholar thu le caileagan àit' d' àraich,*
Nach tug thu sgait a' charthannais 's a leannanachd gu tràigh thuc;
Nach iomadh banais fhlathasach chaidh seachran air do chàirdean
Air sgàth do chuid-sa ghealtaireachd air camas Rubha na h-Airde.

My Mum aged eighty, 1982
Mo mhàthair ceithir fichead bliadhna, 1982

Colleagues, Sandra left, Nan and Donald MacLeod
Sandra cli, Nan agus Dòmhnall a' Mhaoir

Family trio; Murdo aged two
An triùir; Murchadh aois dhà

Family five with left Elsie and Lynn Nelson
Dithis nàbaidhean;an latha a cheumanaich Sandra

Murdo aged 6, dressed for the occasion
Aois 6, Murchadh spaideil airson a' phàrtaidh

Chapter 7
Caibidil 7

Higher Education (1971–89)
Saoghal Mòr Nan Oilthighean (1971–89)

Silver Ingots

Donald J and Erica caught sight of one another in a Glasgow dance-hall. They were in the melee of an eightsome reel. And that was it! Later, they danced a wild quickstep and after that Donald J realised that his fate was sealed. The couple came home together to Lewis for their summer holidays and Erica introduced her sweetheart to her parents: 'Brigand' and Dolly who had raised seven children of whom Erica was the eldest.

'Brigand' was the tenant of a five acre croft in Port Mholair. He owned a large flock of thirty black-face sheep, and a twelve foot boat which he used to catch lobsters, haddock and flat-fish Summer over, Donald J and Erica returned to Glasgow where their romance continued. Winter set in and, following the usual pattern, city life became cold, wet and dreary.

After months of courtship, it occurred to Donald J that there was a simple solution to his having to traipse thrice a week across Glasgow to see his beloved. If only he could persuade Erica that both she and he would be happier if they were living under the one roof, all would be plain sailing. He proposed marriage and before he could draw breath, the bride and he were standing before the Rev. A MacDonald vowing to love one another until death did them part.

For many generations, it was the custom in the southern parishes of Lewis for the groom to present his father-in-law with a dowry – some valuable item by which he would impress his father-in-law by his generosity and thoughtfulness. But what could he give 'The Brigand' a man who already regarded himself as a man of means? A prize ram? A double-barrelled shot-gun? A four horse-power outboard engine? In the end he decided to present 'Brigand' with a new salmon-net which was seventy-five foot long and made of monofilament. In the villages of Lochs and the West Side, where catching salmon in the sea was an age-old sport, the monofilament net was regarded as the best on the market. The reason for its success was simply that the netting proved to be invisible to the salmon. Driven on by instinct, the fish surged forward towards their spawning-grounds but were met by an invisible curtain hanging before them in the sea. Once their heads were through the mesh, they were held securely by the gills and could not escape.

In high spirits, Donald J packed his precious dowry into a new hessian sack and set off with his car. Erica who was waiting for him at the Mol-a-Deas

Ùird Airgid

'S iongantach mar a choinnicheas fear agus tè, dithis Ghàidheil, ann am meadhan a' bhaile mhòir. Bha Dòmhnall Iain agus Oighrig air dearcadh air a chèile ann an Ruidhle nan Ochd ann an talla-dannsa ann an Glaschu. As dèidh an dannsa, choisich e dhachaigh leatha agus chuir Oighrig ann an ceò e.

Nuair a thàinig iad air saor-làithean a Leòdhas, thug Oighrig a leannan sios dhan Rubha airson a pàrantan a choinneachadh. B' e a h-athair Calum Eòghainn ach cha robh fios aig mòran anns na bailtean gum b' e Calum Eòghainn an t-ainm baiste a bh' air. Ach cha robh duine anns an Rubha nach aithnicheadh 'Braighdean'. B' e sin am far-ainm a bh' air athair Oighrig.

Mhair an gaol eadar Dòmhnall Iain agus Oighrig agus, air a cheann thall, thachair an aon rud do Dhòmhnall Iain 's a thachair dhomh fhìn. Dh'fhàs e cho seachd searbh dhe bhith siubhal rathaidean fada camagach a' bhaile mhòir, tro ghailleannan gaoithe agus tro thuiltean uisge airson a leannan fhaicinn. Thuirt e ris fhèin, 'Cha bhithinn leth cho fuar, fliuch, sàraichte nam biodh nighean Chaluim Eoghainn agam dhomh fhìn am broinn an taighe!'

Rugadh agus thogadh Dòmhnall Iain ann am baile beag - dòrlach thaighean aig ceann loch mara ann an Sgìre nan Loch. Bha cleachdaidhean aig muinntir a' bhaile bheag iomallach sin eucoltach ris na cleachdaidhean a bh' againne anns an Rubha. Daoine uasal, aoigheil a bh' annta agus bha iad ainmeil airson a bhith còir aoigheil ri coigrich 'sam bith a thigeadh dhan astar aca.

Bha Dòmhnall Iain airson leantainn cleachdadh a bha uair san fhasan anns an Tuirc, an Ruis agus Sasainn, gu h-àraidh am measg theaghlaichean nan uaislean mu dheas. A rèir a' chleachdaidh sin bha e riatanach do chliamhain tiodhlac luachmhor a thoirt dha athair-cèile cho luath 's a phòsadh e.

Shaoil Dòmhnall Iain gum biodh e iomchaidh dha lion-bhradan a thoirt do Chalum Eoghainn agus gum b' e sin tochar ris an fhaoilticheadh am bodach nuair a dheigheadh e a dh'iarraidh Oighrig ri a pòsadh. Feasgar dorcha, bagartach a bh' ann nuair a chuir Dòmhnall Iain an lìon ann am poca agus a dh'fhalbh e leis anns a' chàr. Lean e an rathad lùbach a bheireadh e gu Steòrnabhagh agus à sin sios tron Rubha gu ruige Port Mholair. Ann an Steòrnabhagh bha Oighrig ga fheitheamh, nighean eireachdail le rudhadh na slàinte na gruaidh agus cho làidir ri làir Iain Bhig! Nuair a lìbhrig Dòmhnall Iain am poca leis an lìon do Chalum Eoghainn, ghabh e sin an tiodhlac le gàire cridheil.

in Stornoway, boarded the car and, without delay, the two love-birds set off for the far end of the Rubha.

When 'Brigand' opened the hessian sack and withdrew from it the heap of tangled web and corks, he laughed and shouted, 'Is this a joke? This looks like one of the new-fangled salmon-nets the murderous Danes are using at Rockall. What can a humble crofter do with this? Why didn't you invest your money in a Suffolk ram for me or a split-cane rod and reel like what the toffs use on the rivers.'

Erica came to the rescue, 'Don't be disappointed. Donald J was hoping that you would catch loads of haddock with it.'

Donald J was quick to contradict her, 'Donald J was not! I'm confident that if you put this net in the sea, you'll catch plenty of fish. If there's no 'black-fellow' around here, I'm sure there's plenty of pollock, wrasse, codling and coalfish. Anyway it's worth giving it a go.'

Lighting a fag, 'Brigand' muttered a grudging, 'Anyway, thank you for the dowry.'

It was well-known in the Rubha that the only salmon ever caught by any fisherman in the district had been caught by Iain MacCue who had the distinction of foul-hooking a six-pounder off Tiumpan in 1913. It was also assumed that that fish was blind and had lost its way as a result of the trawling carry-on by Fleetwood trawlers in the North Minch. In any case, everybody in the village was amused when they heard the story of the dowry - a salmon-net which was reputed to have cost the sum of £60! They found it difficult to believe that any Lewisman would have been so ignorant of the varieties of fish in the seas round our coast as to have given a Port Mholair fisherman a salmon-net.

The reason for the absence of salmon was obvious. There wasn't a river or waterfall within miles of our villages nor, indeed, any lochs which could provide salmon with a spawning-ground. In fact, the nearest river was the River Creed which empties its waters into Stornoway Harbour, some twelve miles from Port Mholair. Thus, the gift of a salmon-net was bound to prove to be a white elephant. Even though it was an embarrassment to him, 'Brigand' decided to make the best of the situation.

'When you think about it,' he said brightly, 'that salmon-net could come in handy if we get a big hurricane in mid-winter. I'd wrap it round the corn-stacks and hay-stacks and it would keep them from being blown to kingdom come!'

Three years rolled by and the existence and embarrassment of the monofilament net was all but forgotten. Three summers following the

'Lìon-bhradan!' arsa esan. 'Gu sealladh Dia ort! Carson a chuir thu mach do chuid airgid air rud anns nach eil feum air thalamh dhomhsa? Carson nach do cheannaich thu reithe no slat-Bheurla mar a tha aig na tofaichean?'

Ged nach aidicheadh e gun robh e air a dhòigh, bha Calum Eoghainn moiteil gun tug Dòmhnall Iain dha tochair – rud nach d'fhuair duine anns a' bhaile againne bho Linn an Ailbhein Duibh! Nise, bu choir dhuibh a bhith mothachail nach b' e lìon-bhradan cumanta a bh' aige na làimh idir – cha b'e idir fear air a dhèanamh de dh'anart agus cainb a bh' ann. Cha robh ann ach lìon speiseanta – fear *mono-filament* 's e ùr nodha – inneal air a dhèanamh air dhòigh 's nach robh e comasach do bhradan dearcadh air anns an t-sàl gus am biodh a cheann agus a ghàilleach air a dhol an sàs ann am mogal. Mar a thuirt Dòmhnall Iain, 'Tha an inneal-sa *lethal*!'

Chaidh an naidheachd fad is farsaing. Rinn a h-uile duine a bh' anns a' bhaile gàire nuair a chuala iad gur e lion bhradan a bh' anns an tochair a fhuair Calum Eoghainn – lìon bhradan air na phàigh Dhòmhnall Iain trì fichead not. Lìon-bhradan? Lìon-bhradan? Do bhodach à Port Mholair? Chan fhacas bradan timcheall nan cladaichean timcheall Rubha an t-Siùmpain bho chaidh na teaghlaichean a dh'fhuireach do cheann a-muigh an Rubha ann an 1825. Bha adhbhar air sin. Cha robh abhainn no sruthan no allt anns na bailtean againne far am b' urrainn do bhradan snàmh no leum. B' e Abhainn Ghrìod a bha a' dòirteadh a h-uisgeachan do Bhàgh Steòrnabhaigh, dusan mìle air falbh bhuainn, an abhainn a b' fhaisg oirnn. Och, cha robh lion *mono filament* gu feum sam bith do bhodach as a bhail' againne. Cha robh, ach dìreach mura tigeadh èiginn air an teaghlach le fìor dhroch aimsir, 's gum feumadh iad dìon air leth a chur air na cruachan coirc agus na sìgean feòir.

Ann an seagh, b' e coire Oighrig a bh' ann nach robh i air innse dha carabhaidh nach robh bradan no fiadh ann an ceann a-muigh an Rubha – nach robh fiù 's poidsear no geamaire ann – càil ach daoine stuama, solt a bha faiceallach nach dèanadh iad càil a bhriseadh lagh na rìoghachd no rìaghailtean na h-oighreachd. Cha robh anns na daoine againne ach daoine stòlda, stuama – a h-uile mac màthar. Ach smaoinich fhèin air an tàmailt a bh' air Dòmhnall Iain nuair a thòisich a chuideachd-chèile a' tarraing às. 'Ach,' ars iadsan, 'Dè a dhùilicheadh tu air strainnsear aineolach bho na Lochan a thogadh ann an àite cho fad air falbh bho Phort Mholair ri taobh dubh na gealaich!'

Cho luath 's a phòs iad, thog a' chàraid òg orra gu Glaschu airson am beòshlaint a chosnadh. Chaidh bliadhna seachad agus, nuair a thàinig an samhradh thill Oighrig agus Dòmhnall Iain leis a' chiad duine teaghlaich – nighean bheag àlainn air an tug iad an t-ainm, Dìorbhail. A' chiad ceist a

betrothal, the Glaswegian couple returned to Port Mholair but, on that occasion, they were accompanied by their two children: two-year old Diorbhail and her baby sister, Mairi.

After exchanging pleasantries, Donald J plucked up courage and asked his father-in-law if he had ever bothered to set the salmon-net. He received the usual reply, 'No, I did not! Dammit man, did I not tell you from the start that there isn't a salmon in the sea within miles of here. The only salmon I've ever eaten was out of a tin which had "John West" printed on its side,'

The two children were skirling and the attention of all the adults in the house was focused on them. After an hour of 'shushing' and cradle-rocking, the two infants continued to wail.

Looking balefully at his son-in-law, 'Brigand' said, 'Maybe there are too many people in the living-room! Why don't we men take the boat and go out to catch a few flounders for our little darlings!'

Donald J looked towards his wife and was delighted to hear her say, 'Off you go and wipe that pained expression off your face while you're at it!'

The boat was about to be launched. When Donald J plucked up courage and said, 'I've dreamed of seeing your split-new salmon-net in the sea – even if it's the only time it ever gets a soaking. If you don't dip it in the briny, you'll never know what it might catch. Maybe you'll get a beautiful coppery lithe or a codling.'

'Very well, you've given me two beautiful grandchildren, so I suppose I owe it to you. Go and fetch the damn thing from the barn.'

'Brigand' rowed the boat while Donald J sat in the stern untangling the jumbled bundle of monofilament netting, corks and lead-line which he drew from the hessian sack. When the boat reached the point of Bilidh Mhòr, he jumped ashore and tied the end of the float-line to a rock. He then boarded the boat and asked 'Brigand' to row steadily as if heading for Ullapool on the far side of the Minch! As the boat moved forward, the net poured out from the stern of the boat – a line of small brown corks on the surface of the sea and arcing slightly in the ebbing tide. Donald J attached a buoy to the end of the float-line and a heavy stone anchor to the lead-line. He then called for his father-in-law to row with all his might so as to tauten the net. All was in order. He dropped the stone anchor and then the buoy and laughed with sheer pleasure at the sight of the monofilament net waiting to be tested by a passing salmon.

dh'fhaighnich Dòmhnall Iain do athair-cèile 's e, 'Na chuir thu an lìon-bhradan dhan t-sàl fhathast?'

Fhuair a am freagairt àbhaisteach. 'Cha do chuir!'

Dà shamhradh an dèidh sin, thàinig Oighrig agus Dòmhnall Iain dhachaigh le Dìorbhail agus cuideachd le Màiri, naoidhean a bha cheart cho brèagha ri Dìorbhail, a piuthar. Cha robh iad fada a-staigh, gus na dh'fhaighnich athair na cloinne an aon cheist 's a dh'fhaighnich e a h-uile bliadhna bho phòs e Oighrig. Fhreagair am bodach leis an aon ghàire a' bùirt às a chliamhain.

'Suathaideas ort, a Dhòmhnaill Iain, nach do dh'innis mi dhut an-uiridh agus a bhon-uiridh, nach eil bradain a' tighinn faisg oirnn an seo. Cha do dh'ith sinne bradan a-riamh ach a-mach à canastair le John West sgrìobhte air a chliathaich!'

Bha a' chlann cànranach agus nuair a thòisich an dithis a'rànail, cha robh coltas gun sguireadh iad. 'Tugainn a-mach leis an eathar a dh' iasgach adagan,' arsa Calum Eoghainn.

Frionasach am measg a chuideachd-chèile, thuirt Dòmhnall Iain, 'Cha bhiodh e ceart dhomh Oighrig fhàgail leis an dithis chloinne.'

Lean an dà leanabh orra a' bùrail agus thuirt am bodach, 'Cha bu chòir do dh'fhireannach a bhith gèilleadh chun na h-ìre sin dha na boireannaich. Tugainn agus cuiridh sinn a-mach an lìon spaideil agad. 'S mathaid gun glac e liùgh no bodach-ruadh'.

Thug na mnathan dhaibh cead airson a dhol gu muir agus cha robh fada gus an robh an dithis fhireannach nan suidhe anns an eathar, Calum Eoghainn ga h-iomradh agus Dòmhnall Iain ag ullachadh an lìn. Chuir iad e aig Bilidh Mhòr, a dhàrna ceann ceangailte ri sgiofan creige air a' Chreag Iasgaich agus an ceann eile air cruaidh agus puta mòr gorm, leth-cheud slat a-mach bhon tìr.

Ann an uair a thìde, ghlac an lìon seachd thar fhichead bradan, feadhainn aca anns an robh còrr air naoi puinnd de chuideam. Nise, thachair sin mus robh frìosairean anns an fhasan anns an Rubha agus bha eagal air muinntir Chaluim Eòghainn nan tòisicheadh iad a' riaghladh a-mach nan 'ùird airgid' a fhuair iad air teaghlaichean a' bhaile gun deigheadh an naidheachd chun a' phoileas ann an Garrabost. Chuireadh fios air fear am Brocair aig an robh bhan. Chaidh an fhichead bradan a chur ann am bucais-èisg agus mus robh uair a thìd seachad bha a h-uile lann air a reic ris na taighean-òsta ann an Steòrnabhagh. Le a phòcaidean làn airgid, chaidh Calum Eoghainn dhan Star Inn agus dhan Charlton far an do dh'innis e, facal air an fhacal, mar a choisinn e an t-ionmhas leis an robh e a' riaghladh a-mach na dibhe. Abair Horo-Gheallaidh!

'Man' he chortled, 'What a bonnie sight! Seventy yards of perfection. I'll bet you a pound that there will be fish in it when we pull it on board.'

'Brigand' grunted and said, 'You forget lad, that you're talking to a local fisherman who's on speaking terms with every fish in these waters. You're going to lose your bet, sonny boy!'

He handed Donald J a hand-line and flies and rowed the boat across the bay to the sandy fishing-ground of Aird.

The two had scarcely settled down at their new location before Donald J said very quietly, 'Well, that's an interesting sign. Three herring-gulls have landed near the net at Bilidh Mhòr. Look, they're dipping their beaks in the sea. Give me the oars, and if you allow me, I'll have you back at Bilidh Mhòr before a hungry seal has time to rob us of our spoils!'

Donald J took the oars from his father-in-law and skimmed across Port Mholair Bay as if powered by a two horse-power engine. Within the next hour, 'Brigand's' dowry which he had regarded as worthless had brought him a gift of twenty seven beautiful bars of live silver of which a dozen weighed more than nine pounds.

It took four fish-boxes to empty the boat of its bonanza. When the ladies of the house were invited to view the haul, they rushed to the barn and were elated – at first! Erica suggested that each salmon be halved and each of the twenty houses in the village be given one half. While 'Brigand' accepted that that would be a fine gesture which would please everybody in the community, he cautioned against doing anything on the spur of the moment.

'If we were to be that generous, it would be lead to 'consequences', Sooner or later, news of our generosity would reach the ears of the policeman in Garrabost.

Then how in the name of goodness could I explain the ridiculous matter of the damn dowry? Nobody would believe my explanation'.

He remembered that his wife's cousin in Broker owned an Austin van so he sent his elder son on his bicycle to the van-owner at a break-neck speed to ask for a hire of the vehicle together with a driver. Within an hour, laden with boxes of salmon, they were visiting all the best hotels in Stornoway offering to sell prime salmon 'caught in the open sea shortly after breakfast'.

With all his salmon sold and with his pockets bulging with paper money, 'Brigand' visited a couple of pubs, where he generously treated everybody who cared to listen to his account of how he had suddenly become rich.

A week later, 'Brigand' arose early as usual and went out to survey his croft. He strode down to the shore to make sure that his boat was in good

Seachdain an dèidh sin, cha chreideadh Braighdean a shùilean nuair a chunnaic e an ùpraid a bha air na cladaichean timcheall Rubh' an t-Siùmpain. Cha mòr nach robh lion *mono-filiment* air cruaidh a-mach bhon h-uile gob agus tarsainn a h-uile geodha eadar Sgeir nan Ràmh am Port nan Giùran agus Healar anns an Aird; agus a h-uile fear a bha sin le fireannach ga altraim. An rud bu dorra dha a ghiùlain buileach, 's e gun robh feadhainn aca a' slaodadh nan lion làn bhradain a-steach chun na creige.

Chuireadh e iongnadh ort nam biodh tu air faicinn cho luath 's a ghabh sannt agus eudach grèim air inntinnean nan teaghlaichean anns a' cheann againne dhen Rubha – teaghlaichean a bha air a bhith chun sin cho sona, stuama, rìanail ri teaghlaichean ann an àite 'sam bith ann an Impireachd fharsaing na Banrigh.

Ach mar a tha an sean-fhacal ag radh, 's e farmad a nì an treabhadh. Thòisich an Sàtan gam bhuaireadh le eudach agus sannt agus a' cur smaointean suarach nam inntinn.

'Carson,' arsa mise rium-fhìn, ' a tha mi nam shuidhe air leac fhuar aig Geodha na Muic ag iasgach chudaigean, nuair a tha càch a' slaodach nan òrd airgid gu tìr?'

Ged a dh'fheith sinn, cha tug duine tràth bhradain dhuinn ged a bha na ficheadan a' tighinn air tìr chun nan cladaichean, sia latha san t-seachdain. Nuair a bha mi dà fhichead bliadhna 's a còig, cheannaich mi lìon-bhradan ach bha e sin saor. Bha am buidhe-rop, an druim agus na cliathaichean air an dèanamh de chainb agus an t-abhras de shreang-anairt. Càil bu mhiosa dheth, 's e gun robh àrcaichean mòra buidhe air - cho mòr 's gum faiceadh geamair iad le prosbaig ged bhiodh e leth a mhìle air falbh. Gu sealbhach, cha robh geamair anns a' cheann againn den Rubha. Cha robh, a chionn gun robh an oighreachd a' meas gun robh an fhairge againne seasg.

Aon fheasgar anmoch chuir mi a-mach mo lìon aig Creag Iain 'ic Dhòmhnaill agus dh'fhàg mi e airson tìdeachadh tron oidhche. As dèidh na bracaist chaidh mi null a dh'fhaicinn an robh sealbh orm. Tharraing mi-fhìn 's a' chlann an lìon a-steach agus cha robh iasg ri fhaicinn. An àite bradan bha dà tholl air an abhras cho mòr 's gum faodadh muc-mhara bhith air seòladh troimpe. Dh'ionnsaich mi mo chiad leasan ann an iasgach a' bhradain. Ma tha thu a' dol a chur lìon bhradan dhan mhuir, feumaidh tu fuireach na chois neo spionaidh na ròin an t-iasg às an abhras agus fàgaidh iad saobhaidhean na àite.

Air an ath shamhradh, cheannaich mi lion monofilament agus bhlais mi air bradan a thug mi-fhìn às an fhairge agus cha robh teaghlach anns a' bhaile nach d'fhuair an cuid. Cha do reic mi aon bhradan agus chan eil nàire orm

order. He could hardly believe his eyes – fellow-crofters were busy on every rocky point attending to their monofilament salmon nets. It was difficult for him to bear the sight of neighbours, hauling nets ashore and extracting silvery brutes from the meshes.

The contentment and common sense of the people of our end of the parish gave way to greed and jealousy - people who had been among the most law-abiding, upstanding and happy individuals in the British Empire. The change in their life-style has a lesson for us all. We must be careful not to be tempted or allow ourselves to join them on the slippery slope!

One evening , I was on the Flat-rock at Geodha na Muic with my old half-rod fishing for cuddies. I had caught nearly half a pailful - enough to make a meal for our family at tea-time on the following day. I happened to glance over to the headland of Goitealar and, there, saw one of our neighbours pulling his salmon-net ashore. I watched as he struggled to extract half a dozen live fishes from the meshes of his net.

I said to myself that I must have a screw loose to be sitting on the cold Flat-rock of Geodha na Muic catching five-inch long cuddies, while the rest of the able-bodied men of the district were catching beautiful silvery ingots called salmon. My aged relations at Ceanna-loch and, indeed throughout our own village of Port Mholair, had never eaten a morsel of fresh salmon.

When I was aged about forty, I plucked up the courage to purchase a salmon-net. It was second-hand and hadn't cost much. The float-line and lead-line were made of hemp and the netting of linen thread. Having then decided to join the poaching fraternity, I felt that it was necessary to keep my ambition as quiet as possible.

On a gentle July evening, I set my net at the rock known as Creag Iain 'ic Dhòmhnaill and left it to fish overnight. After breakfast, I hastened with the children down to the shore to see whether my investment had been worthwhile. We could see at once that all the corks were bobbing lightly on the surface suggesting that there wasn't any fish trapped in it. When we drew the net in to Creag Iain 'ic Dhòmhnaill, we discovered that there were two gaping holes torn in it – holes big enough to allow a bus to pass through them. I had learned my first lesson in the art of netting salmon: that is, if you set your salmon-net in the sea, you must stand by it; otherwise the seals will take your catch and rip your net.

On our following summer holiday in Lewis, I bought a forty-five foot monofilament net by which my children and I managed to catch one or two salmon every day we used it. It provided us with glorious fun. For the very

ag aideachadh gun tug mi gu tìr mo chuibhreann dhen iasg oir bha mi den bheachd gun robh sinne – teaghlaichean nan croitearan – a' cheart cho airidh air biadh a' bhradain 's a bha uaislean nan slatan-Beurla a bha a' riaghladh nan aibhnichean le fir-threuna ri an guaillean agus neart an lagh a' cumail bata-làidir riutha.

Oilthighean Ghlaschu

Bha sinn fhathast a' fuireach anns an leth-thaigh ann an Silverknowes, gun eadar sinn agus an Cuan-a-Tuath ach raon-goilf. Bha mòran de chàraidean le teaghlaichean òg anns an astar agus bha iad uile dàimheil gasta rinn. Ged bha e duilich dhuinn dealachadh riutha bha againn ri ar sùil a thoirt gu an iar oir beagan mhìosan an dèidh dhomh tilleadh à Lunnainn fhuair mi obair nam riochdaire aig Oilthigh Srathchuaidh. Tha an oilthigh sin ann am fìor mheadhon baile-mòr Ghlaschu, mu dhà cheud slat an ear air Steisean Sràid na Ban-rìgh agus stèidhte ann an togalaichean mòra air gach taobh de Sràid Dheòrsa.

Cha robh fada gus an robh mi gu mo chluasan ann an obair a bha calg dhìreach an aghaidh na h-obrach a bha mi air a bhith dèanamh ann an Lunnainn. Cha robh càil an seo a bha air ullachadh airson dibhearsain no cur-seachad. Bha a h-uile rud stèidhte ann am foghlam agus dealbhaichte airson na h-oileanaich oideachadh ann an cuspairean a bha toinnte, ùidheil gu ìre ach, glè thric dhomhsa, duilich a thuigsinn: Saidhceòlas-Cloinne leis an Dr Mòrag Nic an t-Sealgair, Matamataig leis an Dr Cliff Bartlett, Staitistigs leis an Dr Henery, Frangais le Lòrna Nic na Ceàrdaich,'s mar sin air adhart.

Rinn mi fiolm anns an robh Sir Samuel Curran, am Prionnsapal, a' mìneachadh eachdraidh an oilthigh bho chaidh a' chiad roinn fhosgladh ann an 1796. B' e siud obair a bha air leth ùidheil leam. Iriosal is mar a bha e, b' e fìor dhuine cliùiteach a bh' ann an Sir Samuel. Bha e fhèin agus eòlaich eile air obair mhòr a dhèanamh tron Chogadh air a' Mhanhattan Project, an iomairt a rinn comasach do Na Stàitean Aonaichte am bom niùclasach a chruthachadh agus, mar tha fhios againn uile, b' e siud am bom a' sgrios Hiroshima agus Nagasaki agus a choisinn do Iapan strìochdadh ann an 1945.

Bha bhith a' siubhal bho Silverknowes gu Oilthigh Srathchluaidh a h-uile madainn a' toirt an deò asam. Bha an triùir chloinne againn sona gu leòr far an robh iad ann an Silverknowes agus ann an Sgoil Davidson's Mains, ach dh'fhairich mise gum feumadh sinn imrich a dhèanamh gu badeigin na

first time, we tasted fresh salmon and were pleased to share our precious bonanza with all the households in the neighbourhood. As a member of a crofting family, I felt as deserving of a small share of salmon as were the sporting classes who flocked to the rivers on island estates.

Glasgow Universities

Our home continued to be a semi-detached in Silverknowes, Edinburgh, with only a golf-course between us and the Firth of Forth. There were lots of young families in our area and we were fortunate in having a number of young couples as close friends. Within a few months of my returning from London to BBC Schools Department. I was appointed to a post of Producer at the University of Strathclyde with responsibility for directing and recording, on video or cine, teaching materials which were written and presented by academic staff. I worked regularly with academic staff who taught in departments of Mathematics, Engineering and Arts. I gained an insight to the work of a score of academic staff but can remember the names of only a few: Prof Gustav Jahoda (Psychology), Dr Tommy Gray (Mechanics of Materials), Dr Robert Henery (Statistics) and Dr Morag Hunter (Child Psychology). I was particularly pleased to make a film recording the history of the university from a time when it was known as the Royal College. The film was presented by Sir Samuel Curran, Principal and Vice Chancellor of the University, who was one of the war-time team of scientists from the United States, the United Kingdom and Canada who developed the atom bomb which ended the Second World War.

The daily travel between Silverknowes and the university was time-consuming and costly. At first, I used to travel by car to Haymarket Station in Edinburgh to catch the 8.15 a.m. train to Queen Street, Glasgow but, in winter, found the journey (particularly the rail travel) overcrowded and unreliable. Though our three children were happy at our local Davidson's Mains Primary School, we decided to go house-hunting in the Glasgow area. We visited numerous houses in the south of the city but, in the end, chose an old, dilapidated villa at Lenzie, a commuter village situated six miles north-east of the city centre. The rail journey from Lenzie to Queen Street Station, Glasgow, took only ten minutes. Walking from Queen Street to Strathclyde University took less than quarter of an hour. Most of my work

b' fhaisge air an oilthigh. Air a' cheann thall, thagh sinn taigh anns an Lèanaidh, baile beag a bha goireasach dhuinn anns a h-uile dòigh. Cha robh an trèana a' toirt ach deich mionaidean bhon Lèanaidh gu Sràid na Ban-righ a bha cairteal na h-uarach bho m'oifis.

Aig an àm ud, bha Aonadan Audio-visual an dà olithigh, Srathchluaidh agus Ghlaschu, fo ùghdarras aon cheannard. B' esan Ruairidh MacGhilleathain agus ged bha an dà aonad ag obair air an ceann fhèin, bha trom uallach na dhà air-san. Dh'ullaich Srathchluaidh airson roinn ùr a stèidheachadh le Ruairidh air a cheann. Aig an ìre sin, leig e dheth a dhreuchd ann an Oilthigh Ghaschu agus, bha moit orm nuair a chaidh mise a chur na àite mar stiùiriche air aonad Oilthigh Ghlaschu.

Goirid an dèidh dhomh imrich a dhèanamh le m' oifis gu Southpark House, chaidh mi gu Talla Bhòid ann am prìomh thogalach an Oithigh aig Cnoc GilleMhoire. Bha an talla àlainn leamsa cò dhiù airson b' ann innte a shuidh mi na deuchainnean ann an 1950 a thug dhomh cothrom air mo chiad cheum a dhèanamh ann am foghlam aig àrd ìre.

Cha robh uallaichean orm gus an deach mi gu Oilthigh Ghlaschu! Cha b' e a-mhàin na roinnean a bha suidhichte anns na togalaichean timcheall Chnoc GilleMhoire ach bha mòran de na h-uallachean sin co-cheangailte ri còig ospadail sgaipte timcheall a' bhaile. Rinn sinn clàir-bhideo ann an còrr air fichead roinn anns na còig ospadail anns an robh oileanaich-mheadaigeach gan teagaisg. Bha mòran dhiubh airson obair lannsachd a thaisbeanadh, gu sònraichte a bhuineadh dhan chridhe, an t-sùil, na sgamhanan, am brolleach, na cuislean 's mar sin air adhart. Tha fhios agam nam chridhe gum biodh e air còrdadh ribh a bhith còmhla rium a' faicinn an obair mhìorbhuileach a bha an luchd-lannsachd a' dèanamh.

An 1981, dh' aontaich Cuirt an Oilthigh gum faodainn camaras-bhideo a cheannach a bha comasach air dathean a shealltainn. Chun na h-ìre sin, bha a h-uile rud ga shealltainn eadar geal agus dubh – rud a bha aindeiseil, mi-nàdarrach nuair a bha sinn a' feuchainn ri modhan lannsaireachd a stèinneadh. Thug an uidheam ùr sin dhuinn urram agus cliù nach robh air bhith againn chun na h-ìre sin. Eadar 1980 agus 1985 bha mi a' reic leth-bhreacan de na clàraidhean dathte a bha sinn air a dhèanamh anns na còig ospadail mhòra an Ghlaschu, ri oilthighean agus ospadail ann an còrr air dà fhichead rìoghachd air feadh an t-saoghail. Bha an t-adhartas sin air leth feumail ann an roinnean Leigheis (gu h-àraid Lannsaireachd agus Fiaclaireachd), Leighis-sprèidhe agus Saidheans.

was done in the television studio in the University's Alexander Building and consisted exclusively of the production of video-programmes presented by academic staff and used for teaching students in departments of Engineering and Mathematics.

At that time, the audio-visual units of the Universities of Strathclyde and Glasgow operated independently of each other but were under the direction of Roddy MacLean who had formerly been Senior Producer of Documentaries at BBC Scotland. In 1975, Mr. MacLean resigned from his position to head a new department which was about to be created at Strathclyde. My application for the vacancy thus created was successful and I was delighted to receive news that I was to join the staff of Glasgow, the fourth-oldest university in the English-speaking world. One of the first places I visited at Glasgow University was the Bute Hall in the imposing, neo-gothic building at Gilmorehill. That is where I had sat my all-important, university-entrance examinations in 1950. It is the venue at which I was also to see my second son graduate as a doctor in 1986.

My duties in my new position was much more varied and challenging than those in my previous post in that it covered teaching departments in eight Faculties each of which consisted of numerous departments. During term time, our staff were kept on their toes at a variety of places throughout the central campus but also in scattered sites some distance from Gilmorehill, e.g. the Royal Infirmary (Town Head), the Southern General Hospital (Govan), Leverndale Hospital (Crookston), and Gartnavel General & Gartnavel Royal (Partick).

In the late 1970s, the University Court authorised our purchase of colour cameras and recording equipment able to show pictures in colour. It was an important advance for we were able to show in colour video-recordings, for example, of surgical operations, which had previously been shown in black-and-white. That advance was important to our work for the departments of Medicine, Veterinary Medicine and Science. So successful was our output of teaching programmes recorded in colour that, for much of the Eighties, I was able to sell copies to institutions in forty-one countries overseas.

Leading our teams of technicians in the University's teaching departments were Ian Long, Technical Supervisor and Bruno Babczynski, our distinguished Polish technician. Serving in the Polish Air Force, Bruno had fought alongside the air-crews of the RAF during the Second World War. Before joining the staff of the Audio Visual Unit, he had worked in the Department of Electronics and Electrical Engineering where he gained

Bha Iain Long air ceann balaich an teicneòlais a bha cumail gach camara agus innealan clàraidh air dòigh. Os cionn nam balach a bh' againn ag obair air feadh an oilthigh, bha Bruno Babczynski, duine cliùiteach as a' Phòlainn, agus a bha a' sabaid, gualainn ri gualainn, còmhla ris na Breatannaich anns an RAF an aghaidh nan Gearmailteach anns an Dàrna Cogadh. Bha a mhàthair-cèile à Tolm, baile beag a tha beagan an ear air crìochan Steòrnabhaigh. An dèidh dha Màiri a phòsadh ghabh e mar shloinneadh an t-ainm Albannach, Barrie.

'S iomadh latha a bhios mi a' smaoineachadh cho sealbhach 's a bha mi boillsgeadh fhaighinn air na mìorbhailean a tha eòlaich a dèanamh ann an saoghal nan oilthighean – mòran dhiubh anns na h-ospadail, ach cuideachd anns a h-uile meur anns a bheil na h-eòlaich an sàs: Innealaireachd, Saidheans, Ealain, Lagh, agus eile. Taing dhan Tì a chruthaich an Cruinne-Cè gu bheil mi air a bhith beò ann an Linn nam Mìorbhailean!

Leig mi dhìom mo dhreuchd ann an1989 agus rinn Sandra agus mise imrich gu ruige Leòdhas. Bha Màiread ann an sin romhainn agus i stèidhte na dotair ann an Steòrnabhagh a' frithealadh euslaintich anns a' bhaile ach cuideachd feadhainn anns an Rubha agus air taobh siar an Loch-a-Tuath. Cheannaich sinn croit ann am Port Mholair agus thog sinn dachaigh oirre glè fhaisg air Tobair a' Bhuidseir agus Tobair Iomhair a bha, nam òige, a' cumail uisge fìor-ghlan ri muinntir a' bhaile. Gu mi-shealbhach chaidh an dà thobair a dhùnadh le clachan agus talamh fada mus tàinig sinn dhachaigh ach, ged nach eil duine a' gèilleadh dhaibh, tha na fuarain aca, mar dhùbhlan, fhathast a' dòirtadh a-mach an cuid uisgeachan!

Tha ceithir bliadhna fichead bho chuir mi cùl ri Oilthigh Ghlaschu agus an iomadh fear agaus tè air an do chuir mi eòlas fhad 's a bha mi le sgioba a' caithris anns na sàibhlean aice. Bha mo bheatha innte ùidheil, soirbheachail agus, ged is mòr am beud, tha ainm iomadach neach air an robh mi fìor eòlach air tòiseachadh a' dol às mo chuimhne. Dh'aindheoin sin, is math mo chuimhne air an iomadach rud tlachdmhor a thàinig nam rathad fhad 's a bha mi an uachdaranas aig Southpark House. Nas tlachdmhor leam na dad eile, b'e an ceumnachadh a rinn an ceathrar a bha cuide rium san dachaigh: Sandra, Màiread, Iain agus Murchadh air sàil a chèile. Thug an t-saothair sin naoi bliadhna agus bu mhòr an toileachas-inntinn a fhuair an còignear againn às na thachair anns an ùine sin.

a reputation for inventiveness, enthusiasm and diligence. After marrying Mairi, a Glasgow girl who has close family ties in Lewis, Bruno Babczynski adopted the Scottish surname Barrie. Owing to his expertise in the field and his readiness to respond to electronic problems in the University's numerous departments spread throughout the city and strewn in places as far distant as Lochlomondside and the Isle of Cumbrae, Bruno Barrie became the best known member of the Audio Visual Unit.

During my twelve years at Glasgow, our unit made hundreds of recordings of different procedures in Medicine, Science and Veterinary Medicine. Often, we were invited to record the result of major research projects, video-recordings of which the academic staff most involved took to prestigious conferences overseas.

My introduction to Medicine was through the department of Forensic Pathology at the Western Infirmary. To the pathologist who was about to conduct a post mortem it was all just part of the day's work.

We set up two cameras and recorded the procedure which was to establish conclusive evidence for the death of an old miner who had died of silicosis and emphysema. Seeing the appalling state of the man's lungs was an unforgettable and salutary experience. I then realized why my family was so determined to wean me off nicotine and, happily, succeeded in doing so.

I was not unduly affected by what I had seen. Indeed, I felt that I had learned much from the experience and looked forward to seeing surgical operations. In the ten years following that autopsy, I directed video-recordings of many scores of surgical procedures by eminent surgeons at the Royal Infirmary. Western Infirmary and Gartnavel General.

Lenzie

The town of Lenzie developed after 1842 when a railway line was built linking Glasgow and Edinburgh. As the Gaelic name suggests, the area was an extensive peat moor of which a square mile, known as Lenzie Moss, continues to exist. In the 1850s the railway company offered free season tickets to anyone prepared to buy an acre of ground adjacent to the railway line at Lenzie. A number of Glasgow commuters accepted the offer and began to build houses around the station which was located at Garngaber, a few hundred yards east of the present Lenzie Station.

An Lèanaidh

Thogadh an taigh a cheannaich sinn ann an 1852. Bha e ann an leth acair fearainn – dachaigh mhath teaghlaich cairteal a mhìle bho bhunsgoil agus bho àrdsgoil aig an robh deagh chliù. Nuair a rinn sinn an imrich à Dùn Eideann chun An Lèanaidh, bha Màiread naoi bliadhna a dh'aois, Iain Anndra seachd agus Murchadh còig.

Bha sinn air seann taigh a cheannach bho sheann ollamh a bha air a dhreuchd a leigeil dheth - ollamh a bha cho foghlamait 's gun robh e air a dhol thairis le faoineas! Airson bliadhnachan, bha e air a bhith a' fuireach na aonar ach cha robh e gun chur-seachad. Bha ùidh aige anns a h-uile seòrsa lus annasach a b'urrainn dha a chinneachadh anns a' ghàradh – dìtheanan, preasan, craobhan agus glasraich. Ach, mo chreach, fhad 's a bha an gàradh a' laomadh le cùbhraidheachd agus dathan eireachdail, bha e air cochall an taighe agus gach nì a bha na bhroinn a leigeil a dhìth.

Cha robh sinn fada anns an dachaigh ùr gus am faca sinn le tàmailt gun robh cinn nan sailean a bh' anns na làir nan còthar breòite. Bharrachd air sin, bha làr a' chidsin làn dhen raodan agus nuair a chuir sinn às an stòbha, chunna sinn gun robh an raodan air an làr foidhpe a chur na smùir mhìn ruadh. Tàmailt agus mionnan air an latha sin!

Mar sin, cha robh mìr dhen dachaigh nach robh feumach air a leasachadh - a-muigh agus a-staigh. Bha deich rùmannan ann – pailteas airson teaghlach mòr mar a bha cumanta anns an naoidheamh linn deug.

Ann an cùl a' chidsin, bha taigh-ionnlaid le làr saimeant. Ann am mullach an taigh-ionnlaid, bha tanca mhòr de dh'fhiodh daraich is e air a lìnigeadh le luaidhe. Bha gach làdach uisge a bha a' dòirteadh às an adhar ga stòradh anns an tanca sin airson a bhith deiseil dha na searbhantan nuair a bhiodh aca ri nigheadaireachd. Bha am bùrn-òl ga fhaighinn à tobair dhomhainn air cùl an taigh-ionnlaid – goireas a bha cunnartach dhan chloinn gus an d' fhuair sinn air a dùnadh. Ach, a-nise, bhuineadh na goireasan a bha sin dhan an naoidheamh linn deug anns an robh iad anns an fhasan. Nuair a chaidh sinne a dh'fhuireach don taigh bha am burn uile a' tighinn tro phìoban luaidhe – seann phìoban a b' fheudar dhuinn a spadadh às le òrdugh bhon riaghaltas chionn 's gun robh an luaidhe a' pùinnseanachadh dhaoine a bha ag òl a' bhùirn a bha tighinn asta. Tuilleadh cosgais. Thug sinn ochd bliadhna deug mus d' fhuair sinn air a h-uile uireasbhaidh a bha air an taigh a leasachadh.

Anns an ùine a bha sinn anns An Lèanaidh bha sinn, mar theaghlach, slàn,

Higher Education (1971–89)

Our house at 6 Beechmount Road, was built in 1857, in a half acre enclosed by a substantial brick wall. It was an excellent family house which was within quarter of a mile of Lenzie Academy and, also, the town's primary school. When we flitted from Silverknowes to Lenzie, Margaret was nine years old, Iain Andew seven and Murdo Ewen five. The previous owner had only recently retired from his university post as a professor of mathematics – an eccentric gentleman who, while creating a most beautiful garden in front of the house, had allowed his ten roomed home to go to rack and ruin. Four tall beech-trees in full bloom stood at the far end of the garden and, between that and the house were numerous flowering plants and bushes. Some flower-beds were laden with red and blue geraniums and hyacinths, others with floribinda roses and clematis. Against the west wall, there were forsythias, weigelas and azaleas. Lilacs, plum-trees, apple trees, Japanese maples, holly-trees, mock-orange (philadelpus), hazels and white birches occupied the east side of the garden. As the owner guided us through lanes and avenues, the fragrances and varieties of colour were enough to persuade us that this should be ours. But looking behind us to the house, we realised that creating a home within its ten apartments was going to present a massive challenge; and so it proved. Being completely inexperienced in the restoration of old buildings, we purchased the property and, as soon as we occupied it, we were confronted by the scale of the challenge. Wet rot and wood-worm had eaten away the ends of many of the joists and, consequently, weakened the floors. Fortunately, dry-rot which was discovered in several old buildings in the village, had not yet discovered ours! But even without dry-rot, there wasn't a square foot of the entire house which did not require renovation or repair.

The back entrance was through a Victorian wash-house which had a concrete floor sloping towards a drain, the opening to which was covered by a large iron grill. Piped water had not been brought to Lenzie until the 1870s, some twenty years after the house was built. Just outside the kitchen wall, we discovered a deep well which was hidden by a wooden lid under several inches of earth. For the purpose of collecting rainwater, an enormous oak water-tank, suitable lined with inch-thick lead, occupied the 'roof-void' – the space between the ceiling and the slated roof. Having seen the damage by woodworm elsewhere in the house, we were concerned that the tank's support beams had been weakened and become a potential danger to anybody passing through the wash-house. Problems throughout the property - left, right and centre!

dripeil, agus, ann an tomhais, soirbheachail agus sona. Mean air mhean, thug mi fhìn agus Sandra an dachaigh air ais gu ìre iomchaidh ach bha sinn fichead bliadhna an sàs ann mus d' fhuair sinn air an obair a chrìochnachadh. Ach, mar a bha an sean-fhacal ag radh, cha dèanar math gun mhulad. A' coimhead air ais, tha e an-diugh na chùis-iongnaidh dhuinn gun do lean sinn oirnn leis an t-saothair tre gach ùpraid eile anns an robh sinne agus an teaghlach an sàs.

Fhuair sinn eòlas air mòran theaghlaichean a bha a' còmhnaidh anns a'choimhearsnachd agus cuideachd anns na bailtean mun cuairt,m.e. Cathair an Tulaich (Kirkintilloch) agus Achadh an Loch (Auchinloch). Bha Elsie agus Tom Nelson agus an teaghlach aca a bha a' fuireach ri ar taobh air leth dàimheil agus bu ghann deireadh seachdain nach robh cèilidh sean-fhasanta ann am fear dhe na dachaighean againn le seinn, ceòl agus sgeulachdan.

Cha toirinn ach cairteal na h-uarach a' dol leis a' char gu Màiri, piuthair mo mhàthar, a bha na bantraich, a' fuireach ann am Bishopbriggs. Boireannach treun aoigheil a bh' innte, làidir na corp, na beachdan agus na creideamh. Ged a bha i air bhith a' còmhnaidh an Glaschu bho bha i na pàiste, bha i cho Gàidhealach 's a bha i an latha a dh'fhàg i Port Mholair. Nuair a chaochail i, bha mi mothachail gun robh mi air foghlamaiche a chall aig an robh aithne mhòr agus cuimhne mhath air gnàth-cainnt, caithe-beatha agus furtachd mo mhuinntir ann an Aois na Bochdainn.

Fhad 's a bha sinn anns an Lèanaidh, rinn Sandra ceum anns an Oilthigh Fhosgailte, agus cuideachd barantasan ann an Oilthigh Srath Chluaidh agus an Colaiste Chnoc Iòrdain.

Bha ar beatha mar theaghlach sealbhach, dòigheil agus dripeil. Nuair a dh'fhàg iad an ardsgoil anns an Lèanaidh, fhuair Màiread, Iain agus Murchadh na barantasan a dh'fheumadh iad airson a dhol air adhart gu foghlam aig àrd-ìre. Chaidh Mairead agus Murchadh do dh'Oithigh Ghlaschu agus Iain Anndra do Cholaisde an Techneòlais.

Bha na balaich dèidheil air bhith cluiche rugbaidh, Iain agus Mairead ag ionnsachadh a' phìano, Murchadh na rùnaire aig an SNP, agus Sandra na h-oileanach anns an Oilthigh Fhosgailte. Cheumnaich i le B.A. ann an 1974, a' bhliadhna anns an d' fhuair mi m' àite ann an Oilthigh Ghlaschu. Aig an deireadh sheachdain bhiodh an taigh againn làn de dh'oileanaich, mòran dhiubh à dùthchannan cèine. Bha an triùir chloinne againn a' leantainn air nòsan an sinnsirean le bhith a' fiathachadh chàirdean agus charaidean chun na dachaigh. Taigh-cèilidh gun mhòine 's gun lampa-siofaig! Ged bhithinn aig àmannan a' smaoineachadh gun robh mi fhìn agus am màthair nar sgalagan aca, bha mi uailleil às an oidhip a bha iad a' dèanamh agus bhithinn

Higher Education (1971–89)

Having met some of the teaching staff of the Glasgow School of Art, I was delighted to enrol Margaret and Iain Andrew to attend Saturday morning classes with Mrs Crawford, the tutor. Even at the age of twelve, Margaret was producing some excellent paintings both at school and at home and, within the past five years has won a number of prestigious awards for portraiture. At the end of term, we were invited to see an exhibition of the best drawings and paintings produced by the children attending. I was surprised to find that only four samplars of Margaret's work were deemed worthy of hanging. By contrast, seven of Iain Andrew's made the grade. Mrs Crawford told us that our young lad was one of the most talented youngsters in the class.

It took us nineteen years to get the house into good order but, during that time, we made many friends in the district. Else and Tom Nelson and their family lived close by and scarcely a weekend passed without our coming together for a ceilidh. Graham Barlow, drama lecturer and his wife Thelma (a well-known television actress) often attended those get-togethers. Close relations lived within twenty minutes of our home. My brother John Hector and Anne, his wife, and family at Garngaber; and my brother Murdo and his wife Morag and family some three miles away at Uddingston. Quarter of an hour away by car, my Aunt Mary and her family lived at Bishopbriggs. Mary was an impressive woman: hospitable and as strong in her Christian faith as she was in her opinions. Though she had been resident in Glasgow since her teenage years, she was as Gàidhealach as the day she left No 5 Port Mholair. She was admired and loved by all who knew her.

During our nineteen years in Lenzie, every member of our household was involved with institutions of Higher Education. Sandra studied with the Open University and, in 1971, graduated with a BA degree. Thereafter, she studied at the University of Strathclyde and Jordanhill College of Education to become a teacher. Both Margaret and Murdo Ewen graduated with degrees in Medicine and Iain Andrew with a degree in Optometry. With our offspring launched at the beginning of their respective careers, it was time for Sandra and me to look to our own future. Predictably, we decided to return to our roots in Lewis.

Gradually over our nineteen years in Lenzie, our continuous programme of renovation brought the house back to its original condition. By employing tradesmen to repair plaster-work, joinery, slating, re-wiring , plumbing and cement-work, I learned those skills sufficiently well to continue where the tradesmen had completed their initial phase. Iain Andrew and Murdo Ewen reluctantly attended piano lessons but were more interested in the rough and

a' cuimhneachadh air an oidhirp a bha mo phàrantan fhìn air a dhèanamh às mo leth-sa.

Bhiodh Màiread, a bu shine, aig òraidean aig Cnoc GhilleMhoire no ann am fear dhe na còig ospadail a tha tro Ghlaschu, Iain ann an Colaiste an Techneòlais shios ann am meadhan a' bhaile, agus Murchadh, a' leantainn ann an lorgan a pheathar. Bha Sandra agus mise mar choin-chaorach gam buachailleachd. Ach ma bha sinne fritheilteach orra-san, bha iadsan air fàs cus ro gheur-mhothachail oirnne (gu h-àraidh ormsa) le rabhaidhean a bha a' buadhachadh orra tro bhith am measg nan euslainteach anns na h-ospadail.

Mar bu mhotha a bha iad ag ionnsachadh, b' ann bu mhotha a bha aca ri a ràdh mu dheidhinn ar slàinte agus ar dòigh beatha. Dh'fhàs mi sgìth ag èisteachd ris na bh' aca de chomhairle ri thoirt orm mu dheidhinn an tombaca agus ceò chùbhraidh na pìoba. Bha cìocras agam air an tombac. Tha mi cinnteach nach eil duine a leughas mo ghearan aig nach bi truas rium. Bhiodh iad air a bhith buileach truasail nam biodh aca ri bhith ag èisteachd ris a' cheathrar a bha a' còmhnaidh anns an fhàrdaich againne, a' casadaich còmhla agus a' durghain cho luath 's a chitheadh iad mi sona leis a' phìob nam phluic. Mu dheireadh, leig mi bhuam an tombac agus thilg mi mo phìob do chairt na luathadh. Tha mi fhathast ga h-ionndrainn.

'S minig a chuala mi mo sheanmhair a' Phuirt ag radh, 'Thèid neart thar cheart,' agus dhearbhadh dhomh gur fìor am facal a bh' aice. Rinn an ceathrar aca a' chùis orm fhìn agus air an dubh-mhiann a bh' agam air an tombaca. Ach cha b' e ceathrar a rinn sin ach còignear. Bha, agus tha fhathast, bana-charaid aig Màiread a bha a' toirt cunntas air a h-uile turas a dhearcadh i orm leis a' phìob. B' ise Anna Mhòrgain, sùil-bheachd a bha a' fuireach cus ro fhaisg air an ionad anns an robh mi ag obair. Cò dhiù, gam aindeoin, strìochd mi agus cha do chuir mi pìob nam phluic airson còrr air na deich bliadhna fichead a chaidh. Ged tha gaol agam air Dr Anna Mhòrgain, cha tug mi maitheanas dhi airson cho cabach 's a bha i.

Fhuair mi faochadh nuair a thòisich Murchadh ag ionnsachadh draibheadh. Bha mi a' fiughar ris an latha a dh'fhaodainn leigeil leis falbh leis a' char agus uallach an draibheadh a leigeil dhiom. Leis an fhìrinn innse, bha mi air fàs seachd searbh de bhith a' faradh buill an teaghlaich gu badan thall agus a-bhos. Bha earbsa agam às an triùir aca, gu h-àraidh Màiread a bha stolda, glic anns a h-uile rud a bha air a h-uallach. Cha robh mi buileach cho earbsach às an fhear a b' òige!

Air an dearbh latha a fhuair esan cead-draibhidh, thuirt e rium, 'Tha mi airson taing mhòr a thoirt dhuibh airson na taic a tha sibh air bhith toirt

tumble of rugby than in music. They were both capable rugby players and enthusiastic members of the local SNP.

As the eldest, Margaret was the first of the three to go to university. She rapidly accumulated many friends whom she brought to Lenzie at weekends. Most were students from overseas: Hong Kong, Malaysia, Trinidad, Australia, Kenya and Canada. It was an exciting time in our lives and in theirs. Our ceilidh-house had neither a peat-fire nor a paraffin-lamp, yet it was a welcome haven for them whenever they felt the need for company, music and story-telling.

The more knowledgeable our children became, the more persistent their advice to their parents! At meal-times, topics such as our daily intake of caffeine, alcohol, poly-unsaturated fats, the importance of daily exercise, etc. were frequently on the menu. O yes, and so was the danger from tobacco-smoke. My Granny Port used to quote an old Gaelic saying, Thèid neart thar ceart (might can overcome right) which, unfortunately, is all too often proved true. My four would-be medical advisers forced me to stop smoking and, in my heart of hearts, I continue to feel black–affronted by their conduct. I said four but should have counted five. I should mention that the fifth member of the pressure-group was Anne Morgan, a student who lived on Kersland Street, just a stone's throw from Southpark House where my unit was based. After three months subjected to the wisdom of my implacable critics, I became mad and threw my beloved briar-pipe and ounce of St Bruno into a passing dustcart. After that, I spent several weeks regretting that I had done so. I am very fond of Anne Morgan, now a GP, caring for her patients in Drumchapel, but cannot quite forgive her for betraying me to my daughter every time she saw me at the University with fragrant smoke billowing from my pipe. A lovely young lady is Anne, Margaret's bridesmaid and pal. Though we've been absent from Glasgow for twenty-three years, she remains a great friend of our family.

The students' visits to our home had one important unforeseen consequence. In their final year at University, Murdo Ewen and Linda Peddle, a Canadian student, became engaged and married as soon as they graduated. Shortly afterwards, they emigrated to the Canadian province of Newfoundland. Then, a year or two later, they migrated to Nova Scotia where Linda's parents were well established. Finally, they settled in the town of Truro and made successful careers there. They are primarily family doctors but also have commitments in Emergency Medicine at the local hospital, in Sports Medicine and in establishing walk-in clinics. Through their work at

dhomh. Airson co-ghàirdeachas a dhèanamh còmhla ri mo charaidean, an toir sibh dhomh iasad dhen chàr airson a dhol leotha gu Fionn-treabh. Tha mi airson pinnt leanna a thoirt dhan triùir agus bheir mi gealladh dhuibh nach gabh mi fhìn dad nas treise na Irn Bru'. B' e baile beag air cùl nan cnoc agus mu dhusan mìle bhon Lèanaidh a bha am Fionn-treabh.

Bha fhios agam nach robh Murchadh càil na bu dèidheil air a' mhisg na bha mi fhìn agus ghabh mi, gun uallach orm, ris a' ghealladh a thug e dhomh. Thàinig an triùir charaidean agus dh'fhalbh an ceathrar le mo chàr, an rud bu luachmhor a bh' agam seach an taigh agus mo bhean 's mo theaghlach.

Ann an uair a thìd, chuala sinn stàpraich aig an doras a-muigh agus thàinig Murchadh a-steach le gàire air aodann. Ars a mhàthair, 'Agus an deach gu math dhuibh?'

Sheas esan eadar sinn 's an teine le a làmhan air a chùlaibh a' garadh a thòin.

Dh'fhàs mi an-amharasach. 'Seadh, Balach,' arsa mise. 'Chuala tu do mhàthair. Nise, freagair a' cheist a dh'fhaighnich i dhut.'

Thuirt e, 'Bheil sibh ag iarraidh an droch naidheachd an toiseach, no an naidheachd eile?'

'Tòisich leis an droch naidheachd! An deach duine agaibh a ghoirteachadh?'

'Cha deach. Bheil fhios agaibh air an leathad chas a tha tighinn sìos air cùl Bail' nan Leamhnach (Lennoxton). Uill, nuair bha sinn a' tilleadh cha deach dhuinn ro mhath. Leis a' bheinn air mo làimh chlì agus an gleann a' tuiteam fodhainn air mo làimh dheis...'

'A Mhurchaidh, an robh thu ann an tubaist...?'

'Chunna mi poca dubh plastaig air an rathad agus chum mi orm aig an aon astar. Gu mì-shealbhach cha b' e poca plastaig a bh' ann ach sgeir a bha air tuiteam às a bheinn chun an rathaid. Bhuail mi an sgeir agus bhris i an aiseal toisich.'

Bha Sandra gus a dhol às a toinisg. 'Mo ghràdh ort, an deach duine agaibh a ghoirteachadh?'

'Cha deach.'

'Seadh,' arsa mise, 'agus dè an naidheachd mhath a bh' agad dhuinn?'

'Nach eil sin follaiseach?' arsa Sandra. Dh'èirich i agus phaisg i a gàirdeanan uime. Nach sinn a tha sealbhach gun d' fhuair sinn dhachaigh e gun beud èirigh dha?'

Ach cha b' ann leis an leithid sin de mhaitheanas a fhreagair mise.

'Gun teagamh,' arsa mise, 'agus seo naidheachd mhath eile dhut, Balach! Fhuair thu mo char-sa aon uair agus bhris thu e. Chan fhaigh thu tuilleadh e'.

the local Millbrook First Nation Reserve, Sandra and I have made a number of friends among the Micmac natives, many of whom have Scottish forebears.

When I took early retirement from my post in 1989, Sandra and I took to the hills! In that year, we retired to my native heath in Lewis. One of the penalties of that self-imposed exile is that I lost touch with almost all the hundreds of colleagues and academic staff with whom I worked closely during my years at the two universities. Memories of interesting encounters, incidents, problems and successes abound. My move from the BBC to the Universities was rewarding in many ways and, not least, in that I was on hand at Southpark House during the passage of our three children Margaret, Iain Andrew and Murdo Ewen through Higher Education at Glasgow University and the College of Technology – a combined total of nine years.

It is fortunate that modern systems of communication make it easy for us to keep in touch with each member of our family living abroad. Their children return to spend a few weeks each summer with their Seanair and Seanmhair: Bethany, now in her third year studying medicine at Dublin University; Mairead studying Art and Music at the University of British Columbia; Calum aged sixteen and Sean Alasdair aged fourteen are still at school. Both are tall, athletic and tolerably good looking! They are my regular summer-time fishing companions.

Having graduated and trained at Glasgow city hospitals, Margaret sped north and found a position as a GP in Stornoway. She married Iain Smith, a peripatetic art-teacher from the town. They have three children: Eilidh aged twenty, Kathleen seventeen and Finlay fifteen. Based in Carloway, Margaret now works as a GP for four days per week on the West Side of Lewis. She devotes two days per week to portraiture and has won numerous international awards in that field.

And where was Iain Andrew, our elder son, while his sister and Little Brother were finding spouses and building families? He trained as an optometrist at the Glasgow Eye Hospital and has a business called Scotspecs in Scotstoun. As I have already mentioned,he was in his mid thirties before he met the girl of his dreams: Vivienne Mein, a beautiful Invernessian girl working in Glasgow as a corporate accountant. They married in 2001 and have given us three lovely grand-daughters: Catriona aged 10, Màiri 8 and Suzanne 6. I predict that Catriona will become a criminal lawyer; Mairi an astro-physicist; and little Suzanne a stand-up comic!

It is twenty three years since we took the fateful step to move north. More than ever, we value our continuing contact with our former neighbours and

Chunnaic mi Sandra a' priobadh air. Bha e na nàdar a bhith a' milleadh na cloinne agus gu h-àraidh an diol-deirig a shàraich sinn aig toiseach a bheatha!

Cheumnaich an triùir agus, mus do sheall sinn rinn fhìn, bha iad deiseil airson a dhol an ceann an cosnaidh. Bha thìd agam fhìn agus Sandra tòiseachadh ag ullachadh ar n-inntinnean airson cùl a chur ris a' bhaile mhòr agus tilleadh chun na dùthcha far an d' fhuair sinn ar n-àrach. Cha robh e furasta cùl a chur ris An Lèanaidh agus ri Glaschu far an robh uiread de dhaoine air an robh sinn eòlach – daoine agus bùitean, comannan Gàidhealach agus caraidean à badan air feadh Bhreatainn agus bho thall thairis.

Eideard Dwelly

Bha compàirt agam ann an 'Aibisidh' - sreath phrògraman a rinn am BBC le Fionnlagh I. Dòmhnallach (Finlay J) anns a' chathair. Gèam a bh' ann, anns an robh dà sgioba a' còmhstri ri chèile feuch cò a b' fheàrr air breithneachadh a thoirt air facail annasach a bh' anns an fhaclair aig Eideard Dwelly. Chòrd e rium fìor mhath a bhith a' cluich a' ghèam sin oir, ged a bha mòran de na facail nach cuala mi riamh, 's nach fhaca mi sgrìobhte, bha mi dualtach air a bhith dearbhadh ri fear-na-cathrach gun robh am facal cumanta gu leòr againne ann an Leòdhas. Ged bha mi air Fionnlagh a choinneachadh, air is dheth, tro na bliadhnachan, cha robh e idir eòlach orm – agus nuair a mhìnichinn dha a' chiall a bh'aig facal àraidh ann an Leòdhas, bheireadh e mar bu tric puing dhomh. Tha cuimhne agam air aon fhacal a chuir e orm. 'Dè a chanadh tu a th' ann an 'roisean'- r-o-i-s-e-a-n?' Arsa mise, ''S e roisean a chanas co-aoisean mo mhàthar ri cneabailte a bhiodh aig na boireannaich airson ceangal cas drathars teann ri ceann-shuas na stocainn.'

Thuirt Fionnlagh, 'Chan eil a' chiall sin ann am faclair Dwelly idir ach tha amharas agam nach eil thusa cho seòlta 's gum b' urrainn dhut dèanamh suas breug cho luath ri sin. Bheir mi dhut leth phuing.'

Och, Fhionnlaigh! 'S bochd nach robh thu cho eòlach orm anns an latha sin 's a bha thu orm nuair a thàinig thu a dh'fhuireach ri mo thaobh.

Bliadhnachan an dèidh Aibisidh, nuair a bha sinne a' fuireach anns an Lèanaidh agus esan agus Caitlin, a bhean, a' fuireach an Twechar, dh'aidich mi dha m' eas-onair. Thug mi taing dha airson na leth-puing a bha e air a thoirt dhomh airson na brèig. Abair lachanaich!

Aon latha, fhuair mi cuireadh bho fhear Dr MacFhearghais a bha ag obair anns an Ospadal Rìoghail a dhol gu diathad còmhla ris fhèin agus ri Flòraidh

colleagues. How pleased Sandra and I were by the recent visits to our home of Donald Barr and his wife Morag with whom I collaborated on the production of educational films in the early Seventies when Morag was known to me as Dr. Hunter of the Dept of Psychology, Strathclyde More recently, we were visited by an old friend: Iain MacDonald, an eminent Gaelic scholar, now retired from the Gaelic Books Council. Though we are seldom able to travel far beyond our base on the Isle of Lewis, we continue to treasure our friendship with Bruno and Mairi Barrie and their family. While we lived in Edinburgh and Lenzie, they were at the core of a large group of close friends. Alas, for obvious reasons, that circle is ever diminishing. Fortunately for us, Sandra and I are still here, in contact with our three offspring every day by telephone, email or Skype. Dozens of relations descended from my mum's uncles and aunts who emigrated in the 1920s and '30s, also make regular contact: MacLays in British Columbia and Alberta, MacLeods in Prince Albert and Elrose, Saskatchewan; MacKenzies in New Zealand; Morrisons in Victoria and New South Wales, Australia; Rosses in Thunderbay and Milford, Ontario;. and Johnsons in British Columbia and Colorado.

Gach dìleas gu deireadh – each steadfast to the end!

Edward Dwelly

I took part in a number of programmes in a popular Gaelic television series called 'Aibisidh' produced by the BBC and chaired by the veteran broadcaster Finlay J MacDonald. Each programme was in the form of a game in which two teams of three fluent Gaelic speakers competed to define the meanings of unusual Gaelic words. Which were to be found in Edward Dwelly's Gaelic Dictionary. I thoroughly enjoyed the experience not least because the competitors often found themselves disagreeing with the anchor-man and trying to persuade him that the word in question had a different meaning in our district too what was given as a definition in the dictionary. In those circumstances Finlay J, whom all the competitors knew well, was often in a quandary when it came to marking. On one occasion, the word given was *roisean,* a noun which I had never seen written nor heard pronounced. I insisted that 'roisean' was a word common enough at the beginning of the twentieth century and was the name given to an elasticated garter worn by a woman for the purpose of attaching the bottom end of one leg of her drawers

Dwelly, nighean Eideard Dwelly a bha air an fhaclair ainmeil a chlò-bhualadh agus fhoillseachadh. Rinn mi clàradh-bhideo den t-seanchas a bh' agam ris a' bhoireannach uasail sin a bha air a thighinn bho Oxford gu ruige Glaschu ann an tacsaidh! Nuair a dh'innis mi dhi cho luachmhor leis na Gàidheil 's a bha an obair a bha a h-athair air a dhèanamh, ghabh i ìongnadh.

Bhruidhinn sinn air an dèidh mhòr a bh' aig a h-athair air a' Ghàidhlig agus air na Gàidheil agus a h-uile rud a bhuineadh do an dualchas – gu h-àraidh pìobaireachd. Bha an dèidh a bh' aige cho mòr 's gun tug e an t-ainm 'Eòghann Dòmhnallach' air fhèin agus b' ann air an ainm sin a bha e aithnichte am measg nan Gàidheal. Thuit e fhèin agus Màiri Nic Dhùghaill ann an gaol. Shiubhail e gu a dachaigh ann an Aird Chatain, an Earra-Ghaidheal, airson a muinntir a choinneachadh agus airson iarraidh air a pàrantan cead a pòsadh. Fhuair e an cead a bha e ag iarraidh ach, a rèir aithris, bha a h-athair tàmailteach nuair a dh'fhoghlaim e nach b' e Dòmhnallach coileanta a bha gu bhith aige mar chliamhainn ach Sasannach.

Dh'aindeoin sin, phòs Eideard agus Màiri agus cheannaich iad taigh anns a' Ghart Mòr ann an Siorrachd Pheairt.

Bha a' chàraid òg a' fiughar ris an latha a bhiodh an obair crìochnaichte agus an leabhar air fhoillseachadh. Thug Màiri cuideachadh do a companach le deòin, ag ullachadh, a' leasachadh agus a' clò-bhualadh an fhaclair ainmeil aige. Chaidh a' chiad chur dheth fhoillseachadh ann an 1911 ach, gu mi-shealbhach, cha do rinn na Gàidheil idir uiread de ghàirdeachas ris 's a bha Eòghann agus Màiri a' dùileachadh. Cha robh fèill air an fhaclair aig an àm sin a rèir na h-oidhirp a thug am faclair gu buil.

Dh'innis Flòraidh dhomh gun robh a pàrantan tàmailteach. Nuair nach tugadh do a h-athair am moladh ris an robh dùil aige agus air an robh e airidh, chuir e a chùl gu ìre ri Alba agus ris a' Ghàidhlig. Is e cùis-nàire a bh' ann nach tug na Gàidheil urram agus mòr-chliù dha fhad 's a bha e beò airson na sàr obrach a bha e air a dhèanamh agus a tha cho prìseil leinn chun an latha-an-diugh.

Dh'iarr mi air Flòraidh a h-ainm a sgrìobhadh anns an leth-bhreac ùr den fhaclair a bha mi air a cheannach a dh'aon ghnothaich. Chuir na briathran a sgrìobh i cianalas orm oir bha e follaiseach nach robh tuigsinn aice anns an dìleab phrìseil a bha a h-athair air a thoirt dhuinn – follaiseach cuideachd nach robh aithne aice air cànan a màthar no an dualchas a bha cho tarraingeach do a h-athair aig toiseach a bheatha.

Chaochail Eidear Dwelly an 1939, a' bhliadhna anns an do thòisich an dàrna sgrios air sluagh na Roinn Eòrpa. B'e sin an Dàrna Cogadh Mòr anns na chaill Breatainn còrr air sia millean sluaigh.

to the top end of her stocking. I explained that I couldn't say how effective that elasticated garter might have been in securing the connection between the lady's two garments but stressed that, when I was a schoolboy, such an article, known as a 'roisean', was often seen hanging out to dry on my great aunt Catriona's clothes-line. In the end, the chairman awarded me a point.

As soon as I arrived home, I made for the Dwelly's dictionary and so that I'll save you the bother of consulting yours, I shall tell you what I found: Roisean? 1. A flail, the strikes of which are made of thick rope used for separating the grain from corn; 2 The train or tail of a skirt.

Years later, Finlay J and his wife, Kathleen, became our close friends when they come to live close to us at the village if Twechar. We never let him live down the shame of awarding me a half point for my 'elasticated garter'.

After the BBC's 'Aibisidh' series had run its course, I received a telephone call from Dr Ferguson, whom I had never met though I knew there was someone by that name working at Glasgow Royal Infirmary. Dr Ferguson asked me if I would like to meet Flora, daughter of the famous lexicographer Edward Dwelly, who happened to be visiting Glasgow. I was delighted to accept and arranged for her to visit our television studio at Southpark House and to record my interview with her.

Flora was surprised to hear that the Gaels had begun to view her father's work as invaluable. She spoke of her father's love of pipe-music and his own expertise as a piper. He had changed his name to Ewen MacDonald and when he fell in love with Mary MacDougall, he travelled to Ard Chattan in Argyll to meet her parents and siblings When he asked her father for permission to marry his daughter, the father gave his consent but, according to folklore, became bitterly disappointed when his discovered that future son-in-law revealed that his true name was not Ewen MacDonald and that, in fact, he was an Englishman.

The young couple worked steadily on the dictionary: compiling, defining, editing, printing, binding and delivering it to retail outlets. Naturally, they looked forward to its launch and to the reaction of the public. Publication of the first edition was in 1911. Edward and Mary were deeply disappointed by the public's lukewarm response. Flora told me, 'My father was not given the credit which he richly deserved. He was so disappointed by the public's lack of interest that, to a large extent, he lost his interest in Gaelic and in Scotland'.

I invited Flora to sign her name in a copy of her father's dictionary which I had hurriedly bought from the office of the Gaelic Books Council at the

Trì Buidhnean Gàidhealach

Sgoil Sir John Maxwell

Bha a' chlann againne mòran na bu shine na aois sgoile ach, a dh'aindheoin sin, chuir Ceana Cheanadach (Ceana Chaimbeul) toileachas orm an latha a dh'iarr i orm a bhith nam chathraiche aig Comann nan Tidsearan 's Nam Pàrantan – a' bhuidheann a bha strì ri bunsgoil Ghàidhlig fhaighinn ann an Glaschu. Airson iomadach bliadhna, bha ùidh air bhith agam ann am foghlam tro mheadhon na Gàidhlig. B' e Comann Sgoiltean Dà-Chànanach Ghlaschu a' bhuidheann a bha strì ri bun-sgoil Ghàidhlig fhaighinn ann am baile mòr Ghlaschu. Bha iomadach seòrsa cnap-starra an aghaidh dhaibh sin fhaighinn. Tron bhuidheann sin, fhuair mi eòlas air Bernie Scott ('Am Bodach Beag') a bh' anns a' chathair air Comataidh an Fhoghlaim ann an Comhairle Shrath Chluaidh. Duine beag, lùthmhor geur-chuiseach a bh' ann an Mgr Scott agus, gu sealbhach, bha e airson gum faigheadh na Gàidheil an roghainn.

Fhuair sinn fios gum biodh e ceadaichte dhuinn a bha an sàs anns an iomairt a dhol a dh'èisteachd na deasbaid anns an robh Bernie Scott a' dol a thoirt iarrtas nan Gaidheal air beulaibh Comataidh an Fhoghlaim. Bha fhios againn nach biodh an t-slighe soirbh dha agus cha robh fada gus an do dhearbh Stiuiriche an Fhoghlaim nach robh e idir airson gum faigheadh na Gaidheil sgoil far an robhas ag oideachadh na cloinne tro mheadhan na Gàidhlig. Thuirt e gu robh barrachd chloinne bho theaghlaichean a bha air a thighinn à dùthchannan coimheach a bha cheart cho airidh air sgoil fhaighinn dhaibh fhèin 's a bha na Gaidheil. Mar eiseimpleir, bha clann phàrantan anns a' bhaile aig an robh cànanan mar Gujerati, Cantonese agus Eadailtis.

Sheas am Bodach Beag agus thuirt e ris an Stiùiriche, 'Cuimhnich a sheòid, nach e do dhleastanas-sa idir a dhol a sheasamh an aghaidh nan co-dhùnaidhean gus an tàinig sinne mar chomataidh. Feumaidh tusa coileanadh dhuinne an rud a tha sinne mar Chomataidh an Fhoghlaim air aontachadh leinn fhìn'.

Dh'fhàg sinn a' choinneamh le fios againn gun robh an iomairt anns an robh na ficheadan de theaghlaichean ann an Glaschu agus na bailtean mun cuairt an sàs air ceum a thoirt air adhart aig am biodh buaidh ann an teagaisg na Gàidhlig. Mo bheannachd aigesan agus aig na Gàidheil chàirdeil, chòir a bha air a thighinn còmhla airson na h-iomairt a thoirt gu buil. Ach biodh duais air leth aig Ceana Chaimbeul, bean Alasdair Mhic Ualraig nach maireann, a rinn barrachd saothair na neach 'sam bith eile airson gum faigheamaid air a'

University. From her inscription it is obvious that she was unaware that present-day Gaels feel deeply indebted to her father and mother for their contribution to the conservation of our language. Of course, one must not forget that Gaelic was her mother's native language and that her father had dedicated so many years of his life to it.

Edward Dwelly died in 1939 in the year in which the Second World War broke out in Europe. Unfortunately, he didn't live long enough to witness the upsurge of interest in the language when people began to appreciate the importance of his magnum opus.

Three Highland Associations

Sir John Maxwell School

The idea of Gaelic medium education has been around in Glasgow for a long time.

Over fifty years ago, Stewart MacIntosh, the then Director of Education in Glasgow, made strenuous efforts to have a Gaelic school established to meet the needs of the large numbers of Gaelic speaking children who were attending after school and Saturday morning classes in order to learn to read and write their native language. For various reasons a school did not materialise at that time.

In the 1970s and early 1980s, there was a growing realisation that Gaelic was in danger in the city. Fewer and fewer children in Gaelic speaking homes were actually speaking the language, although they could understand it. The need now was not merely to cater for the needs of the Gaelic-speaking children, but to meet the needs of the language itself and to preserve it from oblivion.

A Glasgow University Education Department survey in 1983, showed that there was a need and a parental demand for Gaelic medium education in the city. An earlier survey had established that there were plenty Gaelic speaking teachers available and keen to be involved.

It is now almost thirty years since details of that survey were presented at a conference, convened by The Glasgow Skye Association with the support of all the Highland and Island Associations in the city, on "Gaelic in Glasgow Education". The conference was held in the Third Eye Centre (present Centre

Ghàidhlig a chur air ais air a casan.

Dh'fhosgail aonad Gaidhlig ann an Sgoil Sir John Maxwell san Lùnastal 1985, leudaich an obair agus, ceum air cheum, thàinig piseach air foghlam tro mheadhon na Gàidhlig air feadh Alba.

Bliadhnachan air chùl siud, chuir mi companaidh dom b'ainm, 'Lòchran' air chois mar chompanaidh neo-eisimileach airson prògraman telebhisean a dhèanamh anns a' Ghàidhlig. Ann an 1994, fhuair an companaidh taic airgid airson sreath phrògraman - 'Cluiche, Ceol is Cànan'- a riochdachadh do Seanal 4. Bha an t-sreath sin airson rannsachadh an adhartais a bhathar air a dhèanamh anns na sgoiltean Gàidhlig thall agus a-bhos. Ann an Glaschu fhèin, thadhail sinn ann an sgoiltean Gàidhlig ann am Bishopbriggs agus an Cill Bhrighde an Ear. Thuilleadh air sin, thadhail sinn bun-sgoiltean Gàidhlig an Dùn Eideann, Inbhir Nis, Baile Dhuthaich, Beinn na Faoghla, Uibhist a Deas agus Leòdhas.

Tha fhios gun robh Gàidheil air feadh Alba a' dèanamh strì airson cùis na Gàidhlig a neartachadh ach, nam bharail, 's e ceum sònraichte a fhuair Gàidheil Ghlaschu air a thoirt le Sgoil John Maxwell.

Comunn Leòdhais agus na Hearadh Ghlaschu

Tha Comann Leòdhais 's na Hearadh Ghlaschu air a bhith feumail dhan òigridh tro na linntean - gu h-àraidh nuair a bha an òigridh air ùr thighinn dhan Ghalltachd agus a' fulang la cianalas na dachaigh.

Nuair a thill sinn a Leòdhas, chaill sinn an ceangal a bh' againn ris a' Chomann ach bho fhuair sinn ar n-anail a ghabhail agus a thòisich mi a' rannsachadh ann an sloinntearachd dh'ionnsaich mi rud a chuir iongnadh orm.

Seach dithis, fhuair mi dearbhadh gun robh ceangal-teaghlaich agam ris a h-uile fear is tè, Leòdhasach agus Hearach, air an robh sinn cho eòlach ann an Glaschu agus an Dùn Eideann. Tha moit orm a' cur sin ann an sgrìobhadh oir bha gach fear is tè a bha sin uasal agus glic.

Ach cò an dithis a bha sin? Gu sealbhach, cha d'fhuair Bill agus Chris Lawson anns na Hearadh, no eadhon Dòmhnall Choinnich MacChoinnich ann an Eòropaidh, lorg air ceangal teaghlaich eadar mi-fhìn agus Sandra, mo bhean!

'S nas motha, cha d'fhuair iad sgeul air càirdeas eadar mise agus Iain MacNeill, an duine suathaid ud a tha, airson bliadhnachan, air a bhith a' cumail luchd-èisteachd air bhoil leis na deòirean nan sùilean ag èisteachd ri a chuid gòraich.

for Contemporary Arts) on 1 October 1983. The information revealed by that survey showed that there were enough children wishing Gaelic education in primary school to fill two schools, one north and one south of the city.

A paper arguing the "Case for Gaelic – English Bilingual Education in Strathclyde" prepared by Professor Nigel Grant of the Education Department of Glasgow University was presented to representatives of Strathclyde Regional Council in February 1984, and accepted in principle. Following on from the October Conference, and involving the parents and children identified by the University survey as desiring Gaelic medium primary education, Glasgow Gaelic Bilingual Schools Association – *Comunn Sgoiltean Dà-chànanach Ghlaschu* - was formed, and formally launched in May 1984.

The Association had a single aim and purpose: to promote Gaelic medium education in general and, in Glasgow in particular, to establish in the first instance a Gaelic - English bilingual primary school in Glasgow.

Funding for the Association, as indeed for the conference which gave it birth, came from the Highland and Island Associations in the city, and also from fund raising efforts by the parents who were involved in what was by now a campaign for Gaelic medium education.

Many meetings, many letters, many arguments, many setbacks, ensued over the next year as the members of the Association worked with commitment and determination towards their goal, but always, the determination of the parents kept the campaign going until a modified version of what had been sought was granted at a meeting of the education committee on 10 July 1985 - to resounding applause from the public gallery.

In August 1985, when schools resumed after the summer holidays, the Gaelic Bilingual Unit in Sir John Maxwell Primary School was opened.

Years later, I set up an independent company called 'Lòchran' to make television programmes in Gaelic. In 1994, the company won a contract to make a series of programmes - 'Cluiche, Ceol is Cànan'(Play, Music and Language)- for Channel 4. The series examined the progress in Gaelic education throughout the country. In the Glasgow area, we visited schools in Bishopbriggs and East Kilbride, as well as schools in Edinburgh, Inverness, Tain, Benbecula, South Uist and Lewis.

While acknowledging that there were Gaels throughout Scotland striving to strengthen the position of Gaelic, I nevertheless feel that that the Gaels in Glasgow took a significant step when they were given Sir John Maxwell School.

An t-Urras Gaidhealach

An-diugh, tha moit orm gun robh compàirt agam anns an iomairt a bha buidhnean ann an Glaschu a' dèanamh às leth na Gàidhlig no às leth teaghlaichean na Gàidhealtachd. B' e aon dhiubh sin an t-Urras Gaidhealach (Highland Fund) a chaidh a stèidheachadh an 1953 ann an linn anns an robh seòid a bha air tilleadh às an Dàrna Cogadh ag iarraidh iasad airgid a chuidicheadh iad a' cur air chois gnìomhachas a bheireadh dhaibh beòshlaint nan dachaigh fhèin.

Cha b' urrainn dhan chomhairle a bhith air dithis na b' ionrac agus na bu treibhdhirich a chur mar fhreiceadan air ionmhas an Urrais – sàr dhithis nach maireann. B'iadsan Ruairidh MacFhearchair às an Eilean Dubh agus Dòmhnall Dòmhnallach (Dòmhnall Shamaidh) à Sgianaidinn an Eilean Sgìtheanaich. Bha iad nan dòigh carthannach ris na teaghlaichean air an robh iad a' tadhal air feadh na Gàidhealtachd. Mar an ceudna, bha muinntir na Gàidhealtachd mothachail air luach na h-oidhirp a bha iadsan agus an t-Urras a' dèanamh, agus am feum a bha an obair againn a' dèanamh air feadh na dùthcha. Bha mise agus an fhichead urrasair eile uailleil a bhith ann an luib na h-iomairt, a h-uile fear againn a' dèanamh ar dleastanais saor-thoileach, an-asgaidh agus le deagh rùn.

Ann an 1965, chuir an Rìaghaltas air chois Bòrd Leasachaidh na Gàidhealtachd agus, mean air mhean, ghabh am Bòrd sin a-null mòran den obair anns an robh an t-Urras an sàs. Mar sin, thàinig feabhas air eaconomaidh na Ghaidhealtachd anns an leth-cheud bliadhna bho chaidh an t-Urras a stèidheachadh. Leig mise dhiom a' chathair mus do dh'fhàg mi Glaschu agus ghabh Calum Mac Ille na Brataich an t-uallach anns a' bhliadhna 1988. Deich bliadhna an dèidh sin, thàinig obair an Urrais gu crìch. Le Murdhadh Moireasdan anns a' chathair, chaidh sporan an Urrais fhalmachadh agus an t-airgead a bh' ann (£200,000) a thoirt do Sabhal Mòr Ostaig aig a bheil buaidh air cùis na Gàidhlig ann an Alba agus thall thairis. Soirbheachadh leis an t-Sabhal agus gach fireann agus boireann a' tha a' frithealadh nan oileanach aig baile agus bho bhaile.

Nigeria

Dh'fhosgail na sia seachdainean a chaith mi ann an Nigeria mo shùilean air saoghal a bha tur eadar-dhealaichte ris an t-saoghal air an robh mi eòlach. Tha

Higher Education (1971–89)

The Lewis & Harris Glasgow Association

The Glasgow Lewis and Harris Association has been a boon to young people from its inception. The Association was particularly important to teenagers who had moved to the city and were suffering the misery of homesickness and loneliness.

Back home on the island, I took a keen interest in genealogy and was surprised to discover that both Sandra or I are related to virtually all the Lewis and Harris folk we befriended during our thirty years in Edinburgh and Glasgow. As they were all wise and charming people, I am happy to put that on record that. It turns out that I am related to all except two of those I knew with in these cities. Who are they? Fortunately, neither Bill and Chris Lawson in Harris nor even Donald Mackenzie in Eoropie, has found any connection between me and my wife, Sandra.

Neither did they find any family link between me and John MacNeill, that outrageous comedian who, for many years, kept audiences laughing heartily listening to his hilarity.

I enjoyed at times being the chair at ceilidhs and hearing first-class singers who came to entertain us and who often chose songs from our rich tradition, such as Eilean an Fhraoich and my favourite song on the subject of war – Eilean Beag Donn a' Chuain, sung by Mary Smith.

The Highland Fund

Looking back, I am proud to have participated in the efforts that organisations based in Glasgow were involved in to promote Gaelic or the wellbeing of families in the Highlands. The Highland Fund was one of these organisations. It was established in 1952, when returning servicemen were in need of loans to help them set up business enterprises in their home area.

The trust couldn't have chosen to put two more honest and upright people in charge of finances than the late Roderick MacFarquhar from the Black Isle and the late Donald Macdonald from Skinidin in Skye. They were sympathetic to the families they visited throughout the Highlands and as a result, the people they dealt with valued the efforts the trust was making on their behalf, and the positive impact the work was having. The twenty other trustees and I were proud to be associated with the work that we were doing on a voluntary basis and with good intention.

In 1965, the government established the Highlands and Islands Development Board, and gradually the Board took over much of the work that the Highland Fund had been undertaking. The economy of the

còrr air trì cheud treubh anns an dùthaich ud agus còrr air còig cheud cànan. Tha creideamh an t-sluaigh, leth ma leth, Muslim agus Crìosdaidh. Ann an seagh, tha Nigeria caran coltach ris an Roinn Eòrpa anns a bheil rìoghachdan, stèidhichte oir ri oir, ach gach tè sgairte bho chàch a rèir, a cànan, a creideamh agus a cultur. Cuideachd, tha e rudeigin coltach ris a' Ghàidhealtachd gu bho chionn trì cheud bliadhna, nuair a bha eud agus còmhstri a' cosnadh gamhlas agus a' toirt air na cinnidhean a bhith a' buaireadh ri chèile.

Lean aimhreit eadar na treubhan ann an Nigeria agus, ged nach eil e soilleir dhomh an-diugh carson, sguir an Rìaghaltas a' pàigheadh an luchd-teagaisg airson an cuid obrach. Mar thoradh air sin, cha robh na h-oileanaich ann an Oilthigh Ibadan a' faighinn an oideachaidh air an robh iad airidh agus, air a cheann thall, chuir iad togalaichean anns an oilthigh nan teine.

Fo ughdarras UNESCO fhuaireadh airgead airson na togalaichean a chàradh agus feabhas a thoirt air a h-uile rud a dh'fheumte airson an oilthigh a chur air ais air a chasan. An 1979, fhuair mi cuireadh bhon Chomhairle Bhreatannach a dhol gu Oilthigh Ibadan airson mo bheachd a thoirt air na goireasan nodha air an robh an t-oilthigh a cur feum. Cha robh mi riamh air bhith ann an Afraga ach, le misneachadh bho chùirt Oilthigh Ghaschu dh'ullaich mi airson an turais.

Turas fada air plèana le British Caledonian ach, mu dheireadh, ràinig sinn gu socair gu talamh aig Lagos, prìomh bhaile Nigeria. Cho luath 's a dh'fhosgladh an doras, thàinig plàigh de aidhir theth a-steach. Cha robh sin na iongnadh oir bha sinn aig crios-meadhain an t-saoghail leis a' ghrian na craos theine os ar cionn anns na speuran. Bha am port-adhair na chùis iongnaidh dhomh agus eireachdail air leth. Togalach mòr le uinneagan mòra glainne a bha a' lìonadh an àite le solas ach, air dhòigh air choreigin, a' cumail a-mach teas do-ghiùlainte na grèine. Ach an toiseach, bha againn ri faighinn a-steach tron Chusbainn far an robh aig oifigearan ri dearbhadh cò sinn, cò às agus dè ar ceann gnothaich anns an dùthaich aca. Gu sealbhach, bha Sìm Mac an t-Saoir bhon Chomhairle Bhreatannach còmhla rium airson mo threòrachadh. Bha esan eòlach ann an Nigeria agus bhithinn uaireannan air bhiod aige le cho fearail, sàsaidh 's a bha e nuair a bh' againn ri dèiligeadh ri daoine ann an ùghdarras – gu h-àraidh na saighdearan.

Lean sinn a' ghreigh a bha gluasad chun na Cusbainn – ceithir sreathan de dhaoine ag imeachd slaodach gu bucais nan seòid aig an robh ùghdarras air ar leigeil a-steach no ar tilleadh dhachaigh. Fhad 's a bha sinn a' dlùthadh air na seòid sin, 's ann a chunnaic mi romham gun robh fireannach anns gach sreath a' gluasad nam choinneimh, agus iad a' dol bho dhuine gu duine anns

Highlands improved markedly in the fifty years since the Fund was set up.

I resigned from the chair before I left Glasgow and Calum Bannerman took over that role in 1988. Ten years later, the fund was wound up. With Murdo Morrison in the Chair, the coffers of the fund were emptied and the money (£200,000) was transferred to Sabhal Mòr Ostaig, which impacts on the Gaelic cause, both at home and abroad. May the Sabhal and all who work there to assist students at home and abroad prosper.

Nigeria

My six weeks in Nigeria opened my eyes to a world of which I was ignorant. It is true that I knew where in the world, the country was situated but I had no idea of how the west (not least the UK) and the countries east of the Iron Curtain vied with each other to develop the country's oil. I didn't know that more than 500 native languages were spoken there, that half the population were Muslin, a third Christian and the rest of a variety of local faiths. Although I had enjoyed sweltering days in the Caribbean and California, I had never before experienced the intense heat of the Equatorial sun.

Nigeria is four times bigger than Great Britain. Its population is four times greater and consists of around 300 tribes speaking more than 500 languages. In a sense, the country resembles the Highlands of old, where different clans lived within well defined boundaries, made treaties with some of their neighbours, but regarded others as unfriendly or, in some cases, enemies. In the same way, tension existed between some of the Nigerian tribes and in 1967, that tension erupted into a civil war which lasted for three years. During the war, some departments of government withdrew support from institutions such as those of higher education.

The work of repairing the damage and modernizing University departments was funded by UNESCO. In 1979, I received an invitation from the British Council to visit the university and report on how modern audio-visual technology should be introduced. I had never been to Africa and was pleased to receive the support of our own University Court to accept the invitation. A few days before I quit my own desk, I was visited by Professor Lalage Bown who, I was told, had spent thirty years in Zambia and Nigeria teaching in university departments of Adult and Continuing Education. I was delighted to meet someone who was familiar with the University of

gach sreath, gach fear le màileid fhosgailte aige. Nuair a ràinig fear faisg ormsa, chunnaic mi gun robh fear an dèidh fir a' taomadh airgid dhan mhàileid. Nuair a ràinig e mise, dh'fhaighnich mi dè a bh' agam ri a dhèanamh. Ars esan, 'Chan eil e ceadaichte dhut barrachd air 500 naira a thoirt a-steach dhan dùthaich-sa. Feumaidh tu an t-iomall airgid a th' agad a lìbhrigeadh dhan Chusbainn'. Thug mi am pasgan nairo às mo phocaid agus, faiceallach nach robh mi a' cumail barrachd air 500 naira agam dhomh fhìn, chuir mi 23,000 dhan mhaileid aige. Nuair a fhuair mi-fhìn agus Sìm ar saorsa bhon luchd-sgrùdaidh , thuirt Sìm rium, "Tha mi duilich!' arsa Sìm. Fad na h-uine guth a' cumail na'r h-aire; 'Murtala Muhammed airport is the pride of the nation.' Bu chòir dhomh a bhith air lideadh a thoirt dhut gur e mèirlich na croich a th' ann am balaich a' Chusbainn. Bha mhòrchuid de m'airgead agamsa air fhalach nam stocainnan.' Mar sin, cha robh mi fada ann an Nigeria gus an do thuig mi gun robh an dùthaich air a riaghladh le daoine a bha beò air eas-onair agus foill.

Airson ar treallaichean fhaighinn, bha againn ri dhol a-steach dhan talla-fhosgailte. Nam bharail, cha tigeadh talla-fhosgailte port-adhair anns an robh mi riamh – Heathrow no Glaschu – faisg air le eireachdas, glainnead agus meud. Choisich Sìm agus mise air ùrlar iongantach - sgaoilteach fharsaing, fhada air a dhèanamh de chlàir mhàrmor. Chaidh innse dhuinn gum e Sìna a bha air pàigheadh airson an togalaich gus a bhith "mar thiodhlac bho sluagh Shìna do shluagh Nigeria."

Bha againn ri siubhal còrr air ceithir fichead mìle a-steach dhan dùthaich airson Ibadan a ruighinn. Chaidh Sìm gu fear de mhuinntir British Caledonian airson comhairle – Nigerianach caol àrd a bh' ann mun cuairt air còig bliadhna fichead de dh'aois agus e air a dheagh chòmhdach ann an deise liath-ghorm. Bha e fearail agus fiosrach, agus math air a ghnothaich. Dh'innis e dhuinn gun robh an t-Airm air casg-cìs a chur air an rathad gu Ibadan agus gum biodh againn ri 500 naira a phàigheadh dha na saighdearan. Chuir an duine òg sin fios air fear-tacsaidh a dh'aithnicheadh e agus anns an robh earbsa aige. Thuirt e ris nach fhaigheadh e pàigheadh gus an tilleadh e bho Ibadan le litir bho Shìm a' dearbhadh gun robh e air ar lìbhrigeadh aig ar ceann uidhe.

Fichead mìle tuath air Lagos thàinig an tacsaidh chun a' chiad casg-cìs. Bha saighdear nach robh mòran na bu shine na ceithir bliadhna deug na sheasamh am meadhan an rathaid le raidhfil air a cinnteachadh oirne. Ri taobh an rathaid, bha seàirdseant na shìneadh ann am fasgadh truca mhòr ghlas-uaine, le siogar na phluic agus a ghunna na laighe ri a thaobh. Thàinig an t-òganach chun a' char le fiamh a' ghàire air aodann. Cha robh fiacaill an doras a bheòil.

Ibadan and able to answer questions about what I should expect on what was to be my first visit to Equatorial Africa. Having spent some thirty years in Ghana, Zambia and Nigeria, the Prof was able to advise me on topics such as vaccinations against tetanus and polio; clothing; drinking water; sun block, and money.

I flew out on a British Caledonia flight in the company of Jim MacIntyre of the British Council. It took us ten hours from Glasgow airport to reach our destination and as we touched down at Lagos, the entire company of passengers gave the pilots and crew a hearty round of applause. In those days, that gesture of appreciation was not uncommon even on domestic flights.

When the doors of the plane were opened, a rush of hot equatorial air swept through the plane. I felt quite exhilarated by it and, with the white-hot sun overhead, I enjoyed every day I spent in Nigeria.

Lagos Airport was impressive. Large multi-storey buildings of modern design were very busy with, seemingly, hundreds of well-dressed African people and a few Europeans and Chinese walking purposefully this way and that. Sunlight flooded into the concourse and the temperature which might have been unbearably hot was well controlled by air-conditioning. Jim and I joined the queue leading to the Customs officers. We were separated by only a few yards - a short distance which made the difference between my being robbed and his being not. As we progressed towards the Customs officers, men walked along the queues each holding, a bag into which the travellers were placing what I assumed were chocolate wrappers and other worthless rubbish. I was wrong! When the bagman arrived in our section of the queue, he told us that it was a serious offence to bring more than 500 naira into the country. Those who contravened the law would be taken to jail. Of my 23,500 naira, I placed 23,000 in the bag. Receipts were not issued. On our way to collect our baggage Jim apologised for not warning me about the Customs officers' scam. Having been robbed of his money on a previous visit, he had taken the precaution of hiding all but 600 naira in his socks.

It was a heavy price for me to pay, within an hour of our landing in Nigeria, to discover that corruption and deceit were a way of life among representatives of the ruling military government. To retrieve our baggage, we had to enter the Arrivals Concourse, the biggest I had ever visited. I remember that I was greatly impressed by its size, its architecture and cleanliness. My impression is that, at that time, the terminal buildings at Lagos were more impressive than those at any British airport including Heathrow.

Thuirt e rudeigin ris an draibhear agus choisich e gu math an-amharasach ceithir thimcheall oirnn. Dh'fhosgail e doras-cùil an tacsaidh agus thòisich e a' rùileachd le strùp a' ghunna am measg nan treallaich againn. Dh'èigh Sìm ris gu coimheach, 'Faiceall a bhalaich nach bris thu càil an sin. Tha sinne bho UNESCO agus cha bhiodh sinn airson gum faigheadh tusa thu fhèin ann an trioblaid!'

Thàinig an saighdear thuige anns a' bhad agus chuir e strùp an raidhfil a-steach gu colainn Shìm. Ged a bha fiamh a' ghàire fhathast air aodann, bha e airson sealltainn dhuinn cò aige a bha làmh an uachdair. Gu sealbhach, dh'èigh an seàirdseant rudeigin ris. Thug fear an tacsaidh airgead na cìs dhan t-saighdear. Cha robh facal eadarainn anns an tacsaidh.

Ghluais sinn air falbh gu math slaodach. Ged bha uinneagan an tacsaidh fosgailte, bha teas na grèine cho mòr 's gun do thòisich mise a' norradaich agus thuit mi nam chadal mus do ràinig sinn Ibadan. Anns an taigh-òsta, chaidh ar treòireachadh gu na rumannan anns an robh sinn gu bhith a' fuireach. Bha mi gu math fann agus chaidh mi nam shìneadh air uachdair na leapa agus chaidil mi suaimhneach gu àrd fheasgar.

Air an ath latha, chaidh sinn chun an Oilthigh agus bha oifigeach gar feitheamh airson ar toirt chun a' Phrionnsapal. Mar a chunnaic sinn, bha Nigeria fo rìaghladh an Airm agus thàinig e steach orm gum b' e cuideigin coltach ri Idi Amin Da-da à Uganda a thigeadh a-steach a chur fàilte oirnn - fear le seacaid ghlas leis a' bhroilleach aice air a sgeadachadh le buinn-euchdan. Cha robh sinn fada a' feitheamh gus an tàinig Proif. Ayo Banjo, am Prionnsapal, a-mach airson crathadh làimhe – fìor dhuine gasta, iriosal, foghlamaichte; duine aig an robh iomadach seòrsa uallaich air a ghuailnean. Dh'fhaighnich e cò às a bha sinn an Alba. Dh'innis sinn gun robh Sìm à Glaschu agus mise à Eilean Leòdhais. Bha fhios aige air mòran mu dheidhinn eachdraidh agus cruinn-eòlas na h-Alba. Dh'fhaighnich e dhomh an robh mi eòlach air tal-laichean-còmhnaidh nan oileanach ann an Oilthigh Ghlaschu agus thuirt mi gun robh.

'Nuair a thilleas tu dhachaigh,' ars esan, nach tadhail thu dhomhsa ann an Talla MhicBruthainn agus abair ri Bean Mhic a' Phearsain ma tha i fhathast na matron ann, gu bheil mise, Ayo Banjo, a' cur thuice mo cheud mìle beannachd airson coimhead às mo dhèidh fad nan trì bliadhna a bha mi ann an Oilthigh Ghlaschu a' dèanamh ceum. Mar sin, bha mi eòlach air Albannaich agus, mar an ceudna, air Sasannaich oir rinn mi ceum cuideachd anns an UCLA ann am Preston.'

An-diugh chan eil cuimhne agam air ainm an treòraiche a thug sinn timcheall nan togalaichean, feadhainn dhiubh a bha air an droch mhilleadh

Next day, we went to the University and found an official waiting to take us to the Principal. As we already discovered during our journey from Lagos, the country was governed by the military. As we awaited the arrival of the Principal, I imagined that we were about to meet someone who looked and behaved like the infamous Dada Idi Amin of Uganda, wearing a grey jacket adorned with numerous military medals! When Prof. Ayo Banjo the Principal appeared, I was delighted to meet an African who was sophisticated, friendly and engaging and I immediately knew that I would do as much as I possibly could to help.

Before the breakdown of law and order in the country, Sieu from Guyana had been a lecturer in Biology. He was a bright, friendly young man who seemed to have many friends within and without the university community. One day, he mentioned to me that he was about to travel about twenty five miles into the jungle to visit a his friend, a Canadian girl, a VSO (Voluntary Service Overseas volunteer) who was living on her own and worked with the young of jungle families as a teacher of English. Jim MacIntyre suggested that, to allow me to see what it would be like to live and work in a remote area of the African jungle, I should go with him. We set off in Sieu's rickety car along narrow jungle roads. It was obvious that families collecting fruit among the trees recognized Sieu's car and waved. Our car broke out of the jungle and into a small clearing in which stood a small cottage with walls of which were hung with flowering hibiscus and clematis. Having heard the car approach, Miss Sinclair appeared at the cottage door and was delighted to see us. She bade us enter her living-room where we sat with her chatting for about an hour. Her 'only friend' was a spider which lived in her bath directly under a window. My impression of the animal is that it was about two inches wide and attacked and ate all the insects which managed to enter the house whenever Miss Sinclair left the window slightly ajar.

Sieu and I felt uneasy leaving the young VSO alone in that lonely outpost of the Nigerian jungle. She had about six weeks of her contract remaining and I have a strong impression of her standing at the door of her cottage telling us how she longed for the day she could meet her mother in London before flying home to Canada.

We had not forgotten the purpose of our visit to Ibadan University. Obviously, teaching staff were working in very difficult conditions. From what we saw of the class-rooms, teaching was mostly by 'talk and chalk'. Audio-visual aids such as video and cine and tape-slide replay facilities were absent. The staff whom I met were friendly, courteous, intelligent and,

anns an aimhreit. Chan eil ùine agam airson innse dhuibh an iomadach rud iongantach a chunnaic sinn agus a dh'èirich dhuinn agus an iomadach duine annasach a choinnich rinn fad ar rèis aig Ibadan. Fhuair mi eòlas air Sieu, duine beag à Gayana, a bh' ann an Ibadan mar òraidiche ann am bith-eòlas agus aig an robh ùidh mhòr ann an sutha a bha co-cheangailte ris an roinn anns an robh e a teagaisg.

Aon latha, thuirt Sieu rium gun robh aige ri a dhol a thadhal air bana-charaid dha a bha na VSO a-muigh anns a' phrìomh-choille. Tha cuimhne agam gur e Nic an t-Sealgair an sloinneadh a bh' oirre ach tha mi air a' chiad ainm a bh' oirre a dhiochuimhneachadh. Canamaid gur e Anna a bh' oirre. Shiubhail sinn deugachadh mhìltean a-mach dhan phrìomh-choille ann an càr Sieu. Chaidh sinn seachad air teaghlaichean a' trusadh mheasan agus ghlasraich bho chraobhan agus air an dùsgadh ann am feannagan: oraindsearan, bananas agus buntàta-milis. Dh'fhosgail am prìomh-choille agus thàinig sinn gu taigh beag, grinn, air cruth thaighean a bha mi air fhaicinn ann an ceanna deas na h-Eadailt agus le ròsaichean agus hibiscus fo bhlàth a' streap nam ballachan aige.

Leig Sieu 'bìp' air a' chonacaig agus thàinig Anna a-mach anns an spot - nighean àlainn nach robh mòran a bharrachd air fichead bliadhna a dh'aois. Bha i a' teagaisg na Beurla dhan òigridh ann an cròileaganan thaighean a bh' anns an astar. Ged a bha na daoine còir gu leòr rithe, thuirt i nach b'urrainn dhi leigeil dhaibh a bhith ro dhàn oirre – gu h-àraidh na fir òga. Dh'fhiathaich i sinn a-steach dhan taigh agus dh'aidich i gun robh i uabhasach aonranach agus, aig àmannan, eagalach. Sheall i dhuinn an "aon charaid" a bh'aice - tarbhan-allaidh a bha cho mòr ri luch agus a bha a' còmhnaidh anns a' bhat fon uinneig. A rèir Anna, bha e ealanta air marbhadh a h-uile seillean, sneadhan agus daolag agus cuileag a bha air snàigeadh a-steach fhad 's bha an uinneag aice fosgailte. Cha robh iongnadh orm gun robh i iomaganach anns an àite iomallach ud. Bha a' chùmhnant aice gu crìochnachadh ann am mios no dhà agus bha i a' fiughar ri tilleadh dhachaigh a Chanada. Iomadach uair bho leig sinn beannachd leatha, bhithinn a' smaoineachadh cho draghail 's a bha e do phàrantan na h-ìghne fhad 's a bha i na h-aonar anns a' phrìomh choille.

Bha e ceadaichte dhuinne a bhith dol gu Club nan Oraidichean anns an Oilthigh agus chaidh sinn ann leth dusan uair ann am beul na h-oidhche. Cha b' e a mhàin luchd-teagaisg a bhiodh ann. Bha Eòrpaich ann aig an robh ceangal ris an oilthigh ach a bha an sàs ann an gnìomhachasan agus, gu h-àraidh, obair na h-ola agus poileataigs. Aig an àm ud bha an Cùrtair Iarainn a' roinn rìoghachdan na Roinn Eòrpa eadar an Iar agus an Ear. Bha aon duine mòr àrd-ghuthach a bhiodh a' tighinn a-steach a h-uile feasgar a bha sinn ann

understandably, keen to improve their teaching facilities. Before leaving the University, Jim MacIntyre and I had completed the draft report which we had to submit to the British Council and UNESCO.

On our last evening in Ibadan, Jim and I took Sieu to dinner in the University Club. Apart from academic staff, there were visitors there from several different nationalities. Sieu spent the evening with us and was loath to part with us. He introduced us to two of his academic colleagues. I uncovered my camera and prepared to take a photo of them standing beside Sieu. There were angry cries from Nigerians sitting at tables in the background. Sieu advised me not to take a photo as some Nigerians were superstitious and, for reasons which I have not been able to understand, objected to my taking photos.

On previous visits to the Club, I had noticed a tall, blue-eyed European going from table to table, shaking hands with customers. I had overheard the stranger's hearty greeting to three Nigerians at a table close to us. He was loud and authoritative and spoke English with a heavy accent. I had a feeling that he was German. With him were three young African girls who were beautifully dressed and were sporting African hairstyles. Sieu told us that the three were the man's daughters.

'Their father is from your country,' Sieu told us. 'Surely you have already met Double Chief Fletcher. I'm sure that he is Scottish. Anyway, he speaks Scottish!'

He hailed the man and soon we were shaking hands with Double Chief who was delighted to meet with fellow Scots. As Jim's accent and mine were very different, he wished to known where in Scotland we were from. Jim was from Lanarkshire. Before I could tell him where I was born, he told me that my accent suggested that I was Welsh or Irish. I was proud to confess that Gaelic was my native language but that, having lived for decades in the Lowlands, I had become equally fluent in English. I was surprised by his reaction to that information.

'I don't speak Gaelic,' he said, 'but I believe that Gaelic was the language of my forebears and I have good reason for saying that. I was born and brought up in Dalkeith a little town south of Edinburgh. My Mum who was the last of my relations, is now gone and I still grieve her passing. The truth is that, though my home is now in Ibadan, I am quite homesick at times.'

He told us of having received news that his mother's health was failing and immediately decided to fly to Scotland. He landed at Glasgow Airport,

agus bha e follaiseach gun robh eòlas aige air mòran dhe na tùsaich a bh' ann 's e a' falbh bho bhòrd gu bòrd le cridhealas agus deagh-rùn le crathadh-làimhe agus lachanaich. Ged nach duirt duine rium co as a bha e, bha droch amharas agam gun robh an duine às a' Ghearmailt an Ear agus cha do rinn mi oidhirp sam bith air eòlas fhaighinn air. Gach uair a chunnaic mi e bha triùir nighean òga còmhla ris, donn anns a' chraiceann agus, shaoilinn, eadar ochd agus dusan bliadhna a dh'aois. Bha e follaiseach gum b'e peathraichean a bh' annta ach, bha ceist orm, am b' iad teaghlach a' Ghearmailtich?

Thurchair gun robh Sieu còmhla rinn agus, seach gun robh sinn a' fàgail air an ath mhadainn, bha Sìm agus mise airson a dhol a chadal tràth. Dìreach nuair a bha sinn air seasamh, deiseil airson beannachd a ràdh ris na fir a dh'aithnicheadh sinn, thuirt Sieu, 'Bidh sibh airson beannachd a leigeil le bhur caraid, Ceannard Dùbailte Fleidsear, an t-Albannach as iomraidich a tha an Ibadan?'

Arsa sinne à beul a chèile, 'Cò tha ann?'

'Sin e, an duine àrd-ghuthach reachdmhor, leis an triùir phàistean aige air a shàil'.

Dh'èigh Sieu air an duine agus b' fheudar dhomh aideachadh dha gun robh mi air bhith a' smaoineachadh gum b' e Gearmailteach a bh' ann'.

'Tha mise,' ars esan, 'à Dalkeith – baile beag deas air Dun-Eideann. An-diugh chan eil duine de mo chàirdean beò. Mo mhàthair am ball mu dheireadh, 's mar sin, 's e Ibadan mo dhachaigh.'

Thàinig na deòirean na shùilean. 'A bheil a' Ghàidhlig agad?

'Is e a' Ghàidhlig a tha ann an smior mo chnàmhan,' arsa mise. 'Is i mo chiad chànan ach nì mi mo shlighe anns a' Bheurla cuideachd!'

'Chan eil a' Ghàidhlig agamsa ,' ars esan, 'ach 's cinnteach gun robh i aig mo shinnsearan. Agus tha adhbhar agam air sin a ràdh. An uair mu dheireadh a chaidh mi dhachaigh a dh'Alba 's mo mhàthair ann an Dalkeith ri uchd bàis, chaidh mi dhachaigh à seo air plèana. An Glaschu, chaidh mi gu Sràid Bhochanain agus ghabh mi am bus gu Dùn Eideann. Lìon am bus le fir is mnathan, feadhainn dhiubh còmhdaichte le breacan agus cuid dhiubh a' bruidhinn ann an cànan nach robh mi tuigsinn. Cha robh sinn air siubhal barrachd air mìle a-mach à Glaschu nuair a thàinig am bus beò le ceòl. Cha chuala mi riamh leithid de cheòl cho milis, làidir aig guthan cho binn 's gun robh iad a' cur gaoir nam fheòil. Dh'fheòirich mi cò na seinneadairean a bha air mo lìonadh le cianalas. Dh' innseadh dhomh gum b' iad Coisir an Obain air an slighe chun a' Mhòid Naiseanta ann an Dùn Eideann.'

took a taxi from there to Buchanan Street bus-station and was in time to catch a bus to Edinburgh.

'Just before the bus moved off, about twenty high-spirited, middle-aged men and women boarded, the men in kilts and the ladies in tartan skirts. I was too tired to enquire who those people were. At last, the bus moved off and, quarter of an hour later, when we were just about leaving the city lights behind, somebody up front started to sing. Suddenly, the entire bus-load joined in the most beautiful singing I had ever heard. I was totally enchanted by the harmonies and the passion of the singing. I was so moved by the experience that I spent most of my bus journey in tears. When we dismounted at St Andrew Square in Edinburgh I enquired who the 'tartan people' were and was told that they were the Oban Gaelic Choir on their way to the Edinburgh National Mod'.

He prepared to leave us but asked that we remain at the club until he had returned from his home with a 'wee something'. Leaving his three daughters with some Nigerian friends, he retreated. When he returned he handed me a parcel neatly bound in gift-wrap paper. As we parted I gave him my address in Lenzie and offered to be his host if he should ever return to Scotland. Unfortunately, we never did hear from Double Chief Fletcher.

Back at our hotel, I unwrapped the parcel and found within it two ceremonial cotton gowns. As we had to leave for Lagos Airport early on the following day, I didn't have an opportunity of thanking Double Chief Fletcher for his generosity.

But how did Martin Fletcher gain such an eminent position in Nigeria? Sieu told us that he had become an Honourable Chief in recognition of his work as a civil engineer. He was particularly renowned for having constructed major motorways like the one linking Lagos and Ibadan. He had acquired his second chiefship through marrying the daughter of a local chief.

TV Indians

As a result of decisions taken by Margaret Thatcher's government, universities were directed to encourage every department to generate as much income as possible in order to meet a significant proportion of their running costs. In effect, it meant that some of my department's expertise which had been entirely directed towards support for academic departments, had to be diverted towards generating income from external customers. It

Nar cuideachd, thàinig plum dhan chianalas air agus thuirt e rium, 'Am fuirich thu an seo rium airson leth-uair a thìd gus an till mi le tiodhlac bheag a tha mi airson a thoirt dhut?'

Dh'aontaich mi agus nuair a thill e bha pasgan aige dhomh. Cha do dh' fhosgail mi am pasgan gus an do ràinig mi an taigh-òsta. Bha an duine còir air toirt dhomh dà ghùn-tùsach eireachdail mar a bhios air uaislean ann an Ibadan.

Ach carson a thugadh an t-ainm iongantach 'Ceannard Dùbailte' air Màrtainn Fleidsear? Dh'innis Sieu dhuinn nach b' e far-ainm a bh' ann idir ach teisteanas air an urram a bh' aige anns a' cheàrnaidh de Nigeria. Thugadh a' chiad urram dha mar cheannard air a' chòmpanaidh a bha air a' phrìomh-rathad a thogail eadar Lagos agus Ibadan. Fhuair e an dàrna urram nuair a phòs e an nighean aig Ceann-feadhna air tè dhe na treubhan.

Oideachadh nan Innseanach

Bha an Rìaghaltas fo stiùireadh Màiread Thatcher air rabhadh a thoirt do na h-oilthighean gum feumadh gach roinn tòiseachadh a' cosnadh airgid airson lùghdachadh na suim a bha gach fear a' cosg. Thurchair aig an àm sin gun robh a' Chomhairle Bhreatannach air faighneachd dhomh am biodh e an comas an Aonaid agam, dusan Innseanach a theagaisg anns na sgilean a dh'fheumte airson prògraman-foghlaim a' riochdachadh do Saideal Stàit Nan Innseachan (INSAT). Aig toiseach tòiseachaidh, bha aig na prògraman air an robh iad ag amas a' chraobh-sgaoileadh air feadh nan Innseachan gu bhith, a-mhàin, do chlann-sgoile. Seach gun robh mi fhìn air bliadhnachan a chur seachad a' dèanamh an leithid sin de phrògraman, bha mi cinnteach gum biodh an t-Aonad againn comasach air an tagradh a bh' anns a' chùmhnant a choileanadh.

Ged bha an t-Aonad dripeil ag obair do luchd-teagaisg an Oilthigh againn fhìn, ghabh mi a' chùmhnant a bha a' Chomhairle Bhreatannach a' tairgsinn. An-diugh, chan eil cuimhne agam air ainm a h-uile neach a bh' anns a' bhuidhinn a thàinig thugainn às na h-Innseachan. Tha cuimhne agam air na sloinnidh a bha air triùir fhireannach – Bhatt, Gandhi agus Ratti; cuideachd na sloinnidh air triùir mhnathan – Catti, Patti agus Derasari. Bha a h-uile fear agus tè gasta, càirdeil agus furasta dèiligeadh riutha.

Dh'ullaich mi prògram còmhla ri Sùrais Bhatt, Hindu, à ceann-a-tuath nan Innseachan. Bha e airson am program a bhith stèidhte air cliù gaisgich

happened that, about that time, the British Council had asked me to consider organising a course designed to train a dozen Indian mature students in the skills required to produce educational programmes to be transmitted by the Indian National Satellite System. The programmes we were to produce as training exercises were to be aimed at top Primary School classes in India.

It was a field in which I had had nine years' experience as a BBC producer. I was confident that, even though the Unit of which I was the Director was fully engaged on the production of teaching materials for the University's eight Faculties, we could cope well with the challenge. The University Court encouraged me to accept the British Council's contract.

So far as I can remember all our Indian students were middle aged. The nine consisted of three women and six men. At first, some of the men had difficulty with our Scottish accents and vice versa. However, by the end of the first week, we were all best of pals and everything was plain sailing. I was particularly friendly with Suresh Bhatt and Mr Gandhi.

Mrs Patti and Mrs Catti were formidable well-to-do ladies. Miss Derasari was a kindly, outgoing spinster who was eminently sensible and ironed out any difficulties that arose – difficulties relating to the students themselves and, happily, never caused by the behaviour of my staff. Mr Ratti, I remember, was a loner but a talented graphics artist.

The group chose to tackle three separate productions – one of which was to be under the direction of Suresh Bhatt with me acting as his Producer. Suresh settled into our Glasgow lifestyle and became used to our various Scottish accents very quickly. He chose to do a history programme aimed at teaching 9-12 year olds. It was to be based on the life of a Scottish hero. I suggested he choose from a list which included four of my own favourites: Robert the Bruce, William Wallace, Sir Hector MacDonald, the Rev. Donald Caskie and Sir Colin MacKenzie (First Surveyor General of India). In the end, he chose the story of King Robert the Bruce.

From my point of view, his choice was perfect. Bannockburn where, in 1314, the Scots won their decisive battle against the English invaders is about twenty miles from the University. One morning we set off to visit the site which is dominated by a huge statue of Bruce. Suresh was thoroughly impressed by what he saw and learned.

Approaching the monument, we came upon an old Glaswegian grandfather who wished to impress on his English grandson the importance of the battle which won the Scots their freedom. The old man went down on his hands and knees to kiss the ground! He told his four year old grandson

Albannach. Thug mi dha ainmean agus geàrr-eachdraidh leth-dusan – Brus, Ualas, Eachann nan Cath, An t-Urramach Dòmhnall Cascaidh agus mar sin air adhart. Ged a bha seo bliadhnachan mus do rinneadh am fiolm 'Brave Heart' cha do chuir e iongnadh orm gun do thagh e Brus mar chuspair. Bha mi air innse do Shùrais nach robh Allt a' Bhonnaich ach mu dheich mile fichead bhon Oilthigh agus chan fhoiseadh e gus am faiceadh e, le a dhà shùil fhèin, far an d' fhuair an t-airm Albannach a' bhuaidh air an nàimhdean.

Cho luath 's a thàinig an carragh-cuimhne air fàire, thòisich Surais a' togail dhealbh. Mar a b' fhaisg a chaidh sinn air a' charragh-cuimhne, b' ann bu dhealasaich a dh'fhàs e, a' brunndail beag leis fhèin ann an Hindi agus uaireannan a' tionndadh timcheall mar gum biodh e a' feuchainn ri geur-ghlacadh na inntinn an eachdraidh a bha e air a leughadh – mar bha na feachdan Sasannach a dlùthadh air Brus agus na cinnidh mu an coinneimh - an dùbhlan, an t-eagal, am fuaim a bha a' cuairteachadh nan saighdearan air an dà thaobh.

Thurchair gun robh greigh luchd-turais air an staran a bha dol a-steach chun na charragh-cuimhne. Romhainn bha dà fhireannach – bodach beag suigeartach a bha a' còmhradh ann am Beurla Ghlaschu ri leanabh mu dhà bhliadhna a dh'aois 's e aige casan-gòbhlagan mu amhaich. Còmhla ris an dithis sin, bha fireannach òg a bha umhail dhan bhodach agus a' coiseachd ri a thaobh mar gum b' e iochdaran a bh' ann gun mòran aige ri a ràdh. Nuair a bhruidhinn esan 's a chuala sinn blas na Beurla aige, bha e follaiseach gum b' e Sasannach a bh' ann. Shaoil mi gun robh am bodach a' dol a dhèanamh cinnteach gum biodh an leanabh air oideachadh ann an eachdraidh na h-Alba. Gu h-obann, thug am bodach an leanabh gu làr agus chaidh e fhèin leis an ogha sios air an glùinean. Rinn an leanabh mar a rinn a sheanair. Phòg an dithis an talamh.

Nuair a thug mi sùil gu mo chùlaibh, bha mo charaid Surais air a spògan a' pògadh na talmhainn agus, nuair a sheas e, thuirt e rium, 'Gu deimhinn, deimhinne, tha sinn a' coiseachd air talamh coisrigte! Ceud mìle taing airson mo thoirt gu carragh-cuimhne Allt a' Bhonnaich.'

Air ais ann an Glaschu, leugh e a h-uile leabhar air am faigheadh e grèim a bha toirt cunntais air na gaisgich a thug dùbhlan do rìghrean Shasainn agus an oidhirp a rinn sluagh na h-Alba airson seasamh saor air an gurt fhèin. Le beagan stiùiridh, sgrìobh Sùrais sgriobt a rinn feum de na h-uairean de thìde a bha e air a chur seachad a' rannsachadh. Mar ghean math rium, thàinig Dòmhnall MacLeòid (Donnie Dotaman) leis a' ghiotàr dhan stiudio airson na h-Innseanaich a chuideachadh a' clàradh a' phrograim. Sheinn e 'Scots Wha

to do likewise. Next moment, Suresh followed suit. He kissed the ground and when he stood up he said to me, 'This is truly the most hallowed ground in Scotland!'

As I said, Suresh was impressed by the historic importance of Bannockburn and he quickly became aware of the dramatic potential of the subject he had chosen for a video programme.

Our studio production pre-dated the release of Mel Gibson's famous 'Brave Heart' film by some fifteen years. It was a production which, though it cost only a few hundred pounds was easy to watch and reflected both the hard work and extensive research by the Indian trainees, but also the dedication and enthusiasm of our University technicians.

Some months after our Indians returned to India, I was delighted to receive a report (from either UNESCO or the British Council) which stated that 'King Robert the Bruce' was among the first programmes to be broadcast via INSAT the Indian State Satellite.

The years rolled on and I retired from my post at the University of Glasgow. Thereafter, I lost contact with the merry band of enthusiasts from the Sub-continent. Towards the end of my University career, my being involved with them – particularly, with Messrs Bhatt, Gandhi, Ratti and the indomitable Miss Derasari was an experience which I thoroughly enjoyed and will not forget as long as I live.

Hae' fhad 's a bha dà chamara againn a' gluasad tarsainn air sgaoilteachan Blàr Allt a' Bhonnaich.

Abair gun robh prògram snog aig Sùrais aig deireadh an latha agus bha e cho moiteil 's gun saoilinn gum faodadh e a bhith air iteig a dhèanamh gu Delhi Nuadh gun phlèana idir! Air an latha a chuir na h-Innseanaich cùl rinn, bha pàrtaidh mòr againn aig Ionad Southpark; na mnathan aca còmhdaichte ann an trusgan ioma-dhathte na dùthcha aca fhèin. Bha dithis no triùir de na fir a thug a steach innealan-ciùil - siotàr, drumaichean-tabla agus fidheall.

Cha dìochuimhnich duine a bh' anns an sgioba againn cho tlachdmhor 's a bha e a bhith ag obair còmhla ris na h-Innseanaich agus, gu h-àraidh, an càirdeas a chaidh a dhàingneachadh eadrainn fhad 's a bha iad fo ar stiùireadh. Beagan mhìosan an dèidh dhaibh tilleadh dhachaigh, fhuair mi aithisg a thug cunntas air an t-adhartas a bha na fir agus na mnathan a dh'oidich sinn a' dèanamh nan dreuchd. Chuir an aithisg sin moit ormsa, ach cuideachd an naidheachd gun do mholadh am prògram a bha Surais air a dhèanamh, nuair a chaidh a chraoladh tro INSAT.

Old house in Lenzie with a magnificent garden
Anns an Lèanaidh, seann thaigh le gàradh àlainn

Lenzie house built in the 1850s
Taigh mòr Lèanaidh a chum obair rinn!

B.A. graduate from the Open University
Air ceumanachadh bhon Oilthigh Fhosgailte

Three fledglings ready to begin careers
Deiseal airson na nid fhàgail

Teenagers Iain Andrew, left, and Murdo
Iain Anndra (clì) agus Murchadh

Dr. Anne Morgan forced me to quit smoking!
Anna Nic Mhòrgain, bana-charaid an teaghlaich

Glasgow University established 1451 A.D.
An tùr air Gilmorehill, Oilthigh Ghlaschu

Roderick MacFarquhar of the Highland Fund
An Urras Ghàidhealach: Ruairidh MacFhearchair

Dr Kenna Campbell, champion of Gaelic
Ceana Chaimbeul, bana-churaidh na Gàidhlig

Lagos Airport concourse floor made of marble
Aitreabh Port-Adhair Lagos, an t-ùrlar de mharmor

At Bannock Burn
Aig Allt a' Bhonnaich

Chapter 8
Caibidil 8

Old Age and Retirement
Aimsir a' Bhodaich

Divya Dinakar

In 1990, I retired to become a full time producer of Gaelic television programmes for BBC, STV and Channel 4. Unfortunately, the pot of gold' that was provided by the government was small and competition for funding productions was fierce. The Committee which dispensed funds favoured young newcomers to the industry rather than old hacks such as myself.

Gradually, I turned away from television production and began to concentrate on writing books. Though I was never trained as a typist, I began to appreciate more and more the joy of using the computer and printer as my writing tools. My reliance on electronic gadgets increased but so also did my sense of frustration whenever my 'Outlook Express', 'Internet Access' or my printer refused to meet my needs!

Fortunately, my nephew Kenneth trained in electronics and was employed at one time as a trouble-shooter for Onetel and though he quit that company for a less stressful existence, he offered to help me out if ever I should find myself in computer-trouble. I took full advantage of that offer and, from time to time, called on him to free my computer from its seizures. But as Fate would have it, Kenneth was required by current employers to go for a few days to North Uist (a neighbouring island). He flew away on the very day on which my email system refused to budge. Being non-technical and, as a result, liable to be confounded by terms such as 'trojans', 'gigabytes', 'defragment' and 'spyware', I have long since declared myself thoroughly ignorant and whenever computer trouble arises, I appeal for help from those who know.

In a state of nervousness, I phoned BT's Help-line and was greeted by a brisk, crisp female voice which bore an Irish accent. I asked in my best Gaeilge, 'What's your name and do you speak Irish?' The voice responded in Irish and was most helpful. I confessed to her that my knowledge of Irish was as limited as was my ability to de-bug my computer! I told her that there was some form of email-jam in 'Outlook Express'.

'Now,' she said, 'if I put you through to a trouble-shooter on this line, it will cost you £1 per minute. I can give you another Help-line number which will introduce you to someone who might be able to get you out of trouble if it's a simple fault. There won't be any charge for your using that service'.

Naturally, I jumped at the offer. The phone number she gave me took me all the way to Chennai in India. The girl who answered spoke English clearly

Divya Dinakar

Cha robh spùt agam ag obrachadh computair gus an tàinig sinn dhachaigh a Leòdhas bho chionn ceithir bliadhna fichead. Ach cho luath 's a cheannaich sinn oifisean air Sràid na h-Eaglaise ann an Steòrnabhagh agus a thòisich mi a' sgrìobhadh litrichean leis an inneal iongantach-sa, thuig mi anns an spot gum b' e goireas a bh' ann air am bithinn a' leigeil mo thaic cho fad 's a bhithinn a' cur facal air pàipear. Goireas gun teagamh – agus goireas feumail cho fad 's a tha e slàn, ceannsaichte. Ach mo thruaighe, ma thèid e air a' chaoch agus a' diùltadh gèilleadh dhut. 'S fhada bho mhothaich mi gu bheil mi fhìn air fàs cho màirnealach 's nach eil e nam chomas an computair a shìtheachadh nuair a thòisicheas e a' breabadh an aghaidh nan dealg.

Tha mi sealbhach gu bheil Coinneach, mac mo bhràthar, tuigseach ann an computaireachd agus, mar as tric, nuair a chuireas mi SOS thuige, thig e chun an taighe againn airson m' fhaothachadh a-mach às a' bhoglaich. Bha mo chiall reusanta ag innse dhomh nach bu chòir dhomh a bhith dol na innibh ro thric. Aon latha, chaidh an computair agam ann an suain-chadail agus dhiùlt e lìbhrigeadh a h-uile càil a bha air a thighinn thugam tron phost-dealain. Dh'fheuch mi siud agus dh'fheuch mi seo ach bha an dòlas rud air a thachdadh. Dh'fhàs Sandra searbh de bhith gam chluinntinn a' brunndal beag leam fhìn. Ars ise thar a guailne, 'Chan eil mi tuigsinn carson nach cuir thu fios air Coinneach!'

Air a' cheann thall, rinn mi sin ach bha Coinneach air a dhol a dh'obair a dh' Uibhist airson seachdain. Chuir mi fòn gu BT agus fhreagair bana-Eireannach mi, agus dh'fhaighnich mi dhi ann an Gàidhlig na h-Eirinn, 'An labhair tu Gàidhlig?'

Labhradh! Ach lean i oirre ann an Gàidhlig Mhumain gus an deach i seachad air mo chomas air a tuigsinn agus b' fheudar dhuinn a dhol dhan Bheurla. Cò dhiù, bha am boireannach uabhasach gasta rium agus thug i a' chomhairle orm fònadh àireamh eile aig BT. Bha amharas aice nach robh mòran ceàrr air mo chomputair nach cuireadh cuideigin aig an àireamh-fòn sin ceart saor agus an-asgaidh. Air an làimh eile, ma b' e rudeigin ceàrr a bhiodh duilich a chàradh gun cosgadh an t-seanchas £1 anns a' mhionaid!

Dh'fhàg mi a' bhana-Eireannach agus dh'fhòn mi chun na h-àireamh-fòn a bha i air a thoirt dhomh. Fhreagair guth bana-Innseanaich mi – guth caomh, dàimheil le Beurla a bha furasta dhomh a thuigsinn. Dh'fhaighnich mi dhi dè an t-ainm a bh' oirre agus cò às a bha i a' bruidhinn rium. Dh'innis i dhomh

and confidently. She told me her name was Divya Dinakar and immediately began to tackle my computer problem. For five minutes or more, I responded to her direction to do this, that and the other. My ability to concentrate began to waver and, in the end, I told my instructor, 'I am becoming confused! I am 80 years old and am no longer able to concentrate. Let us abandon the session. Thank you very much for your patience.'

Divya would have none of it.

'Not at all!' she declared. 'You almost managed to de-bug your system. Let us continue and, within a few minutes, the problem will be solved. Would you be prepared to give control of your computer to me? I'm trustworthy and will fix it for you in a jiffy!'

'My dear girl,' said I, 'I do trust you and give you permission to take control of my computer.'

As if by miracle, Divya took control. The cursor moved across the screen and, within a short time, the gremlin was dislodged and as if a plug had been removed from a blocked drain around sixty messages poured into my Inbox. I was thoroughly impressed by the skill of the trouble-shooter located some five thousand miles to the east of me in Chennai. I thanked her and sat back to read my messages most of which were uninvited spam.

A few minutes later, the telephone rang and when I answered I found that the call was from Divya enquiring if all was well with my Outlook Express. She thanked me for being so courteous during our exchanges and so appreciative of her efforts on my behalf. We spoke briefly about our respective countries and though, in retrospect, I cringe when I recall my boasting about my training of INSAT staff, I told her of my genuine interest in Indian culture. She already had my email address and I asked her to write me briefly as I would like to discover more about the fascinating area of India in which she lived and which, as it happened, was the backdrop to a novel I was writing featuring the part played by 300 Lewis-men in the Mysore Wars. Those islanders called the Seaforth Highlanders were, in effect, fighting on behalf of the British Crown and Aristocracy – a case of the poverty-stricken assisting the insatiable.

Happily, that was not the end of the liaison between me and Divya Dinaker. My friend has now left BT and is a full-time employee of Air India with whom she works as air-crew on flights all over the Far East. Not only do Sandra and I communicate with her but we have also established a correspondence with Devika, Divya's mother and Simrat, her stepfather, who live near Rugby, England. Scarcely a week passes that we don't communicate

gum b' ise Divya Dinakar agus gun robh i ag obair aig BT ann an Chennai – baile-mòr air an robh an t-ainm Madras nuair a bha na h-Innseachan fo rìaghladh Bhreatainn.

Leis a' chomputair a' crònan air mo bheulaibh, lean mi na ceumannan leis an robh Divya air am fòn gam threòireachadh. Ceum air cheum, rinn mi mar a bha i ag iarraidh orm 's a dh'aindeoin sin, dh'fhuirich bucas-nan-litrichean air a' chomputair glaiste. Thug an nighean bhochd faisg air sia mionaidean gam threòireachadh a h-uile ceum. Mu dheireadh, chaill mi mo mhisneachd agus thuirt mi rithe gun robh mi a' toirt suas. 'Tha mi,' arsa mise, 'còrr air ceithir fichead bliadhna a dh'aois, gann de dh'fhoighidinn agus eu-comasach air m' aire a chumail snàimte ris an rud a bha thu ag iarraidh orm a dhèanamh'.

Ghabh mi uabhas nuair a thuirt i rium nach robh i airson gun cuirinn mo chùl ris a' chùis. Ars ise, 'An toir thu cead dhomh ùghdarras fhaighinn air a' chomputair agad airson beagan mhionaidean? Ma nì thu sin, saoraidh mi e bhon chnap-starra a tha ga ghlasadh'.

''S do bheatha, a nighean chòir,' arsa mise. 'Tha mi a' toirt a' chead sin dhut agus mo cheud mìle taing.'

Ann an ùine ghoirid, rinn Divya mar a gheall i. Mar gum biodh i air ceap a thoirt à allt, thàinig leth-cheud teachdaireachd a' taomadh a-steach thugam air a' phost-dhealain. Thug mi taing do Divya agus leig sinn beannachd le chèile.

Beagan mhionaidean an dèidh sin, thàinig ràn-ràn-ràn air an fòn agus, nuair a fhreagair mi, cò bha sin ach Divya Dinakar a-rithist. Ars ise, 'Tha mi airson taing a thoirt dhut airson a bhith cho coibhneil foighidneach rium fhad 's a bha sinn a' sealg a' chnap-starra. Fad nan seachdainean a tha mi air a bhith 'g obair aig BT, 's tu a' chiad Bhreatannach a bhruidhinn rium gu càirdeil, modhail, foighidneach.'

Cha b' e sin deireadh a' chleamhnais a stèidh ise agus mise air an latha ud. Tha Divya Dinakar air BT fhàgail agus tha i air bhith air mhuinntireas air plèanaichean 'Air India' airson còrr air bliadhna. Tha ise agus sinne (Sandra agus mise) air fàs eòlach air cach a-chèile agus is tearc seachdain nach eil conaltradh againn ri a chèile air a fòn no air a' phost-dhealain. Bharrachd air sin, tha sinn air eòlas fhaighinn air Devika, màthair Divya agus Simrat, a h-oide, a tha le chèile a' còmhnaidh ann an Rugbaidh ann an Sasainn. Cha do choinnich sinn ri duine dhan triùir sin a-riamh ach tha sinn uile an dòchas gu bheil e an Dàin dhuinn coinneachadh nar còignear air latha brèagha air choreigin, biodh e an Sasainn, an Alba no thall thairis.

Nuair a thill i dhachaigh gu Chennai, chuir i thugam dealbhan-camara a thog i ann an cladh na h-àrd-eaglais ann an Chennai. Bha a' mhòr-chuid

by phone or email.

Now that Sandra and I are well established as octogenarians, it is perhaps foolish to entertain such an ambition but we feel that our getting together would be just reward for our ever-present craving to meet and befriend people from other countries. In those three people, we know that we would feel our journey would be well worthwhile.

Old hat! I wrote that last paragraph in 2011. In the summer of 2012, Divya brought her mother, stepfather and brother Dheeraj to Stornoway and spent an enjoyable week with us visiting historic sites and exchanging information about our respective nations and families. It all happened courtesy of BT, the Internet and Air India.

Muirneag on the Move!

Murdo was the youngest of our family and the first to marry. As soon as he and Linda graduated as doctors they tied the knot and took off for Newfoundland and spent a couple of years in a remote part of that Canadian province, gaining experience and building a nest-egg. Of course, they had good reasons for choosing Canada. Linda's parents were well established in Nova Scotia. Apart from that, Murdo's Mum, my wife, was Canadian by birth. But I've already told you how it was that , in fact, my Lewis wife was a Canadian citizen.

Anyway, Murdo our youngest stole a march on his two siblings. He married Canadian Dr Linda Peddle and within seven years produced a family of four sparkling good-looking children of whom Bethany, now aged twenty, a student of medicine in Dublin, is the eldest. Next in line is Mairead who recently won a prestigious bursary to study at the British Columbia University in Vancouver. The two sons are Calum aged sixteen and Sean Alasdair fourteen. Both boys are courteous, studious and large! Calum is over six feet tall and Sean Alasdair, at a guess, is six feet broad. Perhaps that is a slight exaggeration but to his diminutive Seanair, he does look very well built.

Murdo and Linda have returned with their family to Lewis every summer.

Three members of the quartet are keen sea-anglers. Bethany who 'hates seeing mackerel in the fish-box gulping for breath' spent much of her time with her distant cousin, Màiri Ross, granddaughter of the late 'Sligo' who lives in Upper Bayble.

Murdo bought a handsome, broad-beamed, seventeen-foot boat in

a' sealltainn clachan-uaighe air saighdearan a chaill am beatha aig deireadh na h-Ochdamh Linn Deug. Bha cuid ann le sloinnidh Ghàidhealach orra: MacLeòid, MacCoinnich, MacRath agus bha aon ann a chuir iongnadh orm. Bha an sgrìobhadh a bh' air anns a' Bheurla: MacDonald, St Kilda. Ciamar a rinn Hiortach a shlighe gu taobh thall an t-saoghail? An deach a ghlacadh aig 'àm a' phreasaidh" agus air a chur a nall thairis ga aindeoin ann an rèiseamaid nan Sìophortach?

Gum bi Dia air crann an teaghlaich aca agus gun toir e còmhla sinn mar bhràithrean 's mar pheathraichean mus caill sinn solas na grèine.

Mar a mhiannaich thachair. Sgrìobh mi siud ann an 2011 agus an ath shamhradh thàinig Divya, a màthair, a h-oide agus a bràthair a Steòrnabhagh agus chaith iad seachdain dhòigheil còmhla rinn. Mo bheannachd air BT, an t-Eadar-lìon agus Air India.

Ghluais Muirneag!

'S e Murchadh, an t-isean-deireadh-linn againn, a' chiad fhear den teaghlach a phòs. Air ùr cheumnachadh, chaidh e le Linda, a bhean nuadh-phòsta, nan dotairean a Thalamh an Eisg agus an dèidh dhaibh a bhith ann an àite aognaidh, iomallach an sin airson beagan bhliadhnachan, rinn iad imrich gu deas gu Alba Nuadh far an robh pàrantan Linda air an taigheadas.

Fhuair Murchadh a theaghlach ro chàch: air ceann an treud, thàinig Beathag a tha nise fichead bliadhna a dh'aois. Tha i anns an dàrna bliadhna an Oilthigh Bhaile Atha Cliath agus a' fiughar ri bhith na dotair. Dà bhliadhna nas òige na Beathag, tha Màiread a-nise na h-oileanach ann an UBC, oilthigh ann an Bhancùbhar, 's i leagte ri dreuchd a leantainn ann an ceòl agus meuran eile de na h-ealain.

Tha an dithis bhràithrean, Calum (còig deug) faisg air sia troighean a dh' àird agus Sean (ceithir deug) faisg air sia troighean de leud. Dè a' Ghàidhlig a th' air 'exaggeration'? Aird, leathainn, gasta 's mar a tha iad, tha Murchadh air a bhith a' toirt an ceathrar a-nall a Leòdhas a h-uile samhradh bho rugadh iad. Tha na balaich agus Màiread dèidheil air iasgach-mara ach tha Beathag nas dèidheil air a bhith còmhla ri Muinntir 'Sligo' ann am Pabail Uarach am measg a co-aoisean.

Cheannaich Murchadh eathar tapaidh ann an Crosbost – eathar fiodha a bha seachd troighean deug de dh'fhaid le einnsean Yanmar air bòrd innte. Eathar math earbsach ged a bha i deugachadh bhliadhnachan a dh' aois. Seach

Crossbost. It was in need of a good lick of paint but, on the plus side, it had an excellent inboard Yanmar engine and sat on an old trailer which, according to the vendor should 'suffice for a couple of seasons'.

Apart from Linda, everybody else was happy with it as it was watertight and reliable for sea-angling. Linda was famous for her swimming prowess when she was younger, but was not a fan of fishing, and she certainly was not a fan of that boat. But Iain Andrew, my son, loved it, and made a habit of coming from Glasgow for every summer to enjoy a week's fishing with his brother.

I was tasked to go to the Harbour Office for permission to keep the boat in a sheltered mooring at Bayhead. When they asked for the name of the boat, I said 'Linda Cross'.

'That is an unusual name. Where did it come from?'

'Because,' said I, 'Linda was very cross when Murdo bought it'.

That is how it came to be recorded under that name in their files.

Despite her objections, Murdo and Iain often went out with the 'Linda Cross' with some of the children and often came back with boxes of fish. One evening they invited me to come out with them, and although I was not as fit as I used to be, I agreed to go with them.

As we were preparing to tow the boat to Cuddy Point, I saw Linda approaching with her usual noisy welcome. Dressed in gum-boots and oilskin, she announced that, because the sea was calm and the weather fair, she would like to accompany us out to the fishing-ground off Grimshader. Murdo made much of the prospect of having her on board. Though I didn't confess my superstition, I felt that having a woman on board would not bode well for our fishing-outing.

'Cheer up, Old Man!' she said excitedly, patting me on my shoulder. 'This is going to be a blast'. I took Murdo aside and said, 'Do you not realise that it is bad luck to speak to a woman as you are preparing to go fishing? As for actually taking a woman with us, it could only spell disaster.'

This then, was the motley crew that set sail from Cuddy Point. Murdo at the stern in charge of the rudder, Linda and Iain Andrew sat on the starboard side, Calum and Sean on the port side, and the old man near the front in the lee of the wheelhouse.

We passed the 'Muirneag' – the Calmac freight ferry, which was tied up at the pier. I was conscious of the sheer size of the ship, and amazed that we could not see or hear anything to indicate that she was being prepared for a trip across the Minch later on.

Linda, bha a h-uile duine den teaghlach dòigheil leatha oir bha i dìonach agus earbsach airson iasgach-mara. Bha Iain Anndra, mo mhac, air fàs cho measail air a bhith a-muigh innte 's gun robh e mar fhasan a bhith tighinn a-nuas à Glaschu a h-uile samhradh airson seachdain a dh'aona ghnothaich, airson a bhith còmhla ri a bhràthair ag iasgach liùghannan a-mach à Steòrnabhagh.

Na h-òige, bha Linda caran ainmeil mar shnàmhadair ach cha robh i idir measail air an iasgach. Cha robh i eadhon measail air an eathar. Bu mhise a chaidh sios gu Oifis a' Chalaidh a dh'iarraidh cead airson an eathar a bhith na laighe anns an fhasgadh an Ceann a' Bhàigh. Nuair a dh'fhaighnich iad dhomh an sin dè an t-ainm a bh' oirre, thuirt mi riutha gun robh an 'Linda Cross'.

'Ainm annasach a tha sin. Tha e snog. Carson a thugadh an t-ainm sin oirre?'

'Thugadh sin oirre,' arsa mise, 'chionn 's gun robh Linda gu math 'cross' nuair a cheannaich Murchadh i!'

B' ann air an ainm sin a chaidh an eathar a chlàradh anns an leabhar. Dh'aindeoin gearain na mna, chaidh Murchadh agus Iain Anndra a-mach leis an 'Linda Cross' iomadach uair le feadhainn den chloinn agus thill iad le iomadach bucas èisg. Aon fheasgar dh'fhoraich iad mise airson a dhol a-mach còmhla riutha agus ged nach robh mi cho sunndach 's a bha mi uair, dh'aontaich mi gun deigheadh. Bha sinn ag ullachadh airson a dhol a-mach bho Rubha nan Cudaigean ann am Bàgh Steòrnabhaigh, nuair a chunnaic mi Linda a' tighinn a-nuas le bòtannan agus oillsgin oirre. Nise, feumaidh mi a ràdh gur e boireannach beòthail, aincheairdeach a th' innte ach, cha tèid mi às aicheadh gun do chlisg mi le uabhas nuair a chuala mi i às a guth thàmh ag ràdh, 'Tha am feasgar cho ciùin, àlainn, 's bu mhath leam a dhol còmhla ribh chun na h-iola a bhadeigin sèimh, draoidheil thall air fearann nan Loch!'

Rinn Murchadh gàirdeachas ris an tagradh sin. Cha robh mi fhìn buileach cho aoibhneach nuair a chuala mi gun robh boireannach gu bhith anns an sgioba. Thug mi Murchadh a thaobh agus thuirt mi ris, nach eil fhios agad, a Mhic, gur e fior dhroch shealbh a bhios air iasgair 'sam bith a bhruidhneas ri boireannach an uair a tha e a' dol a dh'iasgach? Ach a' dol a thoirt boireannach leis gu muir! Cò a-riamh a rinn an leithid de rud nach do ghabh an t-aithreachas?'

Cò dhiù ma-tha, bh' ann le 'Criutha na Sgeileid' a sheòl sinn bho Rubha nan Cudaigean. Leig Murchadh às an ròp a bha gar ceangal ris a' phut agus, gun dàil, chaidh e chun an deiridh air an fhalmadair. Bha Linda air an t-slios cheart agus Iain Anndra ri a taobh. Bha Calum agus Sean air an t- slios cheàrr

We passed Arnish lighthouse and headed south, following the coast of Lochs until we were almost at the mouth of Loch Griomastaigh. 'Plenty lithe here!' said Murdo. In a few minutes, four fishing rods were piercing the waves, in competition.

I sat in the wheelhouse with neither rod or tobacco pipe, wishing that I could experience the fragrance of St Bruno again. Nevertheless, I was not unhappy. I sat watching the rest and remembering the many times I had brought fish home to my mother in my youth. I was now a man of leisure, advanced in years, but envying my sons and grandsons. Old habits die hard!

Before we knew it, the sun had started to set behind the hills. The lads had had a good catch: a box full of lithe, codling, saithe and mackerel. There wasn't a breath of wind, but as it was close to ten o'clock, the evening had got cooler. Sean had forgotten to bring a jacket, and he began to complain of the cold.

'We'll call it a day,' said Murdo. 'Time to pack everything away.'

They did as they were told. Iain Andrew finished first and took out a gutting knife, saying, 'We'll be back at Cuddy Point before we finish gutting this lot.'

Sean came up beside me into the shelter of the wheelhouse and we sat close together to keep each other warm.

Murdo started the engine and the 'Linda Cross' moved as if she had been wakened from a deep sleep. He gave it more power until the boat was making her way easily through the waves on the way home. We had almost reached the mouth of Stornoway Bay when we had a mishap I'll never forget. The light had been switched on at Arnish and we were close to the navigation channel where the harbour mouth is at its narrowest.

The lights of the town were ahead, welcoming us. Suddenly, we heard a screech from the engine and the engine stopped. The 'Linda Cross' leapt backwards and twisted as if it had been caught in the Corryvreckan. We first of all thought we might have struck a reef but realised that something that fouled the engine.

Iain Andrew leant as far as he could out from the stern of the boat, and reported his findings, 'There is a thick cable wound round the wheel, and as far as I can see it is attached to a great big green net spread out underneath us.'

Fortunately Murdo had taken a small engine with us – the engine I used to have for the dinghy we have in Port Mholair. I had seen him taking it aboard, but didn't imagine we would need it. It was only a four horse-power Yamaha, that would not be able to power a heavier boat like the 'Linda

ag ullachadh nan slat. Chuireadh mise suas ri fasgadh an leth-thaigh a bha faisg air an toiseach.

Chaidh sinn seachad ri taobh a' Mhùirneig – soitheach-caragò Chal Mac a bha na laighe sàmhach ris a' chidhe. B' ann an uair-sin a thug mi mun aire gum b' e closach mhòr soithich a bh' innte agus bha e na chuis-iongnaidh dhomh nach dad ri fhaicinn no ri a chluinntinn a dh'innseadh gun robhas ga h-ullachadh airson aiseag a dhèanamh tarsainn a' Chuan Sgìth ann am beul na h-oidhche.

Mach leinn seachad air tigh-sholais Aranais agus, an dèidh sin, gu deas a' leantainn oirthir fearann nan Loch gus an do ràinig sinn faisg air beul Loch Ghrìomastaigh. 'Seo a nise Iola nan Liùghannan!' arsa Murchadh. Mionaid no dhà an dèidh sin, bha uidheaman cheathrar a' gearradh an t-sàil, a h-uile fear ag iadach ri càch.

Bha mise nam shuidhe anns an leth-thaigh gun shlat agus gun phìob thombac ged a bha mi a' miannachadh gun robh ceò chùbhraidh St Bruno nam chuinnleanan! Dh'aindeoin sin, cha robh mi do-riaraichte. Shuidh mi a' coimhead chàich ach a' cuimhneachadh air an iomadach eallach èisg leis an tàing mi dachaigh gu mo mhàthair nam òige. Bha mi nise nam lunndaire leisg, nam bhodach neo-eiseimeileach ach le farmad agam ri mo mhic agus ri m'oghaichean.

Mar bha an sean-fhacal ag ràdh, 'Is duilich a thoirt bhon làimh a chleachd'.

Chaith an latha seachad cho luath 's gun do thòisich a' ghrian a' liugradh air cùl nan cnoc. Bha na seòid air deagh chosnadh a dhèanamh: bucas làn liùghannan, bhodaich-ruadha, shaoidheanan agus rionnaich. Cha robh deò air a' ghaoith ach le spògan an uaireadair a' dlùthadh air deich uairean, dh'fhàs an iarmailt fionnar. Bha Sean air a thighinn air bòrd gun sheacaid agus thòisich e a' gearain gun robh e a' faireachdainn deisir.

'Làmhan oirbh, ma tha,' arsa Murchadh. 'tha an t-am a h-uile dad a phasgadh air falbh.'

Rinn na seòid mar a dh'iarradh orra. Bha Iain Anndra air thoiseach air càch a' sgioblachadh. Thug e mach sgian-chutaidh, ag ràdh, ' Bidh sinn air ais aig Rubha nan Cudaigean mus sgolt sinn na th' againn de dh'iasg an seo.'

Thàinig Sean a-nuas ri mo thaobh gu fasgadh an leth-thaigh agus chuir mi mo làmh mu a ghuaillean, sinn a' cumail blàths ri chèile. Thug Murchadh breab dhan einnsean agus ghluais an 'Linda Cross' gu muanaiseach mar gum biodh i air dùsgadh às a suain! Thug e dhi tuilleadh lùths agus, leis an spionnadh sin, ghluais an t-eathar gu h-èasgaidh à' sgoltadh an t-sàil air ar slighe dhachaigh.

Cha mhòr nach robh sinn air an fhosgladh gu Bàgh Steòrnabhaigh a ruighinn nuair a thachair tubaist a bhios nam chuimhne cho fad 's is beò mi.

Cross'. As Murdo was getting it going, Iain Andrew was cutting through the cable with his gutting knife. That took a while, and we were all relieved when he sat back down. 'I'm sure it'll take us the best part of a day to get the wheel clear, but never mind, we can now head home.'

I noticed that Linda was getting agitated and I heard her say to Murdo under her breath, 'Look! I've been watching the Muirneag lights and I think it is heading this way.'

'If so,' said Murdo, 'it won't take more than ten minutes to get here. We need to get out of the way.'

He started up the Yamaha, and the 'Linda Cross' moved forward leisurely and to port, towards Glumag. Leisurely? It was hardly moving. We were in trouble.

I stood and saw that the bulk of the ferry was blocking out the Stornoway lights, and getting bigger by the second. Linda laughed and said, 'We can all swim ashore if we have to.'

I replied curtly, 'There was a time when I could swim two hundred yards in a lukewarm sea, but I am now too old and too round.'

'Never mind,' said she, joking, 'If I have to, I can drag you backwards to Cuddy Point.' Undoubtedly, she would have done her best, but Arnish was much closer than Cuddy Point.

Murdo kept steering the boat out of the way of the oncoming monster. Fortunately, the captain and other sharp-eyed crew were on the bridge. Our boat was caught in a strong beam of spot-light mounted on the Muirneag, We felt embarrassed by our predicament but very relieved that we had been discovered. Slowly, the 'Linda Cross' moved some fifty yards to port, far enough to allow the juggernaut to pass safely through the navigation channel. As it approached, we could hear the deep growl of the ship's engines which sounded like the subdued growl of a predator approaching through darkened undergrowth. But the danger slowly passed us by as the ship carefully followed its familiar route out of Stornoway Bay. As the ship's stern passed us, we became aware of the deepening roar as the twin screws drove the ship out into the cold waters of the Minch.

Thank goodness that the Muirneag's crew were aware of our presence but even then we felt that, for the folk on board the Linda Cross, the Muirneag was too close for comfort. As we were being rocked by the ship's bow-wave, we sat in silence for a minute or two. Our 4 h.p Yamaha had carried us out of danger.

Bha an solas air a dhol thuige ann an Taigh-solais Aranais agus bha sinn glè fhaisg air meadhan Slighe nam Bàtaichean far as cumhainge an caolas a' dol a-steach dhan Bhàgh. Bha solais a' bhaile romhainn a' cur fàilte oirnn.

Gu h-obann rinn an t-einnsean sgread agus stad e. Leum an 'Linda Cross' an comhair a cùil agus chuir i leth-char mar gum biodh i air a glacadh anns a' Choire Bhreacain. Thachair an grabadh cho grad 's gun saoileadh duine gun robh sinn air sgeir a bhualadh. Ach cha robh fada gus na cho-dhùin sinn gum b' e rudeigin a bha air cumhachd an einnsein a ghlasadh. Sheàrr Iain Anndra e fhein cho fad 's a b'urrainn dha a-mach air deireadh an eathair agus, nuair a rinn e e-fhèin dìreach a-rithist, thuirt e, 'Tha càball tiugh air a rèileadh fhèin mun roth agus, cho fad 's is lèir dhomh, tha e an sàs ann an lìon mòr uaine sgaoilte fodhainn.'

Mar a dheònaich sealbh, bha Murchadh air einnsean beag a thoirt leis – an t-einnsean a chleachd a bhith againn air geòla a tha againn ann am Port Mholair. Ged a bha mi air fhaicinn ga thoirt air bòrd an 'Linda Cross', cha do shaoil mi gun cuireadh e feum air. Cha robh ann ach Yahama cheithir *horse-power* agus bha eagal orm nach biodh e idir comasach air closach throm an 'Linda Cross' a bruthadh tron fhairge. Fhad 's a bha Murchadh ag ullachadh sin, bha Iain Anndra a' sgathadh a' chàbaill leis an sgian-chutaidh. Thug e greis mus d'fhuair e air sin a dhèanamh ach fhuair sinn uile cobhair nuair a shuidh e air ais dhan eathar.

'Faodamaid a bhith cinnteach gun toir e leth latha bhuainn mus fhaigh sinn air an roth a shaoradh. Ach cò dhiù, faodamaid a-nis a dhol dhachaigh!'

Mhothaich mi gun robh Linda a gothail agus chuala mi i ag ràdh ri Murchadh fo a h-anail, 'Seall! Tha mi air a bhith dearcadh air solais a' 'Mhùirneig'. Tha mi a' dèanamh dheth gu bheil i air an t-slighe a-mach thugainn.'

'Ma tha, 'arsa Murchadh, 'cha toir i barrachd air deich mionaidean gus am bi i far a bheil sinne an-dràsta. Feumaidh sinn faighinn a-mach às an rathad oirre.'

Thòisich e an Yamaha agus ghluais an 'Linda Cross' gu guanach air adhart agus chun na làimh chlì, a' leantainn an fhearainn gu guanach gu Glumag. Cha mhòr gun robh i a' gluasad; bha sinn ann an cunnart. Sheas mi agus chunnaic mi gun robh cruth an t-soithich-caragò air tòiseachadh a' toirt bhuainn solais baile Steòrnabhaigh, a' fàs na bu mhotha mar a bha an t-astar eadarainn a' giorrachadh.

Thuirt Linda rium le gàire, 'Chan eil duine againn air bòrd nach eil comasach air snàmh gu tìr ma thig oirnn sin a dhèanamh.'

Fhreagair mi le stùirc, 'Bha uair a shnàmhainn dà cheud slat ann an sàl meadh-bhlàth ach tha mi air fàs ro aosta agus ro chruinn.'

Escaping the juggernaut!
Anns an rathad air a' Mhùrneag

'Na dèanadh sin dragh dhuibh. Ma thig sin orm a dhèanamh, slaodaidh mise sibh an comhair bhur cùil gu Rubha nan Cudaigean.'

Och, b' ann a bha i ri dibhearsain! Chan eil teagamh agam nach robh i air a dìcheall a dhèanamh ceart gu leòr – ach bha Aranais tòrr na b'fhaisg oirnn na Rubha nan Cudaigean!

Chum Murchadh air a' stiùireadh na luinge a-mach às an rathad air an fhamhar mhòr a bha gu bhith againn. Gu sealbhach, bha na fir a bha air drochaid na 'Mùirneig' air ar faicinn agus las iad oirnn *spot-light* cho cumhachdach 's gun do dhall e sinn. Faochadh! Ged nach robh an t-astar a bha an 'Linda Cross' air a dhèanamh ach mu leth-cheud slat, thug sin fhèin sinn a-mach às a' chunnart. Chluinneadh sinn gnùstaich an innealraidh ann an glutadh an t-soithich a' dlùthadh oirnn mar acainn ainmhidh a bha a' snàigeadh a-steach oirnn às an dorchadas. Dh'fhaothaich an t-soitheach i fhèin a-mach seachad oirnn tro chaolas a' Bhàigh. Anns an dealachadh, chluinneadh sinn ròdhan trom domhainn nan rothan ga mhùchadh, mean air mhean, ann an tonnan a' Chuain Sgìth. Shuidh sinne sàmhach airson mionaid fhad 's a bha an 'Linda Cross' ag èirigh agus a' tuiteam anns na lunnan a bha am 'Mùirneag' air a ghearradh thar a gualainn. Bha Yamaha nan ceithir neart-each air ar toirt às a' ghàbhadh. Las Iain Anndra *fag* agus thòisich Murchadh a' seinn, 'Fàilte gu fearann'.

'S mathaid gun robh daoine a bha gar faicinn a' tighinn a-steach gu Rubha nan Cudaigean anns an dorchadas a' smaoineachadh gum bu sinn dha-rìribh 'Criutha na Sgeileid': 's mathaid 'Criutha na Sgeileid' air an dalladh! Mo thogar! Air làrna- mhàireach bhiodh sinn comasach air innse an cunnart anns an robh sgudal thràlairean air ar ribeadh fhad 's a bha sinn a' tighinn a-steach bho chùl Aranais. Nuair a shlaod sinn an t-eathar a-mach às a' mhuir, chunnaic sinn gun robh an càball air e fhèin a thoinneamh cho teann mun roth agus gun toireadh e ùine bhuainn le solas an latha mus fhaigheadh sinn cuidhteas e.

Thug sinn am bucas èisg leinn dhachaigh airson an t-iasg a rìaghladh air na càirdean. Bha Mairi Ann, nighean piuthar m' athar a-staigh romhainn nuair a ràinig sinn agus nuair a chunnaic i na bh' againn air a ghlacadh, rinn i uirsgeul de mholadh air na corra-bhalaich.

'Na dh'fhàg sibh càil idir anns an fhairge aig fearann nan Loch?' ars ise. 'Is cinnteach nach eil cosnaiche eile a' seòladh a-mach à Steòrnabhagh a tha cho sealbhach ris an 'Linda Cross''.'

Dh'aontaich Linda. 'Gun teagamh!' arsa ise. 'Tha am bàta againn air sin a dhearbhadh a-nochd. 'S i am bàta as sealbhaich a tha seòladh a-mach à Steòrnabhagh!'

Iain Anndra lit a cigarette and Murdo sang a verse of 'Fàilte gu fearann'.

On the No 1 wharf, stragglers watched as our boat hirpled in to Cuddy Point in the darkness. Some may have thought that we were, indeed, the crew of the fabled 'Criutha na Sgeileid', possibly confused by alcohol.

'But let them think what they will,' we all agreed. 'But tomorrow morning we'll troop down to the Harbour Master's office and complain about the carelessness of trawlermen who disgorge netting and other detritus at the Arnish entrance to the Navigation Channel.'

When we took the boat out of the water, we could see that the cable had wound itself so tightly round the wheel that it would take ages even in daylight to get rid of it.

We took the box of fish home to share it out among our relatives. As I had arranged earlier in the day, my cousin Mary Ann from Col was in when we arrived home in Goathill waiting to receive a share of our evening's fishing. The boys received the extravagant praise which they expected.

'Haven't you left any fish in the sea at all out at the Lochs fishing-ground? Look at all those beautiful lithe and mackerel. Surely you must have been the luckiest boat working out of Stornoway this evening!'

'You can say that again!' Linda agreed. 'That battered old 'Linda Cross' proved this evening that it certainly is the luckiest boat working out of Stornoway.'

The three youngsters agreed in unison, 'You can say that again, Baby!'

Mary Ann looked surprised by their lack of modesty. Och well, Canadians are sometimes like that. They are foreigners, after all!

Cape Breton Gaels

Shortly after graduating from Glasgow University, Murdo and Linda put roots down in Truro, Nova Scotia, and are now well-established doctors there. Truro is about twice the size of Stornoway but, in spite of its size, seems less congested. Driving through its streets, one doesn't sense the urgency and the impatience that often afflicts many of our local Stornoway drivers. In Canada, the city motorist gives the pedestrian much more consideration than does our island motorist.

Seamen who had visited Nova Scotia in the 1950s and '60s had told me that Gaelic was still spoken by many of the older generation particularly in Cape Breton. According to Murdo, our son, the status of Gaelic on the

A beòil a chèile, dh' aontaich Calum agus Sean, 'You can say that again, Baby!'

Och, chan eil annta ach coigrich, after all!

Gàidheil ann an Ceap Breatainn

Tha ar mac Murchadh 's a bhean 's a theaghlach air a bhith suidhichte ann an Alba Nuadh airson fichead bliadhna. Rinn iad an dachaigh ann an Trùro, leas-baile a tha a dhà uiread ri Steòrnabhagh 's a dh'aindeoin sin, nach eil idir treathalach, riaslach le cus trafaig agus mi-fhoighidinn. Bha Sandra agus mise air a bhith ann air laithean-saora air ochd samhraidh, ach ged a bha sinn, uair is uair, air cluinntinn gun robh a' Ghàidhlig fhathast gu math fallainn an Alba Nuadh, cha chuala sinn, fad ar rèis ann an Trùro, aon fhacal de ar cànan bho choigrich.

Mhol a h-uile duine dhuinn a dhol sios gu Ceap Breatainn far an robh an seann chànan fhathast aig cuid den t-sluagh. Bha miann mo chridhe agam air a dhol dhan eilean sin ach bha amharas agam, gum bithinn air mo mhealladh dìreach mar bha mi ann an Trùro. Bha aon chnap-starra romham mus gabhainn an rathad sios gu tuath. 'Carson am mi-thapadh,' arsa mise leam fhìn, 'nach eil na càraichean an seo a' siubhal air taobh chlì an rathaid mar bu choir dhaibh?'

Cha robh mi riamh air draibheadh air taobh dheis an rathaid. Thug mi ùine mus do dh'fhàs mi cho misneachail 's gun robh mi comasach air draibheadh a rèir nan riaghailtean a th' aca an Canada. Ghabh Linda càr dhuinn air mhàl agus, air madainn ghrianach anns an Lunastal, dh'fhalbh sinn leis a' char gu tuath air an rathad a bheireadh sinn gu Mabou, baile beag nach robh mòran na bu mhotha na Tairbeart na Hearadh. Bha sinn eòlach air an ainm Mabou, oir bha sinn measail air guthan ceòlmhor Teaghlaich Chlann 'ic Fhraing - an còmhlan a bha air fàs cho ainmeil air gach taobh den Chuan Shiar.

Nuair a bha sinn a' dlùthadh air Ceap Breatainn thug sinn mun aire nach b' e eilean a bh' ann buileach; gun robh Cabhsair Chanso air a cheangal ri tìr mòr Alba Nuadh. Rinn sinn air Mabou agus cha robh sinn fada anns a' bhaile sin gus an d'fhuair sinn lorg air Aonghas Dòmhnallach, seann Ghàidheal a bha ealanta ann an iomadach ceaird. Cho luath 's a choinnich sinn ris, thuirt e rinn gum b' e 'Aonghas Cù' a far-ainm a bh' air agus gum b' ann air an ainm sin a bha e aithnichte anns an sgìre. Bha e air leth fileanta anns a' Ghàidhlig agus bha foghlam agus sgilean aige nach robh agamsa – foghlam agus sgilean

mainland of Nova Scotia was bleak. When we visited there in 1993, Sandra and I decided to visit Cape Breton in the hope of meeting native Gaelic speakers.

Cape Breton is an island situated to the north of the Nova Scotian mainland. We decided to go there to explore. As I had never before driven on the right hand side of the road, it took me some time to regain my confidence in the driver's seat. Linda booked a rental car for us and on a sunny morning we headed northwards towards the fabled island of Cape Breton.

Some three hours later, we crossed the Canso Causeway which was constructed in 1946 to connect Cape Breton to the mainland of Nova Scotia. An hour or so later, we reached Mabou, a small rural community situated on the west coast of the island. Many of the residents living there were said to be descended from families cleared from the Highlands and Islands in the nineteenth century. We lunched at the Mull Café in the main street and were advised by a waitress that, of the few native Gaelic speakers in the district, the best-known was Angus Cù MacDonald who was living on the outskirts of the town.

Angus Cù was delighted that we greeted him in Gaelic and, without hesitation, ushered us inside. He was living on his own and welcomed an opportunity of having a ceilidh. He told us that when he was a three-year-old, he wished people to know that he was a dog and acted out that fantasy by occasionally taking forty winks during the day in a box in the corner of the living-room. The nickname Angus Cù stuck and he was proud of the fact that, while there were dozens of Angus McDonalds in Cape Breton, there was only one Angus Cù! He was proud of his Highland heritage and pleased to prove to me that he had a wider Gaelic vocabulary than I pertaining to forestry, hunting and wood-craft – particularly the construction of wooden buildings. In none of those activities did I have any experience and soon I had my pencil and paper out taking note of words which were new to me. From a box under the table, Angus fetched a fiddle and a book of European dance-tunes. He turned the pages of the book and began to play tunes from Switzerland, Russia, Hungary and, finally, a selection of Scottish melodies. While he played the fiddle, he moved his feet rhythmically. For most men in their seventies, such a performance would be quite exhausting. After a few minutes, Angus laid the fiddle aside, raised his hands over his head and danced a reel.

He questioned us about our homeland. He wanted to know our Gaelic names for 'coyote', 'moose', and 'white-tailed deer'. He must have known that

a bha air a thighinn a-nuas tro na linntean bho chaidh a shinnsirean fhuadach a-mach à Lochabar aig toiseach na naoidheamh linn deug.

Chanainn gun robh e timcheall air trì fichead bliadhna 's a deich a dh'aois. Bho chaochail a bhean, bha e air a bhith aonranach agus rinn e gàirdeachas ri ar tighinn a shealltainn air. Taigh beag comhfhurtail a bh' anns an dachaigh aige, mu leth a mhìle deas air meadhan baile Mhabou. Thug e sinn dhan rùm-bidhe agus dh'fhaighnich e an robh sinn dèidheil air ceòl-fidhle. Gun feitheamh ri ar freagart, thug e mach an fhidheall agus leabhar-ciùil. Bha e ealanta air ruidhlichean Gàidhealach le feadhainn dhe na fuinn a rinneadh ann an Ceap Breatainn. An dèidh sin, chluich e puirt a rinneadh anns an Eilbhis, An Ungar, An Ruis no an Eireann. Cha mòr nach robh e fhèin ri dannsa fhad 's a bha e a' seinn na fìdhle. Bha e mar gum biodh e airson dearbhadh dhuinn gun robh e a' cheart cho fileanta, fiosrach anns a' Ghàidhlig 's a bha sinne. Thòisich e gar ceasnachadh.

'Dè a' Ghàidhlig a th'agaibh air 'coyote'?'

Dh'aidich sinn nach robh fhios againn. An-diugh, chan eil mi buileach cinnteach air an ainm a thug Aonghas dhuinn. Am b' e 'glamhaire', 'madadh-glamhach', an 'liugaire'? Bha uiread de dh'fhacail aige gan tabhach dhuinn 's nach robh mi comasach air greimeachadh orra uile. Bho thill sinn a dh'Alba, dh'fhailnich orm an t-ainm a bh' aig tuathanaich Alba Nuadh air 'coyote' fhaighinn gu cinnteach.

'Agus dè an t-ainm a th'agaibh air 'moose'?'

Cha robh fhios againn air sin a bharrachd oir, mar a dh'innis mi dha, cha robh na h-ainmhidhean sinn tùsail an Alba. Bha deagh fhios aige nach robh! Dh'innis e gum b' e moose 'famhar nam bot'. (A rèir Chatrìona Parsons a tha a' còmhnaidh ann an Ceap Breatainn, tha an t-ainm 'lòn' nas cumanta.)

'Bheil fèidh agaibh an Alba?'

Thuirt sinn ris gun robh agus pailteas dhiubh – earban agus fèidh, daimh agus eildean. Bha amharas agam gun robh deagh fios aige air sin cuideachd!

'Ach a bheil an earra-gheal agaibh?' ars esan. 'Tha na h-earra-gheal pailt an seo'.

Dh'aidich sinn nach robh fhios againn dè a bh' anns an earra-gheal.

'Och,' arsa Aonghas is e le fìamh ghàire, 'nach e an Seann Dùthaich a tha gann de dh'ainmhidhean. Thigibh còmhla riumsa, ma-ta, a-mach chun an tuim agus seallaidh mi dhuibh am fiadh ris an abair sin an earra-gheal!'

Thug sinn taing chridheil dhan duine chòir ach bha againn ris a' chuireadh sin a dhiùltadh oir bha sinn air gealltainn a dhol gu ceann a-tuath an eilein air an ath latha.

those animals were not native to Scotland and that we were unlikely to have Gaelic names for them. He told us that, in Cape Breton, all those animals had Gaelic names. The moose was called 'famhar-nam-bot' (marsh giant); the coyote 'liugaire'; and white-tailed deer, 'earra-gheal. I later learnt that the accepted Gaelic word for 'moose' is 'lòn'. It was interesting to know that the Gaels who had settled in the New World had created words for the fauna living in their new environment. We chatted about the industries which were providing a living for families living in the Western Isles. Angus wanted to know if crofting continued to be a mainstay of the islands' economy. 'Do you think that any of the local people living in Lochaber have crofts?' he asked. We confessed that we were not familiar with Lochaber and could not answer his question.

'Och, I don't think you know the Old Country at all! I read in a book once that since time began, the glens of Lochaber were populated with crofters who lived in stone houses with roofs thatched with turf or heather. The damned Highland landowners cleared the families off the land to make way for sheep farming. My ancestors were scattered to the four winds. What have you to say about that?' We told Angus that we were more familiar with the Northern Highlands, particularly Sutherland, Ross-shire and parts of our own island, where whole villages were cleared. It happened that, before setting off for Canada, we had read in the West Highland Free Press or Herald that, while felling trees in a Forestry Commission plantation in Lochaber, workers had discovered the ruins of an old village in which some of the kilns were virtually intact.

'I'd give anything to be able to see those ruins,' Angus sighed. 'My brother and I used to dream of the famous glens of Lochaber, but it's too late for us now.'

Having spent half the day with Angus, we prepared to continue our exploration of Cape Breton. As we shook hands with him, he said 'There's going to be a big ceilidh/dance this evening in the Village Hall. Surely you don't want to miss that! I'll be there of course with my fiddle and my usual carry-on!'

The Village Hall was crowded. On the stage, two fiddlers, a pianist and a guitarist were playing Cape Breton dance music. Hoping to catch a sight of Angus Cù, we moved through the throng but failed to see him. The hubbub was such that we considered giving up the search and returning to our B&B. Happily, a young woman approached, asked if we were visitors 'from away'

'Tròbhadaibh ma-ta, chun na bùth-obrach agam mus fhalbh sibh gus an ceasnaich mi sibh mu na seòrsaichean fiodha air a bheil sibh eòlach!'

Chaidh sinn còmhla ris gu togalach beag grinn air taobh thall an rathaid-mhòir.

'Mus fhosgail mi an doras,' arsa Aonghas, 'bu chòir dhomh aideachadh gum b' e saor a bh' annam bho m' oige. Saor agus coilltear – agus innealair. Is ann mar sin a fhuair mi an t-eòlas a th' agam air an iomadach seòrsa fiodh a gheibh duine ann an coilltean Chanada'.

Air taobh staigh na bùtha, sheall e dhuinn diofar sheòrsaichean innealan – beairt-thuairnearachd, locraichean, sàibh agus seòrsaichean acfhainn stailinn eile air nach robh eòlas agam agus nach robh mi air fhaicinn a-riamh roimhe.

'B' e innealair a bh' annam nuair a ràinig mi mo mheadhan-latha. An e 'innealair' a their sibhse airson 'engineer' an Alba? Nis, a Ghaidheil, seall air an seo. Dè a t-ainm a th' agaibh air an inneal-sa?'

Thall fon uinneig, sheall e dhuinn roth mhòr chruinn – samhail na tè a bh' aig Seonaidh Uilleim air cùl na bùtha airson sginean agus spealan a ghleusadh. Bha làmh iarainn na cliathaich airson caran a chur dhi.

'Sin,' arsa mise, 'an seòrsa cloich ris an can sinne clach-ghleusaidh.'

'Ud-ud-ud!' arsa Aonghas is e a togail stob cloiche bhar sgeilp. 'Seo agad clach-ghleusaidh! Ach an roth mhòr chruinn a tha sin, 's ann airson gleusadh a tha ise cuideachd ach 's e 'clach-nearaidh' a their sinn rithese. Ud-ud-ud, a laochain, tha cho math dhut fuireach còmhla riumsa airson seachdain gus am faigh sinn eòlas air Gàidhlig cach a-chèile!'

Cha b' ann a' fanaid orm a bha Aonghas idir oir cha robh fanaid na nàdar. Duine beag beòthail, càirdeil a bh' ann agus dh'ionnsaich mi mòran bhuaithe fhad 's a bha mi na chuideachd. Dh'fhaoidte gum b' e facail agus fiosrachadh a bh' aige a thàinig le a shinnsirean à Lochabair bho chian. Sheall e dhuinn seachd no ochd de sheòrsaichean fiodha leis an robh e air ballaichean na bùth-obrach amaladh ri chèile – darach, làireag, beithe agus eilm; gach seòrsa le diofar dath agus le diofar ainm, m.e. an darach bhàn, an darach dhubh, làireag dhearg is mar sin air adhart.

Anns an dealachadh dh'fhaighnich Aonghas dhuinn an robh dùil againn a dhol chun a' chèilidh anns a' bhaile air an àrd-fheasgar. Thuirt e gun robh esan a' dol ann gun teagamh agus rinn sinn cùmhnant a choinneachadh an sin.

Chaidh sinn chun a' chèilidh mar a gheall sinn. Bha sgaorr mhòr sluaigh anns an talla le còmhlan, fidhlearan agus bogsaichean-ciùil agus pìobairean air an àrd-ùrlar ach cha robh sgeul air Aonghas Cù. Mu dheireadh, sheall boireannach dhuinn far an robh e – ann an teis meadhan na greigh

and offered to help.

'Looking for Angus Cù?' she exclaimed. 'With all those musicians playing their hearts out, you wouldn't expect Angus to be standing around like you and me.'

She pointed to the middle of the swirl of dancers. 'There he is, the darling bodach! He's the oldest dancer you see there. He dances with more energy than men half his age.'

The music ended and, as soon as he caught sight of us, Angus Cù shouldered his way through the throng.

'When did you learn to do the Irish dancing?' I asked.

He was shocked by my question. 'Irish dancing? That is fighting talk in Mabou,' he cautioned. 'Don't forget that my forebears were forced away from the Scottish Highlands and not from Ireland. We are very proud that, through the generations, we've kept the language and culture we had in our Scottish homeland and that includes our style of dancing.'

Angus's outburst was overheard by half a dozen high-spirited locals who applauded as soon as he had delivered his rebuke. I apologised for my ignorance of step-dancing but stuck to my guns, 'Your performance, has been an eye-opener. But I still think your dance was a wee bit like the "River Dance" style.'

Angus laughed. 'Well, it is,' he conceded, 'and it is not. In Cape Breton, the most important part of the dance is the footwork. How you move your body and arms doesn't matter. You can let yourself go and, if you're really enjoying yourself, you can even raise your arms above your head. With the Irish step-dancers, their arms remain more or less motionless by their sides.'

We shook hands with Angus and promised that, if we could, we would return in the following summer and spend a whole day with him. To be truthful, I hoped to persuade the Comataidh Telebhsion Gàidhlig and the BBC to allow me to produce a television programme featuring Angus Cù's visit to Lochaber and, particularly, to the ruins of a village cleared in the eighteenth century. (In 2010, we returned to Nova Scotia, and visited Mabou hopeful of renewing our friendship with the erudite Angus Cù. Sadly, he had died without having achieved his ambition of visiting Lochaber or, indeed, any part of the Old Country.)

Sandra and I retreated to our B&B early. On the following morning, we motored northwards intending to follow the famous Cabot Trail. Some fifteen miles further on, we stopped at the town of Inverness to buy food for a light lunch. In the Main Street, we entered a grocery-shop and collected

dhannsairean a bha an sàs anns an ruidhle le spionnadh agus mòr-onghail. Abair horo-gheallaidh! Ach cha b' e an nòs dannsaidh a bh' aca an nòs air an robh sinne eòlach. B' e a bh' aca ach dannsa a bha rudeigin coltach ris an dannsa Eireannach a bhitheamaid a' faicinn air an telebhisean. Bha Aonghas Cù cho aotrom, suigeartach ri fireannach 'sam bith eile a bha anns an spàirn. Cho luath 's a dhearc e oirnn, thàinig e a nall thugainn le faoilt air aodann agus chuir sinn meal-an-naidheachd air airson cho ealanta 's a bha e air an dannsa Eireannach.

'Ud-ud-ud!' ars esan. ' Danns Eireannach?'

Bha gruaim air aodann mar gum bithinn air tàire a dhèanamh air. 'Thoir an aire air do chainnt, a' Ghàidheil! Gu dearbh chan e nòs an dannsa Eireannaich a th' againn an seo idir. Tha thu a' faicinn an seo an nòs Gaidhealach a thug ar sinnsirean thugainne nuair a thàinig iad an seo à Seann Dùthaich na h-Albainn.'

Aonghas Cù – fìor dhuine annasach. 'S bochd nach do choinnich sibh ris. Is bochd buileach nach d'fhuair mi air toirt dha an aon rud a bha e air a bhith a' miannachadh fad a bheatha.

'Bheirinn,' ars esan, 'na th' agam den t-saoghal air latha choiseachd air leòidean a' ghlinne ann an Lochabair às an deach mo shinnsirean fhuadach ann an Linn Nan Creach!'

Bha sinn air gealltainn do charaidean a dh'aithnicheadh sinn ann an Trùro gun tadhladh sinn air Gàidheil a dh'aithnicheadh iad ann am bailtean shios gu tuath air Trùro. Mar sin, b' fheudar dhuinn an rathad a ghabhail air an ath mhadainn agus, gu dearbh, cha robh e soirbh dhuinn dealachadh ri Aonghas Cù, a bha cho fiosrach ann an iomadach rud Gàidhealach air an robh mi aineolach.

Shiubhail sinn gu tuath gus an tàinig sinn gu Inbhir Nis far an d' fhuair sinn dithis aig an robh deagh chomas anns an t-seann chànan. B' i a' chiad tè Annag Bean Mhic Fhionghain. Nuair a dh'innis sinn dhi gun robh sinn à Alba, dh'fhaighnich i dhuinn an robh an t-àite sin faisg air Antigonais (baile air tìr-mòr Alba Nuadh). Thuirt sinn rithe gum b' e Alba an t-ainm Gàidhlig a tha air 'Scotland' an dùthaich anns an do rugadh a sinnsirean bho chian.

'Alba!' ars ise le uabhas. 'Bidh sinn ag ionnsachadh fhad 's a tha sinn beò! 'S e An Seann Dùthaich a their sinne ri 'Scotland' agus nach eil sin fhèin freagarrach gu leòr?'

Ann an Whycogamagh, fhuair sinn eòlas air Nelson agus Mae Poole, càraid ghasta aig an robh ceanglaichean teaghlaich ris an Eilean Sgìtheanach agus ùidh ann an eachdraidh agus anns a h-uile rud Gàidhealach. Bha an

the items we needed. As we stood at the check-out, we overheard the shop-assistant at the till using a Gaelic expression to the customer in front of us. I lifted three oranges out of Sandra's basket and, when it came to our turn, presented them to the shop-assistant.

'Dè a' phrìs a tha na trì?' I asked.

'I'm sorry,' she replied, 'I don't speak French.'

Continuing to speak in Gaelic, I replied 'Unfortunately, nor do I. But did you not speak Gaelic to your last customer?'

She came from the back of the till and embraced both me and Sandra. 'M'ulaidh, m'ulaidh, m'ulaidh!' she declared, 'Where have you two sprung from?'

That was our introduction to Annag MacKinnon. We told her that we were from Alba and enjoying exploring Cape Breton'.

'Alba? I've heard of it. Is that near Antigonish?'

'Alba is the Gaelic word for Scotland.'

'Alba? Fancy that! We call Scotland 'An Seann Dùthaich' – The Old Country'.

Annag introduced us to Alice Freeman at the 'Bear Paw', an up-market craft and gift shop nearby. Alice who spoke Gaelic invited us to yet another ceilidh to be held that evening in the Fire Hall. We accepted of course and enjoyed fiddle music, and local vocalists singing English-language songs composed in Cape Breton and further afield in Nova Scotia. We slept that night at Inverness.

After that, we motored some three or four hundred miles, stopping here and there to take photographs of 'pioneer cemeteries' or some spectacular scenery. We occasionally stopped to chat to local people going about their business, all of them friendly and curious to discover where we were from. After following a road along the shore of the Bras d'Or Lake, we relaxed at the Dundee Resort and stayed there for a night. In the morning, we set off to visit the famous Fortress of Louisburg which was captured from the French in the eighteenth century and, in the 1960s, made into a major tourist attraction. As we motored through a village called Grand River, we debated whether the name suggested that the area had been a French community. We crossed a bridge over a river which was in spate and, as we followed a country road away from Grand River, there was dense forest on either side of the road Occasional clearings allow the traveller to catch glimpses of lochs and hills which remind us of our own Highland landscape. In the distance, we saw a large white notice-board on the left close to the roadside. I slowed down

sinnsirean air a bhith an Ceap Breatainn airson iomadh linn. Tha sinn air a bhith fònadh no a' sgrìobhadh air a' phost-dhealain a h-uile mìos bho uair sin.

Ach b' ann faisg air baile beag, air a bheil an t-ainm Grand River, a thachair sinn ris an teaghlach a b' iongantaich leinn idir. Bha iad fileanta anns a' Ghàidhlig agus bha gnàth-chainnt aca a bha sean agus cuimhne mhath air seann dòighean an sinnsirean a bha air a thighinn as na Hearadh anns an naoidheamh linn deug. 'S fhiach dhomh innse dhuibh mar a choinnich sinn riutha bho thùs.

Chaidh sinn leis a' chàr tron baile sin agus bha sinn a' deasbad leinn fhìn am b' e ainm Frangach no ainm Beurla a bh' ann an Grand River. Chaidh sinn tarsainn air drochaid agus bha fuaim na h-aibhne a bha ruith foidhpe cho làidir 's gun robh i a' mùchadh ar còmhradh fhad 's a bha sinn a' dol tarsainn oirre anns a' chàr. A rèir a' mhap a bh'againn, bha an leas-rathad gar toirt gu Louisburg, daingneach mhòr a thog na Frangaich anns an ochdamh linn deug agus a tha air a cumail ùrail airson luchd-turais a thàladh thuice.

Bha sinn air a thighinn thuige air leas-rathad nuair a thàinig sinn gu Grand River agus, leis an ainm a bh' air, shaoil sinn nach robh gnothach aige ri Gàidheil Cheip Breatainn. Lean sinn an t-slighe a bheireadh sinn gu Louisburg. Bha a' choille-dhlùth air gach taobh den rathad agus, le duilleach nan craobhan cho dùmhail, cha robh mòran fhosglaidh ann a leigeadh dhuinn sùil a thoirt air seallaidh eireachdail na dùthcha. Mìle no dhà bhon bhaile chunnaic sinn clàr mòr geal air a chur na sheasamh am bòrd an rathaid. Thàinig sinn thuige air mo shocair agus nuair a ràinig mi e, 's a leugh mi na facail a bh' air, rinn sinn gàirdeachas. Sgrìobhte ann an litreachas Gothic bha na facail anns a' Ghàidhlig ag ràdh 'Cladh Sealladh Mhic Fhearghais'.

Cha mhòr gun creideadh sinn ar sùilean! Dh' fhàg sinn an càr agus dh' fhosgail sinn geata a' chlaidh. Saoilidh mi nach robh anns a' chladh ach mu chuairt air cairteal acair fearainn a bha air a lomadh anns a' choille dhlùt. Ma 's math mo chuimhne, bha còrr air fichead clach-uaighe ann agus mòran dhiubh mar chuimhneachan air Gàidheil a bha air a thighinn dhan sgìre anns an naoidheamh linn deug. Ri mo thaobh, bha aona tè le ainm a bha na smaoineachan dhomh: *Calum Ferguson born Isle of Harris.*

Thill sinn air ais gu Grand River gun dàil. Sgrìobhte air balla a' chiad thogalach gus an tàinig sinn ann an Grand River, bha trì facail – 'Bonnach agus Molasses'. Steach leinn! Bha an t-àite gu math coltach ris an seòrsa ionad-co-imhearsnachd a tha cumanta ann am bailtean air feadh na Gàidhealtachd. Saoilidh mi gun robh mu chuairt air deich bùird anns an t-seòmar-bidhe ann. Nan suidhe aig còig no sia dhe na bùird, bha triùir no ceathrar mhnathan ag

as we approached it, and read the Gaelic inscription 'Cladh Sealladh Mhic Fhearghuis' (Ferguson Lake Cemetery).

The cemetery was in a forest clearing measuring about half an acre. Many of the headstones were in memory of men or women who had been born in 'The Isle of Harris'. We felt deeply moved as we read the inscriptions. One headstone particularly caught my eye: 'In memory of Calum Ferguson, born Isle of Harris, 18 -- died 18--. (I cannot remember the exact dates.) It was obvious that we were in a district, at one time, settled by Gaels. As we closed the cemetery gate behind us, we heard a cockerel crowing somewhere in the forest. I felt as if I had been transported to my childhood when teenage boys used to 'interpret' the early-morning messages trumpeted by the our village cockerels. I said to Sandra, 'Somewhere near here, there's an old woman living with a flock of hens and I bet her name is Catriona Uilleim!'

I did a three-point-turn and went back to Grand River. The first building we came on my left had a legend on the wall advertising 'Bonnach and Molasses'. I parked the car and we entered the building in the hope of meeting Gaels or, at worst, having a cup of coffee.

The lay-out of the building reminded us of community-centres in our own Western Isles. We found ourselves in a busy tea-room where subdued conversation issued from six or seven tables with three or four women at each having afternoon tea. Standing by the cash-register, a waitress was clattering crockery. She smiled at us as we approached and greeted us in French. She was non-plussed when I addressed her in Gaelic. I enquired, in English, if the ladies present spoke Gaelic. She replied in broken English that she did not understand my question. Speaking school-girl French, Sandra explained that we were Scottish visitors hoping to meet Cape Bretoners who spoke Gaelic. The waitress shrugged, took a tea-towel and continued to attend to her cups and saucers.

We approached the three ladies at the nearest table and asked if anybody in their group spoke Scottish Gaelic. They responded in unison. 'We sure do!' they chimed. 'Are you guys from the Old Country?'

It soon became obvious that they did not speak my language. Gaelic had been the language of their childhood but that was some fifty years earlier. They were genuinely upset that they could not answer us in the language of their forebears and, within a couple of minutes, we had most of the women who had come together to enjoy 'coffee and molasses', crowded round us regretting the fact that they had lost the ability to speak the language which they spoke as children. As we conversed, we were approached by a tall man

òl teatha. Shuidh an dithis againne aig bòrd air an oir agus dh'ordaich sinn cupan cofaidh. Cha robh sinn comasach air cluinntinn de an cànan a bh' aig na mnathan.

Thàinig searbhant chun a' bhùird againn agus nuair a bhruidhinn i rinn bha e follaiseach gum b' e bana-Fhrangach a bh' innte. Dh'fhaighnich mi dhi, anns a' Bheurla, an robh na mnathan a bh' aig na bùird comasach air a' Ghàidhlig a bhruidhinn. Fhreagair i, 'Je ne comprends pas!'

Gu sealbhach, bha Sandra comasach air conaltradh a dhèanamh rithe agus ann an ceann sreath, thuig sinn bhuaipe gum b'i a' Ghàidhlig a chleachd an sluagh ann an Grand River a bhith a' bruidhinn. Chaidh sinn chun a' bhùird a b' fhaisg oirnn aig an robh triùir bhoireannach nan suidhe ag òl cofaidh. Arsa mise anns a' Bheurla, 'A bheil duine an seo aig a bheil a' Ghàidhlig?'

Thuirt iad rium gum b' i a' Ghàidhlig a bh' aca nuair a bha iad nan cloinn ach gun robh iad air a call. 'Chaill sinn ar cànan,' ars iadsan, 'nuair a chaochail ar pàrantan.'

Na suidhe aig an ath bhòrd, bha boireannach a bha ag èisteachd ar seanchais. Ars ise, 'Bidh sinn fhathast a' toirt a chreids' oirnn fhìn gu bheil i againn ach dh'fhalbh i oirnn ann am priobadh na sùla.'

Anns na briathran, thàinig fireannach tapaidh gu ar cùlaibh agus e còmhdaichte na aodach-obrach.

''S mise,' ars esan. 'Sandaidh Mhurchaidh Alasdair Moireasdan. Tha an t-searbhant air innse dhomh gu bheil sibh a' sireadh Gàidheal. Uill, 's i a' Ghàidhlig a bhios aig mo phàrantan-sa am broinn na dachaigh. Am bu chaomh leibh an coinneachdh?'

Cha b' e ruith ach leum. Thairg Sandaidh dhuinn ar treòireachadh air rathad nan coilltearan a' dol tron choille 'Faisg air mìle às an seo, chì sibh crodh ag inneilt ann an lios air bhur làimh dheis. Tha an taigh againne ri taobh na lios sin.'

Tha amharas agam gun do dh'fhòn Sandaidh dhachaigh a dh'innse gun robh coigrich air an t-slighe thuca. Chunnaic sinn an 'treud cruidh' ceart gu leòr – crodh Frìseanach le blàran dubh is geal air am peantadh orra – a h-uile tè air an gearradh a-mach à *ply-wood!*

Cho luath 's a stad sinn aig a' gheata, chunnaic sinn Màiri agus Calum Moireasdan, pàrantan ar treòiriche, aig an doras. Thàinig iad a-mach an staran nar coinneamh agus cha b' urrainn an fhàilte a chur iad oirnn a bhith na bu chridheil. Dh'fhàisg iad sinn gu am broillichean mar gum biodh eòlas air a bhith aca oirnn bho riamh. B' e sin an seòrsa dàimhealachd a bh' aca rinn bhon a' mhionaid a choinnich sinn riutha. Thug iad a-steach dhan taigh sinn

dressed in his work-clothes. He didn't beat about the bush!

'My name is Murdo Alasdair Morrison but everybody knows me as Sandy. I understand that you are looking for Gaelic-speakers. Well, my parents might fit the bill. Gaelic is their everyday language. I'm a trucker – a trucker in a hurry! If you want to meet my parents you are welcome to follow me and I'll show you the house where they live.'

We didn't hesitate. We followed Sandy to his truck and were soon tailing him along a forest road. A mile or two further on, Sandy used his indicator light to show that he was about to stop. As we drew up at the gate, Mairi and Calum Morrison, Sandy's parents, emerged from the house, two sprightly figures in their late seventies. They hailed us in Gaelic Presumably Sandy had phoned from his truck to tell them that a couple of strangers from the Old Country were about to visit them.

As Sandy introduced us, his parents embraced us and led us up the path leading to their front door. It was as if they had been awaiting our arrival for years and our return to our own relations in Lewis could not have been any more cordial. The interior of the Morrison's home was similar to that of croft-houses back home, comfortable, cosy and unpretentious. While we were in their company, the couple spoke only Gaelic. Sandra asked if the Cape Breton Gaels liked singing. Mairi said, 'You have come to the right home to hear about Gaelic songs and music.'

Calum agreed. He excused himself saying, 'We have something to show you that will answer your question. It's an heirloom which is probably the most precious thing in the house.' In due course, he returned carrying a book.

'It belonged to my grandfather and is a record of Gaelic songs, some composed by himself. He was Kenneth Bàn and was lucky to be alive for he was born on the emigrant-ship, half-way across the Atlantic. Gaelic was the language of the community here and my grandfather seems to have been well-known here as a singer and bard.'

Calum was able to recite passages of Gaelic poetry, some of which had been composed in the 'Old Country' long ago. He suddenly broke off his recitation and began to sing with a strong tenor voice. The song gave an account of the voyage across the Atlantic and the immigrants' impression of the New World. I had not heard the song before.

'I'm not surprised that you hadn't heard it,' Calum told me. 'It was composed by my grandfather, Murdo Morrison, son of Kenneth Bàn. I'm Calum son of Angus son of Murdo the grandson of Kenneth Bàn. My great-grandfather was cleared from the Isle of Harris and they had no

– dachaigh nach robh eu-coltach ri dachaigh bheag, bhlàth, mar a gheibhear air a' Ghaidhealtachd mus deach na Gàidheil gu spadaireachd agus saoilsinn! Cha robh facal aig Màiri agus Calum Moireasdan ga bhruidhinn rinn ach anns a' Ghàidhlig. Bha iad iriosal ach uasal nan dòigh agus gu math coltach ris a' mhuinntir a dh'aithichinn nuair a bha mi ag èirigh nam bhalach. Bha e dìreach mar gum bithinn air a dhol air ais gu m' òige ann am Port Mholair.

Dh'fhaighnich Sandra dhaibh am biodh iad a' seinn òran Ghàidhlig. Rinn iad gàire agus thuirt Màiri gum biodh. Dh'èirich Calum agus chaidh e dhan chùlaist. Nuair a thill e bha seana leabhar aige na làimh.

A' fosgladh an leabhair, thuirt e, 'Nise, Sandra agus a Chaluim, tha sinn a' dol a leigeil dhuibh am ball-sinnsre as luachmhor a th' anns an fhàrdaich-sa a làimhseachadh. Is e seo leabhar bàrdachd air na chosg seanair mo sheanar airgead ga chlo-bhualadh. B' esan Coinneach Bàn a rugadh air an t-soithich a thug an teaghlach a-nall an seo. Bha e sin ainmeil na latha mar bhàrd agus mar sheinneadair. Nach bochd nach tàinig sibh fhad 's a bha esan an seo air an talamh!'

Bha an coire àbhaisteach air an teine agus rinn Màiri teatha. Fhad 's a bha sinn ag òl na teatha, thug mi iomradh air na facail annasach a bha sinn air ionnsachadh ann am Mabou. Dh'fhaighnich Màiri dhomh, 'Dè an t-ainm a th' agad air an seòrsa beathach a tha na leth-chadal ris a chagailt againn? Nise, cuimhnich gur ann fireann a tha am beathach sin.'

Thuirt mise, 'Theireadh sinne gur e cat fireann a tha an sin.'

'Their sinn culach ri cat fireann,' arsa Màiri. 'Bheil am facal sin agaibhse idir?'

'Tha coileach againn, 'arsa mise, 'ach chan eil culach.'

Bha e soilleir gun robh ceann Chaluim làn bàrdachd a rinneadh ann an Ceap Breatainn agus cha robh e diùid a bharrachd nuair a dh'iarr mi air òran a sheinn. Guth làidir ciùin *tenor* aige.

'Is mise,' ars esan, 'Calum Aonghais Mhurch' Choinnich Bhàin a chaidh fhuadach às na Hearadh. Tha mi smaoineachadh gun robh buntanas againn ri eileanan faisg air na Hearadh agus ri Leòdhas. B' e Marta MicLeòid an t-ainm a bha air mo mhàthair.

Dìreach mar a bha Aonghas Cù airson fiosrachadh fhaighinn air ainmhidhean, obair fearainn agus àitichean ainmeil ann an eachdraidh na Gaidhealtachd, bha Màiri agus Calum cuideachd loma-làn cheistean. Anns an ùine ghoirid a bh' againn còmhla riutha, rinn sinn ar dìcheall. Chanadh iad 'maigheach' ris a' bheathach ris an can sinne ann an Leòdhas 'geàrr' agus 'dallag–an-raon' ris an 'fheàlagan' againne. Nam biodh an dithis againn air

alternative but to emigrate. My mother was Martha MacLeod and, if she were alive today, she'd be very proud that you have come to visit us.'

After nearly two hours at the Morrison's cottage, we began to prepare to continue our journey to Fort Louisburg which was thirty miles to the north-east. Our hosts were disappointed that we wished to leave them so soon. Mrs Morrison pressed Sandra to stay with them for a couple of days while I went exploring the historic Louisburg.

'You bide with us, Sandra, and allow him to go on his excursion to the old French fortress. You'll be waiting for him here on the day after tomorrow.'

But as Sandra explained, we had to return to Truro on the following day so as to prepare for our journey home to Scotland. A strong bond had been established between us and parting with the Morrisons was difficult and emotional. It was as if we were leaving close members of our own families.

Five years passed before we were able to return to Nova Scotia. In that space of time, both Mairi and Calum died in 1999 and though we have continued to visit Cape Breton from time to time, we failed to meet anybody who could compare with Angus Cù and the Morrisons at Grand River who had such a command of Gaelic and such an extensive knowledge of the folklore, customs, songs and poetry of their pioneer forebears.

We continue to be in touch with Sandy and Judith. The last time we visited them in their home near Grand River, Judith presented Sandra with a cup and saucer which had belonged to her mother-in-law. It was a wonderful gesture and was reminiscent of how, in my youth, women used to present to visitors from abroad small gifts of crockery as keepsakes.

Needless to say, we have often invited Sandy and Judith to visit us in Lewis and allow us to reciprocate the hospitality and generosity which we received in their home. If they were to accept our invitation, we'd make every effort to take them to the islands of Pabbay and Taransay and introduce them to our many friends in Harris and, hopefully, help them to discover families who are their blood relations.

Drama in the Broch

In December 1989, the Secretary of State for Scotland, announced the establishment of a Gaelic Television Fund of £8,000,000 to be made available for the production of up to 200 hours of Gaelic television in addition to the 100 hours then currently being transmitted in Scotland. Hopeful of

seachdain a chur seachad còmhla ris a' mhuinntir ud, bha sinn air iomadach rud ionnsachadh bhuapa.'

Nuair a thòisich sinn ag ullachadh airson fàgail, cha robh Mairi idir airson gum falbhadh Sandra. 'Fan thusa còmhla rinne, a ghaoil. Fuirich an seo dà latha. Fhalbhadh esan sios gu tuath gu Louisburg agus bidh tusa an seo air a choinneimh'.

Ach, mar a stèinn Sandra dhi, bha againne ri tilleadh gu Trùro an ath latha agus tòiseachadh ag ullachadh airson tilleadh chun na Seann Dùthcha. Mar sin b' fheudar dhuinn dealachadh riutha agus bha an cianalas oirnn gam fàgail. Bha dà bhliadhna mus do thill sinn a-rithist gu Ceap Breatainn. Gu mi-shealbhach, anns an ùine sin, dh'eug an dithis. Chuir am mac fàilte chridheil oirnn mar bu dual agus thug Judy, a bhean, cupan agus flat do Sandra mar thiodhlac – soithichean a bh' anns an dìleab a dh'fhàg Màiri.

Bitheamaid gu tric a' seanchas ri Sandaidh agus Judy air a' fòn agus gach uair gam fiathachadh gu thighinn air làithean-saora a Steòrnabhagh. Sinn gu dearbh a bhiodh toilichte nan tigeadh iad. Gheibheadh iad an aon aoigheachd bhuainne 's a fhuair sinne nar coigrich anns an seann dachaigh aig Grand River.

Dràma anns a' Bhruaich

Ann an 1991, stèidhich Sandra agus mise Lòchran, companaidh airson prògraman telebhisein a riochdachadh anns a' Ghàidhlig. Gòraich a bh' ann a chrean air an dithis againn gus na chuir sinn e ma sgaoil ann an 1996. Bhon chiad latha a thug mi iomradh air companaidh neo-eiseamaileachd a chur air flod, bha Sandra na aghaidh. Cha robh i a' smaoineachadh gum bithinn comasach uallach a ghabhail nuair a bha an dithis againn còrr air trì fichead bliadhna a dh'aois. Dhearbhadh dhuinn gun robh i ceart.

'S e glè bheag de thaic airgid a fhuair sinn bho CTG (Comataidh Telebhisean na Gàidhlig) ach bha an aon ghearain sin aig a h-uile companaidh beag a bha an sàs anns a' ghnìomhachas. Air a' cheann thall, leig an CTG an t-earball leis a' chraiceann. Thug iad a' mhòrchuid den airgead do STV airson sreath phrograman – 'siabann' – a dhèanamh air an robh an t-ainm 'Machair'. Cha dean mi di-moladh air 'Machair' oir bha cuid de na prògraman a bha cho math ri feadhainn a bhatar a' craoladh ann an siabainn Bheurla. Air an làimh eile, chaidh sgeulachdan samhail 'Aonghais Cù' agus 'Fògarraich Grand River' a chur an dàrna taobh – ìobartan a rinneadh airson gum faigheadh na Gàidheil

producing Gaelic programmes for the broadcast companies, I registered Lochran as an independent television production company. Both Sandra and I were in our early sixties – too old to withstand the pressure of purchasing office accommodation, recruiting staff, researching and proposing projects and, if any of our proposals was approved by the funding body, the Gaelic Television Committee (CTG), there ensued a hectic period of script-writing followed by the demands of production. All the other so-called 'indies', including Lochran, complained of inadequate funding. The amount of money available to 'indies' plummeted between August 1992 and September 1998 when the CTG contracted Scottish Television Enterprises, at a cost of £2,000,000 per annum, to produce a Gaelic television soap opera called 'Machair'. It has to be said that occasional episodes of 'Machair' were as well written, well acted and directed as some in English-language soap series. Yet, in my view, it is regrettable that biographies such as those of Angus Cù and of the settlers at Grand River were sacrificed to make way for the fiction.

During the five years in which Lochran participated in the annual feeding-frenzy at the CTG, we were fortunate to be given four contracts: one for Grampian Television; two for Channel 4, and one for BBC2. The contract for Grampian required Lochran to make three drama-documentaries based on the famous autobiography, 'The Christian Watt Papers'.

The author was born in 1833 in Broadsea, a little fishing-port close to Fraserburgh and now within the boundary of that burgh. In her teenage years and early twenties, she served as cook and servant on board her father's fishing-boat which fished with great-lines on the east coast of Scotland when the weather allowed in winter and spring and, in summer on the rich fisheries of the Minches. As their land bases, the East Coast boats used shingle beaches at Sleat, Isle of Skye, and Port nan Giùran and Pabail, Isle of Lewis. Seafaring was a precarious occupation which frequently resulted in the loss of life. Four of Christian's seven brothers drowned at sea, as did her husband, and her favourite son. News of those disasters resulted in her having a mental breakdown. She spent the last years of her life in the Cornhill Mental Hospital in Aberdeen. At the age of forty seven, she began to write down recollections of her experiences, and continued to do so into her eighties. She died aged ninety in 1923. Some years after her demise, her writings were discovered during the reconstruction of the hospital. Her autobiography gives vivid glimpses of her life-style through her years: working as a fisher-woman, as a scullery-maid in domestic service and during a short spell in New York

pailteas siabainn. An àite uisge fìor-ghlan Tobair Iomhair, saplaisgean!

Ach anns na còig bliadhna a bha compàirt aig Lòchran ann an comhstri agus ùpraid an telebhisein, fhuair sinn taic airgid bhon CTG airson ceithir proiseactan. B' e aon dhiubh sin trì prògraman ag innse mu Sgrìobhaidhean Cairstìona Watt, boireannach a rugadh agus a thogadh ann am Breidsidh, baile-puirt a tha an-diugh air taobh staigh crìochan na Bruaich (Fraserburgh).

Rugadh Cairistiona ann an 1833 nuair a bha na Gaidheil gam fuadachadh às na glinn agus às na h-eileanan dam buineadh iad. 'S fhiach eachdraidh a' bhoireannaich sin a leughadh mar a tha i air a foillseachadh anns an leabhar 'The Christian Watt Papers'. Nuair a thadhail sinn ann am Breidsidh, fhuair mi-fhìn agus Sandra eòlas air Seumas Marshall, ogha Chairstìona, a bha diùid agus caran annasach na dhòigh. Fhuair sinn cuideachadh bhuaithe-san agus bho dithis mhnathan aig an robh mion-eòlas air eachdraidh agus caithe-beatha Chairstiona Watt. B' i aon dhiubh sin Violet Nic Iain, nach maireann, seann thidsear aig an robh dachaigh ri taobh caladh nam bàtaichean-iasgaich. Air cùl na dachaigh aice, bha lobhtaichean anns am biodh clann-nighean-an-sgadain a' còmhnaidh rè sèisean a' chutaidh. Bha ainmean chlann-nighean Leòdhasach air an sgrìobhadh le cailc gheal air fiodh nam ballachan.

Am boireannach eile air am bu chòir dhomh iomradh a thoirt, 's e Lorraine Noble aig an robh aithne air eachdraidh na Bruaich bho thàinig e gu inbhe mar bhaile-puirt aig toiseach na Siathamh Linn Deug. Cha b' e 'Beurla na Banrigh' a bha an dithis bhoireannach sin ach Doraig.

Bho dheireadh an fhoghair gu toiseach an t-samhraidh, bhiodh bàtaichean-iasgaich Bhreidsidh a' seòladh tron Chaolas Arcach airson faighinn chun nan iolachan-iasgaich a bha timcheall eileanan na Gàidhealachd. Airson mòran den thìde, bha iad ris na linn mhòra a' marbhadh na b' urrainn dhaibh de thruisg, de langaichean, agus de dh' fhalmair. Bha iad a' sailleadh an èisg sin agus ga thiormachadh anns a' ghaoith agus ann an teas grian an t-samhraidh. Far am b'urrainn dhaibh, bha iad a' faighinn cuidhteas an èisg air nach biodh fèill shuas anns na glinn an Siorrachd Obar Dheathain: adagan, liùghannan, carbhanaich, cnòdain, turbaidean, sgaitean, leòbagan is easgainn. Bha iad gan reic saor ri muinntir nan eilean, ùrail mar a thigeadh e às an fhairge.

Ag iasgach air taobh siar na Gaidhealtachd, timcheall an Eilean Sgitheanach agus Innse Gall, bha *Highlandman* aca airson an treòireachadh. B' ann air na fir sin a bha an t-uallach airson bàtaichean Bhreidsidh a chumail air falbh bho bhoghaichean agus oitirean cunnartach; agus airson an treòireachadh gu òban agus camasan far am faigheadh iad fasgadh bho dhroch shìde. Ach a bhàrr air sin, bha na Gàidheil air bòrd aca airson comharrachadh dhaibh na h-iolachan

working as a table maid to Winston Churchill's grandmother.

Given a small budget, producing television programmes based on Christian's narrative was a huge challenge. But, beggars cannot afford to be choosers. As soon as we received news that the CTG would support Lochran's bid to make a Gaelic drama-doc based on 'The Christian Watt Papers', Sandra and I travelled to Fraserburgh and met Lorraine Noble, an assistant librarian and an authority on the history of the town. She introduced us to Violet and Daisy Johnson, two elderly sisters who owned lofts which, at the height of the herring season, housed 'crews' of herring-gutters, many of them from the Western Isles. Lorraine then introduced us to James Marshall, a grandson of Christian Watt. He was a shy bachelor living on his own in Broadsea, close to the house in which Christian spent the first half of her life. He owned a large selection of 'Christian Watt memorabilia', including plaids, shawls, ornaments, books, documents and large framed photographs of members of Christian's family. As soon as we were ready to start shooting, I phoned James, Lorraine Noble and the Johnson sisters to give them the news and found them all eager to help. I was particularly delighted that James gave his unqualified approval and permission to shoot scenes in his living-room. He also offered to lend us Christian's plaid, a beautiful, priceless garment.

As Gaels, we have good reason for taking an interest in Christian's account of conditions in the Highlands and Islands during the nineteenth century She gives graphic accounts of her visits to Port nan Giùran in Lewis where the crews of visiting East Coast boats slept in bothies, built by themselves, close to where their boats were beached on Am Mol (The Shingle). Her description of her visit to the village of Susinish in the south west of Skye is particularly poignant. All the families living there were cleared by Lord MacDonald to make way for sheep-farming. When Christian happened to meet Lord MacDonald at Kyle of Lochalsh, she railed against him for his treatment of his own tenants. In our programme dealing with that period of Christian's life, Donna Bardon, as young Christian, gave a brilliant performance in the scene re-enacting the fisher-girl's fiery encounter with the land-owner.

Queen Victoria purchased the Balmoral Estate in 1852. The families living on the estate were cleared from their homes and given alternative accommodation in tenements in the city of Aberdeen. At that time, the people of Upper Deeside spoke Gaelic and are believed to have had a settled life-style there for more than a thousand years.

The Queen's acquisition of Balmoral seemed to encourage other gentry to purchase estates in the Grampian Highlands. One purchased the 70,000

bu torraich, mar eiseimpleir an Loch a-Tuath, a bha ainmeil airson tarbhachd an èisg.

A' leughadh cunntas Chairistiona, tha e follaiseach gun robh ceangal teann eadar muinntir Bhreidsidh agus Gàidheil nan eilean. 'S cinnteach gun robh Cairistiona fileanta anns na trì prìomh chànanan a bha gam bruidhinn an Alba na latha: Doraig (cànan nam Bucach); a' Bheurla, an cànan anns an do sgrìobh i a leabhar, agus a' Ghàidhlig a bh' aig iasgairean na Gàidhealtachd a bhiodh gu tric na cuideachd fad an t-samhraidh. Tha i a' toirt iomradh air mar a bhiodh i na còcaire air bàt'-iasgaich a h-athar agus, nuair a bhiodh na bàtaichean aca ag iasgach a mach à Port nan Giùran, gum biodh na teaghlaichean a' cadal ann am bothagan faisg air a' chladach.

Airson an t-iasg a bha iad air a shailleadh agus a thiormachadh a reic, bhiodh muinntir Bhreidsidh, aig toiseach a h-uile foghar, a' coiseachd a mach do na glinn mu fhichead mile an iar air Obar Dheathain. Bha eich aca airson an cuid bathar a ghiùlain fad an t-siubhail bho an dachaighean ris a' chladach gus a ruigeadh iad na teaghlaichean Gàidhealach a-muigh anns na glinn. Airson ceudan bhliadhnachan, bha teaghlaichean-iasgaich na Siorrachd air a bhith ris an obair sin.

Shuas ann am Beanntan Ghrampian, bha na teaghlaichean a' feitheamh ri iasgairean Bhreidsidh agus bailtean iasgaich nan cladaichean a thighinn thuca leis an iasg shaillt. Mar tha Cairistiona Watt fhèin ag innse, b' i a' Ghàidhlig a bh'aig sluagh nan ghleann.

Thug Seumas Marshall mi gu Aibèidh (Aboyne) airson Eilidh Dhòmhnallach a choinneachadh. Seann bhoireannacha bh' innte is i a' dìreadh ri ceud bliadhna a dh'aois. Bha i air lùths nan casan a chall agus bhatar air a cur ann an taigh-cùraim còmhnaidh. A rèir aithris, b' i an neach mu dheireadh aig an robh ' Ghàidhlig a' Ghlinne' nuair a bha i òg. Gu mi-shealbhach, ged a bha cuimhne aice air a muinntir a bhith a' seanchas anns a' chànan nuair a bha i òg, bha i-fhèin air a fileantas a chall. Bha i dhomh na cuis-thruais agus na cuis-cianalais.

Nuair a bha Cairistiona na pàiste, bha i ag obair na searbhant air bàta-iasgaich a h-athar. B' ise an còcaire agus bha aice cuideachd ri bhith a' nighe cuid-aodaich a' chòrr den chriutha. As t-samhradh, bhiodh bàta Muinntir Watt, agus bàtaichean Bucach eile, a' tighinn a dh' iasgach a-mach à Port nan Giùran. Anns an latha sin bha an Loch-a-Tuath ainmeil airson cho torrach 's a bha e le iomadach seòrsa iasg: lannach agus iasg sligeach.

Chleachd fir agus mnathan nam bàtaichean Bucach a bhith a' cadal ann am bothagan-cheap a bh' aca os cionn cladaich a' phuirt. 'S bochd nach eil sinn

acres Mar Estate and another an estate in Glen Ey where we shot scenes showing Broadsea fisher-girls selling dried salted fish to local families. In those and later scenes, the part of Christian, then in her middle age, was played by Mairead Ross, a professional actress whose portrayal of the heroine was impeccable.

As we searched in Glen Ey for suitable locations, we came across the ruins of houses once occupied by families which had been cleared in the nineteenth century. James Marshall took me to an old folks' home in Aboyne where Helen MacDonald, one of the residents was reputed to be the last Gaelic-speaking survivor of the indigenous people who had lived in Upper Deeside for more than a thousand years. When I introduced myself in Gaelic, Helen smiled and greeted me in Doric. Throughout our visit, I spoke only Gaelic and it was clear that the frail old woman understood all that I said. James and I took our leave feeling very sad.

Lorraine Noble recruited more than a dozen volunteers to act as extras – alas, all of them unpaid. For me as the script-writer, producer and director, it was a challenge too far! With a small budget, I should have been less ambitious in the number of dramatized scenes I attempted. On the other hand, everybody who played a part in the production seemed to enjoy the experience, not least because it taught them much about life in the fishing communities of Scotland during Christian's lifetime (1833-1923). It also gave them an opportunity of meeting local East Coast families and of hearing the rich, rippling cadences of their Doric conversation.

Potato Peelings in Connemara

Lochran received funding which allowed us to make three twenty-minute Gaelic programmes for Channel 4 aimed at showing teaching methods employed in the teaching of 'minority languages' in Scotland, Northern Ireland, the Republic of Ireland and Wales. By the time all the material was 'in the can' and ready to begin the critical work of video-editing, I realised how demanding the enterprise was proving to be. I should have listened to Sandra's advice and regretted that I had not done so. The programmes were entitled 'Cluiche, Ceòl is Cànan' (Play, Music and Language) a series aimed at showing different methods used in the teaching of the 'minority languages', Gaelic, Irish and Welsh. The production of those programmes

comasach air a dhol air ais a chluintinn an seòrsa conaltraidh a bha eadar na Bucaich agus tùsaich Phort nan Giùran.

Chlàir sinn mòran de na prògraman a rinn sinn air eachdraidh Chairistiona ann an taigh Sheumais Marshall; cuid ann an lobhta Violet Nic Iain; cuid air sràidean Bhreidsidh agus shios ris a' mhuir ann an caladh na Bruaich.Tha cuimhne mhath agam cuideachd air an obair a rinn sinn anns a' chùl-tìre shuas ann an Gleann Aoidh. Bha aimsir àlainn againn agus, leis na h-actairean còmhdaichte ann an trusgan na naoidheamh linn deug, cha mhòr nach toireadh tu a chreids' ort fhèin gu robh Cairistiona gar leantainn a h-uile ceum.

Ann an riochd Chairistìona, bha Màiread Ros, an sàr bhana-actar Sgìtheanach. Bha i againn shuas anns na glinn, ma b' fhìor a' tadhal air dachaighean seann Ghàidheil nan gleann. Bha i air a còmhdach ann am fasan mnathan-iasgaich na naoideamh linn deug agus i le plaide Chairistiona Watt mu a guaillean. Bha Mairead deònach air spaidsearachd is i a' giùlain eallaich de dh'iasg saillt ann an cliabh, air a druim. Chuir Mairead agus na h-actairean eile a bh' againn fìor mhoit orm: Donna Chaimbeul (Bardon), Iain MacRath agus Seònaid Dhòmhnallach (a bha toirt a' chiad ceum ann an telebhisean mar neach-aithris).

Neònach gu leòr, fhuair na prògraman a rinn sinn air Cairistìona Watt barrachd moladh air taobh sear na h-Alba na fhuair iad air a' Ghàidhealtachd.

Sgiulan ann an Eirinn

Dh' iarr mi iomadach uair spòg airgid bho CTG (Comataidh Telebhisean na Gàidhlig) airson aona program a dhèanamh air Aonghas Cù Dòmhnallach à Ceap Breatainn ach dhiùlt iad. Tha mi air bhith caoidh sin chun an latha'n-diugh.

Nuair a bha sinn nar cloinn, bhiodh Anna Dhall a' cur an toimhseachan-sa oirnn.

Thàinig eun gun itean is laigh e anns na slocan.

Thàinig eun gun bheul agus dh'ith e e.

Bha an t-eun anns an toimhseachan na cho-shamhla air an aiteamh a bhios a' cur an t-sneachda à sealladh. Nam bharail-se, b'e STV an t-eun a dh'ith na bleideagan airgid a fhuair an CTG bhon Riaghaltas. Bha aithreachas orm nach deach a h-uile sgillinn a riaghladh air na h-iochdarain a bha, mar gum biodh,

gave me an opportunity of visiting more than a dozen schools in the Western Isles, Northern Ireland, the Republic of Ireland, Wales and different parts of mainland Scotland. I was particularly impressed by the teaching methods employed in Gaelsgoils in Dublin, in Laxdale School, Lewis, and at a pre-school unit at Carraroe, Co. Galway, Ireland.

Of the four hours of broadcast television Lochran produced, the time spent recording the teaching methods programmes was the most memorable. While recording for 'Cluiche, Ceòl is Cànan' in Co. Galway we enjoyed meeting local people, all of whom were friendly and welcoming and fluent in Gaeilge. I decided to make our base in the village of Spiddal about twelve miles north-west of Galway City. Our B&B was a well-appointed house called 'Cala 'n Uisce' and owned by Pairic and Moya O'Feeney both of whom were witty, good-humoured Gaeilge-speakers, a comedy double-act worthy of being on the stage.

One Sunday morning, I asked Moya if it would be permissible for me, a non-Catholic, to accompany her to mass in the local Gaeilge church. After attending the early morning mass, Pairic thought I might be bored by the experience but Moya felt that I might be inspired by the singing. Though it was a dreich morning, a crowd of men, women and children were trooping down the roadway leading to the church entrance. I lost sight of Moya for a moment, then noticed that she was hurrying down a narrow path leading to a door some distance from the main entrance. Why had Moya abandoned me? I saw her open the door, then turn round and signal to me to follow her. When I reached her, she hastened me inside and in a whisper said, 'Colm, this morning you and I are in the chapel choir. There are supposed to be eight members but, usually, only half a dozen turn up. Thanks for volunteering to fill a gap!'

When the service began, I discovered that much of what the priest was saying was printed on the leaflet placed in front of each member of the congregation. I was pleased to discover that the words of the first hymn, sung to the tune of 'Amazing Grace', were on the leaflet and I was able to join in the singing as to the manner born. The thought occurred to me that my Seanair would have been black-affronted if he were alive to learn that I attended Mass in a Catholic church. A wicked irresponsible act, I'm sure!

On the following morning, I was due to visit a pre-school unit at Carraroe, twelve miles west of Spiddal. During our conversation on the phone, Mairèad Mac Con Iomaire, the teacher, told me that, on the morning of my visit, she was going to teach her class how their forebears economized when planting seed potatoes. She agreed that her lesson might be particularly suitable for

an urra ri criomagan arain tuiteam thuca bho bhòrd a' cheann-cinnidh, ach bu ghann gu robh iomall de dh'aran air fhàgail nach deacha ann an craos na h-uilebheist.

B' e samhail sgeulachdan 'Aonghais Cù' agus 'Eilthirich na Hearadh' dhà dhe na h-iobartan a chaidh a spadadh. Cha d'fhuair Lòchran ach glè bheag de dh'airgead bhon CTG (Comataidh Telenhisean na Gàidhlig) ach bha an aon ghearain aig a h-uile companaidh bheag a bha sàs anns a' ghnìomhachas. Bu mhòr am beud gun do thachair sin. Chaochail na daoine suairce, fiosrach, innleachdach a bha air a bhith againn anns an dà program sin. Gasta Gàidhealach, fìalaidh 's mar a tha iad, chan eil a' Ghàidhlig aig na teaghlaichean a thàinig air an cùl.

Anns na còig bliadhna a bha sinn an sàs anns an oidhirp, fhuair sinn taic airgid bho CTG airson sia prògraman do Seanail 4 a' rannsachadh dhòighean oideachaidh ann am bunsgoiltean agus na croileagain ann an Alba, an Eireann agus anns a' Chuimrigh. Thuilleadh air sin, mar a dh'ainmich mi, cuideachadh airson trì prògramain stèidhte air sgrìobhaidhean Cairistìona Watt do Ghrampian; agus, mu dheireadh, 'Am Pòsadh Hiortach', uair a thìd de dh'fhaid do BBC2.

Nuair a bha sinn a' clàradh nam prògraman bhunsgoiltean thadhail sinn gu Conamara. Bha na daoine ris na choinnich sinn ann an sin cho aoigheil, dachaigheil ri Gàidheil na h-Alba ach, air leth bho chàch, bha Pàraic agus Moia Ó Fiannaidhea a dh' fhosgail an dachaigh rinn gach uair a chaidh sinn thuca ann am baile Spideal. Bha am baile beag sin mu dhusan mile an iar-thuath air Cathair Mòr na Gailmhinn (Galway City). Thug Moia mi chun na h-aon aifreann aig an robh mi riamh. Bha e gu math ùdheil leam a bhith ag èisteachd an t-sagairt a' searmonahadh anns a' Ghaeilge. Thogadh an eaglais air seann làrach air a bheil an t-ainm Cill Eineindhe. Fhad 's a bha mi an sin a' seinn leis a' chòisir laoidh Ghaeilge air an fhonn 'Amazing Grace' thàinig mo sheanair a-steach orm. Dè a bhiodh e air a radh gun robh mise, an t-ogha aige agus a cho-ainm air bhith a' seinn aig aifreann an Eirinn? Mo chreach agus mo mhasladh! Ach chan eil an sin ach sgeulachd eile.

Beagan mhìltean gun iar-thuath air an Spideal, tha An Ceathramh Ruadh far an d' fhuair sinn eòlas air Mairèad Mac Con Iomaire. Chaidh sinn chun a' Cheathramh Ruadh airson gum faiceadh sinn mar a bha Mairèad a' teagaisg eachdraidh an sìnnsirean don chloinn. Bha mu chuairt air deichnear phàistean aice agus iad uile fo aois na sgoile. Air an latha ud, bha i a' cur ron chloinn cho cudromach 's a bha am buntàta ann an eachdraidh na h-Eirinn. Bha fhios againn gun robh ganntar a' bhidhe cho uabhasach an Eirinn eadar

television. I hired a camera-crew from Telegael in Spiddal. Over the years, I had read numerous books and newspaper articles describing how, in the mid-nineteenth century, Ireland's potato crop was devastated by a fungus which caused the foliage to become blighted and rot. At the beginning of the nineteenth century the potato was a staple diet for most Irish families. The yearly loss of the potato crop from 1845 to 1851 resulted in the Great Famine of Ireland, a disaster in which more than a million people starved to death. Well into the twentieth century, the potato was also a staple of the crofting families of our own Highlands and Islands. When I was young, I remember that blight occasionally ruined the crop in our own district. The destructive fungus was said to flourish during warm, misty summer weather.

At Carraroe, we found Mairèad escorting her brood along a path leading from the shore to the school. Each child was carrying a small pail filled with bladderwrack. Before entering the school, the children were told to leave their pails outside the main door of the school.

In the classroom, the teacher produced a small bag containing about a dozen potatoes. The infants watched intently as Mairèad carved sgiulans (thick peelings) from each. She told her audience that it was important that each sgiulan had at least a couple of 'eyes'. After removing the peelings, Mairèad placed the remaining cores in a cooking-pot ready to be boiled and prepared as part of the children's lunch. Before preparing their lunch, the teacher told the children that she must first demonstrate for our camera how the peelings should be planted. Mairead led the children out to the back of the school to a small plot which had been tilled. Rows of drills had been dug ready to receive the potato peelings.

The next step was to get the children to fetch their little pails brimful of bladderwrack. When all the drills had been lined with the seaweed, the all-important work of planting the peelings was begun. Mairèad planted the first drill, emphasizing that the peelings had to be about a foot and a half apart and with the potato-eyes 'staring skywards'! It only remained for the drills to be covered with earth. Assisted by the infants who used their little shovels as best they could, the adults in the company used spades or garden forks to complete the work.

As I prepared to depart with the camera-crew, Mairèad asked if I was impressed with what I had seen.

'It was all very impressive,' I told her. 'But it's difficult for me to believe that the potato peelings won't rot. Surely the starch of the potato will react with the wet salt of the bladderwrack and cause the peelings to rot?'

1845 agus 1849 's gun do bhàsaich millean gu leth sluaigh leis an acras. B' e an truaighe sin a' Ghort Mhòr. Thàinig e a-steach orm gur ann timcheall air an àm sin a bha Banrigh Bhictòria a' ceannachd oighreachd Baile Mhorail. B' ise a' bhanrigh leis an robh an ìmpireachd bu mhotha agus bu shaoibhir a bha a-riamh air an t-saoghal.

Nuair a ràinig sinn, bha Màirèad a' dìreadh as an tràigh leis a' chloinn; gach leanabh le peile beag aige a bha loma-làn bulgaich. Tha an fheamainn bhulgach cho pailt air cladaichean nan eilean againn fhìn 's a tha e air cladaichean Eirinn. Is e a' bhulgach an seòrsa feamad air a bheil spuirean a' giùlain phluganan làn àidhir. Tha na spuirean comasach air seòladh os cionn nan carraigean air a bheil e a' fàs. Nuair a ràinig sinn suas gu taigh-sgoile a' Chròileagain, chaidh sinn a steach a dh'fhaicinn Mairèad a' teagaisg dhan chloinn an dòigh a bh'aig an sìnnsirean aig àm a' Ghort Mhòr.

Lean sinn Mairèad agus a' chlann suas gu cùl na sgoile far an robh sgeòid bheag talmhainn aig cuideigin air àiteach. Bha sia sgrìoban ann deiseil airson an lìonadh leis a' bhulgaich. Nuair sin, thog Mairèad sgian gheur agus rinn i na sgiulanan. Cha robh na sgiulanan a rinn i mòran na bu tiughe na na rùsgan a thilgeadh sinn as ann an Leòdhas ach gheàrr i a h-uile fear air dhòigh 's gun robh i cinnteach gun robh sùilean a' bhuntàta air a h-uile gin dhiubh. Chuir a' chlann na sgiulanan air muin a' bhulgaich le timcheall air troigh gu leth eatorra. Nuair sin, dhùin iad an ùir air na sgrìoban. Thuirt mi ri Mairèad gu robh mi cinnteach gun lobhadh a' bhulgach na sgiulanan. Cha do chord sin rithe idir!

'Na gabh thusa ort, mar choigreach, a dhol a thoirt breith oirnne airson an dòigh anns a bheil sinn a' toirt feum as a' bhuntàta. Cuimhnich thusa gun do chaochail mòran an seo leis a' Ghort Mhòr. Dh'ionnsaich sinne anns an truaighe sin gum faodadh sinn sgiulanan a dhèanamh agus cnò a' bhuntàta a ghleidheadh airson a bhruich agus ithe.'

Ann am meadhon an t-Sultain, chaidh mi-fhìn agus Sandra air saor-làithean a Chonamara agus thadhail sinn air Mairèad anns a' Cheathramh Ruadh. Cha mhòr gun creidinn mo shùilean! Bha an iomaire anns an robh i air na sgiulanan a chur dùinte le duilleach nam barran agus am bàrr-gùg air fheadh.

An-uiridh dhearbh mi anns a' ghàradh againn fhìn ann an Steòrnabhagh a' chumhachd a th' anns a' bhulgaich.Thàinig rotach bho thuath a sheas airson trì latha. Bha onfhadh an Loch a Tuath cho làidir 's gun do spìon e tiùrran feamad bharr nan carraigean aig doimhne. Thàinig dìthean den bhulgaich air tir air cùl a' Bhràighe agus chaidh mi le triùir dem oghaichean, Eilidh, Fionnlagh agus Caitlin, gus ar cuibhreann dheth fhaighinn. Thug mi leam

'As a stranger to Carraroe,' Mairèad replied, 'you are not in a position to teach us anything about our planting *sgiulans* (peelings). Our forebears were planting them in this fashion for as long as people can remember – probably before the time of the Great Famine. Come back here in October and see for yourself whether we get a worthwhile crop. '

Carrying a stills camera, I returned to Carraroe in September. Mairèad was delighted to see me. 'Come on round to our potato plot and take a photo of what you see'.

I was astonished to see the plot covered in the deep green foliage of the potato crop. Needless to say, we used a few of my still shots in the final edit of our programme. Since returning from Carraroe and seeing the miracle performed there, I was determined to try, at the first opportunity to emulate Mairèad's method of growing potatoes. Happily, I was prevented from carrying out an experiment in 1995 when the CTG provided funding for the production of an hour-long drama-doc based on the books I had written about St Kilda. The programme made for BBC2 was called 'The St Kilda Wedding' and although the consensus of viewers' reactions was favourable, we decided that it would have to be Lochran's swan-song. Our company ceased trading in 1996.

In the spring of 1998, it happened that a mighty northerly storm drove piles of bladderwrack ashore on the north-facing side of the Braighe isthmus. With the help of my three grandchildren, Eilidh, Kathleen and Finlay, I collected a hundred-weight of the precious fertiliser and carted it to our garden at Stornoway. I had already tilled the soil in a large flower-bed about the size of our living-room; then made drills which my companions filled with bladderwrack. With their help, I made sgiulans from about a dozen Rooster potatoes. Again with their help, I planted about forty sgiulans about fifteen inches apart and with the 'eyes' uppermost. Finally, we covered the drills with earth.

Late in the summer, the foliage of our potato crop was more than a foot high. Three weeks later, it was taller still with small purple or whitish potato flowers scattered all over the plot. In October, when the greenery had decayed and only finger-thick stalks protruded from the earth, I took a garden fork and began to turn the ground in the plot and, to my delight, found that my forty sgiulans had produced two bucketfuls of big healthy tubers. I phoned Mairèad Mac Con Iomaire in Carraroe to tell her. My news didn't impress her. She told me that her infants could beat my two bucketfuls any day!'

cairt bheag ghoireasach a bhios agam ga slaodhadh air cùl a' char agus lìon sinn i leis a' bhulgaich. Nuair a thill sinn dhachaigh leis an luchd a bh' againn anns a' chairt, chuir sinn a' bhulgach anns na sgrìoban feidhir mar a bha iad air a dhèanamh ann an Cròileagan a' Cheathraimh Ruaidh. Nuair sin, chuir sinn na sgiulanan air muin a' bhulgaich le sùilean a' bhuntàta an uachdair. Ghabh sinn na spaidean agus dhùin sinn an talamh air na sgrìoban agus, an uair sin, cha robh dad eile againn ri dhèanamh ach feitheamh gu foighidneach gus am faiceadh sinn na barran meanbh a' tighinn tron talamh. Ach am b'urrainn do phòr bhuntàta fàs bho bhuntàta-curachd cho suarach ri sgiulanan?

Cha b' e a mhàin gun do dh'fhàs na barran. Ann an dà mhìos, bha blàthan a' bhàrr-gùg, geal agus purpaidh, a' fosgladh air na barran. Anns an Dàmhar, nuair a chnàmh na barran agus a dh'fhosgail sinn na sgrìoban, fhuair sinn an sin sia clachan de bhuntata a bha cho eireachdail, ùrail agus a bha cho blasta, fallain ri buntàta a dh'ith sinn a-riamh.

Ciaradh an Fheasgair

Tha mi air co-dhùnadh gu bheil a' cholainn anns a bheil mi a' còmhnaidh air tòiseachadh a' dìobart. Bithidh làithean ann air am bi mi nas frogail na bhios mi air laithean eile. Cha robh eòlas agam air luairean gu toiseach Lunastal a chaidh. Nuair a dh'fheuchas mi ri seasamh suas às an t-sèathair, bidh dùbhlan agam le uillt nan slios. Saoilidh mi gu bheil an t-alt ann an suil na shlis chlì air meirgeadh. Fhad 's a bhios mi ri coiseachd, bidh uillt adhbrannan mo chasan a' bragadaich. Fuaim annasach. Ach 's ann a bhios a' bhragadaich ann nuair a bhios mi gam altachadh fhìn anns an leabaidh. Shaoileadh tu aig amannan gu bheil mo chnàmhan a' gnùstaich rium. Och, chan eil sin gu diofar -tha iad air a bhith agam airson còrr is ceithir fichead bliadhna. Chan eil latha mhuinntearais agam orra.

Nise chan ann a' gearain a tha mi idir. 'S iomadh rud a bhios a' deanamh doilgheas dhomh nuair a dhùisgeas mi iad nam chuimhne. Tha mi cinnteach gu bheil mòran dhaoine a thàinig gu latha air am buaireadh anns an dòigh sin. Tha mi air tòiseachadh a' bruidhinn beag leam fhìn – a' sainnsearachd feidhir mar a bhiodh Anna Dhall – piuthar mo sheanmhar. Dh'aindheoin a' ghòraich sin, chan aidich mi gu bheil mo cheudfaidhean fhathast air leigeil roimhe.

Aon là, thàinig boireannach air m' àrainn agus bhruidhinn i rium. Bha fìor chuimhne agam oirre bho làithean m' òige, nuair a thàinig mi dhachaigh airson mìos a chur seachad a' teagaisg ann an Sgoil na h-Airde. Aig an àm, bha mi

In the Gloaming

I was a contemporary of the deceased and probably the eldest person at the funeral service which was held in a church in Stornoway. I was unable to recognize more than half a dozen among the mourners. After the service, as we all made our way out to the street, I was joined by a sprightly woman who, I imagine, was in her late sixties. She immediately engaged me in conversation. I could remember her from my student days at the Teacher Training College when I returned to do a month's stint on my native heath. How privileged I felt then to be allowed to teach in the very classroom in which I had to repeat a year owing to long periods of illness. To this day, I can recall the thrill of sitting in the staff-room drinking tea and, self-confidently chatting with authority figures of my formative years: Alex John MacLean (headmaster), Christina Murray (infant mistress) and Margaret Murray, an inspirational teacher and friend. Those were a few of the VIPs of my school days and I owe them a debt of gratitude.

The woman who approached me after the funeral didn't waste time in getting to the point. 'Are you never going to become wise?' she enquired. I recognized her as the daughter of the catechist, a stalwart of the Church of Scotland, whom I knew when I was young. I stood for a moment trying to read the expression on her face.

'Are you sure that you are asking your question of the right person?' I enquired. 'Do you know who I am?'

'Of course I do,' and exclaimed. 'You are Calum Ferguson, Bob's son'.

As I was about to move away from her, the woman continued, 'Your conduct is disappointing. You haven't done your duty by the church'. I found her accusation disturbing. While I wasn't prepared to allow her to give me a dressing-down, at the back of my mind, I could guess the reason for her complaint. Since returning to the island, I had chosen not to become a member of the church but to attend Sunday services regularly as an adherent. No doubt, my reluctance to commit myself to becoming a member would have disappointed my grandparents and my aunts, two of whom predicted that I was destined to become a preacher. For better or for worse, I had decided to follow a very different form of career. In the end, I said to my accuser, 'The Bible teaches us all how we should behave and its message applies as much to you as to me. As Matthew says, 'Judge that ye shall not be judged'.'

At the beginning of my narrative, I told the story of the how the Man,

nam oileanach ann an Colaiste nan Tidsearan agus fhathast le 'cloimh-iteach na h-aineolais' orm.

Bha am boireannach gu math beadaidh agus agharnail agus cha robh fada gus na rinn i soilleir dhomh fàth a turais. Ars ise, 'A bheil dùil agadsa idir fàs glic?'

Sheas mi ga coimhead airson greiseag agus nuair a dhùisg mi às a' cheò anns na chuir i mi, thuirt mi rithe, 'Bheil thu cinnteach gur ann riumsa a tha do ghnothaich? Bheil fhios agad cò mi?"

Sheall i gu fearail rium agus thuirt i, 'Ma-tha, tha mi'n dùil gu bheil! 'S tusa Calum Bhoib'.

'Cho fad 's as cuimhne leam,' arsa mise, 'cha do bhruidhinn mise agus tusa ri chèile bho bha thu nad phàiste ann an Sgoil na h-Airde. Cò às a fhuair thu a' mhisneachd a thighinn thugamsa mar choigreach a thomhais mo ghliocais no mo dhìth cèill?'

Leis a' choltas a bh' oirre, bha e soilleir dhomh nach robh i dol a thoirt facal no ceum air ais. 'Tà,' ars ise, 's i a' leigeil innte fhèin, 'chan eil thu gad shealltainn fhèin mar dhuine a tha a' dèanamh a dhleastanais ann an car na h-eaglaise.'

Ged nach b' e a gnothach e, bha i ceart anns an t-seagh-sa: cha robh mi a' togail fianais no a' gabhail compàirt ann an iomart na h-eaglaise. Seach nach robh mi 'a' leantainn', bha am boireannach airson sealltainn dhomh nach robh athamas aice dhomh agus gun robh i air mo chur do roinn nan caillteachain a bha gu bhith air an dìteadh anns an t-Siorraidheachd.

Anns an dealachadh, thuirt mi rithe, 'Tha am Bìoball a' toirt comhairle oirnn uile – ormsa agus ortsa mar an ceudna, 'na toir breith chum nach toirear breith ort'.'

A-riamh bho thàinig sinn a dh'fhuireach a Steòrnabhagh, bhiodh sinn nar càraid a' dol a dh' Eaglais an Aonaidh air Sràid Mhic a' Mhathain – an eaglais anns an deach ar pòsadh bho chionn còrr air leth-cheud bliadhna. Chuala sinn searmonan Gàidhlig innte a bha brìoghmhor, foghlamaichte agus smaoineachail bho thriùir no cheathar de mhinistearan ach, gu sònraichte, bhon Urr. Seumas Dòmhnallach agus bhon Urr. Ruaraidh Moireasdan, sàr Ghàidheil a tha airidh air moladh airson na h-obrach a rinn iad anns na coimhnearsnachdan anns an robh iad stèidhte.

Thurchair gun robh eòlas agam cuideachd air pailteas ministearan Gallda gu h-àraidh tron obair a bha agam ann an Oilthigh Ghlaschu. Airson bliadhnachan, bhithinn anns an treas ràith, còmhla ris a' Phroif. Murchadh Eoghann Dòmhnallach nuair a bhiodh e a' cur oileanaich tro sgrùdaidhean

(Iain Thormoid Seònaid) of Port nan Giùran, had encouraged my parents to believe that I would survive the illness which was threatening to kill me. In those days, people believed that 'Men' were able to communicate directly with God. Through contemplation and prayer, a 'Man' prepared his mind and, when an appropriate Biblical quotation sprang into his consciousness, he accepted its significance as a message directly from Heaven. It was inconceivable that it should prove to be false.

Ever since Sandra and I returned to Lewis, we spent a lot of time in the company of a man whom I have long regarded as being godly and, in every sense, a Christian. He was well educated, humble, charismatic and understanding of human frailty. His name was Norman MacSween, a minister of the Church of Scotland. Sandra and I first met the Reverend Norman and his wife Sophie in the late 1950s when we were resident in Lochgoilhead. Fifty years later, and particularly during the last five years of his life, the Reverend Norman was my confidant, mentor and friend. Well-built and, for his eighty years exceptionally strong, his hands were as large as those of any heavyweight prize-fighter. As often as we met, we shook hands and, if he happened to feel light-hearted and mischievous, he would smile wickedly and tighten his grip. It was if I had voluntarily thrust my hand into a vice-grip!

Listening to his strong melodious tenor voice precenting the psalms was both uplifting and soothing. I often thought that the Reverend Norman would have felt perfectly at home in the company of our eighteenth century bardic giants such as Alasdair MacDonald (Alasdair Mac Mhaighstir Alasdair), or Duncan Bàn MacIntyre. In his sermons, he frequently used imagery which recalled his teenage years when he worked as a deckhand on his father's fishing-boat. Recalling his days as a teenage fisherman, he likened the Scalpay lighthouse to the light of the Gospel, guiding men through the stormy of the open sea and into the safe haven of the harbour.

We often discussed the paradoxes of our Christian religion: What is the meaning of 'God's chosen people'; the notion that through all eternity, the God of mercy will continue to punish sinners; why thousands of ordinary people, many of them children, are killed by tsunamis and other so-called acts of God. My companion confessed that, in his early life, he was troubled by some of those imponderables and concluded that they were mere distractions.

I always enjoyed the passion of his preaching and envied him the depth of his faith. Religious though he was, the Reverend Norman was constantly alive to advances in science and the amazing discoveries being made in fields

ris an canadh iad 'Homiletics'. Fhad 's a bha iad a' dol tro na deuchainnean sin, bhiodh truas agam ri cuid dhiubh. Bha am Proif. gu math teann orra nam bhiodh iad, mar eiseimpleir, a' bruidhinn muladach gun adhbhar, no a' sìneadh fhacal airson an t-searmon a dhèanamh sòlaimte. Bhiodh e a' moladh dhaibh gun a bhith tùrsach ach a bhith aoibhneach oir gum b' e naidheachd aoibhneach a tha am facal 'Soisgeul' a' ciallachadh.

Tron obair a bha mi a' dèanamh leotha, fhuair mi eòlas air an luchd-teagaisg agus air na h-oileanaich ann an roinnean na Diadhachd. Cho fad 's as cuimhne leam cha robh duine aca a bheireadh freagairt dhomh air an iomadh ceist a bha orm fhìn. Bha an aon imcheist orra-san, mar eiseimpleir: an robh Dìa nan Gràs cho an-iochdmhor 's gun robh e a' dol a leigeil do na peacaich cràdh agus dòrainn fhulang gu bràth anns an t-Siorraidheachd? Carson a tha an cinne-daonna peacach mar thorradh air an eucoir a rinn Adhamh agus Eubha ann an gàradh Eden? Carson a tha Crìosdaidhean a' sealltainn air na h-Iùdhaich mar threubh air leth bho chàch – mar Sluagh Dhè? Nach b' e sin an treubh a chur Iosa gu bàs air a' chrann-cheusaidh?

Bho rugadh mi, bha daoine diadhaidh no spioradail nam bheatha agus cha bu mhiste mi sin. Aig toiseach mo sgeulachd, dh'innis mi dhuibh mu Iain Tharmoid Seònaid, an duine iongantach ud ann am Port nan Giùran, a mhisnich mo phàrantan nuair a bha mise nam naoidhean ri uchd bàis. Anns an latha ud, nam biodh duine diadhaidh ag ùrnaigh airson easlainteach àraidh agus gun 'labhradh an Fhìrinn' ris, bha an naidheachd ga ghabhail mar chomharr bho Nèamh.

Bho thill sinn dhachaigh, chaith mi iomadach uair a thìd ann an cuideachd fìor dhuine dìadhaidh – mo sheann charaid, an t-Urr. Tormod MacSuain nach maireann. Duine mòr, calma a bha ann an Tormod le aodann bàigheil gasta air. Bhithinn ag ràdh ris gun robh na làmhan aige cho mòr ri 'shufail' mo mhàthar. Nuair a choinnicheamaid 's a bheireadh sinn air làimh a-chèile, bhithinn uaireannan a' smaoineachadh gun robh mi air m' òdanan a chur ann an glamairean! Chanainn ris, 'Nis a Thormoid, tha grèim agaibh air mo làimh dheis ach cuimhnichibh gu bheil mo chearrag fhathast agam saor!'

Bha a ghuth sèimh agus, a' searmonachadh ann an Gàidhlig ionraic na Hearadh, bhiodh sinne a bha ga èisteachd mar gum biodh sinn gar taladh le cagar chiùin na mara. Mar bhunait fo na searmonan aige bhiodh e gu tric a' toirt samhla bhon obair a bha aige nuair a bha e na chorra-bhalach air bàta-iasgaich athar. Dhà-san bha taigh-sholais Scalpaigh na shamhla air an t-Soisgeul a tha a' treòireachadh bhàtaichean a tha ann an onfhadh chunnartach a' chuain a-steach gu caladh rèidh – a-steach fo sgèith na dachaigh.

such as astronomy, astrophysics and related sciences. He regarded those discoveries as proof of the importance of mankind in God's design of the universe.

'As human beings we must accept that our minds cannot understand God's purpose – nor should we presume to do so,' he would say. 'As we advance and dispel our fear of our superstitions and of the unknown, we receive enlightenment if we follow the teaching of the Gospel. It instructs us in how we should behave and, if we follow its direction, it will guide us to the Safe Haven.'

I remain deeply respectful of the Gospel which I was taught in my youth and, not least, during the many hours I spent with intelligent men and women who understand the paradoxes and complexities of Christianity. In the past twenty-five years I have listened to and have been deeply affected by the power of Gaelic sermons preached by the Rev Norman MacSween, the Rev James Macdonald and the Rev. Roderick Morrison. The Gaelic translation of the 23 Psalm rings in my mind reminding me of the precious way of living that influenced my mind as a child. The harmonics of the psalms precented in Gaelic vibrate deep in the marrow of my bones.

I continue to be influenced by lessons which I heard and heeded when I was a child. In repose or, even, when I am deeply asleep, my sub-conscious mind wanders in and out of avenues in which I have always found comfort. I join a primary-school choir lustily singing 'Be Thou my Vision', the age-old hymn based on the Irish poem 'Bí Thusa 'mo shúile a Rí mhór na ndúil' composed by Dallán Forgaill 1500 years ago.

I am fortified against old age by the work of Gaelic scholars such as Alasdair MacDonald (Alasdair mac Mhaighistir Alasdair) who, some 300 years ago, gave us, for example, the Gaelic translation of Psalm 121 '...O'n Dia rinn Talamh agus Nèamh, tha m' fhurtachd uile teachd'. – From the God who created earth and heaven, I derive my comfort.

I find those words thoughtful and deeply inspiring and, because of their profound meaning, I am not afraid. In my life-time, I experienced the sorrow and mental torture of 'I a' Bhròin', (The Isle of Sorrow), the St Kildans' concept of Hell. I am hopeful that, after the darkness of the winter's night, by the mercy of our Creator, we shall awaken to a beautiful summer's dawn in Innis Flathanais, the 'Isle of Majesty'.

Diadhaidh 's mar a bha e, bha Tormod cuideachd geur-chuiseach le ùidh aige anns an adhartas a thatar a' dèanamh ann an iomadach meur de Saidheans : reul-eòlas, geòlas, speuradaireachd, eun-eòlas, is eile. Nuair a chì mi air an telebhisean na seallaidh air a bheil na reul-eòlaich a' ruighinn leis na prosbaigean a tha aca anns na saidealan, bidh mi taingeil gu bheil mi beò airson solas nan reultan a th' aig iomall a' Chruinne-Chè fhaicinn. Tha an obair aca a' toirt lideas beag dhuinn air meud na h-àrainneachd anns a bheil sinn beò. Ach a thuilleadh air sin, tha e a' sealltainn dhuinn cumhachd Dhè a thug dhuinne, bharrachd air gach meanbh-chreutar eile, comas air tuigsinn ar suidheachadh anns a' Chruinne Chè.

Bha triùir dhem oghaichean anns na sgoiltean ann am Pabail agus Cnoc Shanndabhaig agus bhithinn fhìn 's am ministear a' caitheamh uairean a thìd còmhla ri chèile, a' dol air an tòir leis a' chàr. Air an t-slighe sios bhiodh sinn a' seinn shalm – esan, mar bu tric gam oideachadh ann am preseantadh air an fhonn 'Crimond', 'Cill-mhàrnaig' no'Steòrnabhagh'. Uaireannan, shuidheadh sinn a' seanchas mu dheidhinn nan ceistean bu dorra dhomh a mhìneachadh. B' iad ceistean a bhiodh ga bhuaireadh fhèin cuideachd – gu h-àraidh ceistean air am biodh e a' cnuasachadh na òige.

'Tha freagart nan ceistean sin diamhair,' chanadh e. ''S dìomhain dhuinn a bhith feuchainn ri rùn a' Chruitheir a thuigsinn oir chan eil an comas sin nar seilbh. Ach tha nas fheàrr na sin againn! Anns an dorchadas a tha gar cuairteachdh, gheibh sinn cobhair ma chumas sinn ar sùil air iùil an t-Soisgeil. Is e an Soisgeul an taigh-solais a thugadh dhuinn airson ar treòireachadh anns an imcheist – an iùil a bheir sinn gu caladh rèidh'.

Tha mi fhathast fo bhuaidh rudan a dh' ionnsaich mi nam leanabh. Gun fhaireachdainn dhomh agus, gu h-àraidh nuair a tha mi nam leth chadal, bidh mi a' seinn an laoidh Eireannach 'Be Thou My Vision'. *Bí Thusa 'mo shúile a Rí mhór na ndúil* a rinn Dallán Forgaill bho chionn 1500 bliadhna. Tha mi cuideachd air mo neartachadh an aghaidh na h-aoise leis an eadar-theangachadh bhòidheach a rinn sgoilearan mar Alasdair mac Mhaighistir Alasdair air Salm 121; agus bha sin bho chionn 300 bliadhna: '... O'n Dia rinn Talamh agus Nèamh, tha m' fhurtachd uile teachd'.

Aig amannan nam bheatha, chaidh mi tro dhòbhrainnean geamhraidh mar gum bithinn ann an I a' Bhròin! Tha fhios agam gu bheil duibhre geamhraidh a' feitheamh oirnn uile ach, le deòin agus cathrannas a' Chruitheir, dh' fhaoidte, air chùl sin, gum bi càinealachadh madainn shamhraidh romhainn ann an Innis Flathanais.

Iain Andrew with baby Catrìona by M.F
Iain Anndra ag altraim Chatrìona

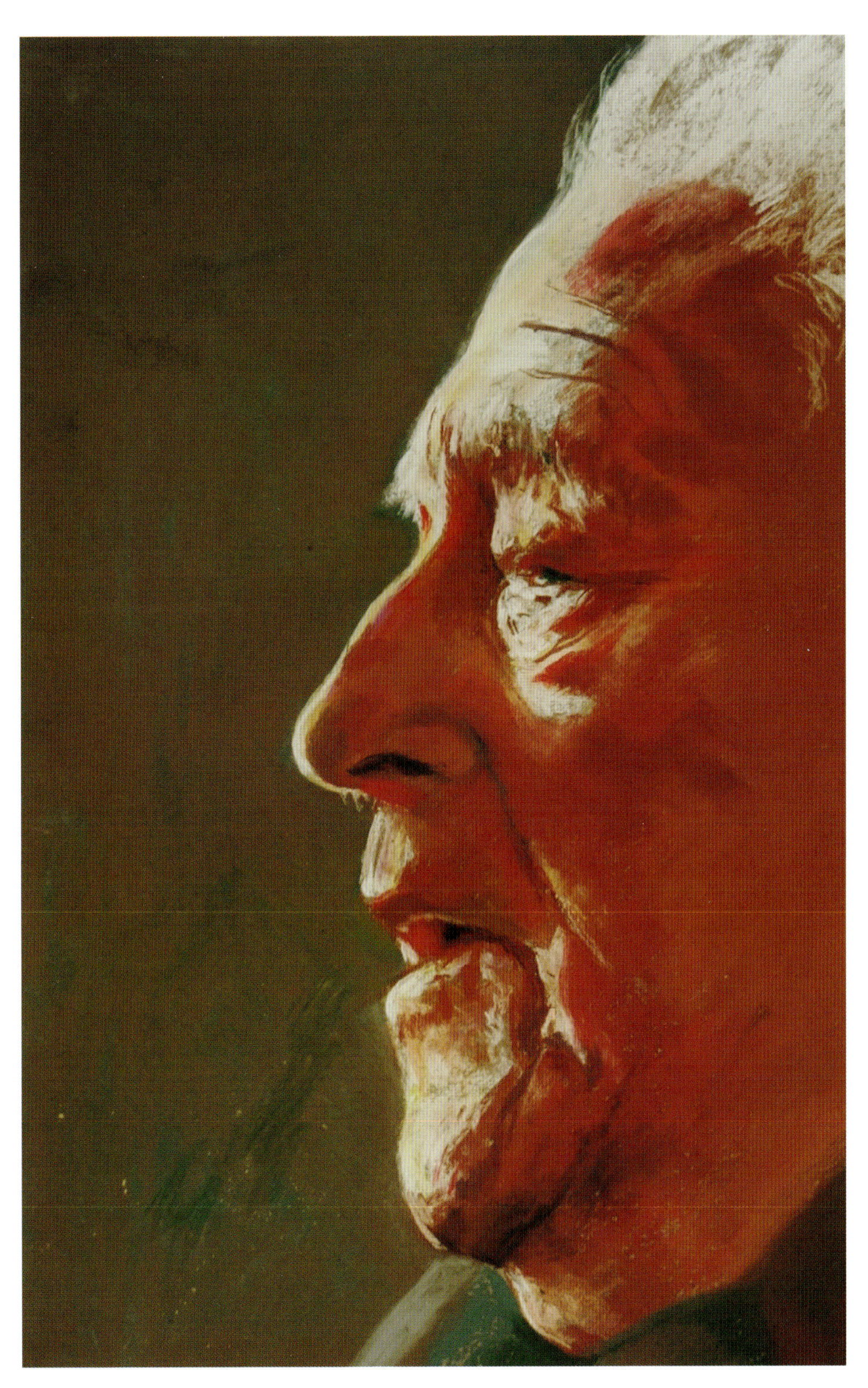

Rev. Norman MacSween, a dear friend by.M.F.
Mo charaid, an t-Urr Tormod MacSuain

Aimsir a' Bhodaich

January 2006, son Murdo aged forty

Fhaoilleach 2006, Murchadh mo mhac, aois dà fhichead

Welcoming Divya from Chennai, India
Fàilte air Dibhia à Chennai

Iain Andrew and Murdo sharing the catch!
Dà bhràthair a' roinn an èisg!

The talented Angus Cù and wife at Mabou
Fàilte chridheil bho Aonghas Cù 'sa mhnaoi

Gaelic-speaking Morrisons in Cape Breton
Teaghlach Ghàidhealach nam Moireasdanach

Our ten grandchildren and a dog
Deichnear oghaichean agus cù

Historical Context

Culloden, 1746! We cannot forget the defeat of the clans at that battle and how, as a result of it, the people of the Highlands & Islands were subjected to 150 years of maltreatment, hostility, and scorn. Through corporal punishment and verbal abuse in our schools, the politicians' drive towards their goal of destroying the clan system and extirpating the Gaelic language largely succeeded. Now, at the eleventh hour, the initiative to increase the Scots' awareness of our country's history and culture is beginning to bear fruit.

From early times, the clan chiefs were responsible for the defence of their lands and the wellbeing of their subjects. Their language was Gaelic and their entertainment included *pìobroch* (bagpipe-music), singing accompanied by the harp; reciting poetry or recounting the clan chief's genealogy which stretched back into the mists of time. In 1783, the proprietorship of the Isle of Lewis was inherited by a clan chief who broke with those traditions. He spoke a foreign language and exploited his clan to enhance his own reputation and status. He was a wolf who arrived in tartan clothing!

Government By The Privileged Few

Francis Humberston MacKenzie

After the Jacobite defeat at Culloden, the Hanoverian government continued to regard the clan chiefs with suspicion. The decree first introduced in the Statutes of Iona in 1969, continued to be re-inforced. With most of the clan chiefs out of favour and their reputation and fortunes in ruins, the Hanoverian government specified that any clan chiefs reinstated had to send their eldest sons (their heirs) to be educated in England. Having accepted their situation, the result was that, within a generation, clan chiefs took up their positions – not as Scottish, Gaelic-speaking leaders but as English aristocrats.

Disapproving of clan chiefs brought up in an alien language and culture, Màiri Uilleim 'ic Thormoid, my maternal great-grandmother, used to quote Psalm 106, verse 35, 'But with the heathen mingled were and learned of their way'.

Earl Francis Humberston MacKenzie, Chief of the Clan MacKenzie, was born in Yorkshire to a Lincolnshire mother and, was brought up in the south

An Suidheachadh Eachdraidheil

Eilean Leodhais Fo Riaghladh Nan Uasal

Fraingean Humberston MacCoinnich

As deidh Chùil Lodair, am blàr anns an d' fhuair arm nan Deòrsach làmh-an-uachdair air na cinnidh Ghàidhealach, cha robh an Riaghaltas ann an Lunnainn deònach air creideas a thoirt do na cinnidh Ghàidhealach no bhith earbsach ri am bòidean. Airson iomadach bliadhna an dèidh na brùidealachd a rinn an Diùc Cumberland (Am Buidsear) agus a chuid shaighdearan a measg sluagh na Gàidhealtachd, bha dubh ghràin aig na Gàidheil air-fhèin agus air a h-uile duine a bhuineadh dha.

Choisinn an sgrios a thachair ann am Blàr Cùil Lodair iomadach seòrsa airc ann an saoghal nan Gàidheal. Bha an gamhlas a bh' aig na Deòrsaich air na cinnidh cho searbh agus gun robh iad airson a h-uile rud a bhuineadh do an dualchas agus an cultur a spadadh à bith. Chros iad dha na Gàidheil an èideadh fhèin anns a' bhreacan, agus a bhith cluiche na pìoba-mòr. Cha robh e ceadaichte dhaibh claidhmhean a bhith aca, no gunnaichean. Bha dubh-ghràin aca air ar cànan agus bha e air a mheas mi-mhodhail a bhith a' seanchas anns a' Ghàidhlig ann an làthair neach sam bith aig nach robh comas air a tuigsinn. Tha seann Ghàidheil fhathast aindeonach air a bruidhinn ma tha coigreach a' dol gar cluinntinn. Tha a' bhuil!

Bha cuid dhe na cinn-cinnidh deònach air sleuchdadh air beulaibh an luchd-riaghlaidh ann an Lunnainn agus gealltainn gum fanadh iad dìleas dha na Deòrsaich gu bràth; agus, a chaoidh tuilleadh nach gabhadh iad compàirt ann an ceannairc samhail na tè a rìaslaich Breatainn ann am Bliadhna Theàrlaich. Cha robh earbsa aig an Riaghaltas anns na cinn-cinnidh gun seasadh iad ri am facal. Airson dearbhadh gum maireadh iad dìleas do Rìgh Deòrsa, thuirt iad ris gach ceann-cinnidh a bha ag iarraidh maitheanais airson na ceannairc, gum feumadh e am mac bu shine a bh' aige (an t-oighre) a chur gu deas airson a bhith air oideachadh ann an cànan agus ann an dualchas nan Sasannach. Bha na cinn-cinnidh ann an ioma-cheist. Cò-dhiù, ghèill Clann Choinnich. Chuir an ceann-cinnidh a mhac, Uilleam, sios a Shasainn. Phòs a mhac, Fraingean, Màiri Humberston à Siorrachd Lioncon agus b'esan am fear air an do shealbhaich ceannasachd Chlann Choinnich agus oighreachd Leòdhais.

of England.

In 1786, John Knox visited the Hebrides on behalf of the British Fisheries Society to discover how the island's fisheries might be exploited. While in Lewis, he met up with the Earl of Seaforth who was then in his summer residence at Seaforth Lodge overlooking the town of Stornoway. Knox wrote the following vivid account of his visit to the Lodge.

Seaforth's principal residence is at Brahan Castle, near Dingwall; but he resides here with his family two or three months every summer, where he enjoys more than Asiatic luxury, in the simple produce of his forests, his heaths, and his shores. His table is continually supplied with delicate beef, mutton, veal, lamb, pork, venison, hare, pigeons, fowls, tame and wild ducks, tame and wild geese, partridges, and great variety of moor fowl. Of the fish kind his is supplied by his factor with salt cod, ling, and tusk; and by his own boat which fresh cod, haddock, whiting, mackarel, skate, flounders, lythe, etc. They are caught in the bay immediately fronting his house, every day except Sunday, and thrown in a heap upon the floor near his kitchen, from which the cook supplies the kitchen, and the rest is given to the poor. The salmon and trout he is supplied from the bay called Loch Tua, which flows within a mile of his house, on the north side. Being desirous to ascertain the extent of the fishery at this place, he provided nets and set out, accompanied by his family and a crowd of people, for the bay, where he commenced fishing.

The following is a copy of his journal, drawn out by himself.

August 17, 1786

Hauled the little pool once. Caught salmon 29, trout 128, flounders 1468.

August 18, 1786

Hauled both the big and little pool once. The Big Pool, 139 salmon, 528 trout, a few flounders. Little pool, 5 salmon, about 100 trout, and 500 flounders.

August 23, 1786

Hauled both pools once. Did not count the fish separately, but the whole were 143 salmon, 143 trout, and the flounders I did not count, but they were a great heap, about 7 or 800.

Nuair a thàinig Fraingean gu tuath a mheasg nan Gàidheal, cha b' e duine iriosal, Gàidhealach a thàinig thuca. Cha robh ann ach duine-uasal Sasannach gun fhacal Gàidhlig na cheann. Bha an caochladh doilgheasach do mhuinntir nan gleann 's nan eilean. Bhiodh Màiri Uilleim 'ic Thormoid, seanmhair mo mhàthar, leis an rùit ag aithris na briathran ann an Salm 106, rann 35, 'Ach mheasg iad leis na fineachan is dh'fhoghlaim iad an dòigh."

Rugadh an t-Iarla Fraingean Humberston MacCoinnich, Ceann-cinnidh Chlann Choinnich, ann an Siorrachd Iorc ann an Sasainn. Bha a mhàthair à Siorrachd Lioncon agus fhuair e àrach ann an ceann a deas Shasainn. Mach às a h-uile uachdaran a thàinig a-riamh dhan eilean, b' esan a' chiad fhear a dhleas dha-fhèin na gillean a bha a' còmhnaidh air an oighreachd aige. Rinn e sin, mar cho-chachdan ris na pàrantan agus an ceart aghaidh miann nan gillean fhèin. Bha MacCoinnich dhen bheachd gum b' ann leis-san a bha na gillean uile – an colainn agus eadhon am beatha. Nuair a fhuair e air a' chiad rèiseamaid shaighdearan a thogail, thug e leis suas ri mìle gille à Leòdhas agus às na h-oighreachdan a bh' aige air Tìr Mòr. Bha mòran nach do thill dhachaigh.

Thurchair gun do thadhail fear, Iain Nocs, ann an Stèornabhagh airson rannsachadh a dhèanamh dhan British Fisheries Society air gnìomhachas an iasgaich anns na h-Eileannan Siar. Fhad 's a bha e ann an Steòrnabhagh choinnich e ri Sìophort a bha air làithean-saora anns a' bhaile. Seo eadar-theangachadh air earrann dhen aithisg a sgrìobh e an 1787.

> Tha Sìophort a' còmhnaidh ann an Caisteal Bhrathainn faisg air Inbhir Pheofharain; ach bidh e a' tighinn an seo le a mhnaoi 's a theaghlach airson dhà no trì mhìosan air saor-laithean an t-samhraidh. Ann an seo, tha e a' faighinn saorsa anns na frìthean, na mòintichean agus air na cladaichean a tha air a sheilbhe. Chan eil a bhòrd-bidhe aig àm sam bith gun fheòil blasta: mart- fheòil is feòil laogh is mhuc, is uan, is gheàrr; sitheann fhiadh, is chalman, is thunnag, is ghèadh, is chearc-thomain agus eoin fhìadhaich eile a tha rim faotainn air a' mhòintich. Tha an siamarlain aige ga chumail sàsaichte le iomadach seòrsa iasg. Bhàrr air na bhios e a' toirt thuige de dh'iasg saillt air a thiormachadh – truisg, langaichean agus troillichean, tha e cuideachd a' toirt thuige iasg ùr a tha e-fhèin air a ghlacadh air an eathar: truisg, langaichean, adagan, sgaitean, leòbagan, liùghannan, etc. Bitear a' glacadh an èisg sin anns a' Bhàgh air beulaibh an aitreabh aige a h-uile latha seach an t-Sàbaid; agus nuair a thig iad air tìr bidh iad a' tilgedh an èisg na dhùn air an làr faisg air a' chidsin; an sin,

Historical Context

Such, with the produce of his garden, are the articles which a Highland laird or chieftain has at his table at dinner and supper. Having given the particulars of a Highland dinner and supper in the principal families, I shall complete the bill of fare of the day, by specifying those of breakfast, viz. A dram of whiskey, gin, rum, or brandy, plain, or infused with berries that grow among the heath. French rolls: oat and barley bread. Tea and coffee; honey-combs; red and black currant jellies; marmalade, conserves, and excellent cream.

Hoping to ingratiate himself with the Hanoverian government in London, Seaforth offered to raise, on his own estates, a regiment of Highlanders commanded by himself. That offer was declined but his patriotic offer to procure recruits for the 74th and 75th was accepted. In 1790, he renewed his offer but the government again declined his services. However, when war against France broke out in 1793, he offered for a third time and a letter of service was granted in his favour empowering him as Lieutenant-Colonel-Commandant to raise a Highland Battalion to be called the 78th (Highlanders) Regiment of Foot, known also as 'Seaforth's Highlanders'. A few weeks later, he received news that William Pitt, the Prime Minister, had decided that the regiment should consist not of 600 men but of 1,000 and that English and Irish men should be recruited 'to bolster ranks of the the Highlanders'. Seaforth was determined that the thousand men would, indeed, be from his own estates. When news of his promotion was received in Lewis, few people rejoiced. He recruited the 1st Battalion in 1793 and, in the following year, began to recruit for his second Battalion. By then, news of the loss of life in the regiment, trickled home to the villages. Parents realised that, in giving their sons to the 'service of the Crown,' was like providing 'fodder for the guns'. In London, the success of his Highland regiment in the field made Seaforth acceptable to high society. During the generations in which Britain continued to wage wars overseas, Scotland came to be regarded as a ready reservoir of manpower and our Scottish regiments continued to be a mainstay of the UK's imperial armies in every campaign fought from the middle of the eighteenth century till the middle of the twentieth. Those conflicts included the Seven Years' War (1754 –'63); the Wars in India (1767–'99); the Crimean War (1853–'56); the Boer Wars (1880–1902) and WW1 (1914–'18). The following two snippets are from war-correspondents' reports:

taghaidh an còcaire na dh'fheumas i agus tha a' chòrr ga thoirt an-asgaidh do na bochdan. Seach gu bheil mi air cunntas a thoirt air na h-annlan a th' aige air a bhòrd tron latha, tha mi dol a dh'innse dhuibh mu na h-annlan a th' aige aig tràth-bracaist. Thòisicheadh iad le sgailc dhen uisge-beatha, de shine, de ruma, no de bhranndaidh agus bha an sgailc sin air a tharraing le sùbh chorra-mhiathagan – dearcan a tha ri am faotainn a' fàs a measg an fhraoich, rolaichean-arain Frangach, aran-coirc no aran-eòrna, teadha agus cofaidh; cìrean-meala, silidh de dhearcan-dubh, no dhearcan-dearga; marmailèid, agus uachdair fìor bhlasta; ìm ùr, ìm fiadhaich, càis Sasannach agus càis Gàidhealach nach robh idir blasta.

Airson bradain agus bric, tha an t-uachdaran a' faighinn na dh' fheumas e às an Loch a Tuath a tha a' bualadh air cladaichean mu chuairt air mìle air falbh bho a dhachaigh. Seach gun robh e airson faicinn dha-fhèin cò ris a bha an t-iasgach coltach, chuir e roimhe gum bu chòir dha a dhol sios chun an àite sònraichte far an robhas cho soirbheachail. Thug e leis lìon agus dh'fhalbh e-fhèin 's an teaghlach sios chun an Loch. Bha greigh mhòr dhaoine còmhla ris nuair a chuir e mach an lìon.

Seo mar a thug e cunntas na leabhar-là ir an iasg a ghlacadh ann an trì latha:

Lunastal 17, 1786

Tharraing sinn an Linne Bheag aon-uair. Ghlac sinn 29 bradan, 128 breac; agus 1468 leòbag.

Lunastal 18, 1786

Tharraing sinn an Linne Mhòr agus an Linne Bheag aon-uair. Anns an Linne Mhòir, ghlac sinn 139 bradan, 528 breac, agus beagan leòbagan. Anns an Linne Bhig, 5 bradan, 100 breac agus 500 leòbag.

Lunastal 23, 1786

Tharraing sinn an dà linne aon-uair. Cha do chunnt sinn cosnadh an dà linne fa-leth ach thug sinn àsda 143 bradan, 143 breac, ach cha do chunnt mi na leòbagan. Cò dhiù, bha tiùrr mhòr ann dhiubh – chanainn eadar 700 agus 800

Indian War 1792–97

At the conclusion of the campaign, the General Orders issued by the Commander-in-Chief included the following laudatory note: 'I am also grateful to Captain Lamont and the officers under his command who gallantly led the precious remains of the Seventy-third Highlanders through the most perilous road to glory, until exactly one-half of the officers and men were either killed or wounded.

In October 1797, all the soldiers fit for service amounting to 560 men, were drafted into the 73d and 74th, regiments; those unfit for service, along with the officers and non-commissioned officers, sailed from Madras for England on the 17th of October, and arrived in August 1798. The regiment was then removed to Leith, and thence to Stirling, after an absence of nearly 18 years from Scotland. As a mark of indulgence ...leave of two months was granted to the officers and men of the 71st to enable them to visit their friends and families, after so long an absence from their native country.

When Francis Humberston MacKenzie first wrote to the Government asking for permission to raise a regiment, he did so as an earl. He progressed to become Baron Seaforth and Mackenzie of Kintail, Lieutenant-Colonel-Commandant of the 78th Regiment of Foot, MP and Lord Lieutenant for the County of Ross, Fellow of the Royal Society and Lord Seaforth and Governor of Barbados. He died in January 1815, five months before the fateful Battle of Waterloo in which the army of Napoleon Bonaparte was defeated.

Lady Hood Mackenzie, his daughter, and her second husband, Stewart Mackenzie, owned the Lewis Estate until 1844.

James Matheson (later Sir James)

The new laird was born at Shinness near Lairg in Sutherland. After graduating from Edinburgh University, he worked in London and then in the Far East. While employed in Calcutta, he went into partnership with a fellow Scot, William Jardine. By 1841, the Jardine Matheson Co. owned a fleet of nineteen clipper ships, the intercontinental carriers of their day. Key areas of business included the carriage of opium from India to China. Because of its serious impact on their population, the Chinese authorities tried to stop the flow of opium into their country. That 'unreasonable interference' caused the British to declare war against them. After three years of fighting, the Chinese yielded and the flow of opium was resumed and, with it, the flow of profits to the trading companies. One of the wealthiest

Airson faighinn a-steach air an Riaghaltas Dheòrsaich ann an Lunnainn, thairg an t-Iarla Siìophort dha rèiseamaid a stèidheachdadh le e-fhèin oirre mar cheannsalach (comanndair). Bha e deònach air na foghlainich (*Sàr Obair*) a dh'fheumadh e a thogail air na h-oighreachdan aige fhèin. Dhìult an Riaghaltas an tairgse sin a ghabhail ach nuair a chaidh Breatainn agus an Fhraing an top-nan-dos ri chèile ann an 1793, thairg Sìophort a-rithist dhan Riaghaltas rèiseamaid a thogail. Mu choinneamh sin, fhuair e litir a bha a' ceadachadh dha batàlian a thogail agus e-fhèin air a ceann aig ìre 'Lieu-tenant-Colonel-Commandant'. Is e sin inbhe cho uasal 's gu bheil e do-dhèanta do dhuine glic sam bith Gàidhlig a chur oirre!

B' e an 78mh Rèiseamaid Ghàidhealach air Chois an t-ainm oifigeil a bh'air an rèiseamaid a thog e; ach bha na saighdearan innte cuideachd gu bhith aithnichte mar 'Ghàidheil Shìophort' (Seaforth's Highlanders). Beagan sheachdainnean air chùl sin, fhuair Siòphort an naidheachd gun robh Mgr Pitt, am Prìomhaire, air òrdachadh gum biodh àireamh nan saighdearan anns an rèiseamaid air àrdachadh bho shia ceud gu mìle.

Thug Siophort bòid gum biodh a h-uile mac-màthar a gheibheadh fàilte fo bhratach na rèiseamaid aige air àrach air na h-oighreachdan aige-san. Nuair a chualas ann an Leòdhas gun robh Sìophort a' dol a thogail mìle gille, cha b'e gàirdeachas a rinn an sluagh ris. Bha fhios aca gum b' e na teaghlaichean acasan a dhìoghladh air glòr-mhìann MhicCoinnich. Bha cuthag air a thighinn dhan nid.

Air an ath bhliadhna, 1794, thòisich Sìophort a' togail ghillean airson an dàrna batàilian. Bha triùir no ceathrar anns a h-uile sgìre aig an robh comas anns a' Bheurla agus a bhiodh, fìor chorra-uair, a' faicinn leth-bhreac dhan *Times*, pàipear-naidheachd a bha toirt cunntais air na blàir, euchdan mìorbhaileach nan rèiseamaidean Breatannach. Bheireadh e cuideachd fiosrachadh air na h-àireamhan shaighdearan a bha a' tuiteam anns na blàir. Cha b'e uaill anns na h-euchdan ud a bha an sluagh a' sireadh ach cunntas air na h-àireamhan ghillean a bha air am beatha a chall no air an leòn fhad 's a bha iad 'a' Cuideachadh an Rìgh'!

Cha b' iad idir na Sìophortaich an t-aona rèiseamaid Gàidhealach a bha dèanamh cliù thall thairis. Ainmeil cuideachd bha an 71mh Rèiseamaid air Chois (Gàidheil an Fhrisealaich), an 73mh Rèiseamaid air Chois (Am Freiceadan Dubh), an 91mh Reiseamaid (seòid Earra-Ghaidheal), agus an 93mh Rèiseamaid air Chois (fir-threuna Chataibh). Airson trì cheud bliadhna, fhad 's a bha saighdearan Bhreatainn a' cuingealachadh rìoghachdan air feadh an t-saoghail, bha an Riaghaltas ann an Lunnainn a' coimhead air Alba mar

men in Scotland, Matheson was MP for Ashburton, Devon, from 1843 to 1852 and for Ross and Cromarty from 1852 to 1868. In 1844, he purchased the Isle of Lewis for the sum of £190,000 and, in the following year, began an extensive programme of improvements on the island, providing employment mainly for men living in Stornoway or within a few miles of the town. His programme of works included drainage schemes, road construction, the building of chemical works to extract paraffin from peat, a whisky distillery close to the site now occupied by the Woodlands Centre and, at Garrabost, a plant producing bricks and roof-tiles made from local clay. Between 1847 and 1851, he bore the cost of building Lewis Castle on the site of Seaforth's Lodge and created the woodlands and roadways of the Castle Grounds. During the Lewis Potato Famine, he increased expenditure on his work schemes. In 1851, he received a knighthood and was made 1st Baronet of Lewis.

In the coastal villages, most of the young men who were not in the army or navy, earned their living from inshore fishing, an occupation which proved to be every bit as dangerous as engaging with the enemy on the battle-field. Thanks to the work of local historians, I am able to give the numbers of fishermen lost along the coasts of Ness during the period 1836-1900: eighty-six fishermen men lost their lives when fourteen boats were lost.

In the nineteenth century, the boats were uninsured. Most fishermen couldn't swim; yet, they didn't wear lifejackets or other life-saving equipment and could not afford to have life insurance. Merchants who owned boats were entitled to claim all the cod and ling from their boats' every catch. When salted and dried, much of that fish was sold abroad. Apart from cod and ling, other species such as haddock, hake, whiting, flounder, lythe, gurnet, eel, saithe and skate were shared between the members of the crew. An extra share, known as the Widows' Share, was set aside to be donated to local households which were without a breadwinner. There were many such households which relied on charity to save them from starving. While the disastrous loss of life at Ness on 18th December, 1862 is particularly appalling, it should not be forgotten that similar attrition continued in all the communities dependent on inshore fishing.

An impressive monument at Brevig, Back, Isle of Lewis, commemorates, for example, the loss of sixty-six local men between 1858 and 1898. The boats had operated from ports (mostly banks of shingle) along the western shores of Broad Bay. On the east shores of the bay and along the east coast of the Rubha, the loss of fishing-boats and crews occurred with similar frequency.

lios-mheas anns am faodadh iad a thighinn a bhuain ghillean aig àm sam bith.

Bhon bhliadhna 1793, nuair a sgrìobh Sìophort chun an Riaghaltais a' tairgsinn rèiseamaid a thogail air na h-oighreachdan aige fhèin, fhuair e àrdachadh bho inbhe iarla gu bhith aithnichte mar Morair Sìophort agus Baran MacCoinnich Chinn-tàile; mar Fo-Cheannard Còirneal-Commandant air an 78mh Rèiseamaid air Chois; mar Bhall Pàrlamaid airson Siorrachd Rois; mar Comh-bhall anns a' Chomann Rìoghail; agus mar Mhorair Sìophort, Riaghladair Bharbados.

Bha cliù air leth aig Sìophort agus, nuair a chaochail e, sgrìobh Sir Walter Scott cumha a' toirt cunntais air an iomadach dòigh anns an robh e ri a mholadh.

Tha amharas agam gur e a chàineadh a rinn iad ann an Leòdhas.

Cò dhiù, chaidh oighreachd Leòdhais gu a nighean, a' Bhean-Uasal Hood. Lean i-fhèin agus a companach, Stiùbhart MacCoinnich ga riaghladh gu 1844, a' bhliadhna anns an deacha an oighreachd a reic.

Seumas Mac Mhathain

Rugadh e ann an Rubha Shìn faisg air Lairg ann an Cataibh. Bha a phàrantan math air an dòigh agus fhuair e oideachadh ann an Oilthigh Dhùn Eideann. Cho luath 's a cheumnaich e, chaidh e a Lunnainn agus à sin, dhan Ear Chìan. Fhad 's a bha e ann an Calcutta anns na h-Innseachan, fhuair e eòlas air Uilleam Jardine, Albannach eile, agus cha robh fada gus an do chuir an dithis aca companaidh air chois airson marsantachd eadar na h-Innseachan agus Sìona. Cha b'urrainn dhaibh sin a dhèanamh mura robh soithichean-caragò aca. Le iasadan airgid bho na bancaichean, fhuair iad air sin a cheannach. Ann am beagan bhliadhnachan, bha naoi deug de 'chliopairean' aca: soithichean mar an *Taeping* air an robh sgaoilteach mhòr de aodach-canabhais a bha a' glacadh na gaoithe airson comas a thoirt dhi air siubhal aig astar. Bha cliopairean mar an *Taeping* agus an *Ariel* comasach air siubhal à Sìona gu Lunnainn ann an trì seachdainean.

Shoirbhich an companaidh aig Jardine agus Mac Mhathain agus, ann an ceann beagan bhliadhnachan, bha naoi-deug de shoithichean-caragò aca. Thàinig mòran den t-shaoibhreas a fhuair iad bho bhith reic suath-codolain (opium), sìoda agus teatha ris na Sìonaich. Dh'fhàs luchd-riaghlaidh na dùthcha sin iomaganach gun robh an sluagh aca air am beò-ghlacadh leis an t-suath-codolain agus nuair a dh'fheuch iad ri crosadh dha na marsantaich a bhith toirt rud cho puinnseanta air an àrainn, chaidh Breatainn a chogadh riutha.

Historical Context

By 1853, Matheson was fully occupied with his industrial enterprises and employed Donald Munro, a lawyer from Tain to whom he entrusted sole charge of his estate. Munro proved to be a mean-spirited, ill-tempered bully who seized practically every office of civic and legal power in the community. For the next two decades, he took pleasure in evicting families for rent arrears, fining crofters who queried rent increases, and causing villagers summoned to his office to quake with fear. Munro's lack of compassion for the under-dog was demonstrated following the loss of the thirty-two fishermen from the villages of Ness in the Great Drowning of 1862. The disaster left twenty-four widows without breadwinners and seventy-one children fatherless. A nationwide appeal brought £1500 to the Ness Disaster Fund, some of which was contributed by islanders who had emigrated to Canada or the USA. Munro took the opportunity of checking which of the families affected by the disaster were in rent arrears to the Estate and duly deducted the amounts due from the Disaster Fund. He got his comeuppance in 1874 after crofters on the island of Bernera marched to Stornoway, presented themselves at the Castle and insisted on telling Sir James personally of their grievances. As a result of the Bernera crofters' action, Munro's reign of terror was brought to an end. He was relieved of his many offices and, sad to say, died a pauper.

Apart from his delegation of power to Donald Munro, history suggests that Sir James Matheson was well-intentioned. He spent hundreds of thousands of pounds developing Stornoway and enhancing its environs. In the 1850s, he relieved families distressed during the island's Potato Famine yet, strangely, did not assist the large number of families in the fishing communities affected by frequent loss of boats and crews. He died in 1878 and his estate passed to his widow Lady Mary Jane Matheson and subsequently to his nephew Donald and, then, his grand-nephew Colonel Duncan Matheson. The living conditions in the crofting townships did not improve until after the enquiry by Lord Francis Napier in 1883. The Napier Commission's report, published in the following year, included the following verbatim exchange between Commission officials and John Stewart representing Upper Bayble.

John Stewart: Now this place where I live is exposed to the winds that blow down upon the one side from Cape Wrath and upon the other from the Butt of Lewis–two places that are quite as wild as Cape Horn. Our shore is so exposed from these two quarters, that while we could work well enough at sea, we are not able to save our lives or our boats when we reach the land. For want of a place of refuge, I lost a boat that cost over £100. If we had a place of refuge there, since we can work well, we would be able to take our living

An-diugh, cha mhòr gun creid sinn cho suarach 's a bha uachdarain na rìoghachd-sa aig an àm. Mhair an cogadh fad trì bliadhna. Air a cheann thall, strìochd na Sìonaich agus chaidh na soithichean-caragò Breatannach air ais, gach tè a' giùlain luchd mhòr de chotan 's de theadha ach, gu Shanghai gu h-àraidh, ultaichean dhen t-suath-codolain a bha, mu thràth, air truailleadh beatha iomadach mìle Sìonach

Nuair a leig Mac Mhathain dheth a chuid uallaichean anns na Tìrean-Teth, thill e a Bhreatainn agus cha robh e fada ir ais gus an deach a thaghadh mar bhall-pàrlamaid do dh' Ashburton ann an ceann a deas Shasainn. Ann an 1844, cheannaich e oighreachd Eilean Leòdhais air prìs £190,000. A rèir aithris, cha tug sin ite às a sgèith! Bhatar a' meas gun robh e na dhuine cho saoibhir 's a bha an Alba. Nuair a leig e às a cheanglaichean ri Ashburton, rinneadh e na bhall-Pàrlamaid airson Siorrachd Rois agus Chrombaidh.

Cho luath 's a fhuair e eòlas air Steòrnabhagh thadhail e bailtean air feadh an eilean, eadhon ann an sgìreachan iomallach mar Nis agus Uig. Chuir e air chois prògram de obraichean a thug cosnadh do mhòran fhireannach – gu h-àraidh fireannaich a bha a' còmhnaidh ann an Steòrnabhagh agus anns na bailtean faisg air làimh. Eadar 1847 agus '51, thog an luchd-obrach aige Caisteal Leòdhais air làrach na Loidse a bha na dachaigh shamhraidh aig Sìophort. Aig an aon àm, rinn e coille na Gearraidh Chruaidh leis na ròidean agus na ballaichean cloich a tha ga h-iadhadh. Thàinig an gràinne-dubh dhan bhuntata, dìreach mar a rinn e an Eireann agus, airson faochadh a thoirt dha na bailtean a bha a' fulang leis an acras, thairg e dhaibh tuarastal nam biodh iad deònach a bhith ris an obair-latha, a' trainnsigeadh bhotaichean agus a' dèanamh rathaidean. A rèir eachdraidh, chosg na h-obraichean sin mu chuairt air £330,000. Mar chomharr air an deagh chliù a bh'aige a' cuideachadh muinntir an eilein, thug an Riaghaltas dha an ceum-inbhe 'First Baronet of Lewis'.

Cha robh am beatha idir soirbh do na gillean nach robh anns an arm no anns an nèibhidh. Bha acasan ri am beòshlaint a chosnadh ag iasgach a mach bho chladaichean nam bailtean anns an robh iad a' còmhnaidh. Bha an caitheamh-beatha gu math cunnartach. Gu sealbhach, tha caraidean agam ann an Nis aig a bheil cunntas mionaideach air an iomadh truaighe a thachair do dh'eathraichean a chaidh a ghlacadh ann an droch mhuir a-mach bho cladaichean na sgìre aca-san anns an naoidheamh linn deug.

out of the sea, as other people in Scotland are able to do. I remember the quay having been built there, and my father having paid his £1 for the boat, as all the other people who had boats had to pay; and that quay was broken down by order of some one connected with the estate – I don't know who. This has rendered the place more exposed, through the breaking down of the quay, than it was before the quay was built at all – so much so that my own son, along with four of a crew, were drowned by the capsizing of the boat at our own door. Our only resource then is, in this, way cut away from us. My son was supporting me, and after his loss I am now reduced very low.

> 16393: Was the quay that was there before sufficiently good for what you required?
>
> –Yes, we could save our boats there, and it was handy for landing the fish and gear.
>
> At whose expense do you know, was the quay that was destroyed originally erected?
>
> –I cannot tell, unless it was at Sir James Matheson's, with such assistance as he might get from the fish-curers, and with this £1 that was levied upon the fishing-boats.
>
> Though you don't know upon whose authority the thing was destroyed, did you see with your own eyes the work of destruction going on?
>
> –Yes, I saw it with my own eyes. The practice was to go to Bayble with a steam launch and a lighter. The lighter would be left there beside the quay (at high tide), and stranded upon the beach and filled with stones then, when the tide came in, the launch would come back and tow it to Stornoway.

The Napier Commission's 'Inquiry into the Condition of Crofters and Cottars in the Highlands and Islands' was published in 1884 and formed the

1836 Aon eathar le sianar à **Sgiogarstaigh**

1839 Aon eathar le ceathrar às na **Còig Peighinnean**

1847 Aon eathar le sianar à **Lional agus An Cnoc Ard**

1851 Aon eathar le sianar **à Sgiogarstaigh**

1862 ***18mh Dùbhlachd*** **' Am Bàthadh Mòr'**

A' chiad eathar le sianar à **Cros agus Suainebost**

An dàrna eathar le sianar **à Tabost, Cros agus Suainabost**

An treas eathar le sianar **à Sgiogarstaidh**

An ceathramh eathar le sianar **à Tabost**

An còigeamh eathar le sianar **à Tabost** agus **Lional**

An àite dhaibh càch a leantainn a-steach dhan Phort, cho-dhùin sgiobairean dà eathar gum biodh e na bu ghlic dhaibh seòladh ron ghaoith. Ruagadh iad tarsainn Cuan nan Orc gus an do ràinig iad cladaichean Dùthaich Mhic Aoidh. Chan eil cuimhne an-diugh air a' bhad far an do ghrunnaich iad ach, a rèir na h-eachdraidh a chuala mi, theàrn a h-uile iasgair seach aon. Chaidh esan a lathadh gu bàs fhad 's a bha iad aig muir.

1882 9*mh Cèitinn* Aon eathar le sianar à **Bailtean Dhail**

1885 5*mh Màirt* Dà eathar le dà dhuine dheug **à Eòropaidh**

1889 19*mh Màirt* Aon eathar le sianar à **Dail bho Thuath agus Cros**

1900 3*mh Iuchair* Aon eathar le sianar **à Tàbost, Eoradail, Lional agus Am Port**

Anns an truaighe sin, chaill na bailtean aon-fhireannach deug thar fhichead. As an dèidh, dh' fhàg iad ceithir bantraichean thar fhichead agus trì fichead leanabh agus aon gun athair.

basis for the Parliament's 'Crofters' Holdings (Scotland) Act' of 1886 which gave crofters security of tenure.

A crofter shall not be removed from the holding of which he is tenant except in consequence of the breach of one or more of the conditions following (in this Act referred to as statutory conditions), but he shall have no power to assign his tenancy.

Inspired by crofters' demonstrations elsewhere in the Highlands and Islands, the men of the Rubha held meetings at the Garrabost Free Church to discuss what action should be taken to ease the poverty of landless families. In the end, they decided to occupy Aignis Farm and apportion its land to the scores of landless families in the parish. The leaders announced publicly that they intended to take action in January, 1886. In response to that declaration, the island's police force was secreted in the farm-steading at Aignis. A sizeable detachment of the Royal Scots landed at Sandwick Bay and, under cover of darkness, marched to Aignis where, again, they were hidden from view in the farm's outbuildings. At daybreak, the crofters gathered on an eminence (Seaview) overlooking the farm. At a given signal, they surged forward and, with the intention of driving it to the proprietor's Castle, began to drive the livestock off the farm. The police and Royal Scots appeared and moved against them. Hand-to-hand fighting threatened. The Sheriff read the Riot Act in both Gaelic and English. Among the eleven men arrested were William MacLeod and his son Iain. Policemen escorted the captives through jeering crowds to jail in Stornoway. Within a few days, the eleven were conveyed to Edinburgh where they were tried as rioters. William and his son received sentences of twelve and nine months respectively which they served in Calton Jail, Edinburgh. Without their breadwinners, the prisoners' families suffered the ultimate shame – their survival having to rely on their neighbours' charity. In his book The Old and New Hebrides James Cameron, who had been a spectator at the Aignis confrontation, wrote, 'Eight of the prisoners were from the Aird, one of the poorest communities on the island. One can hardly convey to those living today the deep poverty existing in this crofter village'.

William Lever (later Lord Leverhulme, or Lord Lever)

At the end of the First World War, in which more than 1,000 Lewis men lost their lives, the estate was bought by William Lever, a Lancashire industrialist. The new landowner planned to revive the island's fishing-industry by building a fish cannery and ice-making plant at Stornoway and modernising fishing

Nam b' ann le ceannaiche a bha an t-eathar, b' ann leis-san a bha h-uile trosg agus langa a bha an t-eathar air a thoirt air tìr. Nuair a dheigheadh na truisg sin agus na langaichean a sgoltadh, a shailleadh agus, an uair sin, a thiormachadh, dh'fhaodadh an ceannaiche a bhith cinnteach gum faigheadh e deagh phrìs orra oir bha fèill orra anns na bailtean mu dheas ach, gu h-àraidh, ann an Eirinn agus dùthchannan thall thairis.

Seach na truisg agus na langaichean, b' ann leis na h-iasgairean a bha a h-uile seòrsa eile de dh'iasg: adagan, falmairean, caoiteagan, leòbagan, liùghannan, cnòdain, easgainn, saoidheanan agus sgaitean. Bhàrr air na h-earrainean a bhatar a' cur a mach do gach iasgair, bha earrainn eile ga cur a mach do na teaghlaichean a bha gun fhir-cosnaidh. B'e 'Earrainn nam Bantraichean' an t-ainm a bh' air a' chuid sin. Bha an leithid sin de chathrannas a' cumail an acrais air falbh bho dhachaighean nam bochdan.

Uabhasach 's mar a bha Bàthadh Mòr Nis, bha eathraichean gan call cheart cho tric anns a h-uile baile a bha strì ris an iasgach. Aig acarsaid Bhrèbhig air a' Bhac, tha 'deur-cloiche' eireachdail a tha na carragh-chuimhne air suas ri ceithir fichead iasgair às an sgìre a chaill am beatha anns an Loch a Tuath.

Anns an naoidheamh linn deug , cha robh àrachas air na h-eathraichean. Nan deigheadh eathar às an rathad, cha robhar a' faighinn sgillinn airgid air a son no comas air tè ùr a cheannach. 'S gann gun robh duine a bha dol gu muir comasach air snàmh. Ged nach robh, cha robh iasgairean air an còmhdach le seacaid no crios-teasairginn airson an cumail air flod nan tuiteadh iad dhan fhairge. Cha robh àrachas air am beatha-san a bharrachd. 'S cinnteach gun robh uachdarain na h-oighreachd mothachail air a' chruadal a bha na teaghlaichean a'fulang nuair a chailleadh iad fir a bha luachmhor annta fhèin, ach cuideachd mar chosnaichean. 'S iongantach gun robh diù aig uaislean na h-oighreachd am biodh fir gan call aig muir no ann am blàir cogaidh air taobh thall an t-saoghail.

Mu dheireadh thall, thàinig faochadh ged nach b' ann gun èiginn agus gun anshocair. Nuair a chaidh Aithisg Napier fhoillseachadh ann an 1884, bha an ceasnachadh a rinn Cumhachdairean a' Choimiseain agus ionadaich nam bailtean air a thaisbeanadh, facal air an fhacal. Anns an earrainn a leanas, leughamaid mar a chaidh an ceasnachadh a rinn Cumhachdairean a' Choimeasain agus Iain Stiùbhart a thug fianais as leth muinntir Phabail, port-iasgaich anns an Rubha.

Stiùbhart: Tha an t-àite far a bheil mise a' fuireach fosgailte dhan ghaoith a thig oirnn a-nuas bhon Charbh agus cuideachd dhan tè a thig a nuas bho Rubha Ròbhanais – dà àirde a tha cheart cho fiadhaich ri Rubha na h-Adhairc (an

methods. He planned, for example, to have spotter-planes locate shoals of fish such as herring and mackerel so that his fleet of fishing-boats could easily find them. He started buying up independent fishmongers throughout Britain, rebranding them as Mac Fisheries. He set up home in the Castle with the declared intention of revolutionising the way of life of the island's 30,000 residents. Unproductive land was to be transformed into forests or fruit and dairy farms. Lewis would grow to become an island of up to 200,000 people.

At first, Lord Lever's plans were popular but, considering the cruelty of Clearances and the land struggles of the 1880s, his plans to scrap crofting and create modern dairy-farms went against the grain of many war-weary ex-servicemen to whom the government had promised land once peace was restored. More than 1000 Lewis-men were killed in the war. Remembering the strict discipline of the army and navy, ex-servicemen came home determined not to be 'pushed around' by any stranger however wealthy. In view of their promise to ex-servicemen, the government sided against Lord Lever and, as a result, he abandoned his plans for the industrialization of the island. In 1923, he gifted to the people of Stornoway parish, 64,000 acres of land including Stornoway Castle set in 600 acres of woodland.

After Lord Lever pulled the plug, unemployment forced thousands of young islanders to emigrate in the hope of finding a secure employment in North America, Australia or New Zealand. In 1929, the economy of the USA went into recession. The closure of factories and industrial complexes led to mass unemployment in the country's great manufacturing cities. The economic recession in the USA developed into the Great Depression which halted manufacture and throttled intercourse between the world's trading nations.

On both sides of the Atlantic, unemployment soared as did the levels of lawlessness and despair. The instinct of many islanders who had emigrated from Lewis was to return to their native heath. One young couple who decided to do so were Murdo MacLeod who had married Margaret MacMillan in Boston, USA. They returned to Lewis in 1934 bringing with them their two-year-old daughter, Sandra, who had been born in Hamilton, Ontario. Their return to this country had a far-reaching effect on how my life unfolded; but that is quite another story!

ceann a deas Argentina). Mar sin, tha an cladach againn fosgailte ri stoirmean bho thuath agus bhon Iar-thuath. Leis na gaoithtean bho thuath agus bhon iar-thuuath tha sinn comasach air iasgach a dhèanamh aig muir ach leotha tha sinn ann an cunnart ar beatha a chall nuair a ruigeas na h-eathraichean againn an cladaich. Seach nach eil acarsaid againn, chaill mi eathar a chosg £100 dhomh. Nam biodh acarsaid againn anns am faigheadh sinn fasgadh dh' fhaodamaid a bhith a' toirt ar beòshlaint às a' mhuir mar a tha daoine a' dèanamh ann am badan eile an Alba. Tha cuimhne agam air cidhe a chaidh a thogail uaireigin anns an àite ud. Phàigh m' athair £1 airson an eathar againn, dìreach mar a phàigh a h-uile duine eile aig an robh eathar. Air forchain chuid-eigin a bhuineadh dhan oighreachd – agus chan eil fhios agam cò e – chaidh an cidhe a thoirt às a chèile. Dh' fhosgail sin an cladach aon uair eile dhan chunnart agus mar mheadhan air sin, chaill mi mo mhac – e-fhèin agus an ceathrar a bha còmhla ris – nuair a chaidh an eathar thairis. Thachair sin do ar mac, an aon chùl-taic a bh'againn mar gum biodh, aig doras ar dachaigh fhìn. Le sin, chaidh an aon bhata-làidir a bh' againn a thoirt bhuainn agus air sgàth sin, tha mi nise air an alaban.

> An robh an cidhe a bh'ann cho math 's gun robh e dèanamh a chùis?
>
> –Bha. Cha robh uallach oirnn a' fàgail nan eathraichean an sin, agus bha e cuideachd goireasach dhuinn mar àite far am faodadh sinn an t-iasg a bha sinn air a ghlacadh agus na lìn a chur air tìr.
>
> Nuair a chaidh an cidhe a thogail bho thùs, cò a phàigh a' chosgais aige?
>
> –Chan urrainn dhomhsa sin innse, ach 'smathaid gum b'e an t-Uasal Seumas Mac Mhathain a phàigh e le cuideachadh bho na ciùirearan agus cuideachd càin £1 a chuireadh air gach eathar.
>
> Ged nach eil fhios agad cò thug cead airson an cidhe a bhriseadh, am faca tu iad le do dhà shùil fhèin a toirt a' chidhe às a chèile ?
>
> –Chunnaic mi iad ga mhilleadh le mo shùilean fhèn. Thug iad air falbh an cidhe mar seo: bha iad a' tighinn le tuga a bha le langais a'tarraing soithich às a deidh. Thigeadh iad leis a' mhuir-làn chun a' chidhe agus dh' fhàgadh iad an t-soitheach na laighe an sin air an tràigh. Bha iad an uair sin a' lìonadh an t-soithich le clachan às a' chidhe. Nuair a thigeadh am muir-làn, thilleadh an tuga air ais agus shlaodadh iad an t-soitheach suas a Steòrnabhagh.

Government of the People by the People

Although Queen Victoria's Great Britain was probably the wealthiest country the world had ever seen, the majority of its population lived in poverty and the Upper Classes, as the wealthy were called, did little to ease the plight of the under-dog. The Established Church preached to its congregations that the poverty of the people was God's punishment for their wickedness. To the poor and disadvantaged, it seemed that they were locked into a stratum of society from which there was no avenue of escape: or so it seemed. Fortunately, men and women of conscience took the steps necessary to change the status quo. In the first half of the twentieth century, Parliament passed a series of measures by which the standard of living of everybody in the country was improved.

The change for the better began after 1908 when **David Lloyd George** was promoted to Chancellor of the Exchequer in the Liberal government of H.H. Asquith. Lloyd George quickly became known for his radicalism. In his budget speech of 1909, he spoke passionately of his hope to ' drive hunger from the hearth and banish the workhouse from the horizon of every workman in the land'. The Old Age Pensions Act, enacted in January 1909 , provided for a non-contributory old age pension for persons over the age of 70. Half a million people were eligible to receive 5s a week; 7s 6d for married couples. Only those with a 'good character' were entitled to receive a pension. The cost of providing the old age pension was to be partly met by taxes on land and income. The idea met with a storm of protest from those who were required to pay those taxes. Lloyd George's budget was rejected by the House of Lords. That, in turn, led directly to the Parliament Act of 1911 by which the Lords lost their power of veto.

In the Great War (1914-18), 705,000 men from the British Isles were killed and the country had scarcely recovered from its losses before the world was drawn into another conflict with Germany. During the Second World War, politicians began to consider how the standards of living of the population could be improved once peace was restored. During the darkest days of the Battle of Britain (1940) and of the Battle of the Atlantic (1939-43), the inspirational speeches of Winston Churchill affected everybody who heard them but, although the population felt indebted to Churchill, they voted for a Labour government at the election of 1946. Impoverished though our country was, Parliament passed a series of acts aimed at creating a fairer society.

Chaidh an aithisg le comh-dhùnaidhean Coimisean Napier fhoillseachadh ann an 1884. Bha i ainmeil aig an àm oir bha i a' moladh gum bu chòir leasachadh a dhèanamh air suidheachadh nan croitearan 's nan coitearan (fir gun fhearann) air feadh na Gàidhealtachd. B' iad na molaidhean sin a bha nam bunaitean dhan Achd Pàrlamaid, *'Crofters' Holdings (Scotland) Act'*, a chaidh a dhaighneachadh anns an lagh an 1886.

Thug an Achd sin faochadh mòr do na croitearean oir chuir i crìoch air Linn nam Fuadaichean. Cha robh e tuilleadh laghail do dh'uachdaran, croitearean a chur às an dachaighean mura robh iad air a bhith dèanamh rudeigin a bha a' briseadh riaghailtean na h-oighreachd, m.e. a' toirt cuibhreann de dh'fhearann na croite do theaghlach eile.

Chaochail an t-Uasal Seumas Mac Mhathain ann an 1878 agus chaidh an oighreachd gu a bhantraich, a' Bhana-Mhorair Màiri Seònaid. As a dèidh-se, chaidh an oighreachd gu Dòmhnall, mac a bràthar-cèile agus às a dhèidh-san, gu Còirneil Donnchadh Mac Mhathain, ogha a bràthar-cèile. Cha do mhair saoibhreas na h-oighreachd. Bha aig an teaghlach ri a reic ri duine sam bith a bha airson a ceannachd. An 1918, chaidh a reic ri Sasannach aig nach robh buntanas ris an teaghlach sin no ris a' Ghàidhealtachd. Reic iad i ri deagh dhuine!

Uilleam Lìobhair (am Morair-Lìobhar)

Aig deireadh a' Chogaidh Mhòir, cheannaich Uilleam Lìobhair an oighreachd. B' esan fear-gnìomhachais à Lancashire a bha, aig toiseach a bheatha, air soirbheachdh tre bhith a' dèanamh siabainn. Cha robh e fada air a thaigheadas ann an Caisteal Steòrnabhaigh gus an tug e a dhreach fhèin air an togalach. Las e a broinn le solas an dealain agus chuir e innte taighean-beaga, central-heating agus fònaichean eadar na rumannan..

Dh'innis e gun robh e airson caochlaidhean mòra a thoirt air caitheamh-beatha an t-sluaigh. Bha e airson cabhlach bhàtaichean-iasgaich a cheannach agus na h-iasgairean oideachadh ann an dòighean ùra air an t-iasg a ghlacadh. Bha Steòrnabhagh gu bhith sònraichte mar phort-iasgaich ach cuideachd mar bhaile-gnìomhachais le canaraidh mhòr anns am biodh an t-iasg air a dheasachadh ann an canaichean a bha gu bhith air an reic ann an 400 bùth-èisg air feadh Bhreatainn.

Bha e anns an amharc aige gun èireadh àireamh an t-sluaigh bho 30,000 gu 200,000. Bharrachd air gnìomhachasan, bha fearann an eilein gu bhith air a leasachadh. An àite chroitean beaga bha e an dùil tuathan-bainne a dhèanamh

Historical Context

Aneurin (Nye) Bevan was one of the Labour movement's greatest orators and thinkers and is recognized as the founder of Britain's National Health Service. Bevan believed that 'the essence of a satisfactory health service is that the rich and the poor are treated alike, and that a banner stating that 'poverty is not a disability and wealth is not advantaged" should be hung in the office of every chief executive working in the NHS!

The Luftwaffe had blitzed many of the country's cities, destroyed factories and swathes of residential areas and caused untold numbers of casualties among the civilian population. Everybody of my generation remembers with gratitude the work of the Labour Government which governed Britain between 1946 and '52.

William Beveridge, was one of the foremost economists in the country. As a Liberal MP he held important offices during both World Wars. In 1941, the government invited him to report on the steps which should be taken to rebuild Britain after the war. His Report, published in 1942, recommended that the best way forward would be to fight the country's 'five giant evils of Want, Disease, Ignorance, Squalor and Idleness'. To defeat those giants, he proposed setting up a Welfare State with social security, a national health service, free education, council housing and full employment.

Parliament welcomed the Report and described it as 'the first real attempt to put into practice the talk about a new world order'.

Government by the Few – Again

I have described how the Isle of Lewis was governed from 1783 until 1923 by a succession of prosperous individuals who were, of course, unelected. In our modern, more enlightened age, we have the right to choose who governs us. It is the most glaring flaw in our democratic system of government, that what suits the densely populated cities of England is ill-suited to the relatively sparsely populated towns, glens and islands of Scotland.

Since 1980, the Tory Party has dominated the political landscape of the UK and, during that time, has been in government for twenty-two years. None of them has been considerate of the needs of Scotland.

The following quotation appeared in The Scotsman:

Saturday 12 April, 2014

SECRET papers, released today, have revealed how the Scottish fishing fleet was betrayed by the government 30 years ago to enable Britain to sign

airson bainne, uachdair, ìm agus càis a chumail ris an t-sluagh.

Bha cuid de dhaoine anns an eilean a rinn gàirdeachas ris an adhartas a bha Lìobair ag iarraidh a dhèanamh. Ach mar bu mhotha a chuala iad, b' ann bu teagmhaich a dh'fhàs iad. Bha an-iochdmhorachd nam Fuadaichean fhathast ro gheur air an cuimhne. Bha iad air faochadh fhaighinn bhon Riaghaltas tro Achd nan Croitearan a gheall nach robh uachdaran no oighre no cumhachd sam bith eile a b' urrainn croitearan a chur às an cuid fearann. Bharrachd air sin, bha fireannaich anns na bailtean a bha air teàrnadh dearg-uabhas an Somme anns an Fhraing, no Gallipoli anns an Tuirc, agus cha robh iadsan deònach air èisteachd ri comhairle no forachadh bho choigreach 'sam bith a bha airson am beagan a bh' aca a thoirt bhuapa.

Seach gun robh an Riaghaltas, aig àm a' Chogaidh Mhòir, air gealltainn a thoirt gun toireadh iad fearann do shaighdearan 's do sheoladairean a bha gun chroitean an dèidh a' chogaidh, cha b'urrainn dhan Riaghaltas a dhol air ais air am facal.

Nuair a fhuair Lìobhair fios nach robh an Riaghaltas deònach air taic a thoirt dhan uachdaran, chuir e cùl ris a h-uile iomairt anns an robh luchd-obrach aige an sàs. Bha e tàmailteach ach, an àite dha dìoghladh air muinntir Leòdhais, rinn e rud ris nach robh dùil. Thug e do mhuinntir Steòrnabhaigh, 64,000 acair de dh' fhearann. Bha sin a' toirt a steach Caisteal Leòdhais a tha suidhichte anns a' Gheàrraidh Chruaidh, 600 acair de choilltean agus Abhainn Ghrìod, an abhainn a tha ainmeil airson iasgach bhradan. Tha am fearann sin fhathast air a ruith mar Urras Steòrnabhaigh, buidheann a tha sluagh an àite a' taghadh airson an riochdachadh.

Riaghladh Airson Math An T-Sluagh

Chaochail Màiri Uilleam 'ic Thormoid, mo shìn-seanmhair, bho chionn ceud bliadhna, beagan bhliadhnachan mus an do rugadh mi. Bha i na bantraich bho bha i dà fhichead bliadhna 's a còig de dh'aois. Air an dà acair fearainn a bh'aice, thog i a còignear chloinne . Thuilleadh air sin, nuair a chaochail bean a bràthar, ghabh Màiri uallach an dithis dhìlleachdan a dh' fhàg i. Faodamaid a chreidsinn nach eil mòran daoine air a' Ghàidhealtachd an-diugh a tha cho truagh dheth 's a bha a' mhòr-shluagh anns an naoidheamh linn deug nuair a bha mo shìn-seanmhair a' togail an t-seachdnar chloinne.

Cha b' e na h-uachdarain a bha saoibhir aig an robh na h-oighreachdan mòra no na h-uaislean a bha, bho riamh, nan ceannardan air luchd-obrach a thug cobhair don mhòr-shluagh. Bha guthan Albannach àrd-ghuthach a' sireadh

up to the controversial Common Fisheries Policy.

Prime Minister Edward Heath's officials estimated that up to half the fishermen in Scottish waters – then 4,000 men – could lose their jobs, but the decision was taken to go ahead with plans to sign up because it was believed that the benefits to English and Welsh fishermen would outweigh the disadvantages in Scotland.

On April Fools' Day, 1989, Mrs Thatcher introduced a new tax, known as the 'poll tax', which she decided should be tested in Scotland a year before it was introduced to the rest of the UK. In doing so, her arrogance and lack of consideration for our 'remote region' of the UK has never been forgiven north of the Border. At the General Election of 2010, for example, the Scottish electorate returned to Westminster only one Tory MP.

Successive Tory governments have managed to roll back the work done in the first half of the twentieth century to improve the people's standard of living and achieve a fairer distribution of wealth. Within the past generation, the wealthy have become wealthier and the poor poorer. The current Recession has wrecked the economies of countries worldwide. Thanks largely to the corruption of international banking institutions and the profligacy of the UK governments (both New Labour and Tory) by squandering £45 billion of revenues from North Sea oil and gas to wage wars overseas, the UK is broke.

The Tory MP, Sir Michael Heseltine, recently told the BBC's 'Today' programme that the City of London is 'sucking the life out of the rest of the country'. An independent analysis of Tory Party finances has revealed that the Party has become reliant on bankers, hedge fund managers and private equity moguls for more than half its annual income. All that has been exposed without an effective torrent of complaint or accusation from the Opposition. Meanwhile, George Osborne, the Chancellor, is squeezing the income of the country's low-paid workers, yet, has given tax breaks to the wealthy.

Scots are a very different kind of people. Ours is a sympathetic, egalitarian nation which wishes for a fair distribution of the country's wealth.

At the last election, our electorate returned to Westminster only one Tory MP. Yet, we are governed by a Tory-led Coalition in which all but two MPs in the Cabinet are millionaires. As such, they are unable to understand the difficulties faced by most of the country's families. In a recent interview with the Financial Times, Michael Gove, the Tory Education Secretary, said that such a concentration of individuals from the same privileged background

ceartais dhan mhòr-shluagh, m.e. Iain MacGillLeathain agus Keir Hardie. Air a' cheann-thall, fhuair iochdarain na rìoghachd faochadh tron obair aig Daibhidh Lloyd George. B' esan Libearalach seòlta, a bha na Sheannsalair ann an Uachdaranachd Eanraig Asquith, am Prìomhaire. Bha e rag, ceannasach na dhòigh agus cha robh fada gus an do rinn e soilleir gun robh e-fhèin agus Libearaich eile airson faochadh a thoirt do na bochdan. An 1908, stèidhich an Riaghaltas Achd Pàrlamaid a thug peinnsean do dhaoine a bha còrr air trì fichead bliadhna 'sa deich a dh' aois.

Ann an Taigh nam Morairean, bha àrd-uaislean na dùthcha calg-dhìreach an aghaidh an leasachaidh a bha Lloyd George a' gealltainn oir bha an Achd a' ciallachadh gum biodh aig daoine beartach ri cìsean a phàigheadh mu choinneimh cosgais peinnsean na seann-aois. Dh'aindheoin an dùbhlan a fhuair na Libearalaich bho na morairean, thòisich na bodaich 's na cailleachan ann an 1909, a' faighinn am beag-no-mòr de pheinnsean air an robh iad airidh. Bha aon neach a' faighinn còig tastain agus càraid pòsta a' faighinn seachd tastain agus sia sgillinn san t-seachdain.

Thòisich an Dàrna Cogadh Mòr air an 3mh Sultainn, 1939. Dh' fhuiling Breatainn ceithir bliadhna èigneach mhuladach anns an robh na Gearmailtich a' sgrios bhailtean agus chabhlaichean na rìoghachd. Rinn iad sin ann am Blàr Bhreatainn (1940) agus, aig an aon àm, Blàr a' Chuain Siar (1939-43). Chum na h-earalaichean a bhiodh Winston Churchill a' dèanamh air an wireless a' cur spionnadh ann an cnàmhan an luchd-èisteachd. Ged nach robh iomadach fear agus tè ann an linn mo sheanar comasach air tuigsinn a h-uile facal a bh' aige, bhiodh iad ag èisteachd ris le urram.

Bha **Aneurin (Nye) Bevan** ainmeil mar òraidiche agus mar fheallsanaiche. B'esan an t-ùghdar a rinn an t-ullachadh airson Seirbheis Nàiseanta na Slàinte a stèidheachadh. B'ì sin seirbheis a ghabhadh cùram euslainteach nam bochdan agus nam beartaich maraon.

Ged bha cunnart ann gum biodh Breatainn fo uachdaranas nan Gearmailteach, dh' iarraidh air **Uilleam Beveridge**, eaconomaiche ainmeil a bha na bhall-Pàrlamaid Liberalach, sgrùdadh a dhèanamh air dòighean anns am b'urrainn dhan Riaghaltas an sluagh a chuideachadh às dèidh a' Chogaidh. Rinn Beveridge mar a dh'iarradh air agus, ann an 1942, nuair bha mòran bhailtean nan smàl aig mì-rùn an Luftwaffe, chaidh an aithisg aige fhoillseachadh. Mhol an aithisg gum bu chòir dhan Riaghaltas oidhirp a dhèanamh air spadadh às na 'còig famharan eucorach' a bha air a bhith a' milleadh beatha dhaoine: Ganntar, Galair, Aineolas, Salchair agus Dìomhanas. Airson sin a dhèanamh, bhiodh aig an Riaghaltas ri dòigh ùr fhaighinn air

at the top of government did not exist in any other developed nation. He described the number of Old Etonians in David Cameron's inner circle as 'preposterous'.

Apart from all the other expenses involved in the lifestyle of Eton students, college fees amount to £33,000 per annum. The children of Lewis crofters, who aspire to careers in the Westminster government, are welcome to apply!

Brevig memorial to fishermen lost
Carragh-chuimhne Bhrèibhig

riaghladh. Dh'fheumte coimhead ri sluagh na rìoghachd maraon, mar gum biodh iad uile co-ionnan ri chèile.Cha robh dòigh air sin a dhèanamh ach le *Welfare State* a stèidheachadh anns am faigheadh gach boireann agus fireann, gach òg agus sean, tèarainteachd sòisealta, seirbheis slàinte nàiseanta, foghlaim an asgaidh, taigheadas comhairle agus cosnadh a mhaireadh.

Bochd 's mar a bha an rìoghachd, ghabh a' Phàrlamaid ris an teisteachadh sin agus, anns na bliadhnachan as dèidh a' Chogaidh, rinn na Pàrtaidhean Làborach agus Libearalach oidhirp mhòr air an leithid sin de shaoghal a thoirt gu buil. Mean air mhean, chuidich na ceumannan a thug an Riaghaltas an sluagh faighinn air an casan.

Fo Riaghladh Nan Uaislean – A Rithist!

Anns a' chiad leth dhen fhicheadamh linn, thàinig piseach mhòr air dòigh-beatha sluagh na rìoghachd. Thàinig am feabhas sin air ar beatha tron obair a rinn còmhlan beag de Làboraich agus de Libearalaich a bha 'g obair as leth a' mhòr-shluagh. Mhisnich curaidhean Albannach, 'Red Clydesiders' mar Iain MacGilleathain agus Keir Hardie buill-pàrlamaid ann an Westminster gu tòiseachadh a' cuideachadh Daibhidh Lloyd George gus luchd-obrach a thogail a mach às a' bhochdainn. Anns an leth-cheud bliadhna bho 1908 –1958, fhuair na seann dhaoine am peinnsean agus, air a' Ghàidhealtachd, chaidh ar togail a mach às na taighean-dubha. Thàinig cumhachd an dealain a shoillsich dhuinn ar dachaighean agus ar sràidean. Fhuair sinn ar foghlam, bhon bhun-sgoil chun an oilthigh an asgaidh agus fhuair sinn cùram lighichean agus ospadail nuair a bha sinn tinn. Cha robh sluagh anns an t-saoghal na b' fheàrr dhe.

Tha mi air cunntas a thoirt air mar a bha Eilean Leòdhais air a riaghladh bho 1783 gu 1923 aig coigrich nach robh air cuireadh no aonta fhaighinn bho mhuinntir an àite. Ach cha robh sin ach an suidheachadh a bh' ann bho chionn fhada. Nar latha fhìn, tha sinn sealbhach gu bheil dòigh-riaghlaidh deamocratach againn a tha dèanamh cinnteach gu bheil ar Pàrlamaid gar riaghladh le aonta an t-sluaigh. Gu mì-shealbhach chan ann mar sin buileach a tha an siostam ag obrachadh!

Bho 1980, tha Pàrtaidh nan Tòraidh air bhith a' riaghladh Bhreatainn airson fichead bliadhna 's a dhà. Ann an Taghadh Coitcheann 2010, cha deach ach aon bhall-Pàrlamaid Tòraidh a thaghadh ann an Alba airson ar seasamh ann an Westminster. A rèir an Uasail Mìcheil Heseltine, Ball Pàrlamaid Tòraidh a bha, bho chionn ghoirid, a' còmhradh air telebhisean a' BhBC

Bha call bhàtaichean tric an cois an iasgaich
Fishing often proved to be a dangerous occupation

anns a' phrogram 'Today', tha An City (Cathair nam Bancaichean) ann an Lunnainn a' dìabhadh an lùths às a' chòrr dhan rìoghachd. Is cìan a tha na h-Eileanan Siar air smuaintean nam bancairean!

Chaidh an t-artagail a leanas fhoillseachadh anns 'An Scotsman' air:

> **Di-Sathairne, 12mh Giblean, 2014.**
>
> Chaidh pàipearan a bha falaichte gu seo, fhosgladh an diugh. Tha iad a' sealltainn mar a thrèig an Riaghaltas gnìomhachas iasgaich na h-Alba bho chionn deich bliadhna fichead. Bha comhairlichean Eideard Heath, am Prìomhaire, a' meas gun robh leth àireamh nan iasgairean (aig an àm sin, 4000 duine) dualtach air an obair a chall. Rinn iad suas an inntinn na pàipearan a shoighneadh oir bha iad dhen bheachd gum faigheadh iasgairean Shasainn agus a' Chuimridh an tarbheartas a bha na h-iasgairean Albannach a' dol a chall.

Mar mheadhan ris an treathal anns an robh Eideard Heath airson ballrachd fhaighinn anns an EEC, chaidh an dìon a bha air an iasgach timcheall cladaichean na h-Alba a chur à bith. Chaidh an dìon aig dà mhìle dheug a' cumail thràlaireamn coigreachail a-muigh a ghiorrachadh gu sia mìle. Bho nuair-sin chaidh dìon nan sia mile a chur à bith. A-nise, tha bàtaichean choigreachail a' sgrìobadh grunn na mara a-staigh ris na boghaichean. Ma bha Sìophort uailleil às na stragaichean mòra èisg a bha e a' faigheadh anns an Linne Mhòr aig beul Abhainn Lacasdail, chuireadh e uabhas air nam faiceadh e nach eil eadhon adag ri a faighinn an-diugh anns an Loch a Tuath.

Siud an seòrsa cùram a tha crannchar na h–Alba air fhaighinn bho Riaghaltas Westminster!